Grudniowy
sztorm

Iny
Lorentz

Grudniowy
sztorm

Z języka niemieckiego przełożyła
Barbara Niedźwiecka

WYDAWNICTWO
SONIA DRAGA

Tytuł oryginału:
DEZEMBERSTURM

Copyright © 2009 Droemersche Verlagsanstalt
Th. Knaur Nachf. GmbH & Co. KG, München
Copyright © 2015 for the Polish edition by Wydawnictwo Sonia Draga
Copyright © 2015 for the Polish translation by Wydawnictwo Sonia Draga

Projekt graficzny okładki: Monika Drobnik-Słocińska

Redakcja: Grzegorz Krzymianowski
Korekta: Iwona Wyrwisz, Anna Just

ISBN: 978-83-7999-431-1

WYDAWNICTWO SONIA DRAGA Sp. z o.o.
Pl. Grunwaldzki 8-10, 40-127 Katowice
tel. 32 782 64 77, fax 32 253 77 28
e-mail: info@soniadraga.pl
www.soniadraga.pl
www.facebook.com/wydawnictwoSoniaDraga

Skład i łamanie:
Wydawnictwo Sonia Draga

Katowice 2015. Wydanie I

Druk:
WZDZ-Lega, Opole

CZĘŚĆ PIERWSZA

Śmierć w płomieniach

I

D ziadek zacisnął palce na ramieniu Lory.

Jęknęła z bólu, uniosła głowę i zobaczyła nad sobą jego bladą, wykrzywioną gniewem twarz. Przestraszyła się, nie wiedząc, czym tak bardzo go rozgniewała. Dopiero po chwili zdała sobie sprawę, że starzec patrzy ze skupieniem przez okno. Na zewnątrz rozciągał się las skąpany w poświacie zachodzącego słońca. Przecinała go wąska droga, prosta jak pod sznurek, której końca nie było widać. Za pół godziny należało spodziewać się zapadnięcia zmroku, ale na razie było wystarczająco jasno, żeby rozpoznać powóz freiherra* von Trettina, aktualnego pana włości o tej samej nazwie. Ciągnięty przez cztery konie powóz zbliżał się do starej myśliwskiej chaty.

Starszy pan puścił ramię Lory równie niespodziewanie, jak je przedtem chwycił, odwrócił się i odszedł pospiesznie, kierując się do swego pokoju. Zaniepokojona dziewczyna ruszyła w ślad za nim. Zobaczyła, jak dziadek otwiera szafkę z bronią, wyciąga dubeltówkę i ładuje ją drżącymi rękoma.

– Dziadku, proszę, nie rób tego! – błagała, zapomniawszy ze strachu, że powinna zwracać się do niego, używając liczby mnogiej; kiedy indziej na pewno surowo by ją złajał, ale teraz popatrzył tylko na broń i odłożył ją z żalem do szafki.

– Masz rację, Loro! Szczura można zastrzelić, ale dla niego szkoda naboju. – Wrócił do okna i wyjrzał na zewnątrz. Powóz był coraz bliżej. Na czole staruszka pojawiła się głęboka bruzda. – Szubrawiec! – mruknął pod nosem. – Pewnie chce na własne oczy zobaczyć moją nędzę. Zaraz powiem temu niegodziwemu łachudrze, żeby poszedł do diabła!

Wolfhard Nikolaus von Trettin zaczął już w myślach składać zdania, które zamierzał przekazać swojemu bratankowi, gdy wtem jego spojrzenie padło na Lorę.

– Sądzę, że będzie lepiej, jeśli wrócisz do domu. Za chwilę czeka

---

* Freiherr (pol. wolny pan) – najniższy i jeden z najstarszych niemieckich tytułów arystokratycznych, odpowiadający tytułowi barona (przyp. tłum.).

mnie tu niemiła rozmowa z Ottokarem. Zapewne padną w jej trakcie słowa nieodpowiednie dla uszu dziecka.

Lora chciała przypomnieć starszemu panu, że cztery tygodnie temu obchodziła piętnaste urodziny i że inne dziewczęta w jej wieku już same muszą zarabiać na chleb, ale widząc skamieniałą twarz staruszka, postanowiła zmienić strategię.

– Już późno, panie dziadku, nie dotrę tam przed nocą.

Staruszek prychnął gniewnie.

– Czy Elsie znowu naopowiadała ci tych strasznych historii o duchach błąkających się po lesie? To bzdury zrodzone w głowie tej głupiej gęsi.

– Nie, panie dziadku – zapewniła Lora. – O niczym mi nie opowiadała.

Zniecierpliwiony dał wnuczce lekkiego kuksańca.

– Nie chcę cię tu widzieć. Powóz Ottokara zaraz stanie pod domem. Nie chcę, żeby cię tu zobaczył.

Lora pomyślała, że mogłaby ukryć się przed nowym właścicielem Trettina gdzieś na strychu albo w piwnicy, ale znała dziadka i wiedziała, że nie można mu się sprzeciwiać. Dlatego dygnęła i wypadła przez tylne drzwi dokładnie w tym samym momencie, w którym gość wszedł do chaty frontowym wejściem. Mężczyzna wkroczył do pokoju dziadka na szeroko rozstawionych nogach.

Freiherr Ottokar von Trettin w ogóle nie przypominał wysokiego i mimo podeszłego wieku wciąż jeszcze postawnego stryja. Braki wzrostu nadrobił objętością w pasie i dlatego sprawiał wrażenie, że jest równie szeroki, co wysoki. Na jego pyzatej twarzy kwitły zdrowe rumieńce, małe oczka miał osadzone blisko siebie, a jego nos przypominał ziemniaka. Przerzedzone brązowe włosy nakrył cylindrem z przystrzyżonego futra bobrzego. Te i inne niedostatki urody próbował zrekompensować przesadnie wytwornym odzieniem. Surdut i spodnie z pewnością pochodziły z modnej pracowni krawieckiej. W porównaniu ze stryjem – ubranym w skromny garnitur z lodenu* – bratanek wyglądał jak dobrze utuczony paw.

Na chudej twarzy starszego pana malowały się naprzemiennie

---

*   Loden – szorstka tkanina z wełny (przyp. tłum.).

obrzydzenie, nienawiść i gniew, ale Ottokar von Trettin zupełnie to ignorował.

Podszedł bliżej i dłoń, w której trzymał laskę, podniósł tak, że pozłacana gałka na jej końcu znalazła się tuż pod nosem stryja. Można było odnieść wrażenie, że gotów jest uderzyć starca.

– Muszę się z tobą rozmówić, stryju.

Chociaż próbował mówić spokojnie, po jego głosie można było poznać, że on też stara się trzymać gniew na wodzy.

– Czego jeszcze ode mnie chcesz, Ottokarze? – zapytał staruszek.

– Ty i twoi przyjaciele pozbawiliście mnie już całego majątku, została mi jedynie ta nędzna chata. A może dranie wreszcie poszli po rozum do głowy i uznali, że Trettin wcale ci się nie należy?

Ottokar von Trettin tak się zdenerwował, że zaczął mówić falsetem:

– Trettin jest moją własnością! Miałem prawo żądać, żebyś mi go wydał. Przepisy rodowe mówią wyraźnie, że włości wedle zasady majoratu muszą zostać przekazane następcy wraz z całym nieuszczuplonym mieniem. Nie dostosowałeś się do tego, doprowadziłeś majątek do ruiny, aby mnie, swego spadkobiercę, pozbawić tego, co mi się prawnie należy.

Dwa miesiące temu młody freiherr na podstawie decyzji sądu wyeksmitował stryja z pałacu i przejął cały majątek, ale uważał, że powinien wyjaśnić jeszcze pewne kwestie.

Twarz starszego pana spochmurniała, zrobił krok w kierunku szafki z bronią, gdzie znajdowała się naładowana dubeltówka. Już wyciągał po nią dłoń, ale się zmitygował. Śmierć Ottokara nic by nie zmieniła. I tak nie odzyskałby majątku, który przeszedłby na żonę Ottokara i ich bezczelne dzieciaki. Poza tym nie chciał kalać nazwiska skandalem – gdyby zabił Ottokara, zostałby aresztowany i osadzony w Królewcu, a może nawet w Berlinie.

Ponieważ stryj się nie odezwał, Ottokar von Trettin uderzył laską w podłogę.

– Przejrzałem księgi i odkryłem, że ponosiłeś wydatki zupełnie nieproporcjonalne do przychodów. Poza tym obciążyłeś włości dużą hipoteką. Był już naprawdę najwyższy czas, żeby odebrać ci prawo dysponowania majątkiem.

– Okradłeś mnie, Ottokarze! Trettin był moją własnością i powinien nią być aż do mojej śmierci! – ryknął Wolfhard von Trettin, z trudem kryjąc obrzydzenie, jakim napawał go ten nażarty ropuch, który ze względu na prawo majoratu był jego spadkobiercą.

Ottokar zacisnął palce w pięść.

– Wydaje mi się, stryju, że mnie nie zrozumiałeś. Chcę wiedzieć, gdzie podziały się pieniądze, które zarobiłeś na Trettinie. Przy odpowiednim zarządzaniu majątek może być kopalnią złota!

Stary freiherr machnął ręką.

– Nigdy nie byłem jak ten chłop, co liczy na polu kłosy. Najwidoczniej ty taki jesteś. A że nie mam syna, to po co miałbym obracać w palcach każdy talar?

Ottokar zazgrzytał zębami.

– Przywłaszczyłeś sobie pieniądze, żeby przekazać je córce i temu łachmycie, jej mężowi. Przyznaj się! Odzyskam je, zobaczysz! One przynależą do Trettina!

– Powodzenia – zadrwił stary. – Ale możesz mi wierzyć, zawsze żyłem na wysokiej stopie i nie odmawiałem sobie żadnych przyjemności.

Ottokar nie mógł temu zaprzeczyć. Stryj znany był z ekscentrycznego trybu życia. Od lat strzępiono sobie na jego temat języki. Miejscowi notable wyrazili zadowolenie, że niedbałe zarządzanie Trettinem wreszcie się skończy.

Ale mimo wszystkich ekscesów starszego pana na koncie powinna być, jak uważał Ottokar, dużo większa kwota.

– Stryju, jeśli w ciągu miesiąca nie zwrócisz brakujących pieniędzy, to pozwę cię do sądu. Twoja córka i jej bachory nie mają do nich żadnych praw.

– Domyślam się, że chcesz odebrać mi nawet ten dom i kawałek lasu, który jeszcze posiadam. Ale nawet twoi przyjaciele prawnicy nie zdołają mi tego wydrzeć. Dom i las dostałem w spadku po teściu, one nie należą do majoratu.

Choć Ottokar von Trettin trzymał w ręce laskę, cofnął się z obawy, że stryj mógłby posunąć się do rękoczynów. Ale ponieważ starzec się nie ruszył, znów hardo zadarł głowę.

– Celowo udajesz, że nie wiesz, o co mi chodzi. Nic nie mówiłem o tej zrujnowanej chacie i kilku morgach lasu, znajdujących się, za pozwoleniem, w haniebnym stanie. Chodzi mi o pieniądze, które potajemnie zagarnąłeś, żeby przekazać córce. Ona nie dostanie z nich ani talara, przysięgam!

– Twój ojciec był głupcem, Ottokarze, i ty jesteś dokładnie taki sam. Żyłem zbyt wystawnie, żeby móc odłożyć jakieś pieniądze.

Wolfhard von Trettin uspokoił się i roześmiał siostrzeńcowi w nos. Ten poruszył szczękami jak krowa przeżuwająca trawę, a potem wrzasnął ze złością:

– W takim razie znów zobaczymy się w sądzie! Ale nie miej pretensji, jak sędzia zabierze ci ostatnią koszulę. Twoją córkę mógł spotkać lepszy los. Ale zamiast wyjść za mnie, wolała związać się z tym belfrem. Ten nędznik nigdy niczego się nie dorobi.

Staruszek przypomniał sobie ze zgrozą, jak natarczywie Ottokar starał się swego czasu o względy Leonory. Kilka razy trzeba było nawet interweniować, żeby powstrzymać nachalnego zalotnika. Do tej pory Wolfhard nie był pewien, czy córka naprawdę pokochała wiejskiego nauczyciela Clausa Huppacha, czy związała się z tym poczciwym jak baranek mężczyzną, by uniknąć dalszej namolności kuzyna. W każdym razie Leonora wmówiła ojcu, że może być szczęśliwa tylko w małżeństwie z Huppachem. Ponieważ, ku zdziwieniu Wolfharda, poza Ottokarem nikt więcej nie ubiegał się o jej rękę, z ciężkim sercem zgodził się wydać ją za mąż za nauczyciela.

Zdążył się już pogodzić, że ma takiego, a nie innego zięcia; radowała go nawet wesoła dziatwa rozrabiająca w domu nauczyciela, chociaż dzieciaki w obecności dziadka robiły się ciche jak myszki. Ponieważ wiedział już wcześniej, że Trettin jako majorat przejdzie w ręce obrzydliwego krewnego, robił, co tylko mógł, żeby Leonora i jej potomstwo miały zapewniony byt po jego śmierci. Nie odwiodłyby go od tego żadne groźby Ottokara.

Dlatego spojrzał ironicznie na bratanka i rzekł:

– Rób, co chcesz. Ale obawiam się, że niewiele zdziałasz.

Ottokar prychnął gniewnie.

– Wiem, że masz pieniądze! W zeszłym roku wyrzuciłeś przecież w błoto dwa tysiące talarów, żeby spłacić długi Fridolina i uchronić go przed więzieniem.

– To były ostatnie moje pieniądze. Wolałem wydać je na Fridolina, niż trzymać tylko po to, żebyś mi je potem odebrał.

Ironia w głosie Wolfharda von Trettina sprawiła, że Ottokar zrobił się purpurowy na twarzy. Chciał wykrzyczeć starcowi swój gniew prosto w oczy, ale dobrze wiedział, że stryj tylko na to czeka. Staruszek chętnie odpłaciłby mu za to jakimiś obelgami. Dlatego młody freiherr pohamował się, zrobił kilka głębokich wdechów i jeszcze raz spokojnie spróbował przemówić staremu do rozumu:

– Lepiej by było, gdybyś te pieniądze spalił, zamiast marnować je na Fridolina. Ten człowiek jest zepsuty do szpiku kości! Mimo młodego wieku pije jak smok i zadaje się z kobietami o wątpliwej reputacji. Przynosi hańbę naszej rodzinie. Twoja dusza powinna boleć nad każdym wydanym na niego talarem.

– Ha! Za młodych lat ja też grałem w karty, piłem i zadawałem się z kobietami. I do dzisiaj tego nie żałuję – powiedział Wolfhard von Trettin i zaśmiał się bratankowi w twarz.

Ottokar zrozumiał, że nic nie zdziała ani dobrym słowem, ani groźbą. Rozeźlony pogroził starcowi laską.

– Jeszcze o mnie usłyszysz! – ryknął i bez słowa pożegnania wypadł z domu.

Wolfhard von Trettin zamknął za nim drzwi. Uznał, że dobrze zrobił, odesławszy Lorę do domu. Dziewczę na pewno przestraszyłoby się, słysząc tę kłótnię, i powtórzyłoby wszystko rodzicom. Starzec wolał, żeby o pewnych sprawach jego córka Leonora nie wiedziała.

II

Ottokar von Trettin wskoczył energicznie do powozu, opadł na siedzenie i laską uderzył kilka razy w dach.

– Ruszaj, Florinie, i nie szczędź bata. Chcę jak najszybciej znaleźć się w domu.

Stangret popędził konie i powóz szybko nabrał prędkości. Ottokar tymczasem powrócił w myślach do rozmowy ze stryjem. Ku własnemu niezadowoleniu uznał, że starszy pan znów odniósł zwycięstwo.

– On mnie jeszcze dobrze nie zna! W sądzie pokażę mu, do kogo należy ostatnie słowo – powiedział sam do siebie i pogroził pięścią w kierunku domku myśliwskiego.

Ale chata była już poza zasięgiem jego wzroku, ponieważ ciągnięty przez szybkie konie powóz pędził przez gęsty jodłowy las jak po szerokiej wybrukowanej alei. Szybko pokonali pół mili pruskiej* i znaleźli się na drodze prowadzącej do Bladiau, a niebawem dotarli do wsi Trettin, gdzie skręcili w kierunku folwarku noszącego tę samą nazwę. Tymczasem zrobiło się już ciemno i Florin nie śmiał zanadto popędzać koni. Na drodze mogły leżeć gałęzie albo inne przedmioty. Gdyby jeden z koni się potknął i nabawił kontuzji, winą obarczono by oczywiście stangreta i to na nim skupiłby się gniew pana.

Tuż za wsią wyłoniły się z półmroku zarysy domu. Ottokar wyjrzał przez otwarte okno powozu. Na widok niskiej trzcinowej strzechy zazgrzytał zębami. Był to dom nauczyciela, w którym mieszkała jego kuzynka wraz z rodziną. W oknach nie dostrzegł żadnego światła. Najwidoczniej mieszkańcy położyli się już spać.

– Stój! – krzyknął do stangreta.

Zapragnął obudzić Leonorę Huppach oraz jej durnego męża tylko po to, by im powiedzieć, że wsadzi stryja do więzienia, a nie zrezygnuje z przysługujących mu pieniędzy. Może uda mu się tak nastraszyć tych dwoje, że dobrowolnie powiedzą, gdzie starzec ukrył zdefraudowane pieniądze. Jeśli ich także pozwie do sądu i każe skazać jak złodziei, stracą prawo zamieszkania w domu nauczyciela i trafią na ulicę, co się im należy.

– Panie, powóz stoi – ponurym głosem oznajmił Florin, ponieważ Ottokar nie ruszał się z miejsca.

Stangret nie miał pojęcia, dlaczego jego pan kazał mu się zatrzymać właśnie tu, przed domem nauczyciela, w którym najwidoczniej wszyscy już spali. W pałacowej kuchni czekała solidna kolacja, a konie tęskniły za żłobem w stajni.

Florin z żalem stwierdził, że Ottokar von Trettin otworzył w końcu drzwiczki powozu i wysiadł. Freiherr kilka razy głęboko odetchnął, po czym skierował się w stronę krytego trzciną domu i podniósł laskę, żeby uderzyć gałką w drzwi. Zastanawiał się przy tym, co ma powiedzieć. W końcu się zawahał. Jeśli wygarnie tej hołocie całą prawdę,

---

*   Mila pruska – miara długości odpowiadająca 7532,5 m (przyp. tłum.).

to tylko ich ostrzeże i da im możliwość ukrycia pieniędzy, które stryj wyprowadził z majątku. Zamyślony odszedł od drzwi i znalazł się przy małej obórce dla kóz, dobudowanej do budynku mieszkalnego. Wyciągnął cygarnicę, wyjął z niej cygaro i zapalił. Czuł, jak rośnie w nim gniew, ponieważ sprawy nie ułożyły się tego dnia tak, jak by sobie tego życzył.

Płonącą zapałkę upuścił na ziemię. Gdy ta po chwili zgasła, rozciągnął wargi w pełnym zadowolenia uśmiechu. Nie pozwoli, żeby Leonora wywinęła się zupełnie bezkarnie. Przypomniał sobie, jak minionej jesieni obserwował ją podczas sianokosów. Podszedł do stojącej w niewielkiej odległości szopy z sianem i otworzył drzwi. W nos buchnął mu ostry zapach suchej trawy. Kuzynka zmagazynowała wystarczająco dużo siana, żeby w chłodne dni, nieuniknione na tym obszarze, nie było konieczności wypędzania kóz na pastwisko, gdzie musiałyby pilnować ich dzieci.

W tym roku będziesz miała siano – pomyślał i roześmiał się złośliwie. Dmuchnął na cygaro, które się rozżarzyło, a on rzucił je do wnętrza szopy.

Nie zdążył nawet odejść, gdy sucha trawa zajęła się ogniem, a kilka sekund później w szopie pożar szalał już na dobre. Ottokar von Trettin był zaskoczony siłą ognia i nagle zdjął go lęk. Szybciej, niż można by się było spodziewać po jego tuszy, wskoczył do powozu i kazał stangretowi natychmiast ruszać.

Florin usłuchał i popędził konie. Jego pan tymczasem wystawił głowę przez okno powozu i patrzył na ogień, którego płomienie sięgały już ponad trzcinowy dach domu. Chłodne uderzenie wiatru przeniosło iskry z płonącej szopy na budynek mieszkalny. Trzcinowy dach natychmiast się zapalił. Coraz silniejsze powiewy wiatru rozniecały ogień, aż w końcu cały dom przypominał płonącą pochodnię.

Coś mówiło Ottokarowi, że powinien zatrzymać powóz i obudzić kuzynkę, żeby mogła wraz z rodziną w porę opuścić gorejący dom. Uderzył w dach powozu, żeby wydać odpowiednie polecenie, ale zamiast tego usłyszał własny głos:

– Szybciej, Florinie, szybciej! Chcę jak najszybciej znaleźć się w domu.

III

Idąc przez las, Lora była zła sama na siebie, że zdecydowała się pójść ścieżką na skróty, zamiast wybrać drogę wprawdzie dłuższą, ale łatwiejszą do pokonania w ciemnościach. Już dwa razy potknęła się o korzeń, którego nie dostrzegła w ciemnościach, a teraz na dodatek rozdarła jeszcze skraj sukienki. A była to jedna z jej dwóch eleganckich sukni, zakładanych tylko wtedy, gdy szła odwiedzić dziadka.

Odwiedzała starszego pana regularnie, wcześniej w pałacu, a teraz w małym i nieco podupadłym drewnianym domku myśliwskim, dokąd zmuszony był się przeprowadzić. Chata była jedyną nieruchomością, której staruszek pozostał właścicielem. Znajdowała się pośrodku rozległego lasu, sięgającego prawie do Trettina, ale tylko w niewielkiej części należącego do majątku. Najlepsze sukienki Lory nie pasowały do leśnej chaty, ale dziadek nalegał, żeby ubierała się i zachowywała jak dama z towarzystwa. Teraz żałowała zniszczonej sukni. Miała nadzieję, że zdoła w taki sposób zszyć rozdarcie, by nie było go widać.

Przypomniała sobie żonę poprzedniego pastora. To właśnie ona nauczyła ją szyć i haftować. Niestety, staruszka po śmierci męża przeniosła się do córki i zięcia mieszkających w Królewcu. Dziadek zabronił Lorze kontaktować się z rodziną nowego pastora, ponieważ duchowny służalczo chylił karku przed nowym właścicielem Trettina.

Znowu źle stąpnęła. Ostry ból w kostce wyrwał ją z zamyślenia. Szła dalej, kulejąc. Jeśli nie będzie uważać, to może zabłądzić w rozległym lesie, a ten na dodatek w kilku miejscach przechodził w bagno. Poza tym na dziewczę w jej wieku czyhały jeszcze inne niebezpieczeństwa. Nie wierzyła natomiast w leśne duchy, którymi nastraszyć ją chciała służąca dziadka.

Gdy Lora odkryła pień buka trafionego ostatniego lata przez piorun, odetchnęła z ulgą. Była na właściwej drodze. Wkrótce korony drzew przerzedziły się i znów była w stanie dostrzec ziemię pod stopami. Mimo bólu w kostce przyspieszyła kroku. Miała nadzieję, że rodzice i rodzeństwo jeszcze nie śpią, choć pewnie leżą już w łóżkach. Miała zostać u dziadka przez kilka dni i dlatego nikt się jej w domu nie spodziewał. Znów rozgniewało ją to, że jako najstarsza z rodzeństwa nie miała klucza. Cóż więc ma począć? Będzie musiała obudzić rodziców. Ale jak ma im wyjaśnić swój nocny powrót? Nic nie przychodziło jej do głowy. Czuła, że nie powinna wspominać o wizycie Ottokara, by nie zdenerwować najbliższych. Ale nie chciała też, by pomyśleli, że dziadek odesłał ją do domu, bo go czymś rozgniewała.

Wtem zobaczyła przed sobą nad linią horyzontu jasne światło i usłyszała głośne spanikowane głosy. Ze strachu ścisnęło ją w gardle. Zaczęła biec. Po chwili wypadła na drogę i zobaczyła przed sobą rodzinny dom – buchający jasnymi płomieniami niczym olbrzymi stos.

Ludzie biegali w tę i we w tę, gestykulując. Część z nich targała wiadra z wodą, usiłując ugasić pożar. Ale gorąco buchających płomieni było tak wielkie, że większość wody zamieniała się w parę, zanim dosięgła ognia.

Lora podbiegła bliżej, rozglądając się za rodzicami i rodzeństwem, ale widziała tylko mieszkańców wsi, którzy zgromadzili się przy domu nauczyciela i robili wrażenie równie struchlałych, co ona.

Jakaś kobieta spostrzegła ją. Krzyknęła, jakby zobaczyła ducha, ale potem spojrzała na las, w kierunku, gdzie znajdował się domek myśliwski starego pana von Trettina.

– Pewnie znowu byłaś u dziadka?

Dziewczyna skinęła głową i wskazała na dom, którego dach właśnie się zapadł, a w niebo buchnęła chmura iskier.

– Mama i tata… Gdzie oni są? I gdzie są…?

Twarz właścicielki sklepu z towarami kolonialnymi zdradziła Lorze, co stało się z jej najbliższymi.

Jakiś mężczyzna podszedł do dziewczyny, objął ją i przytulił. Lora uniosła wzrok i rozpoznała starego Korda, głównego parobka w folwarku Trettin, który został zwolniony przez nowego pana za lojalność względem poprzedniego.

Wysoko buchające płomienie oświetliły wykrzywioną ze zgrozy twarz mężczyzny.

– Módl się do Boga, moje dziecko! Nic więcej nie da się już zrobić. Nikomu z twojej rodziny nie udało się wyjść z domu.

– Nie! Nie! Boże, mój Boże, nie możesz być aż tak okrutny!

Lora wyrwała się z objęć Korda i próbowała podbiec do płonącego domu.

Ludzie natychmiast ją chwycili i odciągnęli.

– W niczym już nie można im pomóc, moje drogie dziecko! – powtórzył Kord.

Właścicielka sklepu dodała:

– Dziękuj Bogu, że choć ciebie uratował, Loro! Wprawdzie odebrał ci rodziców i rodzeństwo, ale ocalił ci życie.

– Wolałabym zginąć razem z nimi – wykrztusiła Lora.

Staruszka Miena, której chatka stała po sąsiedzku, mruknęła coś pod nosem. Wprawdzie Kord zrozumiał tylko strzępy słów, ale miał wrażenie, że smagnięto go batem.

– Powtórz to, co powiedziałaś, Mieno!

– Córka starego pana von Trettina i jej rodzina mogliby jeszcze żyć. Gdy wybuchł pożar, wyjrzałam przez okno. Zobaczyłam, że nowy pan przejeżdża właśnie obok. Gdyby przystanął i zawołał, wszyscy zdołaliby się uratować. Ja pobiegłam wprawdzie na pomoc i krzyczałam, jak tylko mogłam, ale było już za późno.

– Co ty bredzisz? Nie gadaj więcej takich bredni, ty stara czarownico! – zabrzmiał z tyłu cierpki głos.

Ludzie spojrzeli za siebie. Zobaczywszy nadchodzącego pastora, pospiesznie się rozeszli. Nikt nie lubił tego człowieka. Jego poprzednik był uosobieniem dobroci i zawsze miał życzliwe słowo dla swoich parafian. Nowy pastor mówił zaś tylko uczonym językiem i w swej wyniosłości nawet nie próbował nauczyć się dialektu wiejskiego ludu. Poza tym był bliskim przyjacielem nowego pana na Trettinie, a ten od dwóch miesięcy, odkąd przejął majątek, zachowywał się jak sam cesarz Wilhelm, tak więc zdążyli go znienawidzić wszyscy chłopi i cała służba.

Widok łamiących się belek i wzbijających się w górę iskier przypomniał pastorowi, że w tej chwili obrona nowego właściciela majątku nie jest być może priorytetem.

– Co się stało? – zapytał stojącego obok Korda.

Staruszek wskazał ręką ogień.

– Wybuchł pożar. Poza Lorą spalili się wszyscy mieszkańcy domu.

Spojrzenie pastora powędrowało po ludziach i zatrzymało się na dziewczynie. Podszedł do niej i wypowiedział jakieś pobożne zdanie. Lora nie słyszała jego słów. Stała nieruchomo jak słup soli. Zgromadzeni ludzie czynili za plecami pastora pogardliwe gesty, nikt jednak nie odważył się czegokolwiek powiedzieć, bo pastor – poza panem von Trettinem – był najważniejszym człowiekiem w parafii, a już boleśnie doświadczyli, że duchowny powtarzał potem panu Ottokarowi ich pochopne skargi.

Stara Miena także położyła uszy po sobie. Jeśli pastor doniesie panu, co powiedziała, ten przepędzi ją z jej chatki i staruszka zamieszka w przytułku dla ubogich, gdzie nikt nie chciałby trafić z własnej woli.

Gdy mieszkańcy wsi stwierdzili, że nie zdołają niczego uratować, odwrócili się do zgliszczy plecami i ruszyli do swoich domów. Kord został, bo nie wiedział, co stanie się z Lorą. W tym stanie dziewczyna nie mogła wracać sama do domku myśliwskiego.

Pastor podjął decyzję za niego, przywołując Lorę kiwnięciem ręki.

– Tę noc spędzisz u mnie na plebanii, a jutro zawiozę cię do pałacu.

Do Lory zaczęło stopniowo docierać, jaką stratę poniosła tej nocy. Ogarnęła ją taka żałość, że nie wiedziała, co się wokół niej dzieje. Słowo „pałac" wdarło się jednak do jej świadomości. Uniosła ręce w obronnym geście.

– Nie chcę do pałacu! Nie mam nic wspólnego z nowym panem na Trettinie.

– Dziewczyna ma rację, wielebny pastorze – przytaknął Kord. – Po śmierci rodziców jedynym człowiekiem, który mógłby się o nią zatroszczyć, jest jej dziadek.

Pastor nie zaoponował.

– W takim razie dobrze, jutro rano zawiozę Lorę do starszego pana – oznajmił, chociaż wcale nie miał ochoty spotykać się z byłym właścicielem włości; starzec nie bawił się w ceregiele i potrafiłby zwyzywać pastora tak samo jak zwykłego stajennego.

Kord nie był pewien, czy nie powinien pójść do starszego pana i powiedzieć mu o nieszczęściu. Ale już po kilku krokach przystanął. Czuł, że nie dorósł do tego zadania. Powiedział sobie, że pastor jako człowiek wykształcony na pewno lepiej dobierze słowa.

IV

Lora spędziła noc w pokoju gościnnym na plebanii, ale następnego ranka nie była w stanie powiedzieć, czy udało jej się zasnąć, czy nie. Od żony pastora dostała o wiele za dużą koszulę nocną, która wisiała na niej jak worek i wlokła się po ziemi. Rankiem służąca przyniosła wody do umycia i oczyszczoną sukienkę, której rozerwany brzeg został zszyty kilkoma grubymi ściegami.

– Panienka się pospieszy, bo wielebny pastor chce panienkę niebawem zawieźć do dziadka. Śniadanie jest już na stole – ponaglała.

Śniadanie dla Lory było w tym momencie jakby częścią innego życia. Żołądek jej się ścisnął, nie czuła ani głodu, ani pragnienia. Przed oczami wciąż miała rozbuchane płomienie pochłaniające jej dom rodzinny. Nadal dręczyło ją to, że rodzicom i rodzeństwu nie udało się wydostać na zewnątrz.

Po głowie krążyły jej słowa starej Mieny, twierdzącej, że nowy pan von Trettin mógł ocalić jej rodzinę przed najgorszym. Dlaczego tak po prostu minął gorejący dom? Nie potrafiła tego zrozumieć. Nawet jeśli był skłócony z dziadkiem, to przyzwoitość nakazywała, by się zatrzymał i ostrzegł mieszkańców przed ogniem. Pomyślała, że może Ottokar po wizycie u dziadka ze złości nie zwracał uwagi na otoczenie i wcale nie zauważył pożaru. Ale nie mogła w to tak do końca uwierzyć. Przecież siedzący na koźle Florin musiał widzieć ogień i na pewno zwróciłby panu na to uwagę. A więc krewniak odjechał celowo…

– Loro! Nie grzeb się, chodź wreszcie do stołu – pastorowa zawołała ją z jadalni tonem tak wyniosłym, jakby nie zwracała się do gościa, tylko do leniwej służki.

Lora skuliła się, słysząc szorstki głos gospodyni. Poczuła się tak, jakby spadł na nią zimny deszcz. Szybko umyła dłonie i twarz, rozpuszczone włosy zaplotła z powrotem w warkocze i założyła sukienkę. Gdy chwilę później weszła do jadalni, pastor był już przy drzwiach prowadzących na dwór i rozmawiał z woźnicą, ale na widok Lory odwrócił się i stanął do niej przodem.

– Szybko coś zjedz! Chcę zaraz wyruszać w drogę.

Lora pokręciła z niechęcią głową.

– Nie dam rady niczego zjeść, wielebny pastorze.

Pastorowa, która wciąż jeszcze siedziała przy stole i przyglądała się dzieciom karmionym przez służącą, zmarszczyła brwi.

– Co za bzdura! Jedzenie dodaje sił, podtrzymuje na duchu i uśmierza ból.

Jesteś taka tłusta – pomyślała Lora – że na pewno nic cię nie boli.

Pastorowa jeszcze w nocy nie ukrywała, że uważa pożar za znak od samego Boga, który postanowił ukarać wrogów nowego pana. Dlatego jej kondolencje były krótkie i pozbawione jakiegokolwiek współczucia. Lora zagryzła dolną wargę, żeby nie wykrzyczeć kobiecie prosto w oczy, co o niej sądzi. Rzuciła okiem na obfite śniadanie, składające się z białego chleba, połyskującego złotawo masła, dużego kawałka sera i tłustej wątrobianki. Poczuła, że ściska się jej gardło.

Szybko odwróciła się od stołu i spojrzała na pastora.

– Chciałabym już jechać do dziadka.

Pastor mruknął coś, co zabrzmiało, jakby zamierzał ją namówić, by dała się zawieźć do pałacu. Ale spojrzawszy na jej twarz, skinął w końcu głową.

– Dobrze, jedźmy.

Kiwnął na nią ręką, żeby szła za nim, i wyszedł z domu krytego trzciną, jak inne domy na wsi, ale wyższego niż dom nauczyciela i dużo lepiej urządzonego. Każdy natychmiast mógł się zorientować, że po panu von Trettinie pastor jest najważniejszą osobą we wsi. Jak na jego pozycję przystało, zachowywał się odpowiednio butnie.

Woźnica ruszył. Gdy powóz przejeżdżał przez wieś, prości robotnicy i parobcy zdejmowali czapki z głów, a większość kobiet dygała. Pastor prześlizgiwał się jednak wzrokiem po ludziach i wydymał pogardliwie usta.

Chociaż serce Lory ściskał ból po stracie rodziny, to rozgniewały ją wielkopańskie maniery duchownego. Jego poprzednik dla każdego miał dobre słowo, a uszy otwarte na problemy ludzi. Nowy pastor zachowywał się, jakby nie postrzegał w robotnikach i parobkach istot ludzkich. Dla niej także zabrakło mu słów pociechy. Powtarzał tylko, że zamiast jechać do dziadka, powinna udać się pod opiekę Ottokara i Malwiny von Trettinów. Dlatego ucieszyła się, gdy pojazd skręcił w jodłowy las, gdzie pachniało żywicą, podczas gdy we wsi wciąż jeszcze utrzymywał się w powietrzu fetor spalenizny. Ale bezpieczna poczuła się dopiero wtedy, gdy dojrzała przed sobą domek myśliwski.

Wolfhard Nikolaus von Trettin usłyszał nadjeżdżający powóz, wyszedł przed dom i na widok znienawidzonego pastora zmarszczył brwi. Ale jeszcze bardziej się zdziwił, zobaczywszy w powozie własną wnuczkę. Dziewczę było blade jak prześcieradło i patrzyło wzrokiem przypominającym spojrzenie umierającej sarny. Natychmiast zrozumiał, że stało się coś strasznego.

Pastor kazał woźnicy stanąć, po czym wysiadł z powozu, nie troszcząc się o Lorę.

– Szczęść Boże, panie von Trettin.

– Dzień dobry, pastorze – odpowiedział ten z całą arogancją pruskiego junkra i skrzyżował ręce na piersi.

Pastor postanowił zignorować nieuprzejmość starca i przybrał życzliwy wyraz twarzy.

– Mój drogi Trettinie, bardzo żałuję, że stoję tu przed wami i muszę przekazać wam tę okropną wiadomość. Bóg wszechmogący zapragnął wziąć do siebie waszą córkę, zięcia i wszystkie wnuczęta poza tą oto dziewczyną.

Dziadek Lory zastygł na moment, potem chwycił brutalnie pastora za poły płaszcza.

– Co ty mówisz, durniu?

– Mamusia, tatuś, Wolfi, Willi i Aneczka nie żyją! Wybuchł pożar i oni... – odezwała się Lora cienkim głosikiem, który szybko odmówił jej posłuszeństwa.

Wolfhard von Trettin wydał z siebie nieludzki krzyk.

– Moje dziecko... moje wnuki... nie żyją? A ten klecha mówi, że Bóg tak chciał?

– Nie grzeszcie! – zawołał pastor z naganą. – Wola Boga jest niezgłębiona i my, ludzie, nie możemy jej pojąć. Kto wie, jakie grzechy waszego rodu zostały odkupione tym ogniem!

Spojrzenie, którym pastor zmierzył dziadka Lory, nie pozostawiało wątpliwości, komu przypisywał te grzechy.

Stary freiherr poczuł, że wzbiera w nim gniew tak silny, iż przez moment zapomniał nawet o bólu po stracie córki, zięcia i wnuków.

– Co to za Bóg, o którym prawisz? Sprawiedliwy Bóg nie zabija niewinnych kobiet i dzieci, by pokarać ich za grzechy innych! Żadne z moich wnucząt nie uczyniło nigdy nic złego, co najwyżej ukradkiem łasuchowały podczas świąt Bożego Narodzenia! Dlaczego więc Bóg miałby zabierać je do siebie? W tym kraju jest dość grzeszników, którym wiedzie się dobrze, chociaż zasłużyli sobie, by pochłonęło ich piekło.

Spojrzenie Wolfharda von Trettina powędrowało w kierunku utraconych nie tak dawno włości.

Chcąc go uspokoić, pastor położył mu dłoń na ramieniu.

– Potraktujcie to jako ostrzeżenie od Boga, panie von Trettin, i podajcie swemu spadkobiercy rękę na zgodę. Wtedy Bóg wam podziękuje.

Stary spojrzał z wściekłością na duchownego, jakby ten postradał rozum.

– Co mam zrobić? Przygarnąć do piersi złodzieja, który odebrał mi moją własność? Tego nie może żądać ode mnie nawet sam Pan Bóg!

– Nowy ordynat mógł wszystkich uratować – odezwała się w tym momencie Lora. – Ale przejechał sobie po prostu obok płonącego domu. Nikogo nie obudził i nie ostrzegł.

Twarz dziadka zrobiła się w jednej sekundzie biała jak śnieg, a Lora dopiero teraz uświadomiła sobie, że wypowiedziała te słowa na głos.

Pastor spojrzał na nią pogardliwie.

– Nie słuchajcie głupiego gadania, panie von Trettin! Wasza wnuczka powtarza tylko brednie zasłyszane od starej wariatki. Gdyby pan Ottokar faktycznie przejeżdżał obok domu nauczyciela, to na pewno by się zatrzymał i wywołał ludzi z domu.

Wolfhard von Trettin przypomniał sobie wizytę bratanka, który poprzedniego dnia opuścił o zmroku domek myśliwski. Spojrzał smutno na Lorę. Dziewczyna szła pieszo, dlatego dotarła na miejsce, gdy dom nauczyciela stał już w płomieniach. Wtem starzec roześmiał się drwiąco.

– Nie jesteś pastorem, tylko sługą diabła. Ten szatan w złodziejski sposób zabrał mi moje włości! Dziecko mówi prawdę! Mój bratanek musiał ostatniej nocy przejeżdżać obok domu mojej córki. Nie ostrzegł jej, tym samym jest winny śmierci całej rodziny, zupełnie tak, jakby zabił ich własnymi rękoma.

Pastor spojrzał na starszego pana wzrokiem pełnym dezaprobaty.

– Pomiarkujcie się w gniewie! To grzech oskarżać czcigodnego człowieka.

Wolfhard von Trettin zaklął siarczyście, zacisnął dłonie i ruszył w kierunku pastora. Ten cofnął się i wskoczył energicznie do powozu.

– Ruszaj! – rozkazał woźnicy, który najwidoczniej bał się starego pana nie mniej niż pastor, bo pognał konie tak szybko, że powóz zaczął podskakiwać na nierównym podjeździe jak piłka.

Obrażony duchowny siedział na wyściełanym siedzeniu w tyle pojazdu i nawet nie obejrzał się za siebie. Za nimi rozległo się jeszcze jedno gniewne przekleństwo, które urwało się w środku słowa, i nastąpiła cisza, zakłócana tylko szumem wiatru w gałęziach drzew.

V

Stary freiherr zrobił jeszcze kilka kroków za odjeżdżającym powozem pastora. Nagle przystanął, odwrócił się przerażony i chwycił za czoło. Jego twarz przybrała odcień czerwonego burgundzkiego wina. Próbował jeszcze coś powiedzieć, ale wydał z siebie tylko gardłowe dźwięki. Potem upadł bezwładnie na ziemię jak pusty worek.

– Dziadku, co z wami?

Lora podbiegła i pochyliła się nad nim. Z lękiem spojrzała na jego wywrócone oczy, w których widać było tylko białka. Staruszek oddychał świszcząco i nie reagował na jej pełne rozpaczy słowa, zawołała więc służącą:

– Elsie! Chodź tu szybko! Pomóż mi! Dziadek upadł na ziemię!

Struchlała spoglądała przez chwilę na drzwi domu, ale nie zauważyła tam żadnego ruchu. Przypomniała sobie wtedy, że Elsie nocuje u krewnych we wsi i że nieraz spóźniała się do domku myśliwskiego. Lecz o tej porze powinna już tu być, zajęta pracą.

– Elsie, gdzie jesteś? – wołała tak głośno, jak tylko była w stanie.

– Co się stało? – rozległ się rozgniewany głos.

Minęło jeszcze kilka minut, które w odczuciu Lory trwały tak długo jak całe lata, nim między drzewami pojawiła się figlarna służąca.

Elsie właśnie odgryzła kęs zeszłorocznego jabłka, gdy zobaczyła Lorę klęczącą przy panu von Trettinie.

– Czy on nie żyje? – zapytała.

Lora pokręciła gwałtownie głową.

– Nie, ale jest nieprzytomny. Tak się boję! Pomóż mi! Musimy przenieść go do domu i wezwać doktora Mütze.

Ale Elsie, zamiast podejść bliżej, cofnęła się. Twarz jej pobladła.

– Nie dotknę go, bo umrze nam na rękach.

Lora zrozumiała, że nie ma co oczekiwać pomocy ze strony służącej. Wstała.

– W takim razie przynajmniej zostań tutaj i czuwaj nad nim, a ja pobiegnę po lekarza. Jak wiesz, jestem od ciebie szybsza.

Elsie i na to nie mogła się zdobyć.

– Zostańcie przy nim, panienko! Ja pobiegnę po lekarza.

Nim Lora zdążyła coś powiedzieć, Elsie szybko się odwróciła i zniknęła między drzewami. Lora zacisnęła z bólu zęby.

Ponieważ doktor Mütze mieszkał w Heiligenbeilu, miejscowości odległej o prawie dwie pruskie mile, mijały godziny, a Lora siedziała obok dziadka i nie miała odwagi się ruszyć. Czy Bóg naprawdę jest taki okrutny, że zabierze jej ostatniego człowieka, któremu na niej zależało? Czy nie zadał jej minionej nocy tak wielkiego cierpienia, że większego już nie da rady znieść? Płakała i pragnęła, żeby to wszystko okazało się tylko złym snem, z którego niebawem się przebudzi. Ale nieprzytomny mężczyzna i twarda ziemia w miejscu, gdzie klęczała, świadczyły aż nadto dobitnie, że to wszystko jest rzeczywistością.

Gdy już utraciła wiarę w to, że nadejdzie pomoc, usłyszała tętent końskich kopyt i głos lekarza wzywającego woźnicę, by jechał szybciej. Wkrótce potem na plac przed domkiem myśliwskim zajechał powóz. Lora zobaczyła, że konie mają spienione pyski.

Doktor Mütze wyskoczył z powozu, podbiegł do chorego i zaczął go badać. Gdy podniósł wzrok, na jego szczupłej twarzy malowała się powaga.

– Przykro mi, moje dziecko, ale nie wygląda to dobrze. Twój dziadek miał atak apopleksji. Musimy spodziewać się najgorszego.

Lekarz chętnie przekazałby Lorze bardziej optymistyczną wiadomość, ale dziewczyna w ciągu ostatniej doby tyle wycierpiała, że nie chciał jej robić niepotrzebnych nadziei, które najprawdopodobniej okażą się płonne.

– Przywiąż gdzieś konie i pomóż mi przenieść pana von Trettina do domu – nakazał woźnicy.

Mężczyzna był przyzwyczajony asystować swemu panu i natychmiast pospieszył z pomocą. Razem przenieśli nieprzytomnego staruszka do sypialni i położyli go na łóżku.

– Przynieś świeżą koszulę nocną, a potem zaczekaj za drzwiami – poinstruował doktor Lorę.

Pobiegła do szafy z bielizną, wyjęła jedną z koszul nocnych, na których wyhaftowana była korona rangowa przysługująca freiherrom, a potem pobiegła do kuchni, gdzie blada Elsie siedziała przy stole i lamentowała.

– Jeśli pan umrze – szlochała – to co pocznę? W pałacu na pewno nie dadzą mi pracy, nowa pani już to zapowiedziała. Będę musiała pójść do miasta i…

Urwała i popatrzyła na Lorę z takim wyrzutem, jakby to ona była wszystkiemu winna.

– Dziadek nie umrze – uniosła się Lora.

Służąca machnęła pogardliwie ręką i zaczęła biadolić na nowo.

Minęła dłuższa chwila, nim w końcu doktor wyszedł z sypialni.

– Twój dziadek – zwrócił się do Lory, kręcąc głową, jakby sam nie mógł uwierzyć w to, co widział – jest wytrzymalszy niż kot. Ma chyba dziewięć żywotów. Przedtem nie postawiłbym nawet halerza, że uda mu się z tego wyjść, ale teraz odzyskał świadomość i grozi mi, bo chcę mu dać zastrzyk.

– Dziadek wyzdrowiał?

Lora zerwała się na równe nogi i chciała pobiec do starszego pana, ale doktor Mütze chwycił ją za ramię i przytrzymał.

– Powiedziałem, że odzyskał świadomość. Prawdopodobnie nigdy już nie wróci do zdrowia, chociaż w jego przypadku wszystko jest możliwe.

Lekarz, wciąż jeszcze zdumiony tym, że pacjent odzyskał przytomność, poprosił Lorę o ciepłą wodę do umycia rąk i ręcznik.

– Mogę do niego zajrzeć? – zapytała dziewczyna.

Doktor Mütze pokręcił głową.

– Lepiej zaczekaj, aż skończę. Proszę, spróbuj się uspokoić. Dostał ataku apopleksji i zapewne nie odzyska władzy w nogach. Lewą część ciała ma sparaliżowaną. Nie przestrasz się na widok jego twarzy, która może ci się wydać groteskową maską. – Potem położył dłoń na jej ramieniu i uśmiechnął się smutno. – Bardzo mi przykro, Loro, z powodu tego, co się stało z twoją rodziną. Obejrzeliśmy spalony dom i znaleźliśmy ciała. Łudziłem się, że ktoś w porę wybiegł na zewnątrz i w szoku błądzi po lesie, ale moja nadzieja okazała się jednak płonna.

Lora załamała ręce. Próbowała powstrzymać cisnące się jej do oczu łzy. W głębi serca czuła, że wszyscy zginęli. Jednocześnie miała wrażenie, że ze strachu o dziadka jej ból z powodu utraty rodziny zszedł na dalszy plan. Nie mogła się gdzieś zaszyć i rozpaczać za bliskimi. Zamiast tego będzie teraz musiała dniem i nocą zajmować się chorym. Jeśli dziadek umrze, nie będzie miała już nikogo na świecie, kto by ją kochał i chronił przed krewnym z pałacu.

– Głowa do góry, dziecko! Dla ciebie też kiedyś znowu zaświeci słońce – powiedział doktor Mütze, poklepał ją pocieszająco po plecach i wrócił do pacjenta.

Wolfhard von Trettin oparł prawą rękę na drewnianej gałce przy tylnej części łóżka i próbował się podnieść, chociaż lewa połowa ciała odmawiała mu posłuszeństwa.

– Nie wygłupiaj się, Nikas! Chcesz koniecznie jeszcze dziś wyciągnąć nogi? – zbeształ go lekarz.

Stary Trettin, którego przyjaciele nazywali Nikasem, ponieważ na drugie imię miał Nikolaus, pokręcił z trudem głową.

– Nie wolno mi umrzeć, nie teraz!

Słowa zabrzmiały wprawdzie niewyraźnie, ale ku swojemu zdumieniu lekarz zdołał je zrozumieć. Doskonale wiedział, co gnębi pacjenta, nie chciał z nim jednak wchodzić w dyskusję, lecz pomógł mu ułożyć się jak najwygodniej.

– Zrobię ci teraz zastrzyk. Po nim uśniesz i jeśli Bóg da, obudzisz się w lepszym stanie – oznajmił, wyjmując z walizeczki strzykawkę i napełniając ją jakimś płynem.

Trettin wyciągnął w kierunku lekarza sprawną prawą rękę. A ponieważ ten stał po jego lewej stronie, nie mógł go dosięgnąć. Prawie nadludzkim wysiłkiem choremu udało się w końcu wczepić palce w rękaw lekarza.

– Muszę z tobą porozmawiać, stary łapiduchu! Potem, jak zechcesz, będziesz mógł mnie uśpić. Ale najpierw posłuchaj, co chcę ci powiedzieć.

Nalegał tak usilnie, że doktor Mütze znieruchomiał, przerywając szykowanie zastrzyku.

– No dobrze, Nikas, dam ci kilka minut. Ale potem będziesz grzecznym chłopcem i bez marudzenia pozwolisz się ukłuć.

– Obiecuję! – Wolfhard von Trettin kiwnął głową i przyciągnął lekarza bliżej siebie. – To, co się przydarzyło mojej córce i rodzinie, nie było tylko złym snem, prawda?

Przejęty tragedią lekarz spuścił głowę.

– Niestety nie! Dzisiaj rano znaleźliśmy całą piątkę. Pastor załatwi trumny i zatroszczy się o należyty pochówek.

– Pastor? – Zdrowa połówka twarzy starszego pana wykrzywiła się gniewnie. – To przez tego szubrawca tutaj teraz leżę! Miał czelność powiedzieć mi prosto w oczy, że śmierć Leonory jest karą za moje grzechy i że powinienem się pogodzić z Ottokarem, chociaż ma on ich wszystkich na sumieniu.

– Słyszałem plotkę, że przejeżdżał obok płonącego domu i się nie zatrzymał. Pastor zabronił komukolwiek o tym wspominać. Powiedział, że pan Ottokar nie mógł być we wsi, bo pojechał do Królewca.

Doktor Mütze chciał jeszcze coś powiedzieć, ale chory przerwał mu, wydając z siebie gniewny pomruk.

– Ottokar musiał jechać przez wieś, bo był u mnie z wizytą. Pokłóciliśmy się jak zawsze i z zemsty nie ruszył ręką, żeby ratować moją córkę.

Lekarz spojrzał na przyjaciela z przerażeniem.

– To byłaby... to jest niegodziwość!

– Tak samo niegodziwe są twierdzenia pastora, który w ten sposób sam siebie czyni jego wspólnikiem! Nie chcę, żeby ten szubrawiec chował moich najbliższych! – wykrztusił zdenerwowany chory.

– Nie zdołasz mu w tym przeszkodzić. Na Boga, będziesz mógł mówić o szczęściu, jeśli za kilka tygodni dasz radę usiedzieć w wózku inwalidzkim i z tarasu oglądać zachód słońca.

Lekarz położył choremu dłoń na ramieniu, a w drugą rękę wziął strzykawkę.

Wolfhard von Trettin zamknął zdrowe oko i jęknął boleśnie.

– Niechże więc pochowa moją córkę, ale nie mnie, przysięgam! Prędzej wyprę się wiary.

– Nie możesz tego zrobić! Musisz myśleć o Lorze. Co za życie miałaby bez Boga?

– Masz rację! Muszę myśleć o Lorze. Boże, daj mi dość czasu, bym mógł zrobić to, co trzeba. Będziesz musiał mi pomóc, rozumiesz? Dziewczyna nie może trafić pod kuratelę Ottokara. Jego małżonka uczyniłaby z niej służącą. Lora jest moją wnuczką i ma prawo być odpowiednio traktowana. Obiecaj, że mi pomożesz.

– Pomogę – obiecał lekarz i przystawił do ręki Wolfharda strzykawkę.

Gdy wciskał powoli tłok, na twarzy pacjenta pojawił się gorzki uśmiech.

– Wywiedziemy Ottokara w pole, stary przyjacielu! Nie dostanie nagrody za śmierć mojej córki i wnucząt. Przysięgam!

Potem Wolfhard von Trettin popatrzył w zamyśleniu na lekarza i gdy otumaniający środek zaczął już działać, wypowiedział ostatnią prośbę:

– Nikt jednak nie może dowiedzieć się o moich planach, rozumiesz?

– Będę milczał – odpowiedział lekarz zdziwiony energią, którą przejawił chory.

Zarazem doskonale zdawał sobie sprawę, że musi zrobić wszystko, by pacjent się nie denerwował.

VI

Ottokar von Trettin opuścił pałac jeszcze tej samej nieszczęsnej nocy, żeby jak powiedział, wziąć udział w spotkaniu Towarzystwa Ziemiańskiego w Królewcu. Ale to, co się stało, nie dawało mu spokoju. Gdy po ponad dwóch tygodniach powrócił do Trettina, jego cera miała ziemisty wygląd, a oczy biegały mu niespokojnie.

Jego żona Malwina, szczupła istota średniego wzrostu, o niegdyś dość ładnych, ale teraz zbyt ostrych rysach twarzy, spojrzała na niego drwiąco.

– Wyglądasz jak uosobienie wyrzutów sumienia, mój drogi Ottokarze. Czy w Królewcu robiłeś rzeczy, o których byłoby lepiej, żebym nie wiedziała?

– Ależ oczywiście, że nie! – zdenerwował się Ottokar. – Chodzi o mojego stryja. Ziemianie, z którymi spotkałem się w Królewcu, dali mi wyraźnie do zrozumienia, że wytaczając przeciwko niemu kolejny proces, tylko bym ich do siebie zraził. Powiedzieli, że stryj został już wystarczająco ukarany, tracąc majątek i córkę.

– Zapominasz o ataku apopleksji, którego dostał w dniu twego wyjazdu – odpowiedziała kobieta, uśmiechając się z zadowoleniem.

Ottokar spojrzał na nią zaskoczony.

– A więc to prawda! – Pokiwał głową. – Wprawdzie o tym słyszałem, ale myślałem, że to tylko czcza gadanina.

– To fakt, twój wuj jest obłożnie chory i pewnie już nie wstanie z łóżka.

I choć głos Malwiny brzmiał prawie wesoło, jej mąż ze złości podniósł zaciśniętą w pięść dłoń.

– Skoro jest tak chory, jak twierdzisz, to i tak nie mogę go pozwać. W naszych kręgach krzywo by na to patrzono. Poza tym nawet nie wiemy, czy ten stary cap w ogóle jeszcze posiada pieniądze, które uszczknął z naszego majątku. Mogły się przecież spalić wraz z domem jego córki.

Malwina spojrzała na niego sceptycznie, jakby miała wątpliwości co do jego rozumu.

– Powinieneś lepiej znać stryja. On przecież, póki żyw, nie odda ani talara. Poza tym to człowiek starej daty. Na pewno nie ulokował pieniędzy w akcjach czy papierach wartościowych, lecz w złocie. W gruzach spalonego domu nie znaleziono jednak żadnego złota.

Ottokar von Trettin odetchnął.

– W takim razie jest jeszcze nadzieja, że uda się odzyskać pieniądze, które nieprawnie zagarnął. Ten stary łotr w ciągu tylu lat musiał odłożyć tysiące talarów. Ogarnia mnie szał, gdy tylko o tym pomyślę.

– A mnie ogarnia szał, gdy widzę, jaki jesteś małostkowy! – zawołała jego rozżolona małżonka. – Gdybyś nie odjechał tak nagle ze strachu, że ktoś skojarzy cię z pożarem, mógłbyś w urzędach załatwić, żeby to ciebie ustanowiono opiekunem Lory.

– A na co mi to? – burknął ponuro Ottokar.

Twarz jego żony wykrzywiła się w grymasie pogardy.

– Jesteś głupszy, niż myślałam! Po śmierci matki i rodzeństwa Lora jest jedyną spadkobierczynią starego Wolfharda. Dlatego to jej będzie chciał przekazać zawłaszczone pieniądze.

Na te słowa Ottokar von Trettin odetchnął z ulgą.

– Masz rację, moja droga. Ten nieszczęsny wypadek obrócił całą sytuację na naszą korzyść. Teraz musimy tylko mieć oko na Lorę.

– Czy to faktycznie był wypadek? Twój stangret ostatnio wspomniał coś takiego... Lepiej, żeby ludzie tego nie wiedzieli – powiedziała Malwina, patrząc bacznie na męża.

– Florin jest głupcem! To był wypadek – odpowiedział Ottokar zanadto podniesionym głosem.

Kobieta wzruszyła tylko ramionami.

– W takim razie przypilnuj, żeby trzymał gębę na kłódkę. Niech nie gada rzeczy, które mogą cię postawić w złym świetle.

Freiherr skinął tylko głową, zastanawiając się, w jaki sposób miałby uciszyć stangreta: groźbą czy pieniędzmi. Jego żona miała tymczasem myśli zaprzątnięte całkiem innymi rzeczami.

– Musiałeś się przed sądem zobowiązać, że będziesz płacił stryjowi kwartalnie określoną sumę na utrzymanie. Jeśli mu nie zapłacisz, staruch będzie musiał sięgnąć po swoje oszczędności, a my mamy dość przyjaciół, którzy nas poinformują, jeśli będzie chciał sprzedać w banku papiery wartościowe albo upłynnić sztabki złota.

– A jeśli z powodu pieniędzy to on pozwie nas do sądu? – zapytał Ottokar.

Jego żona westchnęła, jakby ostatecznie straciła cierpliwość.

– W stanie, w jakim się znajduje, nikogo już nie pozwie!

VII

Opiekując się dziadkiem, Lora nie miała czasu na pielęgnowanie w sobie smutku po stracie rodziców i rodzeństwa. Staruszek narzekał na swój los i przeklinał Boga za nieszczęście, które go spotkało.

Czasami leżał godzinami w łóżku, nic nie mówiąc, i wpatrywał się w drewniany sufit pokoju, potem poganiał wnuczkę i służącą, wydając im sprzeczne polecenia, tak że ledwo mogły spocząć.

Tego dnia był szczególnie nieznośny, dlatego Elsie dała drapaka zaraz po szybkim obiedzie, zjedzonym na stojąco. Oczywiście nie skończyła nawet zajęcia, które jej powierzono. Niedługo potem Lora wyjrzała przez okno i dostrzegła, że od strony wsi zbliża się jakiś pieszy. Kto to może być? pomyślała.

Doktor Mütze przyjeżdżał zawsze powozem, a Korda, który regularnie odwiedzał swojego byłego pana, poznałaby z daleka. Ale ponieważ droga prowadziła prosto do ich chaty, to ów obcy człowiek bez wątpienia zamierzał do nich zajrzeć.

– Panie dziadku – zawołała do chorego – zaraz będziecie mieli gościa!

– Jeśli to pastor, to powiedz mu, żeby poszedł do diabła! – burknął starzec.

Lora położyła uszy po sobie i nie śmiała nic odpowiedzieć.

– Idź już i zobacz, kto to taki – dodał ponuro dziadek.

Dziewczyna posłusznie podeszła do drzwi wejściowych i wyjrzała przez nie na zewnątrz. Wędrowiec był już na tyle blisko, że rozpoznała go bez problemu.

– Wuj Fridolin! Co za niespodzianka!

Wybiegła młodemu mężczyźnie naprzeciw i chwyciła go za dłonie.

Fridolin von Trettin zatrzymał się i spojrzał na nią zdumiony. Pamiętał Lorę jako chudego, ruchliwego podlotka z długimi jasnymi warkoczami. Wprawdzie nadal była uczesana w warkocze, ale jej włosy połyskiwały teraz jak pole dojrzałej pszenicy. W dalszym ciągu robiła wrażenie bardzo szczupłej, ale to z powodu wzrostu. Sięgała mu teraz do nosa, a nie był bynajmniej niskim mężczyzną. Łagodne krągłości zdradzały jej budzącą się kobiecość, a twarz dziewczyny mimo smutku w wielkich brązowych oczach była miła i piękna.

Dziewczęta z lupanaru Hedy na pewno mogłyby pozazdrościć jej wyglądu i naturalnej elegancji – przeleciało mu przez myśl.

– Czy to naprawdę ty, Loro? Na Boga, jak szybko mija czas! Wyrosłaś na prawdziwą damę.

— Mam już piętnaście lat — odpowiedziała Lora, przyglądając się z zaciekawieniem ubranemu z wyszukaną elegancją krewnemu.

Fridolin miał na sobie lekki jasnoszary surdut, spodnie z identycznego materiału i cylinder w takim samym kolorze. Falbaniasta koszula połyskiwała w słońcu, a w fantazyjnie zawiązanym krawacie tkwiła złota szpilka.

Dostrzegł jej pełne podziwu spojrzenie i uśmiechnął się smutno.

— Właściwie powinienem przybrać żałobę, ale nie posiadam czarnego garnituru, a krawiec nie chciał mi udzielić kredytu.

Roześmiał się, jakby właśnie powiedział przedni dowcip, ale szybko z powrotem spoważniał i położył dłoń na ramieniu Lory.

— Wyrazy współczucia, maleńka. Na pewno bardzo przeżyłaś utratę rodziców. A do tego jeszcze stryj zachorował! Jak się teraz czuje?

— Lepiej, niż się tego spodziewał lekarz! Ale jest sparaliżowany i nie może opuszczać łoża — odpowiedziała Lora z troską w głosie.

— A kto się nim zajmuje? — pytał dalej Fridolin.

— Ja i Elsie. To znaczy, najczęściej ja.

— Elsie? Czy to nie ta służąca, która podczas mojej ostatniej wizyty w Trettinie zniszczyła mi mankiety?

Fridolin wzdrygnął się na to wspomnienie, a następnie poprosił Lorę, żeby zaprowadziła go do starszego pana.

Lora ruszyła przodem, otworzyła drzwi do pokoju chorego, a sama pospieszyła do kuchni, żeby przygotować jakąś przekąskę dla wuja.

Wolfhard von Trettin czekał już niecierpliwie na gościa. Zobaczywszy syna swego najmłodszego brata, uśmiechnął się.

— Na Boga, Fridolinie! Jakie wiatry przygnały cię tu, do Prus Wschodnich?

— Najpierw chciałbym się z wami przywitać, drogi stryju. A wracając do waszego pytania, byłbym chyba wyrodnym krewnym, gdybym nie przyjechał tu na wieść o śmierci Leonory i waszej chorobie.

Fridolin wziął krzesło z kąta pokoju, postawił obok łóżka i usiadł. Patrząc na stryja, nie potrafił ukryć szoku. Gdy ostatnio był w Trettinie, stary freiherr zarządzał majątkiem i prezentował się zdrowo i silnie jak dąb. Teraz przypominał cień samego siebie.

Młody mężczyzna chwycił spontanicznie dłonie starca.

– Czy mam wyzwać Ottokara na pojedynek i rozpłatać mu pierś, stryju?

Wolfhard von Trettin po raz pierwszy od wielu tygodni roześmiał się serdecznie.

– Zrobiłbyś to, Fridolinie, prawda? Ale na nic by się to nie zdało, bo żona Ottokara, która udaje wielką damę, a pochodzi z plebejskiej rodziny Lanitzkich, nadal siedziałaby na włościach wraz ze swoim pomiotem. Na Boga, czemu to nie ty jesteś synem mojego średniego brata? Wtedy do tego wszystkiego by nie doszło.

– Wtedy, stryju, jeszcze częściej prosiłbym was o wsparcie finansowe – zażartował młodzieniec.

Stary sapnął, ponieważ śmiech przychodził mu z trudem.

– Już bym ci pokazał, gdzie raki zimują. Oj, zmieniłbyś tryb życia. Ale powiedz, co u ciebie?

Po twarzy Fridolina przemknął cień.

– Jak widzicie po moim garniturze, który zupełnie nie pasuje do domu pogrążonego w żałobie, znów jestem goły. Na podróż tutaj wydałem ostatnie talary. Dlatego z Heiligenbeilu do Bladiau przyjechałem na chłopskim wozie z warzywami, a ostatni kawałek drogi przeszedłem pieszo.

– Chciałbym dać ci choć kilka talarów, ale Ottokar nie przekazuje mi pieniędzy, które powinien płacić zgodnie z wyrokiem sądu. Chyba łotr chce, bym jak najszybciej znalazł się w ziemi.

Wolfhard von Trettin spojrzał chmurnie w kierunku, gdzie znajdowały się jego dawne włości, i zacisnął dłoń w pięść.

Humor szybko mu się jednak poprawił. Mrugnął do bratanka prawym okiem.

– Tak łatwo się nie poddam. Muszę jeszcze załatwić jedną sprawę, potem mogę zrejterować. Lora nie może wpaść w ręce Ottokara i Malwiny. Ci dwoje odebraliby jej tych kilka fenigów, które mogę jej po sobie pozostawić, i uczyniliby z niej bezpłatną służącą.

– Chętnie bym wam pomógł, ale nie wiem nawet, czy jeszcze będę miał dach nad głową, gdy wrócę do Berlina, czy może gospodyni już mi wystawiła kufry za drzwi.

Fridolin wzruszył ramionami i odepchnął od siebie tę nieprzyjemną myśl, podczas gdy stryj patrzył na niego z lekką drwiną.

– Co by się stało, gdybyś spróbował znaleźć sobie jakieś odpowiednie źródło przychodów?

Fridolin uniósł ręce w komicznym geście rozpaczy.

– Chętnie bym to zrobił, ale nie nadaję się nawet na oficera. Poza tym nie mam pieniędzy, żeby wstąpić do odpowiedniego regimentu. Uprawa roli też nie jest dla mnie, nie mam ani własnej ziemi, ani ochoty przez cały dzień siedzieć w siodle i rugać spoconych parobków i dziewki. Jedno zajęcie mi tylko odpowiada. Ale nie mam ani odpowiednich koneksji, ani odpowiednich listów polecających.

– Co to takiego? – zapytał starzec.

– Pieniądze! Zapewne nie uwierzycie, ale wyśmienicie potrafię operować pieniędzmi, póki nie należą one do mnie. Ostatnio urzędnicy przyczepili się do pewnej znajomej za to, że się uchylała od płacenia podatków. Doprowadziłem do porządku jej księgi rachunkowe, a do tego wygospodarowałem zysk w wysokości prawie tysiąca talarów.

Starzec spojrzał na niego ze zdumieniem.

– Dlaczego zatem nie prowadzisz tych ksiąg dalej?

– Moja znajoma jest właścicielką, jak by to oględnie powiedzieć, pewnego niezbyt szacownego przybytku. Utraciłbym resztkę reputacji, gdybym jawnie dla niej pracował. – Fridolin westchnął i zamilkł, po czym pokręcił głową i dodał: – Stryju, nie wiecie nawet, jak bardzo nazwisko von Trettin ogranicza człowieka. Moja pozycja pozwala mi wydawać pieniądze w burdelu, ale nie pozwala w burdelu zarabiać. Ponieważ zamknięta jest przede mną większość mieszczańskich zawodów, zastanawiałem się, czy nie powinienem może wyjechać do Ameryki i tam spróbować szczęścia. Ale nie mam nawet dość pieniędzy, by wykupić miejsce na międzypokładzie, nie mówiąc już o kapitale, który pozwoliłby mi tam zacząć nowe życie.

Wolfhard von Trettin machnął niecierpliwie ręką.

– Czegóż miałbyś szukać w Ameryce? Jeszcze te dzikusy by cię tam zabiły.

Bratanek pokręcił energicznie głową.

– Te czasy dawno już minęły. Na wschodnim wybrzeżu Ameryki, ale też w głębi kontynentu, są miasta, które w niczym nie ustępują Królewcowi, czy nawet Berlinowi. Wielu emigrantom się tam poszczęściło. Ale jako von Trettin nie dostałem odpowiedniego wychowania, aby zaczynać tam karierę od pomywacza.

– Ameryka? Co za bzdura! – Starzec sapnął i spojrzał z niezadowoleniem na bratanka. – A więc prowadziłeś księgi burdelmamie? Mój Boże, jesteś gorszy nawet ode mnie, a to mnie, gdy byłem w twoim wieku, nazywano szalonym Nikasem.

Starszy pan na moment zatopił się we wspomnieniach, po czym opowiedział Fridolinowi kilka anegdotek z dawno minionych czasów. Obaj serdecznie się uśmiali z tych historyjek. W końcu starzec znów spoważniał i położył młodzieńcowi rękę na ramieniu.

– Mógłbyś wyświadczyć mi przysługę, Fridolinie?

– Każdą, o ile nie chodzi o pieniądze – odpowiedział bratanek pogodnym tonem.

– Nie chcę, żeby mnie chował ten luterański klecha, który się zhańbił, błogosławiąc Ottokara, gdy ten zajął Trettin. Ale ze względu na Lorę nie mogę się całkiem wyrzec chrześcijaństwa. Dlatego chciałbym, żebyś udał się do jakiegoś katolickiego katabasa, pierwszego lepszego, jakiego napotkasz na swej drodze, i żebyś przysłał go do mnie.

Fridolin zerwał się z krzesła i spojrzał na stryja z osłupieniem.

– Chcecie przejść na katolicyzm? I to teraz?

– To nie jest kwestia chcenia. Muszę! Poza tym pragnę z niebios, albo nawet z piekła, wszystko mi jedno, zobaczyć, jaką minę zrobi tutejszy pastor, gdy to konkurent będzie grzebał byłego pana na Trettinie.

Fridolin jęknął żałośnie.

– Ottokar pęknie, gdy się o tym dowie. Wielu znajomych ma mu za złe spory z wami o ziemię, niejeden zatem uzna, że odeszliście od wiary przez niego.

Starzec się roześmiał.

– Już choćby dlatego chcę to zrobić. A teraz jeszcze jedna rzecz: możesz mi podać z szafki tę grubą książkę w porysowanej okładce ze świńskiej skóry?

– Oczywiście.

Fridolin podszedł do regału. Musiał stanąć na palcach, żeby móc uchwycić grube tomisko. Z ciekawością otworzył księgę i popatrzył na nieczytelne odręczne pismo.

– Co to takiego? – zapytał zdziwiony.

– Kodeks rodu von Trettinów. Ponieważ Bóg w swej łasce, jak by powiedział pastor, dał mi jeszcze trochę czasu, chcę go wykorzystać, by odnaleźć w tej księdze coś, dzięki czemu mógłbym Ottokarowi pokrzyżować w jakiś sposób szyki.

Starzec poprosił bratanka o położenie księgi na małej szafce z ciemnego drewna, do której mógł sięgnąć prawą ręką. Potem zawołał Lorę.

– Dziewczyno, czy nie przyszło ci do głowy, że nasz gość może być głodny?

Lora przymknęła za sobą drzwi i skinęła głową.

– Ależ pomyślałam o tym, panie dziadku. Już wszystko stoi przygotowane dla pana Fridolina.

– Pana Fridolina? Wcześniej nazywałaś mnie Fridem, smarkulo – przypomniał jej młodzieniec, uśmiechając się życzliwie.

Starzec machnął ręką, jakby chciał przepędzić muchy.

– Zaprowadź Fridolina do kuchni, Loro. Niestety, w tym domu nie mamy jadalni.

Dziewczę dygnęło i zwróciło się do Fridolina:

– Czy zechciałbyś udać się ze mną do kuchni, Frido?

– Ależ oczywiście. Przechadzka przez las faktycznie zaostrzyła mi apetyt.

Gdy Lora i Fridolin odeszli, stary pan von Trettin otworzył kodeks rodzinny. Miał ograniczony zakres ruchów, więc radził sobie z trudem, ale z żelazną konsekwencją studiował księgę, ponieważ zdawał sobie sprawę z niebezpieczeństwa, jakie groziło jego wnuczce ze strony Ottokara von Trettina. Chciał uczynić wszystko, co tylko możliwe, by ochronić ją przed tym człowiekiem.

VIII

Lora wstydziła się skromnej strawy, którą zmuszona była podać Fridolinowi. Przepraszała go więc za to wylewnie.

– Wuj Ottokar nie płaci już dziadkowi, a na dodatek zabronił sklepikarzom we wsi dawać nam cokolwiek na kredyt.

– Naprawdę powinienem wyzwać go na pojedynek – stwierdził Fridolin, chociaż wiedział, że to w żaden sposób nie zmieniłoby sytuacji mieszkańców domku myśliwskiego. Ponieważ był bardzo głodny, z apetytem zjadł ciemny chleb i wieprzową galaretę, po czym pochwalił Lorę: – Przepyszne, czegoś równie dobrego nie jadłem nawet w pałacu w Trettinie.

Lora spuściła głowę.

– Tylko tak mówisz.

– Nie, wcale nie! Galareta jest jedną z moich ulubionych potraw, a rzadko zdarzało mi się jeść taką dobrą jak ta. Czy to ty ją zrobiłaś?

Stremowana Lora skinęła głową.

– Tak, są rzeczy, które wolę zrobić sama, niż powierzać je Elsie.

– I słusznie! – Fridolin wsadził sobie z rozkoszą następny kęs do ust.

Na moment rozmowa ucichła. Fridolin opróżnił talerz, odłożył sztućce na bok i popatrzył z powagą na Lorę.

– Kiepsko ci się wiedzie, co? – powiedział. – Nie mam na myśli tylko pieniędzy, ale też tragedię, która przydarzyła się twojej rodzinie. Bardzo lubiłem Leonorę i jej męża, i oczywiście twoich braci i siostrę też. Jak człowiek pomyśli, co ich spotkało, może stracić wiarę w Boga i w świat!

Dziewczyna poczęła wyłamywać sobie palce.

– Jest mi naprawdę ciężko. Z tego wszystkiego nie mam nawet sił, by opłakiwać moich bliskich. Muszę pilnować, żebyśmy jakoś wiązali koniec z końcem. Na szczęście doktor Mütze nie bierze pieniędzy za leczenie dziadka, a do tego daje jeszcze nieodpłatnie lekarstwa. Gdyby nie to, byłoby znacznie gorzej.

– Znam tego lekarza. Jest dobrym przyjacielem stryja i z pewnością nie będzie mu żal tych kilku talarów. Ale co z tobą? Sukienka, którą masz na sobie, wygląda fatalnie.

Lora musiała się powstrzymywać, żeby na słowa Fridolina nie wybuchnąć płaczem.

– Wszystkie moje sukienki prócz tej, którą miałam wtedy na sobie, się spaliły. Ale w czasie żałoby nie wypada nosić jasnej sukni z koronkami. A poza tym nie nadawałaby się ona do pracy w domu. Dlatego Kord podarował mi sukienkę po swej zmarłej żonie. Porozcinałam materiał, odwróciłam na drugą stronę i dopasowałam do mojej figury. Sądzę, że wyszło mi całkiem nieźle.

Fridolin przyjrzał się sukni dokładniej i skinął głową.

– Jak na używaną i poprzerabianą sukienkę wygląda naprawdę znośnie. Myślałem, że jest nowa. Najwidoczniej odziedziczyłaś po matce talent do szycia. Pamiętam, jak nieraz cerowała mi spodnie i kaftaniki, gdy jako dziecko bywałem wraz z rodzicami w pałacu!

Fridolin zamyślił się na moment, wspominając tamte czasy, kiedy życie było o wiele łatwiejsze – i dla starszego pana, i dla niego samego. Szybko jednak powrócił do ponurej rzeczywistości. Bieda panująca w domku mocno nim wstrząsnęła. Znowu przeklął w duchu kuzyna, który rozsiadł się dumnie na włościach i bez trudu mógłby pomóc Lorze i stryjowi. Dziewczynie na pewno trudno jest żyć w tak nędznych warunkach, zwłaszcza teraz, po śmierci rodziców. Kierowany impulsem sięgnął po sakiewkę i wyciągnął z niej błyszczącego kuranta; moneta wyglądała jak nowa, chociaż nosił ją przy sobie jako amulet już od ponad pięciu lat. Do tej pory jakoś nie potrafił jej wydać, ale teraz włożył ją w dłoń Lory.

– Proszę, to dla ciebie! Musisz mi jednak obiecać, że wydasz to tylko na siebie. Przyrzekasz?

Lora popatrzyła na pieniądz wielkimi oczami. Jeszcze nigdy w życiu nie miała w rękach monety o takiej wartości, dlatego nie chciała jej przyjąć.

– Ależ Fridolinie, na pewno sam potrzebujesz pieniędzy – zaprotestowała.

Chociaż faktycznie tak było, Fridolin machnął tylko z uśmiechem ręką.

– Nie jest jeszcze ze mną tak źle.

W drodze powrotnej zamierzał w Heiligenbeilu albo Elblągu zastawić szpilkę do krawata, aby nie musieć pościć aż do Berlina. Mimo to ten mały gest współczucia wydał mu się zawstydzająco skromny.

IX

Fridolin bawił w domku myśliwskim przez trzy dni. I chociaż jego obecność dobrze wpływała na samopoczucie starszego pana, Lora stanęła wkrótce przed problemem, co ma zaserwować do jedzenia. Na dodatek Elsie wciąż narzekała, bo był początek miesiąca, a ona już drugi raz nie otrzymała wynagrodzenia. Lora tak się w końcu zdenerwowała, że poradziła marudnej dziewczynie, by ta wypowiedziała służbę i odeszła. Wprawdzie wtedy więcej roboty spadłoby na Lorę, ale przynajmniej nie traciłaby tylu nerwów. Niestety, Elsie zdecydowała się jednak zostać. Nadal marudziła i obijała się jeszcze bardziej niż przedtem. Robiła słodkie oczy do Fridolina, bo spodziewała się, że dostanie od niego jakieś pieniądze. Dawała mu do zrozumienia, że nie miałaby nic przeciwko temu, by zabrał ją na spacer w jakiś cichy leśny zakątek. Fridolin został jednak w Berlinie sowicie nagrodzony przez wdzięczną burdelmamę i jej dziewczęta, dlatego nie wykazywał zainteresowania tą wiejską niezgułą, zwłaszcza że miał pustą sakiewkę.

W dzień odjazdu spożył wczesnym rankiem skromne śniadanie składające się z kawy z prażonych buraków, ciemnego chleba i konfitury z pigwy, a potem wszedł do pokoju starszego pana, żeby się z nim pożegnać.

Wolfhard von Trettin popatrzył z dumą na swego bratanka i pożałował, że ze względu na okoliczności nic nie może uczynić dla tego młodego mężczyzny. Chcąc pozbyć się Ottokara z majątku, rozważał nawet wydanie Lory za Fridolina. Dziewczyna skończy w kwietniu przyszłego roku szesnaście lat i tym samym będzie już mogła wyjść za mąż. Ale choć zasady dziedziczenia majątku zawierały po części dziwne klauzule, to nie pozwalały, by ordynat obszedł właściwego spadkobiercę, aranżując małżeństwo wnuczki z krewnym niższego stopnia.

Niechętnie wypuszczał bratanka. Docinał mu niezadowolony:

– I co? Zamierzasz odwiedzić też Ottokara?

Fridolin pokręcił ze śmiechem głową.

– Nie, z pewnością nie, stryju. Malwina i tak by mnie nie puściła nawet przez próg, bo uważa mnie za syna szatana i boi się, że mógłbym zarazić zepsuciem jej dzieci, a może nawet jej drętwego męża.

Odpowiedź przypadła Wolfhardowi von Trettinowi do gustu. Jego posępna twarz się wypogodziła i poklepał Fridolina po ramieniu.

– Masz rację, omijając Trettin. To już nie jest miejsce dla takiego radosnego chłopca jak ty. Ale nie chcę cię dłużej zatrzymywać. Droga do wsi jest długa, a nie możesz się spóźnić, bo chłop pojedzie z warzywami do Heiligenbeilu, a ty będziesz musiał iść pieszo na dworzec.

– Poradziłbym sobie – odpowiedział Fridolin pogodnie.

Podał dłoń starszemu panu, który uścisnął ją niespodziewanie mocno.

– Kto wie, czy się jeszcze kiedyś zobaczymy, Fridolinie. Nie zapomnij, o co cię prosiłem. Bo jeśli me truchło stanie się łupem tutejszego pastora, będę cię przeklinać z samego piekła.

– A więc mówiliście na poważnie o przejściu na inną wiarę?

Staruszek skinął ponuro głową.

– Tak poważnie, jak rzadko kiedy w moim życiu! To może będzie ostatni figiel, jaki spłatam Ottokarowi. A teraz bywaj z Bogiem!

– Do widzenia, stryju.

Fridolin opuścił pokój, w którym zdawało mu się, że wyczuwa bliskość śmierci. Pożegnał się potem serdecznie z Lorą i powędrował w kierunku wsi.

Lora jeszcze długo patrzyła za swym krewnym i skarżyła się Bogu, że ten spadkobiercą dziadka uczynił Ottokara, a nie wesołego, miłego Fridolina. Nie miała jednak czasu długo się nad tym zastanawiać, bo z otwartego okna rozległ się głośny i gniewny głos Wolfharda:

– Loro, gdzie jesteś? Poduszka mnie uwiera.

Pobiegła do sypialni i poprawiła poduszkę. Mężczyzna chwycił ją nagle za nadgarstek.

– Czy doktor Mütze zamierza dzisiaj przyjechać? Jest przecież czwartek.

Lora pokiwała głową.

– Faktycznie, dzisiaj jest czwartek, panie dziadku. Ale dzisiaj doktor Mütze nie może przyjechać. Przecież ostatnio powiedział, że w tym tygodniu nie będzie pracował, bo planuje odwiedzić syna w Berlinie.

– Ach, rzeczywiście, przypominam sobie. A więc pojechał do Berlina. Co za miasto, powiadam ci, pełne życia i werwy! Jakże bym chciał jeszcze kiedyś je odwiedzić!

Wolfhard von Trettin zamilkł i zajął myśli tym, co przyjaciel miał tam dla niego załatwić. Ottokar i Malwina mylili się, sądząc, że stary freiherr potajemnie ulokował gdzieś większość majątku. Posiadał jednak sporą sumkę, którą chciał kiedyś pozostawić swojej córce, teraz zaś przeznaczył ją dla Lory. Starzec czuł w głębi duszy, że niebiosa nie dadzą mu dość czasu, żeby zdążył zapewnić dziewczęciu dobrą przyszłość.

Na zewnątrz rozległy się czyjeś nawoływania. Lora wybiegła z powrotem na dwór. Tam spotkała Korda, który tego dnia założył porządny surdut, ponieważ w jego mniemaniu nie godziło się przychodzić do byłego pana w codziennym ubraniu. Na plecach miał worek, ku zdziwieniu Lory coś się w nim poruszało.

Dawny parobek mrugnął do niej porozumiewawczo.

– Mam tu kilka królików, dostałem je wczoraj od starego przyjaciela. Gdy je zobaczyłem, pomyślałem, że będą na pewno dobrym posiłkiem dla twojego dziadka.

Otworzył worek, aby Lora mogła zajrzeć do środka.

Zobaczyła cztery małe czarno-białe króliczki i spojrzała ze zgrozą na Korda.

– Chcesz zabić te słodkie zwierzaczki?

Parobek pokręcił ze śmiechem głową.

– Oczywiście jeszcze nie teraz. Dopiero jak podrosną. Za kilka tygodni będzie z nich wspaniała pieczeń.

– Ale nie wiem, gdzie je trzymać!

Rozłożyła bezradnie ręce.

Kord zapewnił, że zbuduje dla nich klatkę.

– Możesz mi powiedzieć, gdzie znajdę narzędzia? – zapytał.

Lora skinęła głową i zaprowadziła go do przybudówki, w której leśniczy dziadka trzymał kiedyś piły, młotki i inne narzędzia. Kord wyszukał sobie, czego potrzebował, i zabrał się do pracy. Gdy po chwili rozległy się pierwsze uderzenia młotkiem, Lora usłyszała, że dziadek znowu ją woła, i pobiegła do niego.

– Co to za hałas na zewnątrz? – zapytał Wolfhard von Trettin ze złością.

– Kord przyniósł kilka królików i przygotowuje dla nich klatkę. Mówi, że będzie z nich dobra pieczeń, ale ja się właśnie zastanawiam, czy nie zacząć ich hodować i sprzedawać małe na targowisku w mieście. Na pewno zarobiliśmy dość pieniędzy, żeby u sklepowej we wsi kupić najbardziej niezbędne produkty, albo jeśli będzie się bała Ottokara, zrobić to w sklepie w Heiligenbeilu.

Spojrzała z pytaniem w oczach na dziadka.

Stary Trettin machnął z pogardą ręką.

– Jeszcze by tego brakowało, żeby moja wnuczka siedziała na

targu jak jakaś handlara i zachwalała swoje towary. Lepiej, jak Kord zabije króliki i wrzuci je do najbliższego strumienia!

Zabrzmiało to tak kategorycznie, że Lora nie miała odwagi zaprotestować. Pożegnała się z myślą, że zasili budżet domowy pieniędzmi z hodowli królików, i pocieszyła się tym, że mięso zwierząt pomoże dziadkowi nabrać sił. Miała świadomość, że po jego śmierci zająłby się nią Ottokar. W Trettinie traktowano by ją z pogardą, niczym służącą. I musiałaby się cieszyć, gdyby w ramach zapłaty dostała raz w roku kawałek taniego materiału na sukienkę. Nie może do tego dopuścić! Już teraz śnią się jej z tego powodu koszmary. Nie wiedziała jednak, w jaki sposób mogłaby uniknąć znienawidzonego krewniaka i takiego losu.

Dziadek nie dał jej czasu na rozmyślania o przyszłości.

– Mówisz, że Kord zbija klatkę na króliki? Jak skończy, niech do mnie zajrzy. A ty idź do lasu na grzyby. Mam ochotę na pożywny gulasz z grzybami.

Lora miała już zaproponować, że pośle Elsie, ale przypomniała sobie, ile służąca ostatnio zebrała. Nie wystarczyłoby tego nawet dla samego starszego pana. Dlatego skinęła głową.

– Dobrze, panie dziadku. Cieszę się, że macie dzisiaj apetyt.

Odkąd Wolfhard von Trettin przeszedł udar, wcale go nie interesowało, co trafi na stół. Chciał jedynie, by opuściła dom, bo pragnął swobodnie porozmawiać z Kordem. Przyszło mu do głowy, że Elsie też powinna sobie pójść, kazał więc Lorze, żeby dała służącej wolne na resztę dnia.

Lora westchnęła, bo przez to cała dzisiejsza praca miała spocząć na niej. Najchętniej by zaprotestowała, ale nauczono ją, że głowie rodziny nie wolno się sprzeciwiać. Usłuchała więc i niedługo potem patrzyła w ślad za Elsie, która wesoło jak sarenka zbiegała drogą do wsi w nadziei, że uda jej się tam zarobić kilka fenigów. Lora uważała, że to raczej mało prawdopodobne. O ile się orientowała, ludzie ze wsi nie za bardzo przepadali za Elsie.

Lora tymczasem nie miała innego wyjścia, jak włożyć do koszyka nożyk i pójść na grzybobranie.

Gdy Kord skończył budować klatkę dla królików, wytarł sobie dłonie o spodnie i z czapką w ręce wszedł do chaty. Zapukał ostrożnie do sypialni starszego pana.

– Wejść! – rozległ się gderliwy głos.

Kord otworzył drzwi i spojrzał, kryjąc zgrozę, na mężczyznę, którego przez tyle lat widywał tylko wysoko na koniu. Stary freiherr od tego nieszczęsnego dnia, kiedy dostał ataku apopleksji, wyglądał, jakby opuściły go wszystkie siły. Ale gdy Kord spojrzał w oczy swego dawnego pana, zrozumiał, że wprawdzie ciało freiherra jest cherlawe, ale jego duch ma się dobrze.

Wolfhard von Trettin z gniewnym uśmiechem zdzierżył świdrujący wzrok swego byłego parobka, a potem podniósł władczo rękę.

– Mam dla ciebie zadanie, Kordzie! Ale nikt nie może się o tym dowiedzieć, zwłaszcza mój przeklęty bratanek rezydujący w Trettinie. Zrozumiałeś?

Kord skinął głową i podszedł bliżej, żeby wysłuchać, co jego były pan ma do zakomunikowania.

X

Kilka dni później stara skórzana sakwa, gdzie Lora przechowywała pieniądze na prowadzenie domu, opustoszała na dobre. Dziewczyna postanowiła włożyć do niej talara, którego dostała od Fridolina. Wprawdzie obiecała swemu młodemu wujkowi, że wyda te pieniądze tylko na siebie, ale potrzeba zmusiła ją do tego kroku. W tym momencie dziadek wezwał ją gniewnym głosem. Nie po raz pierwszy pomyślała, że starszy pan chyba potrafi widzieć przez ściany. Pobiegła tak spiesznie, że zapomniała odłożyć sakiewkę i monetę.

Wolfhard von Trettin wiedział, jaki jest stan finansów, choć Lora starała się chronić go przed złymi wiadomościami. Popatrzył na monetę krzywym okiem.

– Skąd ją wzięłaś?

Zatroskana Lora spuściła głowę.

– Dał mi ją wujek Fridolin. Powiedział, że mam sobie za nią coś kupić, ale potrzebuję pilnie pieniędzy na zakup żywności.

– Skoro talar należy do ciebie, to go zachowaj. Niedoczekanie, żeby freiherr von Trettin pozwolił, aby utrzymywała go własna wnuczka. Daj mi tę monetę, przechowam ją dla ciebie.

Nim zdążyła zareagować, sięgnął zdrową prawicą i wyrwał jej monetę z dłoni.

– Ależ dziadku, nasze zapasy się pokończyły. Potrzebuję pieniędzy, żeby zrobić zakupy.

Lorze popłynęły z oczu łzy, ale staruszek był niewzruszony.

– Jeśli nic już nie mamy, to idź do lasu na grzyby i jagody. One są za darmo.

Lora chciała odpowiedzieć, że bez jajek i masła nie zdoła przyrządzić omletu z grzybami, ale jego spojrzenie przeraziło ją tak, że nie potrafiła się sprzeciwić. Dlatego wyszła z pokoju i poszukała koszyka. Elsie powinna właśnie rąbać drewno na zimę, ale znowu się gdzieś zapodziała. Lora popatrzyła na ciągle jeszcze niewielki stos polan przy ścianie i westchnęła. Tu, w pobliżu Zalewu Wiślanego, zimą wiatry hulają po równinnym krajobrazie. Dlatego koniecznie potrzebują drew na opał. Jeśli Elsie nie porąbie drewna, Lora sama będzie musiała to zrobić. Napędzana tą myślą pobiegła do lasu i pilnie szukała jadalnych grzybów i jagód.

Gdy wróciła do domku myśliwskiego, Elsie wciąż jeszcze nie było. Przygnębiona Lora postawiła swe zbiory w kuchni i ciężką siekierą zaczęła rozłupywać przycięte przez Korda kloce drewna. Kilka razy musiała się od tego zajęcia odrywać, bo dziadek wołał ją do siebie. Raz uwierała go poduszka, innym razem musiała podać mu basen.

Tego dnia padła śmiertelnie zmęczona do łóżka i zasnęła tak głęboko, że nawet wystrzał z armaty nie dałby rady jej obudzić. Następnego ranka wstała jak nieprzytomna. Czuła wyraźnie, że tak dalej być nie może. Gdy Elsie przyszła, jak zawsze z dużym opóźnieniem, kazała jej przypilnować starszego pana, a sama ruszyła w drogę do pałacu. Idąc tam, czuła sama do siebie obrzydzenie. Najchętniej wygarnęłaby Ottokarowi prosto w oczy, co o nim myśli. Ale zamiast tego będzie musiała go błagać, żeby przekazał choć część pieniędzy, do których płacenia zobowiązany był wyrokiem sądu. W stosunku do dochodów majątku ustalona sądownie suma była tylko drobną kwotą, ale Lorze wystarczyłaby jej część, żeby zapewnić dziadkowi pożywne jadło.

Folwark Trettin znajdował się na małym wzniesieniu, kwadrans drogi piechotą od wsi o tej samej nazwie. Duży, dwupiętrowy pałac i olbrzymie stajnie oraz stodoły robiły imponujące wrażenie. W czasach, kiedy dziadek władał niepodzielnie majątkiem, Lora bywała tu regularnie. Mogła wtedy korzystać z głównego wejścia. Tym razem jednak nie odważyła się na to. Obeszła dom i z wahaniem zapukała do drzwi kuchennych. Otworzyła służąca, która wcześniej często dawała jej drobne smakołyki. Teraz obrzuciła dziewczynę tak pogardliwym spojrzeniem, jakby miała do czynienia z brudną żebraczką.

Lora zebrała całą swą odwagę i spojrzała kobiecie prosto w twarz.

– Muszę porozmawiać z panem Ottokarem.

– Pana nie ma – odpowiedziała służąca i chciała zatrzasnąć Lorze drzwi przed nosem.

Wtedy pojawiła się Malwina von Trettin i odegnała kobietę. Gdy kroki służącej ucichły, Malwina wzięła się pod boki i spojrzała z góry na Lorę.

– Czego tutaj szukasz? Twoje miejsce jest w leśnej chacie przy tym starym kalece.

Lora musiała się zmusić, by się nie odwrócić i nie uciec. Ale bez grosza przy duszy nie mogła kupić żywności ani zapłacić wynagrodzenia Elsie. Dlatego zebrała się na odwagę.

– Przyszłam po pieniądze, które przysługują mojemu dziadkowi. Wuj Ottokar nie zapłacił jeszcze za zeszły kwartał.

Malwina roześmiała się dźwięcznie.

– Czy to stary cię tu przysłał? Możesz mu powiedzieć, że nie dostanie od nas ani talara. Wystarczająco okradł majątek! Niech żyje z zagrabionych pieniędzy.

Potem trzasnęła drzwiami i wróciła do swego pokoju, zacierając ręce. Teraz stary będzie wiedział, na czym stoi, i sięgnie po ukryte zasoby. Jeszcze trochę i wreszcie odzyskają majątek, który im przysługuje.

Pełen nienawiści wzrok kobiety sprawił, że Lorę przeszedł dreszcz. Zatrzęsła się niczym mokry pies.

Jak człowiek może być tak podły? pomyślała.

Ani przez moment nie wierzyła, że dziadek trzyma gdzieś pieniądze. Postanowiła, że nie powie mu o tym oskarżeniu.

Było jej przykro, że w ten sposób została przegnana z progu domostwa, gdzie wychowała się jej matka i gdzie ona sama wcześniej była przez wszystkich hołubiona. Wracając, mijała sklep o dumnej nazwie „Towary kolonialne". Pomyślała, że może poprosi właścicielkę, by ta sprzedała jej na kredyt przynajmniej najniezbędniejsze produkty. Ale przecież kobieta nigdy nie dostanie pieniędzy, bo dziadek nie ma ani talara, a Ottokar nie będzie chciał pokryć długów stryja.

Dlatego przemknęła ze zwieszoną głową obok budynku, który od innych wiejskich zabudowań odróżniał się tylko szyldem. Zdążyła dotrzeć na skraj lasu, gdy okazało się, że nie wszyscy ludzie są tak bez serca, jak nowy pan na Trettinie i jego żona.

Zza krzewów wyszła staruszka Miena, jakby czekała w ukryciu na dziewczynę. Podała jej dużą paczkę.

– Dla ciebie i starszego pana. Niech Bóg ma was w opiece!

Zaskoczona Lora wzięła paczkę, ale zanim zdążyła coś powiedzieć, dawna służąca pospiesznie się oddaliła, jakby się czegoś bała. Lora patrzyła za nią i czuła się rozdarta. Najchętniej dogoniłaby Mienę, żeby zwrócić jej podarek. Staruszka należała bowiem do najbiedniejszych we wsi i często sama nie wiedziała, co następnego dnia włoży do garnka. Zapach wydobywający się z paczki był jednak zbyt uwodzicielski. Dlatego Lora chwyciła pakunek w taki sposób, by nie zawadzał jej w marszu, podziękowała w duchu staruszce i wszystkim tym ludziom, którzy musieli złożyć się na zawartość paczki, i ruszyła do domu. Po drodze zastanawiała się, jak powiedzieć dziadkowi, że teraz żyją na koszt jego byłych robotników.

XI

Obawy Lory, że starszy pan wpadnie w złość z powodu artykułów żywnościowych, się nie sprawdziły. Gdy mu wyznała, że Miena dała jej coś do jedzenia, mruknął wprawdzie gniewnie, ale bliżej go to nie interesowało.

Lora zaś znalazła w paczce coś, co było dla niej równie ważne jak produkty, którymi mogła napełnić żołądek. Artykuły żywnościowe zapakowane zostały każdy z osobna w papier gazetowy, nieczytelny tylko w niewielu miejscach. Dlatego podczas rozpakowywania dostrzegła pewne ogłoszenie. Niejaka madame de Lepin zapowiadała otwarcie salonu mody w Heiligenbeilu, a stronę dalej, w dużo mniejszym anonsie, ogłaszała, że szuka zręcznej krawcowej. Lora była przekonana, że potrafi dobrze władać igłą i nitką. Zastanawiała się, czy nie powinna odwiedzić owej damy. Może zdoła jednak zarobić trochę pieniędzy. Nie mogli przecież wciąż wegetować jak do tej pory.

Następnego dnia przykazała Elsie baczyć na pana i ruszyła w drogę. Do starej torby włożyła bluzkę z jasnego materiału, nad którą pracowała przed tym całym nieszczęściem, gdy dziadek ucinał sobie poobiednią drzemkę. Wtedy szycie było dla niej zajęciem, którym w wolnych chwilach zabijała nudę, ale teraz cieszyła się, że nadal posiada tę bluzkę, chociaż nie mogła jej nosić podczas żałoby. Miała nadzieję, że pokazując ją owej madame, zdoła udowodnić swe umiejętności i otrzyma zlecenia. Nie będzie jednak mogła szyć w pracowni madame, tylko w domu. Ponieważ wielu krawców zatrudniało chałupniczki, Lora uznała, że madame de Lepin będzie postępować podobnie.

We wsi nie znalazła nikogo, kto by zamierzał jechać furmanką do miasta albo przynajmniej do Bladiau i mógłby ją zabrać ze sobą. Na jej szczęście po kilku kilometrach z bocznej drogi wyjechał wóz z warzywami. Woźnica zobaczył dziewczynę i zatrzymał konie.

– Jak tam, panienko, chcesz się zabrać? – zapytał i nieco się przesunął, żeby mogła usiąść obok niego.

– Dziękuję, bardzo by mi to pasowało.

Lora z ulgą wspięła się na wóz. Po chwili zorientowała się, że wzbudziła ciekawość mężczyzny. Widział, że szła od strony Trettina, więc zapytał ją o nowego pana. Sam wyrażał się o Ottokarze bardzo pochlebnie. Lora zrozumiała, że bratankowi dziadka udało się wkraść w łaski okolicznych ziemian. Poza tym Ottokar najwidoczniej wszędzie dookoła oczernił swego stryja, bo woźnica mówił o starym panu z niechęcią. Stwierdził nawet, że Wolfhard jest gorszy od „dębła". Chociaż to gwarowe określenie zabrzmiało w jej uszach przyjemniej niż poprawne określenie „diabeł", to dziewczyna w środku aż się zagotowała. Jej dziadek nie zasłużył sobie, by być w ten sposób szkalowanym.

– Sądzę, że to miano bardziej pasuje do nowego pana. Przecież posunął się do tego, że przy pomocy pokrętnych adwokatów zabrał włości stryjowi – zaoponowała.

Ale mężczyzna tylko machnął ręką i powiedział:

– Stary pan von Trettin tak bardzo zaniedbał majątek, że doprowadził go do ruiny, a na dodatek przywłaszczył sobie jeszcze pieniądze, które właściwie należały się jego bratankowi.

Lora tylko dlatego nie zwymyślała woźnicy, że się bała, iż pozostałą drogę będzie musiała pokonać pieszo. Za to przez resztę podróży milczała. Gdy na rynku w Heiligenbeilu zsiadała z wozu, podziękowała za podwózkę krótko i chłodno, ponieważ była zadowolona, że już nie będzie musiała przebywać w towarzystwie tego nieprzyjemnego człowieka. Ze złości przez kilka minut chodziła bez celu w tę i we w tę. W końcu zapytała przypadkową kobietę o salon madame de Lepin.

Staruszka wskazała drogę do Mauerstraße, gdzie francuska krawcowa ulokowała swoją pracownię. Chwilę potem Lora stała przed ponurym budynkiem z małymi oknami. Jedynie szyld obok wejścia informował, że w środku znajduje się salon mody. Lora przełknęła ślinę, żeby zwilżyć wyschnięte ze zdenerwowania gardło. Z mocno bijącym sercem weszła na korytarz. Trzeszczące drewniane schody zaprowadziły ją na piętro, gdzie znajdowała się firma madame de Lepin. Klatkę schodową rozjaśniało światło wpadające z zewnątrz przez małe okienko. Lora znów zobaczyła przed sobą szyld salonu mody. Zapukała drżącą ręką. Przez kilka sekund panowała niezmącona cisza. Lora już się przymierzała, by jeszcze raz uderzyć w drzwi, tym razem mocniej, ale usłyszała w środku kroki. Drzwi się otworzyły i wyjrzała przez nie chuda kobieta w dobrze skrojonej kwiaciastej sukni. Zlustrowała Lorę badawczym spojrzeniem – szybkim, a zarazem świdrującym – i w mgnieniu oka doszła do przekonania, że nie stoi przed nią nowa klientka. Jej początkowo służalcza mina znikła. Kobieta spojrzała na dziewczynę wyniośle.

– Czego chcesz? – zapytała.

– Chcę porozmawiać z madame de Lepin, ponieważ…

– To ja jestem madame de Lepin.

– Chodzi o to, że… potrafię dobrze szyć i chciałabym zapytać, czy nie mogłabym dla pani pracować.

Lora mówiła szybko, jak nakręcona, bo wiedziała, że po raz drugi nie zdobędzie się na odwagę. Chcąc udowodnić, że potrafi szyć, otworzyła torbę i pokazała kobiecie bluzkę.

Krawcowa z powodu skromnej czarnej sukienki Lory uznała, że ma przed sobą prostą wiejską niezdarę, która co najwyżej potrafi grubą igłą zacerować prosty fartuch. Ale mina się jej zmieniła, gdy ujrzała drobne szwy, a pod palcami poczuła delikatny materiał bluzki. Zniknął arogancki wyraz twarzy, a jego miejsce zajęła służbista uprzejmość.

– Wejdź do środka! – powiedziała do Lory i wprowadziła ją do wnętrza zakładu.

Przeszły przez salonik, gdzie przyjmowała klientki, po czym pchnęła Lorę do mniejszego pokoju, gdzie znajdowała się właściwa pracownia.

Dwie młode kobiety, które ślęczały tam nad pracą, oderwały tylko na krótko wzrok od szycia i znów pochyliły się nad tkaniną i igłą. Madame de Lepin, nie zwracając na nie uwagi, podeszła do okna i starannie przyjrzała się bluzce Lory przy świetle dziennym. Gdy skończyła, skinęła z zadowoleniem głową. Bluzka została uszyta wprawną ręką, a to się liczyło w czasach, kiedy zwykłe ubrania coraz częściej były szyte maszynowo. Damy z towarzystwa przykładały wagę do kunsztownych szwów.

Zwróciła się do Lory.

– Załóż tę bluzkę. Chcę zobaczyć, jak leży na tobie.

Lora usłuchała, chociaż musiała zdjąć sukienkę i stanąć przed kobietą tylko w halce. Ta obeszła dziewczynę i sprawdziła, jak leży bluzka.

– Wygląda na to, że faktycznie coś potrafisz. Mogę cię jednak zatrudnić tylko na kilka godzin dziennie, bo nie chcę z twojego powodu zwalniać sprawdzonych pracownic.

Lora jednak nie mogła pracować na co dzień w mieście.

– Niech pani wybaczy, madame, ale czy nie ma pani czegoś, co mogłabym szyć w domu?

W oczach madame błysnęła radość. Chałupniczka otrzymywała mniejszą zapłatę niż zatrudniona na stałe krawcowa, a w razie potrzeby można ją było z dnia na dzień zwolnić.

– To możliwe. Ale zanim się zdecyduję, chcę zobaczyć na własne oczy, co potrafisz. Luiso, przynieś sukienkę dla pani dyrektorowej.

Jedna ze szwaczek odłożyła na bok pracę, zniknęła w komórce i wróciła z prawie gotową suknią, która nie miała jeszcze tylko kołnierzyka. Madame de Lepin wzięła strój i zapytała Lorę:

– Czujesz się na siłach, by przyszyć kołnierzyk?

Lora popatrzyła na piękną suknię i przestraszyła się, że zrobi coś źle. Musiała jednak podjąć się tego zadania, w przeciwnym razie równie dobrze mogłaby od razu opuścić pracownię, a nie po to przecież pokonała tę daleką drogę. Dlatego skinęła głową, robiąc zaciętą minę. Z powrotem założyła sukienkę i usiadła na krześle, które wskazała jej madame. Gdy pierwszy raz wkłuwała igłę, drżały jej trochę ręce. Ale po chwili praca całkiem ją pochłonęła. Strach wrócił dopiero wtedy, gdy podawała madame gotową sukienkę.

Krawcowa popatrzyła na pracę i stwierdziła, że żadna z jej pracownic nie może się równać z tą dziewczyną. Po dłuższej chwili, podczas której Lora przeżywała męki, skinęła głową i podała sukienkę Luisie, nakazując odnieść strój do pomieszczenia obok. Potem spojrzała na Lorę wyniośle, tak że dziewczyna poczuła się brzydka i mała.

– Przyjmę cię na próbę. Będziesz przychodzić do mnie raz w tygodniu. Przyniesiesz mi gotowe rzeczy i zabierzesz nową pracę. Będę ci za to płacić kuranta miesięcznie. Zgadzasz się?

Obie szwaczki zachichotały, bo suma wydała im się śmiesznie niska, ale dla Lory kurant był dużą kwotą.

– Bardzo chętnie, madame.

Właścicielka pracowni zadowolona, że znalazła sobie świetną szwaczkę za tak małe pieniądze, kazała Luisie zapakować kilka mniej pilnych rzeczy i dać Lorze. Zażądała, by Lora podała jej swoje nazwisko i adres, a potem odesłała ją, nie proponując nawet szklanki wody.

Lora ugasiła pragnienie przy studni na rynku i zaczęła się rozglądać, czy ktoś nie mógłby jej podwieźć. Mężczyzna, z którym przyjechała w tę stronę, odwrócił się do niej plecami, gdy przechodziła obok. Za to wcześniejszy sąsiad dziadka przywołał ją skinieniem ręki i zaproponował miejsce w swojej bryczce. Zadowolona, że w ten sposób dojedzie do samego Bladiau, wsiadła i położyła na kolanach dużą paczkę, którą dała jej madame.

– Jak się czuje twój dziadek? – zapytał towarzysz podróży, gdy ruszyli.

– Doktor Mütze ocenia jego stan jako dość dobry – powiedziała Lora, zadowolona, że mężczyzna woli słuchać samego siebie.

– Cóż za podłość, że ten huncwot Ottokar odebrał twojemu dziadkowi majątek. Nie ma już wiary i sprawiedliwości wśród ludzi.

Gdy byłem młody, uścisk dłoni więcej znaczył niż podpis na papierze. Gdyby wtedy ktoś taki jak Ottokar miał czelność wyciągnąć rękę po majątek stryja, ten by go batem przegnał z folwarku. Ale z dzisiejszych przepisów każdy cwaniak potrafi coś dla siebie wyciągnąć, a uczciwy człowiek musi się zastanawiać nad każdym wypowiadanym słowem. Ten przeklęty kundel Ottokar ośmielił się grozić mi sądem, jeśli dalej będę rozpowiadał, że bezprawnie odebrał twojemu dziadkowi majątek. Ów łotr zasłużył sobie, by spuścić mu baty. Ale ci wyedukowani asesorzy, profesorowie i dyrektorzy zaraz założą człowiekowi stryczek na szyję, jeśli się tylko odważy coś mruknąć. Wcześniej było całkiem inaczej, mówię ci...

Lora była zadowolona, gdy dotarli wreszcie do miejsca, gdzie mężczyzna musiał skręcić na swoje włości, ponieważ przez całą drogę użalał się na panujące obecnie stosunki i wspominał z nostalgią czasy, kiedy można było człowieka, którego się nie lubiło, obić batem, a ten nawet nie śmiałby złożyć skargi u sędziego.

– Dziękuję bardzo za podwiezienie! – powiedziała, gdy graf Elchberg podał jej z powozu paczkę od madame.

– Przekaż dziadkowi pozdrowienia ode mnie! – zawołał mężczyzna i ruszył.

Lora zawołała jeszcze za nim, że to zrobi, a potem się rozejrzała, czy jakiś inny pojazd nie jedzie w kierunku, w którym zmierzała. Miała do pokonania jeszcze jedną trzecią drogi, a że nic nie jechało, ruszyła energicznie pieszo. Sądząc po biciu dzwonów na wieży kościelnej, szła już kwadrans, gdy w końcu zrównała się z pewnym staruszkiem w czarnej sutannie. Człowiek ten co rusz się zatrzymywał i wpatrywał w skraj lasu, jakby szukał jakiejś dróżki. W końcu zauważył Lorę, stanął przodem do niej, zdjął okulary i otarł sobie pot z czoła.

– Zapewne jesteś z tej okolicy, moje dziecko – powiedział i zamrugał krótkowzrocznymi oczami.

– Tak, zgadza się – przytaknęła Lora.

– W takim razie na pewno będziesz mogła mi wskazać drogę do domu pana von Trettina.

– Pałacu nie sposób nie zauważyć. Trzeba iść dalej tą drogą, a we wsi skręcić w lewo – powiedziała Lora głosem bardziej szorstkim, niż zamierzała.

– Nie idę do pałacu, tylko do pana Wolfharda von Trettina, który mieszka podobno w leśniczówce.

Lora popatrzyła na mężczyznę ze zdziwieniem. Był bez wątpienia katolickim duchownym.

Czego on może chcieć od dziadka? pomyślała. Szybko sobie jednak przypomniała, że powinna się zachowywać uprzejmie.

– Pan Wolfhard von Trettin jest moim dziadkiem. Ale do jego domu jest jeszcze spory kawałek drogi.

Duchowny znów założył okulary i spojrzał na nią, uśmiechając się ze zrozumieniem.

– Jestem przyzwyczajony do pieszych wędrówek, moje dziecko, bo w tym kraju rzadko kto się zatrzymuje, żeby podwieźć człowieka mojej profesji.

Chyba to prawda – pomyślała Lora. W tej części Prus Wschodnich katolików można było spotkać rzadziej niż na plaży grudy bursztynu wielkości pięści, a jeśli jacyś tu żyli, to najczęściej Polacy, którzy próbowali jakoś przetrwać, mimo że w sąsiedztwie przeważali niemieccy protestanci. Ten ksiądz nie był jednak Polakiem, ponieważ przedstawił się jako Hieronymus Starzig. Ponadto oświadczył, że jest z Heiligenbeilu.

– Konfrater z Berlina napisał do mnie, że pan Wolfhard von Trettin pragnie, abym go odwiedził – wyjaśnił tonem, który nie pozostawiał wątpliwości, że sam jest zdziwiony tym wezwaniem.

Lora nie posiadała się ze zdumienia. Czego dziadek może chcieć od katolickiego księdza? Ale ponieważ nie wypadało się dopytywać, szła w milczeniu obok duchownego, który mimo wieku narzucał szybkie tempo. Miała już ochotę go poprosić, żeby zwolnił, ale przed nimi wyłonił się właśnie domek myśliwski.

Drzwi nie były zamknięte na klucz, ale nigdzie nie widać było Elsie. Lora szybko zaniosła paczkę od madame de Lepin do swojej izdebki, po czym pobiegła do pokoju dziadka. Poczuła ulgę, widząc go bardziej rześkiego i pogodnego niż rano. Na jej widok staruszek zmarszczył brwi i chciał coś powiedzieć, ale wtedy przez otwarte drzwi dostrzegł duchownego w czarnej sutannie.

– Poproś wielebnego do środka i przygotuj dla niego jakiś poczęstunek – zażądał, próbując się nieco podnieść na łóżku.

Dziewczyna pomogła mu usiąść, podkładając kilka poduszek pod plecy. Tymczasem ksiądz Starzig wszedł do środka i nakreślił znak krzyża.

– Niech będzie pochwalony Jezus Chrystus.

Nie zdziwił się, zobaczywszy przed sobą ciężko chorego. Podszedł do łóżka i podał starcowi dłoń. Ten chwycił ją i uścisnął.

– Dzień dobry, ojcze. Chociaż lewa połowa ciała nie jest posłuszna mojej woli, to w prawej mam jeszcze trochę siły – rzekł gromkim głosem, a potem poszukał spojrzeniem Lory. – Jeszcze tu jesteś? Powiedziałem przecież, że masz iść do kuchni!

Lora usłuchała przestraszona. Wychodząc, złowiła jeszcze uchem, że dziadek prosi księdza o zamknięcie drzwi. Potem do kuchni przenikał tylko od czasu do czasu jakiś głośniejszy dźwięk, ale nie mogła zrozumieć, o czym dziadek rozmawia ze swoim gościem.

XII

Wolfhard von Trettin popatrzył na katolickiego duchownego z zadowoleniem.

– A więc Fridolin dotrzymał słowa i przysłał wielebnego do mnie.

Ksiądz zdziwił się nieco.

– Nie znam żadnego Fridolina. Konfrater z Berlina, Nießen, napisał do mnie, żebym do was zaszedł.

– To Fridolin go o to poprosił. Mój bratanek mieszka w Berlinie. Cieszę się, że tak szybko przyszliście, wielebny ojcze, bo nie wiem, jak długo Pan Bóg pozwoli mi jeszcze żyć na tym padole. Nie chcę, żeby ten ewangelicki łotr, który nazywa siebie pastorem, grzebał mnie w ziemi. Dałem słowo, że do tego nie dopuszczę.

Starzec zacisnął dłoń w pięść i wyciągnął ją w kierunku wsi, a tym samym domu pastora.

– Co mogę dla was zrobić? – zapytał Starzig, który nie wiedział, jak ma się odnieść do słów chorego.

– Niech wielebny uczyni ze mnie katolika, bo czego innego mógłbym chcieć od księdza? I jeszcze pragnę, by mnie wielebny pochował, gdy przyjdzie na to pora – odpowiedział starzec gromkim głosem.

Ksiądz chrząknął, jakby się zakrztusił.

– Czy dobrze was zrozumiałem? Chcecie przyjąć katolicką wiarę?

– Oczywiście! Czy wielebny nie rozumie może po niemiecku? – Starzec obrzucił księdza złym spojrzeniem.

Starzig zapewnił go pospiesznie, że doskonale rozumie po niemiecku.

– Tylko się zdziwiłem, że taki pan akurat w dzisiejszych czasach chce przyjąć naszą wiarę. Sytuacja katolików w Rzeszy jest obecnie trudna. Bismarck nienawidzi nas i prześladuje. Katolickim duchownym nie pozwala pracować w szkołach, szpitalach i sierocińcach. Młodzi księża i zakonnicy muszą opuszczać miejsca, gdzie ich poprzednicy mogli bez przeszkód działać dobroczynnie. Wyjeżdżają z Niemiec aż do Ameryki, bo tam mogą czynić dobro.

Wolfhard von Trettin zignorował krytyczne słowa na temat cenionego przez niego kanclerza Rzeszy i chwycił księdza za ramię.

– Aż do Ameryki, powiadacie? To bardzo daleko.

– Bóg nad nimi czuwa – odpowiedział Starzig i złożył dłonie do modlitwy.

Nie zdążył jednak wypowiedzieć pierwszych słów pacierza, bo starzec do tego nie dopuścił.

– Opowiedzcie mi o ludziach, którzy wyjeżdżają do Ameryki! – zażądał. – Czy łatwo jest się tam zadomowić?

Ksiądz skinął energicznie głową.

– Ameryka stała się drugą ojczyzną dla prześladowanych i uciskanych, którzy uciekli tam, pragnąc uniknąć batów pana albo pałek policji.

W zapale zupełnie wyleciało mu z głowy, że Wolfhard von Trettin też należy do wyszydzanego przez niego ziemiaństwa. Starzec nie zareagował jednak na te niestosowne słowa, lecz zacisnął mocniej palce na rękawie duchownego.

– Co wiecie o Ameryce?

Ksiądz Starzig uważał, że powinien raczej przybliżyć choremu najważniejsze zasady wiary katolickiej, zamiast opowiadać o Ameryce, ale spełnił jego życzenie. Dodał też, że prawie każdego miesiąca katoliccy duchowni i siostry zakonne opuszczają Rzeszę Niemiecką i płyną statkami do Stanów Zjednoczonych. Wolfhard von Trettin wiedział wprawdzie, że ów kraj znajduje się po drugiej stronie Oceanu Atlantyckiego, sądził jednak, że jest on zamieszkany głównie przez krwiożerczych dzikusów oraz garstkę żądnych przygód Europejczyków. Ale teraz już po raz drugi usłyszał, że w Ameryce są wielkie miasta, które w niczym nie ustępują Berlinowi – wcześniej mówił mu to samo Fridolin.

Gdy Starzig zaczął się powtarzać, freiherr przerwał mu i zmienił temat.

– Uczyni mnie ksiądz katolikiem. I moją wnuczkę też – powiedział z naciskiem, bo ta właśnie sprawa leżała mu na sercu.

Duchowny próbował wyjaśnić, że to nie takie proste, ale starzec stwierdził, że woli zostać pogrzebany bez Boga, niż żeby pochówku dokonywał protestancki pastor. Tak więc ksiądz się poddał. Zmówił modlitwę po łacinie w taki sposób, żeby starzec mógł bez problemu powtórzyć jego słowa, po czym obiecał, że udokumentuje zmianę wiary bez koniecznej normalnie katechezy. Dał się też przekonać, że szesnastoletnia Lora jest za stara na przygotowanie do pierwszej komunii i bierzmowania. Miała przejść na katolicyzm jako osoba dorosła. Ksiądz nalegał jednak, żeby dziewczyna otrzymała choć kilka lekcji religii katolickiej. Ku jego zdziwieniu Wolfhard von Trettin ustąpił bez oporów.

– Niech będzie! Loro! – krzyknął tak głośno, że dałby radę zbudzić zmarłego. – Chodź tutaj!

Lora w ułamku sekundy wpadła do pokoju i spojrzała na dziadka, usiłując odgadnąć, czego może od niej chcieć.

– Zostaniesz katoliczką! – oznajmił starzec. – Ksiądz będzie ci udzielał nauk. Przez najbliższe miesiące będziesz raz w tygodniu jeździła do Heiligenbeilu na lekcje katechezy.

Lora spojrzała na niego zdumiona.

– Mam zostać katoliczką? Ale dlaczego?

– Bo ja mam zamiar zostać katolikiem i chcę, żebyś szła za moją trumną, gdy Bóg mnie do siebie powoła.

To wyjaśnienie było dla Lory wystarczające. Dobrze pamiętała, że żona zarządcy sąsiedniego majątku nie mogła uczestniczyć w pogrzebie teściowej, bo nowy pastor zabronił jej tego jako katoliczce. Lora pomyślała, że katolicy mogą mieć podobne zasady. Ponieważ wiedziała, że dziadek mocno nienawidzi nowego pastora, chyba bardziej niż samego Ottokara, nawet nie próbowała się sprzeciwiać. Tylko zdenerwowałaby niepotrzebnie starszego pana i jego stan by się pogorszył. I tak nie była przywiązana do wiary, w której ją wychowano. Ona też miała złe doświadczenia z nowym pastorem i nie potrafiła postrzegać tego mężczyzny jako sługi bożego. Pastor kilka razy stwierdził, że jej najbliżsi zginęli w pożarze za grzechy starszego pana. Ottokara i jego żonę natomiast nazywał prawdziwymi chrześcijanami. A na dodatek zażądał od niej, żeby przekonała dziadka do zawarcia zgody z nowym panem na Trettinie i do okazywania mu szacunku.

– A więc będę musiała co tydzień jeździć do miasta, żeby się nauczyć, jak być katoliczką? – zapytała Lora, próbując ukryć zadowolenie.

Skoro dziadek chce, by jeździła na lekcje, będzie mogła bez problemu odwiedzać przy okazji madame de Lepin. Niepotrzebnie łamała sobie głowę, jak ma wytłumaczyć dziadkowi regularne wizyty w Heiligenbeilu. Gdyby się dowiedział, że jego wnuczka chce pracować dla pieniędzy u krawcowej, z gniewu dostałby szału.

Chociaż Lora miała na twarzy wypisane, że coś ukrywa, nie zaczął niczego podejrzewać.

– Tak jest, będziesz tam jeździć w czwartki. Tego dnia przyjeżdża do mnie doktor Mütze i będziesz mogła wracać z nim do domu. W drugą stronę będziesz musiała się rozejrzeć za kimś, kto mógłby cię podwieźć. A poza tym... jak sobie dajesz radę z angielskim?

To pytanie zaskoczyło Lorę jeszcze bardziej niż żądanie, żeby zmieniła wiarę.

– No cóż, ja... Tata udzielał mi trochę lekcji, ale od jego śmierci...

Urwała i w oczach starszego pana dostrzegła niezadowolenie.

– Powinnaś się starać mówić całymi zdaniami, bo inaczej ludzie pomyślą, że jesteś córką parobka. Poza tym znów weźmiesz się za naukę angielskiego. Nie władacie może tym językiem, wielebny ojcze?

Starzig pokręcił z żalem głową.

– Niestety nie. Mógłbym służyć tylko łaciną.

– Szkoda, ale nic się na to nie poradzi – mruknął starzec i zażądał od Lory, by zaprowadziła księdza do kuchni i dała mu coś do jedzenia. Potem podrapał się w zamyśleniu po czole. – Dzisiaj też jest przecież czwartek. Mütze powinien zaraz przyjechać. Jak będzie odjeżdżał, może podwieźć księdza do Heiligenbeilu.

Wielebny Starzig odetchnął, ponieważ pieszo nie dałby rady dotrzeć do miasta przed zapadnięciem ciemności.

– To bardzo uprzejmie z pańskiej strony. Miałbym zatem jeszcze dość czasu, by odwiedzić w tej okolicy jedną z moich owieczek i ją pocieszyć.

– Niech ksiądz to zrobi! Poczciwy Mütze zabierze księdza na gościńcu, u wylotu leśnej drogi.

Wolfhard von Trettin dał znak księdzu i Lorze, żeby zostawili go samego, i czekał niecierpliwie na starego przyjaciela.

Doktor Mütze przyjeżdżał o stałej porze, tak że można było według niego nastawiać zegarek. Tego dnia przybył także punktualnie. Jego bryczka zatrzymała się przed domkiem myśliwskim. Lora zaczęła przygotowywać posiłek, by prócz księdza ugościć jeszcze woźnicę doktora. Lekarz natomiast z miejsca udał się do pokoju starszego pana. Od razu zwrócił uwagę na rumieńce na twarzy chorego i zmęczenie w jego oczach. Nie dał po sobie poznać, że go to martwi, lecz pozdrowił Wolfharda przyjaźnie i zaczął go badać.

Wolfhard poddał się temu w milczeniu, a po wszystkim chwycił lekarza za dłoń.

– Powiedz mi otwarcie, co ze mną jest, ty stary konowale.

Zmartwiony doktor Mütze opuścił głowę.

– Chciałbym przekazać ci lepsze wieści, Nikasie, ale nie wygląda to dobrze. Obawiam się, że nie doczekasz wiosny.

– Tak myślałem! Sam czuję, jak z dnia na dzień opuszczają mnie siły. Staram się ukryć to przed Lorą, ale przychodzi mi to z coraz większym trudem. Na Boga, a tak chciałbym dożyć chwili, kiedy osiągnie pełnoletniość i będzie mogła zaśmiać się w nos Ottokarowi i jego żonie.

Na twarzy starszego pana malowało się strapienie. Przez chwilę lekarz miał wrażenie, że niepomyślna diagnoza jeszcze tego samego dnia zgasi iskrę życia w jego starym przyjacielu.

Ale Wolfhard von Trettin nie dał za wygraną. Roześmiał się, chociaż jego śmiech zabrzmiał nieco słabo, po czym mrugnął do lekarza.

– Co ma być, to będzie. Ty, przyjacielu, pomożesz mi, jak najlepiej potrafisz.

– Zrobię dla ciebie wszystko, co tylko mogę, mój drogi. Ale nie zdołam uchronić Lory przed tym tałatajstwem z pałacu.

Trettin ponownie się roześmiał, tym razem jego śmiech zabrzmiał silniej.

– Tałatajstwo! To odpowiednie określenie dla Ottokara, jego żony i tych nicponi, ich synalków. Ale my dwaj wystrychniemy mojego bratanka na dudka, co nie, przyjacielu?

Doktor Mütze zorientował się, że stary freiherr coś knuje. Ale choć go o to zapytał, ten nie zdradził się ani słowem, tylko zadał zaskakujące pytanie:

– Ciągle jesteś zainteresowany kupnem mojego domku myśliwskiego i kawałka lasu, który do mnie należy?

Lekarz skinął głową.

– Tak, mówiłem ci to już, gdy byłem tu ostatnim razem. Do tego domu przypisane jest prawo do polowań, z którego za twoim przyzwoleniem mogłem w ciągu ostatnich tygodni korzystać. Interesuje mnie ono, bo mój syn jest namiętnym myśliwym. Chce się z Berlina przenieść do naszych pięknych Prus Wschodnich i objąć urzędnicze stanowisko w Braniewie. Polowanie w tutejszym lesie bardzo by mu przypadło do gustu.

– Mam taką nadzieję.

Głos Wolfharda von Trettina zabrzmiał tak dźwięcznie, jakby lekarz oznajmił mu szybki powrót do zdrowia, a nie nadchodzącą śmierć. Ale wkrótce starzec znów uświadomił sobie swój stan i zażądał od przyjaciela, by ten podał mu papier i coś do pisania.

– Muszę jeszcze kilka rzeczy doprowadzić do końca, mój drogi, i jak przedtem słusznie zauważyłeś, nie wolno mi marnować czasu. Poza tym mam do ciebie jeszcze jedną sprawę. Czy mógłbyś z uzgodnionej ceny kupna domu i lasu potrącić kilka talarów i dostarczyć mi następnym razem trochę artykułów żywnościowych? Lora potrzebuje bardziej pożywnej strawy.

Doktor Mütze spojrzał na przyjaciela z naganą w oczach.

– Gdybym wiedział, że nie macie co jeść, dawno bym już wam coś przywiózł. Ale ty jesteś pruskim uparciuchem, który prędzej umrze, niż poprosi najlepszego przyjaciela o pomoc.

– Sam nie wiedziałem, że nasza spiżarka jest aż tak pusta. Lora uważa, że powinna ukrywać przede mną wszystko, co mogłoby mnie zdenerwować – odpowiedział nie do końca zgodnie z prawdą Wolfhard von Trettin i skierował spojrzenie na listy, które zamierzał napisać. Szło mu trudno, ponieważ miał do dyspozycji tylko jedną rękę – prawą. Lewej, mimo wysiłków, nie mógł używać. Doktor Mütze pomógł mu ułożyć kartki i potem już nie przeszkadzał choremu, chociaż zdziwił się, widząc adresatów. Zabierając listy, obiecał przyjacielowi, że wyśle je jak najszybciej.

– Mimo to nie mam zbytniej nadziei, że uda ci się ochronić Lorę przed tymi gadami z pałacu – powiedział, żegnając się po chwili.

Oczy starszego pana dziwnie zalśniły.

– Pozwól mi robić swoje, ty stary konowale. Mój bratanek Ottokar uważa mnie za bezradnego kalekę. I bardzo dobrze! Nim zrozumie, jak bardzo się pomylił, będzie dla niego za późno.

Lekarz poklepał na pożegnanie przyjaciela po ramieniu. Potem poszedł zajrzeć jeszcze na moment do Lory. Znalazł ją w jej izdebce, której drzwi były otwarte, żeby w każdej chwili mogła usłyszeć wołanie dziadka. Siedziała pochylona nad szyciem. Praca szła jej tak sprawnie, że większość kobiet mogłaby jej pozazdrościć. Żeby nie przestraszyć dziewczyny, zapukał cicho w futrynę.

Przerwała pracę i odwróciła się ku niemu.

– Odjeżdżam, Loro! Zostań z Bogiem i uważaj na dziadka. W przeciwnym razie więcej nabroi niż niejeden młodzieniec.

– A więc jego stan się poprawił! – Zatroskana twarz Lory się rozjaśniła.

Ten widok zaciążył lekarzowi na sercu. Nie chciał jej zasmucać, ale pomyślał, że powinna poznać prawdę, ażeby być przygotowaną na wszystko.

– Niestety nie, Loro. Powiem otwarcie: nie wygląda to dobrze. Dopilnuj, żeby dziadek się nie denerwował, nawet jeślibyś musiała flintą powstrzymać Ottokara, by nie przekroczył progu tego domu.

Ostatnie słowa powiedział raczej w formie gorzkiego żartu, ale spojrzenie Lory od razu powędrowało w kierunku ściany, za którą stała szafka z bronią.

– Nowy pan nie zada już dziadkowi więcej cierpienia – stwierdziła wojowniczo.

Doktor Mütze pomyślał, że może niepotrzebnie napomknął dziewczynie o flincie. Spojrzawszy w bladą, ale opanowaną twarz Lory, nabrał jednak otuchy. Uznał, że wnuczka na pewno jest bardziej rozsądna od dziadka i nie zrobi żadnego głupstwa. Uśmiechnął się do niej i chciał już odejść, ale wtedy Lorze przypomniał się katolicki ksiądz.

– Przepraszam, doktorze, ale czy dziadek mówił wam o duchownym, którego macie zgodnie z jego wolą zabrać do miasta?

– Nie, nic mi nie mówił – doktor spojrzał na Lorę z zainteresowaniem.

Dziewczyna poinformowała go, gdzie ma na niego czekać ksiądz.

– Ale nie gniewajcie się – dodała – bo nie chodzi o protestanckiego pastora.

– Na Boga, nie pytam przecież pacjenta o wyznanie. – Lekarz uśmiechnął się, ale potem znów spoważniał. – Czy twój dziadek chce może zmienić religię?

Lora skinęła głową.

– Tak, doktorze – powiedziała, robiąc nieszczęśliwą minę. – I chce, żebym ja też przeszła na katolicyzm. Żąda nawet, bym co tydzień jeździła do miasta na katechezę. Mam to robić w czwartki, żebym potem mogła razem z wami, doktorze, wracać do domu. Ale tylko jeśli nie macie nic przeciwko temu.

Lekarz dał jej lekkiego prztyczka w nos.

– Oczywiście, że będę cię podwoził, moja droga. Gdybym nie potrzebował powozu, żeby jeździć do pacjentów, tobym go tobie przysyłał, abyś mogła dotrzeć do miasta, nie prosząc obcych ludzi o podwiezienie. Takie podróże nie są całkiem bezpieczne. Nigdy nie wiadomo, na kogo się trafi. Obiecaj mi, że będziesz ostrożna.

Chociaż doktor nie powiedział dokładnie, co ma na myśli, Lora się domyśliła. Zdarzało się już, że ta lub owa dziewczyna, która prosiła o podwiezienie, została przez woźnicę albo właściciela powozu zaciągnięta w krzaki i zgwałcona. Elsie wytłumaczyła Lorze, niezbyt oględnie dobierając słowa, o co chodzi. Powiedziała też, jak wielki ból odczuwa przy tym dziewczyna. Lory to niebezpieczeństwo nie odstraszyło, tyle tylko, że postanowiła jeździć z ludźmi, których zna. Poza tym jak na swój wiek była dość wysoka i silna, a więc na pewno nie byłoby tak łatwo zaciągnąć ją do lasu.

Pożegnała się z doktorem, robiąc minę, która przypomniała mu minę upartego osła. Potem jeszcze raz zajrzała do dziadka. Ponieważ w tym momencie niczego nie potrzebował, powróciła do swojej pracy. Szyła, rozmyślając, co kupi za pierwsze w ten sposób zarobione pieniądze.

CZĘŚĆ DRUGA

Ucieczka

I

Dnie mijały jeden po drugim, a wraz z nimi tygodnie i miesiące. Lato prawie niezauważalnie odeszło z Prus Wschodnich i ustąpiło miejsca jesieni z jej niezliczonymi kolorami, aż w końcu pierwszy lodowaty wiatr ze wschodu zapowiedział nadchodzącą zimę. Na polach należących do Trettina czeladź i robotnicy sezonowi już dawno zebrali zboże i siano, dzięki czemu panu tych włości udało się dobrze zarobić.

Mimo to Ottokar von Trettin co rusz spoglądał w kierunku lasu, który zaczynał się niecały kilometr od dworu i ciągnął – ciemny i tajemniczy – w kierunku wschodnim. Część lasu należała do majątku, pozostała była własnością sąsiada, co Ottokarowi nie przeszkadzało. Drażniło go to, że kawałek wciąż jeszcze należy do stryja i na długim odcinku graniczy z jego lasem.

W domku myśliwskim sytuacja się nie zmieniła. Wolfhard von Trettin leżał w łóżku niczym – jak on sam to określił – kawałek zmurszałego drewna i walczył z nadchodzącą śmiercią. Chciał ukryć przed Lorą swój stan i udawał silniejszego, niż był. Wydawał jej przy tym rozkazy, które ona często uważała za bezsensowne, ale mimo to potulnie je wypełniała, żeby go – nie daj Bóg! – nie zdenerwować. Był to dla niej trudny okres, bo nie tylko o każdej godzinie dnia i nocy musiała być do dyspozycji chorego, ale też szyła dla madame de Lepin oraz czytała teksty religijne, zadawane jej w czwartki przez wielebnego Starziga.

Ponieważ dziadek za każdym razem żądał, by mu opowiadała o życiu świętych i o cudach Kościoła katolickiego, nie miała innego wyjścia, jak do późna w nocy uczyć się w świetle lampy naftowej.

Starszy pan posyłał ją w każdy czwartek do miasta, nie przypuszczając, jaką jej w ten sposób wyświadcza przysługę. Dzięki temu Lora mogła co tydzień odbierać od madame de Lepin nowe zlecenia i oddawać jej gotowe stroje. Otrzymywała niewielkie wynagrodzenie, ale pieniądze wystarczały na najbardziej niezbędne artykuły żywnościowe. Dlatego za talary, które doktor Mütze dawał jej przy każdej wizycie, mogła kupować smakołyki dla dziadka. Chociaż Ottokar uczynił własnego stryja żebrakiem, ona nie chciała, żeby staruszek musiał sobie za dużo odmawiać.

Mogła też znów płacić służącej. Elsie nie stała się mimo to pilniejsza ani rzetelniejsza, ale jej niewielka pomoc pozwalała Lorze nieco odetchnąć. Dziewczyna już więcej nie powierzała służącej opieki nad dziadkiem, bo gdy pewnego czwartku wróciła w towarzystwie doktora Mütze do domu, chory leżał w łóżku we własnych odchodach. Dowiedziała się od niego, że Elsie już w południe wyszła z domu i zostawiła go samego.

Od tej pory Lora za każdym razem, kiedy musiała jechać do miasta, prosiła Korda, żeby zatroszczył się o dziadka podczas jej nieobecności. Obaj wyglądali na zadowolonych z tego rozwiązania. Parobek był przywiązany do pana, który w przeciwieństwie do swego następcy był wobec wszystkich sprawiedliwy. Lora nie miała pojęcia, o czym Wolfhard von Trettin i Kord rozmawiają, zauważyła tylko, że obaj dziwnie na nią patrzą. Często jej się wydawało, że Kord miałby ochotę sprzeciwić się starszemu panu, ale za każdym razem przytakiwał w końcu z rezygnacją i mówił, że zrobi wszystko, czego chory od niego zażąda.

Gdy Lora tego dnia weszła do chaty Korda, która składała się z jednej tylko izby, zastała go zajętego szyciem. Zszywał właśnie solidny płaszcz z płótna żaglowego, jakie nosili biedniejsi szyprowie na zalewie. Na jej widok podskoczył i zdjął czapkę.

– Dzień dobry, panienko Loro. Mam nadzieję, że pan czuje się lepiej niż ostatnio.

Lora pokręciła głową.

– Niestety nie! Wprawdzie nie chce po sobie pokazać, jak bardzo jest słaby, ale mogę to poznać po jego oczach. Dlatego byłoby mi miło, gdybyś także dzisiaj mógł go popilnować.

– Oczywiście, że to zrobię. Zaraz skończę szyć. Panienki dziadek mi kazał…

Kord wskazał płaszcz i chciał jeszcze coś powiedzieć, gdy wtem zasłonił sobie usta i popatrzył przestraszony na dziewczynę niczym pies, który coś zeżarł i boi się, że pan go zbije.

– Panienko Loro, niech mnie panienka nie wyda przed panem, bo nikt się nie miał o tym dowiedzieć.

– Ja też nie?

Kord uniósł palec wskazujący.

– Nikt! Tak pan powiedział i nikt się niczego ode mnie nie dowie. Ale niech się panienka lepiej pospieszy, bo widziałem jadący w kierunku pałacu wóz przewoźnika Wagnera. Woźnica, wracając, na pewno podwiezie panienkę do miasta.

– Dziękuję, Kordzie, i do widzenia!

Lora wyszła z chaty, czując ulgę, że tym razem nie będzie musiała długo czekać na podwiezienie, i ruszyła szybko w kierunku gościńca.

Kord przez chwilę patrzył za nią, potem znów pochylił się nad płaszczem z płótna żaglowego i szył dalej z zaciętą miną. Kilka razy pokręcił przy tym głową, rozmyślając, jak to wszystko się skończy.

II

Po kilku minutach Lora usłyszała za sobą uderzenia końskich kopyt i hałas wydawany przez obite żelazem koła wozu. Zaraz potem zrównał się z nią duży wóz z solidnymi burtami. Woźnica spojrzał na nią z góry i ściągnął cugle dwóm masywnie zbudowanym koniom.

– Prrr, Hannes i Lothar, stójcie! Nie pozwolimy przecież panience iść pieszo.

Chociaż listopadowy wiatr dmuchał dość ostro, mężczyzna ściągnął przed Lorą czapkę i zaoferował dziewczynie miejsce u swego boku. Miał dobrotliwą, rumianą twarz. Odziany był w gruby płaszcz i wyglądał na osobę, której można zaufać. Dlatego Lora podziękowała uprzejmie i wsiadła. Mężczyzna nie był gadułą. Podczas całej drogi wcale się nie odzywał, od czasu do czasu poganiał jedynie konie, wołając do nich:

– Wio!

Lora miała czas i możliwość trochę podumać. Po raz pierwszy od wielu miesięcy czuła, że los podarował jej łut szczęścia. Na plecach miała kosz, sprawiający, że wyglądała na prostą chłopkę. Znajdowała się w nim starannie zapakowana świąteczna suknia, którą szyła długo i mozolnie. Madame de Lepin obiecała jej dodatkowego talara, jeśli suknia spodoba się klientce.

Lora chciała tego talara odłożyć na przyszłość – w przeciwieństwie do kuranta, którego dał jej Fridolin, a zabrał dziadek. To tak na początek, bo żeby później wziąć życie w swoje ręce, potrzebnych jej będzie co najmniej dwadzieścia pruskich talarów. Aby je uzbierać, musi jeszcze kilkaset godzin poświęcić mozolnemu szyciu. Ale optymizm płynący z jej młodego wieku sprawił, że Lora była przekonana, iż sobie poradzi.

Ilekroć doktor Mütze przyjeżdżał do domku myśliwskiego, przywoził duży kosz artykułów żywnościowych, dlatego zdołała już nieco odłożyć z zarobionych pieniędzy. Chciała je w pierwszej kolejności wydać na dziadka, ale jeśli zostałoby trochę dla niej samej, byłoby to dla niej dużą pomocą.

Najchętniej zaoszczędziłaby pieniądze, zwalniając Elsie. Dziewczyna przychodziła coraz bardziej nieregularnie i robiła co najwyżej połowę tego, o co ją proszono.

Ale ponieważ Lora musiała szyć, a do tego jeszcze się uczyć, nie miała innego wyjścia, tylko zaganiała niedbałą dziewczynę do pracy. Ale bez pomocy starego Korda, który dokonywał różnych napraw w domu i koło domu, nie poradziliby sobie. Za to, co robił parobek, Lora chciała mu dać chociaż trochę pieniędzy, ale on za każdym razem zdecydowanie odmawiał. Powiedział jej, że jaśnie pan zawsze dobrze go traktował i że bratanek jaśnie pana zachował się haniebnie, pozbawiając stryja majątku. A poza tym za te drobne przysługi, które im wyświadczał, zamierzał nazbierać w lesie należącym do jaśnie pana drewna na opał dla siebie i starej Mieny.

Na myśl o tym wiernym słudze Lorze stanęły łzy w oczach, zresztą nie po raz pierwszy. Póki mieli wokół siebie ludzi, którzy pomagali jej i dziadkowi, przyszłość nie wyglądała tak mrocznie. Lora jednak czuła, że musi sama pokierować swym dalszym życiem. Jeśli się jej nie uda zaoszczędzić dość pieniędzy, by mogła z dnia na dzień odejść stąd i stanąć na własnych nogach, to trafi pod batog swoich krewnych na Trettinie.

Zgrozą napełniała ją myśl, że będzie musiała żyć i pracować w pałacu jako darmowa służąca. Od kiedy usłyszała, że Ottokar von Trettin przejechał obok płonącego domu jej rodziców i nie zbudził śpiącej rodziny, nienawidziła tego mężczyzny tak mocno, że ją samą to przerażało. Oczywiście nikt nie odważył się oficjalnie i otwarcie oskarżać freiherra, że nie udzielił pomocy. Ale Lora dowiedziała się po cichu, i to od kilku mieszkańców wsi, że w dniu pożaru zbudziło ich strzelanie z bata i tętent czterech koni ciągnących powóz.

A więc człowiek, który ma na sumieniu jej rodzinę, prawie jakby sam ich zabił, zostanie jej opiekunem po śmierci dziadka. Wiejskie kobiety, które same nie zaznały nic więcej prócz biedy i ciężkiej pracy na roli, już teraz nad nią ubolewały i przepowiadały jej niewolniczą pracę u zarozumiałej żony ordynata.

Ale jeśli Lora chciała opuścić tę zapomnianą przez Boga część Prus Wschodnich, gdzie czas, jak twierdził stary pan, stanął w miejscu, potrzebowała dość pieniędzy, żeby pojechać do Berlina i móc opłacić praktyki w sklepie odzieżowym.

Od Luisy, jednej ze szwaczek pracujących w salonie madame de Lepin, dowiedziała się, że sama opłata za naukę wynosi dwanaście talarów, a do tego trzeba jeszcze doliczyć koszty utrzymania – dwadzieścia talarów akurat by jej wystarczyło. Luisa opowiedziała jej też o niebezpieczeństwach czyhających w wielkim mieście i ostrzegała Lorę gorąco, żeby tam nie jechała.

Ale Lora i bez strasznych opowieści szwaczki bała się, że będzie musiała całkiem sama wyjechać do stolicy Prus i nowej Rzeszy Niemieckiej. Jednocześnie była gotowa ciężko pracować, a w razie potrzeby nawet przymierać głodem, byle tylko uniknąć pazurów rodziny z Trettina.

W mieście Lora pożegnała się z małomównym furmanem, wciąż myśląc o swej przyszłości w Berlinie i mając nadzieję, że madame de Lepin nie będzie miała zastrzeżeń do świeżo uszytej sukni, po czym weszła do domu krawcowej, używając tylnych schodów, z których korzystali dostawcy i służba.

III

Gdy Lora weszła do pracowni, zastała madame de Lepin całą w nerwach.

– Droga dziewczyno, ale się cieszę, że przyszłaś punktualnie. Pani von Trettin chce odebrać tę suknię jeszcze dzisiaj. Mam nadzieję, że wykonałaś ją starannie! Musisz wiedzieć, że owa dama jest bardzo wymagająca. Jeśli będzie niezadowolona, może mnie zniesławić. Och, mam nadzieję, że wszystko będzie doskonale pasowało! Musisz zostać i pomóc mi przy robieniu zaszewek. Nie martw się, zapłacę ci za to dodatkowo.

– Suknia jest dla pani von Trettin? Nie powiedziała mi pani tego wcześniej!

Lora była oburzona, bo dla żony Ottokara nie szyłaby do późnych godzin nocnych. Ale potem pomyślała o obiecanym talarze i uznała, że nie stać jej na takie fanaberie. Dlatego zostanie i poczeka na wypadek, gdyby madame de Lepin jeszcze jej potrzebowała, nawet jeśli przez to spóźni się do księdza, który jej i kilku młodszym dziewczętom udzielał lekcji katechezy.

Krawcowa zdziwiła się, widząc irytację na twarzy Lory. Próbowała ją uspokoić:

– Naprawdę zapomniałam ci powiedzieć, że suknia jest dla pani von Trettin? To moja najważniejsza klientka! Jak inne damy zobaczą, że nosi moje suknie, wszystkie do mnie przyjdą i będę mogła zażądać wyższych cen! Musisz się tego nauczyć, jeśli w przyszłości będziesz chciała zostać dobrą krawcową, moje dziecko. Sukces można odnieść tylko wtedy, gdy uda się przyciągnąć damy, które nadają ton. W innym razie człowiek haruje za marne grosze do śmierci i niczego się nie dorobi. Wydaje mi się, że pani von Trettin już jedzie. Popatrz, jej powóz skręca w naszą ulicę.

Madame de Lepin nie mogła z podekscytowania przestać mówić, Lora natomiast poczuła przemożną ochotę, by uciec z pracowni, byle tylko nie musieć spotykać Malwiny. Ale ponieważ nie chciała stracić pieniędzy, wzięła się w garść i pomogła madame de Lepin udrapować suknię na manekinie.

IV

Po niedługim czasie Malwina von Trettin wkroczyła do pracowni, nie zwracając uwagi na sprzedawczynię, która chciała ją jeszcze przez kilka chwil zatrzymać w saloniku. Na widok Lory kobieta wydała z siebie piskliwy krzyk i zmierzyła krawcową wściekłym wzrokiem.

– Pani Lepin! – wrzasnęła. – Chyba pani nie pozwoliła tej brudnej wiejskiej dziewusze dotykać mojej sukni! Jeśli materiał został uszkodzony, zapłaci mi pani za to! Zapłaci pani za każdy łokieć, a potem poszukam sobie nowej krawcowej, przysięgam!

Malwina krzyczała tonem tak dalekim od elegancji, że klientki w saloniku mogły usłyszeć każde słowo. Krawcowa skurczyła się pod nawałem oskarżeń, ale zamiast zaprzeczyć, że Lora miała coś wspólnego z suknią, zaczęła wychwalać talent dziewczyny. To nie powstrzymało jednak Malwiny od sprawdzenia dokładnie kawałek po kawałku, czy materiał jest cały, a jednocześnie krytykowała pracę pod każdym względem.

Lorze nie umknął błysk w oczach ciotki. Chociaż suknia została uszyta bezbłędnie, Malwina targowała się jak kramarka o cenę i zażądała zupełnie zbędnej przeróbki. Potem popatrzyła na Lorę równie złośliwym, co triumfującym wzrokiem i wzięła się pod boki.

– Żeby było jasne, pani Lepin. Nie będzie już pani zatrudniać tej flei. Jeśli usłyszę, że pani to robi po kryjomu, powiem wszystkim przyjaciółkom, żeby razem ze mną zmieniły salon mody.

Krawcowa stała jak nieprzytomna przed rozgniewaną kobietą i nie była w stanie wykrztusić ani słowa.

Lora zdała sobie sprawę, że Malwina właśnie niweczy jej plany zdobycia pieniędzy, potrzebnych, by mogła stanąć na własnych nogach. Ciotka pewnie zapragnęła wykorzystywać jej zdolności za darmo i tylko dla siebie.

W końcu Malwina kazała zapakować suknię, ale nadal tak zrzędziła, że wystraszonej pracownicy z rąk leciały suknia i papier i w końcu madame de Lepin osobiście zrobiła pakunek.

– Proszę, oto suknia, szanowna pani! Jestem pewna, że będzie pani zadowolona – powiedziała na koniec, kazawszy Luisie zanieść paczkę do powozu Malwiny.

– Zadowolona będę dopiero wtedy, gdy dostosuje się pani do tego, co powiedziałam. A więc niech pani weźmie sobie do serca moje ostrzeżenia i wyrzuci tę wiejską fleję za drzwi!

To powiedziawszy, Malwina się odwróciła i wyszła, nie kryjąc nawet satysfakcji, że tak wszystkim dopiekła.

Lora czuła wściekłość, natomiast madame de Lepin była zupełnie zdruzgotana. Nie tylko poniosła znaczną finansową stratę, ale też była zmuszona zrezygnować z tak zręcznej szwaczki jak Lora. Westchnęła głęboko i spojrzała na dziewczynę.

– Przykro mi, ale sama słyszałaś, co powiedziała pani von Trettin. Nie mogę ci już dawać zleceń. A tak byś mi się przydała, ty i twoje zręczne palce. Przed Bożym Narodzeniem większość kobiet zamawia nowe suknie, a teraz będę musiała niektórym odmówić.

– Mogę przecież szyć dla pani potajemnie, madame – szepnęła Lora tak, żeby inne szwaczki nie usłyszały.

Chcąc uniknąć kurateli Malwiny, potrzebowała tych zarobków. Ale krawcowa pokręciła ze smutkiem głową.

– Nie odważę się. Pani von Trettin nadaje ton w całym powiecie. Jeśli rzuci cień na moją pracownię, będę musiała zamknąć zakład i zatrudnić się jako szwaczka u innej krawcowej, której powiodło się lepiej. Wolałabym się chyba utopić.

Lora już nieraz była świadkiem, jak madame pogania swoje pracownice i nie krępuje się karać ich za błędy rattanową rózgą. Teraz zapewne bała się, że ją spotka podobny los. I chociaż Lora wraz z pracą straciła nadzieję na samodzielne życie, to damy z towarzystwa w dalszym ciągu będą zamawiać suknie u madame, tak że ta mimo wszystko nie będzie musiała się martwić o swój chleb powszedni.

W drodze na katolicką plebanię dziewczyna przysięgła sobie, że nigdy nie przestąpi progu domu Ottokara, nawet jeśli musiałaby pracować jako służąca u chłopa albo nawet zamieszkać w przytułku. W głębi duszy wiedziała jednak dokładnie, że urzędnicy po śmierci dziadka, nie oglądając się na nic, przekażą ją Ottokarowi, ponieważ był on jej najbliższym krewnym.

Oczywiście spóźniła się na lekcję. Gdy siadała na krześle, ksiądz zmierzył ją pełnym nagany wzrokiem, a młodsze uczennice przywitały ją chichotem. Wielebny Starzig znów mówił tego dnia o świętych i ich pobożnym życiu. Jego słowa wpadały jej jednym uchem, a drugim wypadały. Cały czas z rozpaczą myślała, jak zdoła w ciągu najbliższych miesięcy zdobyć pieniądze, których tak pilnie potrzebowała.

Ucieszyła się, gdy katecheza dobiegła końca i wreszcie mogła opuścić pachnącą kadzidłem plebanię. Po lekcji udała się do domu doktora Mütze. Zazwyczaj żona lekarza czymś ją częstowała, a dopiero po drobnej przekąsce doktor wiózł ją do domu. Ale tego dnia najwyraźniej się spieszył, bo konie były już zaprzęgnięte, a on sam biegał przed domem w tę i we tę, jakby ziemia mu się paliła pod nogami. Na jej widok wykrzywił się na moment nieprzyjemnie, ale rysy szybko mu się wygładziły.

– Dobrze, dziewczyno, że już jesteś. Twój dziadek powiedział ostatnio, że tym razem mamy być u niego wcześniej.

Potem zobaczył, że kosz Lory jest pusty, a przecież do tej pory zawsze coś w nim miała. Podniósł zdziwiony brwi i być może chciał nawet zapytać, co się stało, ale machnął tylko energicznie ręką i pomógł jej wsiąść do powozu.

– Moja żona kazała kucharce przygotować dla ciebie kilka kanapek z masłem – powiedział i wcisnął jej do ręki paczuszkę, która uwodzicielsko pachniała.

Przez incydent w salonie mody Lora straciła apetyt. Ponieważ jednak nie chciała urazić doktora, zaczęła powoli jeść kanapki. Gdy przełykała ostatni kęs, powóz zaczął właśnie podskakiwać na leśnej drodze prowadzącej do domku myśliwskiego.

W drzwiach czekała blada Elsie.

– Gdzie panienka tak długo była? Ma panienka natychmiast iść do jaśnie pana. Proszę się pospieszyć, jest bardzo zniecierpliwiony.

Przestraszona Lora pobiegła do pokoju dziadka. Lekarz i Elsie ruszyli za nią. Wolfhard von Trettin leżał na łóżku w najlepszym garniturze. Najwidoczniej kazał Kordowi i Elsie, żeby go ubrali. Zasłonki były zaciągnięte, a starszy pan pozwolił sobie na niesłychany luksus w postaci świec i wina. Nawet się uśmiechał, co od miesięcy prawie mu się nie zdarzało.

Gdy chory podniósł kieliszek z winem do nienaturalnie purpurowych warg i duszkiem wypił jego zawartość, doktor Mütze zrobił zatroskaną minę.

– Nie powinieneś tego robić, Niklasie. Alkohol może oznaczać dla ciebie śmierć.

Dziadek Lory roześmiał się dźwięcznie. Zanim jednak zdążył coś powiedzieć, Lora podeszła do nocnego stolika i wlała do szklanki przepisane przez lekarza różne środki wzmacniające. Starszy pan wziął do ręki szklankę, ale wylał jej zawartość na podłogę.

– Nie, dziewczyno. Dzisiaj piję tylko wino, nawet jeśli ten doktorzyna po stokroć mi tego zabroni. To i tak ostatnia butelka, jaką udało się znaleźć w tym domu. Nie pozostawię jej Ottokarowi i Malwinie, żeby mogli po mojej śmierci wznieść nią toast. Tak, dziewczyno, usiądź teraz na krześle, tam, w świetle, żebym mógł cię dobrze widzieć. Mam ci mianowicie coś do oznajmienia.

Lora usłuchała zdziwiona. Z nerwów zaczęła ugniatać brzeg kołdry, którą odsunął dziadek.

– Czy wykonywałaś ćwiczenia z angielskiego, tak jak ci kazałem? – zapytał. Lora skinęła głową, a on mówił dalej przenikliwym głosem:

– Co byś powiedziała, gdybym cię wysłał w miejsce, gdzie mogłabyś się wyuczyć angielskiego naprawdę dobrze i gdzie byś ten język praktycznie wykorzystywała? Mogłabyś szyć i haftować do woli, i to dla własnej korzyści, a nie wykonywać niewolniczą pracę dla skąpej krawcowej w mieście albo dla tej baby, która przyszła nie wiadomo skąd i rządzi się w Trettinie jak szara gęś. Nie patrz na mnie z takim lękiem! Sądzisz, że nie wiedziałem, co się dzieje w czterech ścianach mojego domu? Nic nie mówiłem tylko dlatego, bo to była dla ciebie dobra nauka na przyszłość. Ale co się tyczy twojej podróży... Pamiętasz, jak będąc dzieckiem, pragnęłaś pojechać na koniec świata? Taką właśnie podróż zorganizowałem dla ciebie. Pomogli mi przy tym znacznie nasz poczciwy doktor Mütze, Kord oraz przewoźnik Fritz Wagner. A teraz, dziewczyno, posłuchaj: wyjedziesz do Ameryki!

Lora popatrzyła na niego, nie rozumiejąc, co staruszek ma na myśli.

– Dokąd mam wyjechać?

– Do Ameryki! A dokładniej mówiąc, do Stanów Zjednoczonych. Wyemigrujesz, tak jak w obecnych czasach czyni wielu ludzi. Tam będziesz bezpieczna przed tym tałatajstwem z dworu. Ale musimy działać szybko. Jeśli wciąż tu będziesz, gdy klecha odprowadzi mnie na cmentarz, wtedy ta czarownica Malwina zrobi z ciebie swoją służącą, umieści w pałacowej kuchni i zmusi, byś spała jak zwykła dziewka na macie pod piecem.

Stary krótko sapnął, a Lorze przypomniało się zachowanie Malwiny w mieście. Żeby uciec przed tą heterą, była gotowa wyjechać w dowolne miejsce na świecie, zgodnie z wolą dziadka. Ale czy od razu musi to być Ameryka?

Zanim zdążyła wypowiedzieć na głos swoje wątpliwości, dziadek zaczął mówić dalej:

– Ci bezecnicy nie tak dawno temu chcieli cię już stąd zabrać. Stwierdzili, że nie wypada, aby wnuczka pielęgnowała dziadka. A niechby tak diabli wzięli Ottokara i jego zarozumiałą małżonkę! Nie pozwolę, by znęcali się nad moją wnuczką!

Lora pokręciła z przerażeniem głową, bo zrozumiała, że dziadek mówi o wyjeździe poważnie.

– Mam popłynąć za ocean? Tak daleko od Niemiec? Nie, panie dziadku, nie mogę! Tutaj wiem, jak zarobić pieniądze. W obcym kraju nie dałabym sobie rady. – Wtem przyszedł jej do głowy argument przeciw takiej podróży, która mogła być tylko niefortunnym wymysłem chorego dziadka. – Ależ panie dziadku, taka podróż kosztuje masę pieniędzy, a my mamy tylko kilka groszy. Nie dojadę za nie nawet do Gdańska. Poza tym musicie jakoś żyć. Kto się będzie wami zajmował, gdy mnie tu zabraknie? – Zrobiła zrozpaczoną minę i zwróciła się do lekarza: – Panie doktorze, proszę, powiedzcie dziadkowi, że jestem jeszcze za młoda na taką podróż.

Doktor Mütze, który do tej pory siedział jak cień obok kominka, przesunął się na krześle do światła i pokiwał głową.

– Dziewczyna ma rację. Nikasie, nie możesz piętnastolatki wysłać samej do Ameryki. Pomyśl o warunkach, jakie panują wśród emigrantów na statkach pasażerskich, o braku higieny i występnych zachowaniach. Nawet jeśli taki okręt zdoła przepłynąć ocean, co nie zawsze się uda, to iluż pasażerów trzeciej klasy umrze po drodze, czy to przez choroby albo wypadki, czy to przez mordy i zabójstwa! Jak takie dziecko jak Lora ma przetrwać tę podróż? A nawet jeśli znajdzie się na miejscu cała i zdrowa, to nie będzie potrafiła na siebie zarobić, chyba że zostanie robotnicą w jakiejś fabryce. Ale wtedy lepiej byłoby jej mieszkać na Trettinie! Mówię ci, to wariacki pomysł. Czy po to sprzedałeś mi las, żeby za te pieniądze opłacić Lorze podróż?

– A niby po co? – odrzekł zirytowany staruszek. – Musiałem w jakiś sposób zdobyć fundusze. Ale i tak sprzedałbym ci ten dom i las. A może sądzisz, że Ottokar po mojej śmierci nie spróbowałby odebrać ich Lorze i dołączyć do swego majątku? Nie, stary przyjacielu. Spieniężyłem wszystko, co miało jeszcze jakąś wartość, nawet tych kilka pamiątek przypominających o sławetnej przeszłości właścicieli Trettina, które Ottokar chętnie by zdobył, żeby w ten sposób pokazywać swoim gościom, ileż to lat liczy sobie nasz ród. Pozbyłem się również tych zardzewiałych muszkietów, z których się zawsze naśmiewałeś. Do mnie należy jedynie bielizna osobista i pościel oraz ta stara ozdoba. Od teraz będzie ją nosić Lora. Gdy już mnie pochowają, niech nic po mnie nie zostanie oprócz długów. Ci, którzy rezydują na Trettinie, za życia zabrali mi wszystko, co tylko mogli uzyskać przy pomocy pokrętnych prawników. Niech na mojej śmierci nic nie zyskają!

– Rozumiem to. Ale czy dla Lory nie ma innego rozwiązania niż opuszczenie ojczyzny? – zapytał doktor Mütze.

Wolfhard von Trettin uniósł w obronnym geście sprawną prawą rękę.

– Gdyby jakieś było, tobym z niego skorzystał. Ale póki będzie mieszkać w Niemczech, Ottokar może ją znaleźć i sprowadzić jako zbiegłą podopieczną. Lora ma zręczne ręce i jest wytrwała. A więc niech za pieniądze, które jej dam, otworzy później salon mody. Do tego czasu będzie mieszkać w Nowym Jorku w zakonie franciszkanek. Nawiązałem kontakt z przełożoną zakonu w Niemczech. Ponieważ kiedyś wyświadczyłem jej pewną przysługę, była gotowa się zrewanżować. Tym samym statkiem, którym będzie płynąć Lora, ma płynąć do Ameryki także pięć zakonnic, będą tam pracować w niemieckich szkołach i szpitalach. Lora dołączy do nich w Bremie. Poza tym wkrótce skończy szesnaście lat i tym samym wyrosła już z pieluch.

Lekarz się nie poddawał:

– Ale przecież nie możesz wysłać wnuczki zupełnie samej z Prus Wschodnich do Bremy. Musiałaby w Heiligenbeilu wsiąść w pociąg i potem przesiadać się osiem albo dziewięć razy. Nie poradzi sobie. Jeszcze pobłądzi i znajdzie się w najdalszych zakątkach Bawarii.

– Nie, nic takiego się nie stanie! – oznajmił Wolfhard von Trettin tonem, który nie dopuszczał żadnego sprzeciwu. – Lorze będzie towarzyszyła Elsie. Dziewczyna, zanim do nas trafiła, była pokojówką u pewnej leciwej damy, podróżującej od jednego uzdrowiska na świecie do drugiego. W nagrodę Elsie dostanie ładną sumkę. Obiecała mi, że tak długo będzie towarzyszyła Lorze, aż ta trafi do zakonnic w Nowym Świecie. Potem poszuka sobie tam męża i razem otworzą sklep. Jeśli nie roztrwoni pieniędzy, to się jej uda.

Doktor Mütze był do tej pory zdania, że Wolfhard von Trettin powierzy wnuczkę przyjacielowi spoza Prus, ale na terenie Rzeszy Niemieckiej, gdzie dziewczyna mogłaby się ukrywać do osiągnięcia pełnoletniości. Zszokowała go wiadomość, że starszy pan chce wysłać Lorę do Ameryki.

Gdy lekarz zachodził w głowę, jak ma swego przyjaciela, a zarazem pacjenta, przywołać do rozumu, Lora zastanawiała się, jaki cios losu mógł sprawić, że Elsie przestała być pokojówką zamożnej damy, a stała się kiepsko opłacaną służącą. Ponieważ Elsie nigdy nie wspominała, że kiedyś służyła jako pokojówka, powód musiał być dla niej bolesny. Teraz Lora już się nie dziwiła, że służąca wykonuje swoją pracę z taką niechęcią.

Dziadek Lory zorientował się, że przyjaciel ciągle jeszcze nie może pogodzić się z jego decyzją.

– Nie ma innej możliwości, doktorku – powiedział, kładąc dłoń na jego ręce. – Wiem, co dobre dla mojej wnuczki. Chodź, Loro, usiądź obok mnie, na brzegu łóżka. Pojedziesz do Nowego Świata i zbudujesz tam sobie własne życie. Ale obiecaj mi, że nie dasz się tym franciszkankom zamknąć na stałe w klasztorze. Masz mieszkać pod ich opieką, póki nie osiągniesz wieku, kiedy będziesz mogła pójść własną drogą. Nie chcę jednak, żebyś została mniszką. To los równie zły, co los służącej, tyle tylko że nie dostawałabyś pieniędzy, a jedynie pracowałabyś za Bóg zapłać. Nie po to wysyłam cię w szeroki świat. Zrozumiałaś?

– Tak, panie dziadku – powiedziała zmieszana Lora.

Dotychczas starszy pan jeszcze nigdy nie rozmawiał z nią na temat jej przyszłości, tak więc sama ją sobie zaplanowała. Chciała wyjechać do Berlina, chociaż to miasto leżało tak daleko od jej stron rodzinnych, i tam uczyć się zawodu w jakiejś pracowni krawieckiej.

Dotychczas nigdy nie była dalej niż w Heiligenbeilu, raz tylko dotarła aż do Zinten, i nie mogła sobie wyobrazić, że stąd wyjedzie, tracąc możliwość powrotu do stron ojczystych. Tu znajdowały się groby najbliższej rodziny, pośród której była kiedyś szczęśliwa. Stany Zjednoczone – według tego, co słyszała i czytała – były połączeniem bajkowego świata i gniazda dzikich rozbójników. Ale skoro starszy pan chce, żeby pewnego dnia tam wyjechała, musi to z ciężkim sercem uczynić.

Dziadek kazał jej przysunąć się bliżej i powiesił dziewczynie na szyi delikatny łańcuszek z małym krzyżykiem.

– To znajdowało się w pamiątkach przebranych dla mnie przez Korda. Ten krzyżyk należał do dalekiej krewnej, która za czasów mojego dziadka skończyła jako tania służąca na Trettinie.

Potem znowu prychnął, ponieważ Lora patrzyła na krzyżyk ze zdumieniem. Kazał jej wyjąć z szafy nieprzemakalną torbę podróżną i ją otworzyć. Zajrzała do środka. W torbie znajdował się płaszcz ze smołowanego płótna żaglowego. Pomyślała, że to na pewno ten płaszcz, nad którego zszywaniem zastała kiedyś Korda. Na Lorę ów sztormiak był o wiele za duży, chociaż przerastała większość dziewcząt w jej wieku o pół głowy.

– Weźmiesz ten płaszcz i będziesz go nosiła przy złej pogodzie, żebyś nie zmokła i się nie przeziębiła. Na morzu jest diabelnie zimno i mokro, a ja nie chcę, żebyś w drodze zachorowała, słyszysz? Miej ten płaszcz zawsze pod ręką i noś go, nawet jeśliby ci to odradzano. Niech ci towarzyszy do Stanów i zachowaj go, póki nie osiągniesz pełnoletniości. To rozkaz, dziewczyno! A teraz idź i spakuj swoje rzeczy. Zobacz, czy Elsie jest już gotowa. Zaraz przyjedzie jeden z woźniców Wagnera i zabierze was ze sobą. Fritz Wagner obiecał mi, że jego pracownik Gustaw zawiezie was na stację kolejową w Heiligenbeilu i tam nada wasz bagaż, żeby wszystko poszło, jak trzeba. Od Heiligenbeilu będziecie musiały już podróżować same. Ale ponieważ Elsie jeździła kiedyś koleją, wie, jak to wygląda. A poza tym konduktorzy w zamian za niewielki napiwek też wam pomogą, więc się o to nie martwię. Poza paszportem wszystkie twoje osobiste dokumenty znajdują się w kieszeni płaszcza, razem z kilkoma innymi pożytecznymi drobiazgami. Paszporty, bilety i pieniądze dałem na przechowanie Elsie. Ona ma też rozkłady jazdy i wie, gdzie się musicie przesiąść i jakimi podróżować pociągami. Nie możecie się w czasie podróży guzdrać, bo wasz statek odpływa z Bremerhaven już za dziesięć dni.

Wolfhard von Trettin zrobił krótką przerwę i spojrzał przy tym ironicznie na swego przyjaciela doktora Mütze.

– A tak w ogóle to Lora i Elsie nie będą podróżować na brudnym międzypokładzie, lecz w dolnym salonie pierwszej kajuty. To coś w rodzaju drugiej klasy na kolei. Kosztowało mnie to trzysta talarów dla mojej wnuczki i sto pięćdziesiąt dla Elsie, która jako służąca płaci tylko połowę. Tak, Loro, teraz idź i zrób to, co powiedziałem! Potem wrócisz tu jeszcze i się ze mną pożegnasz.

Lora miała wrażenie, że otrzymała cios w głowę. Oczywiście, że zamierzała kiedyś stąd odejść, ale dopiero po śmierci dziadka. Nie mogła go przecież tak po prostu zostawić ani wyjechać, nie pożegnawszy się z grobami rodziny. Patrzyła na jego nienaturalnie ożywioną, zarumienioną twarz i na sine cienie pod oczami. Spoglądał na nią z takim samozadowoleniem, bez jakiegokolwiek zrozumienia jej uczuć. Na jego ustach malował się wyraz triumfu, jakiego nigdy u niego nie widziała.

W gardle czuła coraz większą gulę. Przełknęła ślinę, a potem chwyciła torbę podróżną wraz z okropnym płaszczem i wybiegła, żeby ukryć łzy. Starszy pan nie zmieni zdania, miała tego świadomość. Jeśli mu się sprzeciwi albo poskarży, że wszystko spadło na nią tak niespodziewanie, dojdzie do okropnej kłótni, która obciąży jej sumienie do końca życia.

Elsie czekała na nią w sieni. Ze łzami w oczach objęła Lorę i przycisnęła do siebie.

– Panienko Loro! Pan chyba postradał zmysły! Dlaczego wysyła nas w daleki, zły świat, gdzie nie mamy żadnych przyjaciół? Zatoniemy wraz ze statkiem albo umrzemy na cholerę! A jeśli uda nam się dotrzeć do Ameryki, to czekają tam na nas rozbójnicy i mordercy! Wcześniej miałam dostęp do gazet, które czytają wielcy panowie i panie. Te gazety miały co najwyżej kilka miesięcy i pełne były relacji o katastrofach statków, morderstwach i innych okropnych rzeczach. Ale nie mam innego wyjścia, muszę wyjechać z panienką, w przeciwnym razie dziadek panienki wyrzuci mnie za drzwi, nie zapłaciwszy zaległego wynagrodzenia, i nie wystawi mi świadectwa. Bez papierów nie dostanę nowej posady i będę musiała umrzeć z głodu albo pracować w jednym z tych strasznych domów, o których nie wypada nawet wspominać. Nie mogłaby panienka przekonać dziadka, żeby pozwolił nam tu zostać? Obiecuję panience, że będę pracować za nas dwie i że już nigdy nie zawiodę panienki.

Lora pokręciła smutnie głową. Dlaczego dziadek doszedł do przekonania, że Elsie jest przyzwyczajona do podróży i że z radością pojedzie do Bremerhaven? Znała Elsie lepiej. Dziewczyna była łatwowierna, niezaradna i bardziej nerwowa niż kwoka na jajach. To na nią trzeba będzie uważać, w przeciwnym razie trafi na jakiegoś oszusta, który zawróci jej w głowie kilkoma komplementami. Taka towarzyszka wcale nie jest wsparciem podczas podróży w odległe strony. Mimo to Lora się cieszyła, że Elsie pojedzie razem z nią, bo sama nie miałaby odwagi wyruszyć w tak daleką podróż.

V

Następne godziny były dla Lory prawdziwym koszmarem. Dziadek wykłócał się najpierw z lekarzem, daremnie próbującym go przekonać, by odwołał całe przedsięwzięcie i oddał mu wnuczkę pod opiekę. Potem dostało się Elsie, która w mniemaniu starszego pana robiła źle wszystko, co można było źle zrobić. Raz za razem freiherr wzywał też do siebie Lorę i udzielał jej mnóstwa pouczeń. Gdy zdobyła się na śmiałość, by go zapytać, kto się będzie teraz o niego troszczył, gdy nie będzie miał do dyspozycji ani jej, ani Elsie, roześmiał się i wskazał ręką do góry:

– Pan Bóg się o mnie zatroszczy! I to już niedługo!

Doktor Mütze, który właśnie grzebał w swojej torbie, rzekł:

– Prędzej zrobi to diabeł, i to jeszcze dzisiejszej nocy, jeśli natychmiast nie przestaniesz się denerwować i nie odstawisz wina!

Starszy pan zaczął się śmiać, aż zaniósł się kaszlem, a na twarzy pojawiły mu się czerwone plamy.

– Niech będzie i diabeł – powiedział, gdy odzyskał oddech. – Ale niech nie każe na siebie czekać. Chciałbym jutrzejszy dzień spędzić już po tamtej stronie. To bezużyteczne leżenie jest i tak przedsmakiem piekła. Tam na dole nie może być gorzej. I żebyś mi nie wpadł na pomysł, by przyprowadzać do mnie ewangelickiego łotra, który pobłogosławił temu złodziejowi, mojemu bratankowi, zajęcie Trettina.

Teraz Lora zrozumiała intencje dziadka. Ale gdy ochłonęła i chciała go prosić, by pozwolił jej przynajmniej poczekać, aż nadejdzie ta ostatnia chwila, na zewnątrz rozległ się tętent kopyt końskich i brzęk okutych żelazem kół. Po kocich łbach zajechał pod dom i zatrzymał się przed drzwiami ciągnięty przez dwa konie wóz towarowy, załadowany skrzyniami i pudłami.

Na koźle siedział Gustaw, jeden z pracowników firmy przewozowej Fritza Wagnera, oraz parobek, który nieraz woził Lorę do Heiligenbeilu. Gustaw zeskoczył z kozła i wszedł do domu, pogwizdując wesoło. Lora wybiegła mu naprzeciw i poprosiła, by zachowywał się ciszej, ale w tym momencie dziadek ryknął, żeby ów człowiek raczył się pospieszyć. Lora zaprowadziła mężczyznę do pokoju chorego i zauważyła, że Gustaw znacząco spojrzał na Elsie. Ta przez moment wyglądała jak tonący, wypatrujący czegoś, czego mógłby się chwycić.

Gustaw dojrzał minę Elsie, stanął obok niej i pogłaskał ją po ramieniu.

– Dlaczego jesteś taka zrozpaczona? Ty i Lora macie mnie przecież do pomocy.

– Ale tylko do Heiligenbeilu – zaszlochała Elsie.

Gustaw się roześmiał.

– Nie tylko! Mój pryncypał polecił mi, żebym odebrał w Bremerhaven ładunek zza oceanu i przywiózł go tutaj.

Elsie odetchnęła, Lora natomiast zmarszczyła brwi. Nie wiedziała czemu, ale nie spodobała jej się myśl, że będzie zdana na tego mężczyznę aż do samego Bremerhaven. Słyszała już o Gustawie to i owo, więc nie miała o nim dobrego zdania. Podobno uwiódł dziewczynę z sąsiedniego majątku i ją rzucił, gdy się zorientował, że rośnie jej brzuch.

Wolfhard von Trettin, który nigdy się nie interesował, o czym plotkuje służba, najwidoczniej ufał Gustawowi, bo przywołał go do siebie kiwnięciem ręki.

– Cieszę się, że będziesz towarzyszył mojej Lorze aż do samego Bremerhaven. Dzięki temu łatwiej mi będzie się z nią rozstać. Tu masz małą nagrodę. Opiekuj się moją wnuczką i przypilnuj, żeby razem z Elsie w porę dotarła na statek.

– Nie martwcie się, panie, dotrą na czas – odpowiedział Gustaw, uśmiechając się krzywo, i zgarnął trzy talary, które starszy pan przy pomocy Korda wyjął z sakiewki.

Pozostałe monety Wolfhard von Trettin rozdzielił między parobka, Elsie i Lorę.

– Będziecie sobie mogły kupić po drodze coś do jedzenia – powiedział, jakby zapomniał, że dał już Elsie pieniądze na podróż. Kazał sobie jeszcze nalać wina, upił go z przyjemnością i mrugnął do Lory zdrowym okiem. – No dobrze, a teraz idźcie już, bo jeszcze zapuścicie tu korzenie! Życzę ci szczęścia, moje dziecko! Niech dobry Bóg i cała ta banda katolickich świętych, o których gadał Starzig, mają cię w opiece podczas podróży.

– Bądźcie zdrowi, dziadku. Ja, ja… – Lora przerwała, bo do oczu napłynęły jej łzy.

Starszy pan zaczerpnął głęboko powietrza i dał ręką znak, by Gustaw wyprowadził Lorę. Elsie wyszła za nimi ze zwieszoną głową, ale w nieco lepszym humorze niż przed pojawieniem się Gustawa. Na zewnątrz drugi woźnica zajął się już bagażami składającymi się ze skrzyni i dwóch waliz. Gdy Lora wspięła się na powóz, pomyślała: Co też dziadek kazał tam zapakować? Drobiazgi, które były jej własnością, pomieściła w nieprzemakalnej torbie, a tę przyciskała mocno do piersi, jakby musiała się czegoś przytrzymać.

Elsie również miała nieprzemakalną torbę, zapakowała do niej ubranie na podróż. Ale swoje najważniejsze rzeczy włożyła do starej, olbrzymiej torby podręcznej, którą obejmowała tak kurczowo, jakby trzymała się ostatniej deski ratunku. Ciągle jeszcze robiła wrażenie przestraszonej, spoglądała jednak z ufnością na Gustawa, a ten chwycił ją pod pachy, uniósł i ze śmiechem posadził na koźle.

– Cieszę się, że z nami jedziesz – powiedziała do niego. – Bałabym się podróżować tylko z Lorą.

– Przy mnie niczego nie musisz się bać. Dla takiej dziewczyny jak ty zrobiłbym wszystko. – Gustaw mrugnął do niej, potem wsiadł na powóz i usiadł tuż obok, tak że dotykali się biodrami.

Ponieważ woźnica siedział z drugiej strony i śmierdział kiepskim tytoniem, Elsie jeszcze bardziej przysunęła się do Gustawa i przytrzymywała się jego ramienia.

Lora, która zajęła miejsce przy lewym boku woźnicy, nie dostrzegła tego intymnego gestu. Ale gdy tych dwoje zaczęło głośno i bez skrępowania rozmawiać, zrozumiała, że znają się już od dłuższego czasu. Najwidoczniej spotkali się po raz pierwszy na jakiejś zabawie w Pörschken, bo Gustaw, przekomarzając się, wspomniał coś na ten temat.

Ponieważ Lora nie była w nastroju na czcze gadanie, wyłączyła się, ignorując głosy ich dwojga, i próbowała zrozumieć, że właśnie opuszcza rodzinne strony i nigdy ich nie zobaczy. Najbardziej bolało ją to, że zostawia bezradnego dziadka, którym opiekowała się od ponad pół roku. Lubiła starszego pana mimo całej jego surowości i miała nadzieję, że jeszcze całymi latami będzie mogła u niego mieszkać. Bolało ją także serce, że nigdy już nie będzie mogła pomodlić się przy grobie rodziców i rodzeństwa. Na tę myśl po policzkach zaczęły jej płynąć łzy. Czuła się jak drzewo wyrwane z korzeniami, porwane przez powódź i niesione do morza. Nie mogła sobie wyobrazić, że zdoła zapuścić korzenie w obcym kraju.

Ze łzami w oczach odwróciła się i spojrzała w kierunku domku myśliwskiego. Wydawało jej się, że opuściła go zaledwie przed chwilką, ale zdążył go już przesłonić las, a załadowany pojazd, przechylając się i skrzypiąc, skręcił właśnie na gościniec, który prowadził do Heiligenbeilu. Lora zdążyła jeszcze przez moment zobaczyć rodzinną wioskę ze skromnymi, pokrytymi trzciną chatkami. Potem wieś została za nimi w dali. Wokół był las, a w oddali widać było jeszcze tylko pałacyk Trettinów, gdzie przeżyła tyle pięknych, a ostatnio tyle gorzkich chwil.

Zaczął padać śnieg i już wkrótce ziemię przykryła biała kołderka, która Lorze skojarzyła się ze śmiertelnym całunem. Ponieważ obok niej siedział małomówny woźnica, a Elsie i Gustaw nie mieli zamiaru wciągać jej do rozmowy, przykryła się szczelnie skórzanym pledem i zaczęła ze starego papieru pakowego wycinać sylwetki drzew, domków i koni pociągowych. Uwieczniła też profile trojga jej towarzyszy podróży. Mimo niewygodnego siedziska na koźle praca ta dała zajęcie jej dłoniom i uspokoiła rozbiegane myśli. Uznała, że zachowa owe wycinanki, aby przypominały jej na obczyźnie ojczyste strony.

VI

Gdy fura dotarła do Heiligenbeilu, było już ciemno. Tego dnia nie jechał już w kierunku Gdańska żaden pociąg. Dlatego Gustaw zabrał Lorę i Elsie do gospody, a tymczasem woźnica zaprowadził furę na boczny tor, gdzie jeszcze tej nocy miano przeładować ładunek do pociągu towarowego. Pracownik kolei przyjął również bagaż należący do Lory i Elsie i przysiągł uroczyście, że w odpowiednim czasie umieści go we właściwym pociągu.

Dopiero gdy znaleźli się w ciepłej gospodzie, Lora poczuła chłód, który w czasie jazdy przeniknął jej ciało. Dlatego z wdzięcznością przyjęła kubek grzanego wina podany przez jedną z usługujących tu dziewczyn. Napój był wprawdzie tak gorący, że poparzyła sobie język, ale mogła przynajmniej ogrzać zgrabiałe palce.

– Jestem głodna – mruknęła Elsie, wdychając zapach docierający z kuchni.

Lorę natomiast odrzucało na myśl o jedzeniu.

– Możesz jeszcze coś zjeść, ale ja już raczej pójdę spać. Jutro musimy wcześnie wstać, żeby zdążyć na pociąg.

– Nie martwcie się, panienko, zbudzę was obie – obiecał Gustaw i dotknął ramienia Elsie. – Też bym coś przekąsił. Jeśli uważasz, że w izbie jest za dużo ludzi, możemy przejść do mniejszej izby obok. Tam moglibyśmy porozmawiać w przyjemniejszej atmosferze niż tutaj, gdzie tuż obok, przy sąsiednim stoliku, grają w skata.

– To dobry pomysł. – Elsie wzięła Gustawa pod rękę. W porę przypomniała sobie, że Lora stoi jeszcze pośrodku gospody, i wskazała ruchem głowy do góry. – Panienko Loro, może panienka spokojnie położyć się spać. Zaraz do panienki przyjdę.

– W takim razie dobranoc.

Lora była zadowolona, że przez jakiś czas będzie mogła pozostać sam na sam ze swoimi myślami.

Poprosiła jedną z usługujących kobiet, by ta zaprowadziła ją na górę, do pokoju. Weszła do środka. Stała tam wprawdzie koza, ale ogień w niej ledwo się tlił i nie dawał rady ogrzać pomieszczenia.

– Przyniosę jeszcze trochę węgla – obiecała kobieta i odeszła.

Lora zwolnionymi ze zmęczenia ruchami zdjęła z siebie sukienkę i przez moment stała zmarznięta w koszuli. Szybko nalała wody z dzbanka do miski, umyła sobie twarz i ręce, po czym wskoczyła do jednego z dwóch łóżek, które stały obok siebie.

Chwilę potem wróciła posługaczka z metalowym wiadrem pełnym brykietów.

– Zaraz będzie cieplej – powiedziała i otworzyła klapkę pieca, żeby dosypać węgla.

– Dziękuję! Możesz trochę przykręcić lampę naftową? Światło jest dla mnie za jasne, ale Elsie musi coś widzieć, jak przyjdzie.

Lora westchnęła, bo wolałaby mieć pokój tylko dla siebie. Nie miała ochoty wysłuchiwać przez pół nocy narzekań Elsie, a na pewno się bez tego nie obejdzie.

Przy tym sama łaknęła pocieszenia. Ledwo zdążyła się nieco pozbierać po strasznej śmierci rodziny, a teraz już po raz drugi jej dotychczasowe życie rozpadło się jak domek z kart. Zatroskana zastanawiała się, w jakim stanie jest dziadek. Dręczyła ją nieznośna myśl, że starzec wkrótce umrze albo nawet już nie żyje. To wszystko wina Ottokara! Gdyby ostrzegł jej rodzinę, w porę wszyscy uciekliby z płonącego domu, a dziadek nie dostałby ataku apopleksji i nie przemieniłby się z żywotnego arystokraty we wrak człowieka.

Przez moment pragnęła posiąść moc, która pozwoliłaby dać nauczkę Ottokarowi von Trettinowi za to, co wyrządził jej rodzinie. Ale Bóg w niebie trzymał chyba bardziej z bogatymi tego świata, choć stary pastor zawsze przekonywał o jego miłosierdziu. Także katoliccy święci wielebnego Starziga mieli co innego do roboty, niż troszczyć się o taką biedną i samotną dziewczynę jak ona.

Przestraszona tą heretycką myślą Lora zaczęła cicho modlić się do Boga i do Jezusa Chrystusa, żeby przyjęli jej dziadka łaskawie, a ją chronili podczas dalszej podróży. W trakcie modlitwy zapadła w sen. W środku nocy obudził ją głośny dźwięk. Uniosła się na posłaniu i rozejrzała. W słabym świetle lampy naftowej zorientowała się, że Elsie nie ma w pokoju.

VII

G ustaw zaprowadził Elsie do małego pokoju, który właściwie pomyślany był jako salonik dla ważnych gości. Obsługująca kobieta zrobiła niechętną minę, bo znała tego mężczyznę od złej strony. Wyglądało na to, że znowu próbuje omotać naiwną dziewczynę, która będzie sobie potem wypłakiwać oczy. Elsie zjadła talerz rosołu, dużą porcję pieczeni wieprzowej z pyzami i kaszkę z wiśniową konfiturą. W tym czasie Gustaw prawił jej banialuki. Gdy dziewczyna się nasyciła i usiadła wygodnie na krześle, zamówił jeszcze dzbanuszek kawy i dwa kieliszki wina. Uznał, że nadeszła odpowiednia chwila, by dowiedzieć się więcej o nagłym wyjeździe Lory. Poczekał, aż dziewka karczemna odejdzie, i stuknął kieliszkiem o kieliszek Elsie, wznosząc toast:

– Twoje zdrowie!

– I twoje. – Głos Elsie zadrżał, ponieważ znów poczuła strach przed tym, co miało ją spotkać w ciągu najbliższych dni, a przede wszystkim bała się długiego rejsu do Ameryki.

Gustaw położył jej dłoń na ramieniu.

– Drżysz? Nie trzeba! Możesz mi powiedzieć, co ci leży na sercu. Potrafię uważnie słuchać.

Elsie walczyła ze łzami.

– I tak nie mógłbyś mi pomóc.

– Nigdy nic nie wiadomo! Ale najpierw muszę się dowiedzieć, o co chodzi z tą całą podróżą. Zwykle szef mówi mi z wyprzedzeniem, co będę robił w ciągu najbliższych dni, ale dopiero dziś rano się dowiedziałem, że mam was zawieźć do Bremerhaven. Wagner zachowywał się bardzo tajemniczo. Powiedział, że mam nikomu o tym nie mówić. Gdybym nie musiał odebrać maszyny, którą graf Elchberg zamówił w Ameryce, prawdopodobnie kazałby mi was odwieźć tylko na dworzec w Heiligenbeilu.

Elsie pociągnęła nosem i wypiła jeszcze jeden łyk wina.

– Ja też o niczym nie wiedziałam – wyznała. – Pan von Trettin powiedział mi o tym dopiero dziś w południe. Nie możesz sobie wyobrazić, jak bardzo się przeraziłam i wciąż jeszcze się boję. Taka długa podróż! A na dodatek statkiem! Panienka Lora i ja nigdy nie zdołamy dotrzeć do Ameryki.

– A co tak w ogóle macie tam robić?

– Panienka Lora ma zamieszkać u franciszkanek, póki nie osiągnie pełnoletniości, a ja... – Elsie przerwała, żeby uporządkować myśli. – Pan von Trettin dał mi trochę pieniędzy, żebym mogła zacząć w Ameryce nowe życie. Ale co mi z tych pieniędzy, jeśli w ogóle nie uda mi się tam dotrzeć, bo na pewno utoniemy gdzieś na oceanie.

Oczy Gustawa zalśniły.

– Dał ci pieniądze? A ile?

– Mogłabym sobie za nie w Heiligenbeilu albo nawet w Elblągu założyć mały sklepik.

Gustaw był pod wrażeniem i przysunął się nieco bliżej do Elsie.

– W takim razie to wcale nie taka mała sumka. Naprawdę musisz płynąć do Ameryki? Tu w Niemczech byłoby ci o wiele łatwiej. Pomyśl o tym! Prawie co drugi statek przepływający przez Atlantyk przepada, a po drugiej stronie oceanu mieszkają dzicy, którzy każdego, kogo napotkają na swej drodze, zabijają i skalpują.

– Co to znaczy? – zapytała przestraszona Elsie.

Gustaw palcem wskazującym zatoczył kółko wokół głowy, a potem uczynił ruch, jak gdyby chciał pociągnąć się za czuprynę.

– Te dzikusy zrywają ludziom skórę z głowy na żywca i wieszają ją na swoich chatach jako trofeum, zupełnie tak, jak czynią tutejsi panowie z głowami łosi i jeleni. Ci Indianie są okrutni, mówię ci! Napadają nawet na miasta i zabijają w nich ludzi.

– Czy wojsko nic nie robi, żeby temu zapobiec? – zdziwiła się Elsie.

– Wojsko? Ha! – Gustaw pokręcił głową. – Całkiem niedawno czytałem, że pewien wódz o imieniu Czerwona Chmura wykończył razem ze swoimi ludźmi caluśką armię dowodzoną przez generała Carringtona. Skoro nawet generał nie może sobie poradzić z tymi dzikusami…

Mężczyzna nie dokończył zdania, ale przez to jeszcze bardziej przeraził Elsie, której wyobraźnia zaczęła podpowiadać najgorsze rzeczy.

– Nie chcę wyjeżdżać do Ameryki – zajęczała.

– Ale przecież nie musisz. Zostań ze mną! Wiesz, już dawno chciałem wypowiedzieć pracę Wagnerowi. Po pierwsze, słabo płaci, a po drugie, nie mam w jego firmie żadnych szans na awans, bo najważniejsze posady obsadza swoimi synami.

– Ale obiecałam, że odwiozę Lorę do Ameryki – chlipnęła Elsie.

– Jak panienka Lora będzie już na statku, to zajmie się nią kapitan, a po drugiej stronie oceanu czekają już na nią franciszkanki, jak mi sama powiedziałaś. Po co więc właściwie masz tam płynąć? Pomyśl o tym, co moglibyśmy we dwoje zdziałać z pieniędzmi. Wiesz przecież, że już na zabawie w Pörschken wpadłaś mi w oko. Ale wtedy odprawiłaś mnie z kwitkiem.

– Ale tylko dlatego, że chciałeś mnie koniecznie zaciągnąć do lasku za placem, gdzie była zabawa. Za bardzo się szanuję, żebym się zgadzała na taki krótki romans.

Głos Elsie zabrzmiał nieco odpychająco, ale Gustawowi udało się ją przekonać przymilnymi słowy, że jej ówczesne wrażenie było fałszywe, a on niczego bardziej nie pragnie, jak zacząć z nią nowe życie. Gustaw stał się dla Elsie w tej podróży zbawczą opoką. Żal jej było, że w Bremerhaven będzie musiała się z nim rozstać. Pomyślała, że do twarzy mu z tym zawadiackim wąsikiem, a na dodatek jest taki obyty w świecie. Zapragnęła przylgnąć do niego mocno i nigdy go nie puścić.

– Zastanowię się – powiedziała, przeciągając słowa.

Gustaw odebrał to jako potwierdzenie. Przyciągnął ją do siebie i chciał pocałować. W tej samej chwili usłyszał, że ktoś nadchodzi. Do środka weszła dziewka karczemna i zapytała, czy jeszcze czegoś potrzebują, czy może już sprzątnąć ze stołu.

– Odnieś puste talerze i napełnij jeszcze raz kieliszki winem. Potem pójdziemy już chyba się przespać – powiedział Gustaw.

– Najwyższa pora – mruknęła dziewka, zabrała naczynia, zniknęła z nimi, a po chwili wróciła z dwoma pełnymi kieliszkami. – Gospodarz żąda, żebyś zapłacił już teraz. Jesteś ostatnim gościem i też już powinieneś znikać.

– Pozwól, że jeszcze wypiję.

Ponieważ dziewka stała obok niego jak wyrzut sumienia, Gustaw przeszedł do izby karczemnej. Gospodarz wciąż jeszcze stał za szynkiem, podczas gdy pachołek sprzątał ze stołów. Dziewka, która przyszła tu za Gustawem, zaczęła wycierać stoły ścierką.

Gustaw zapłacił rachunek, dał dziewce monetę jako napiwek i wrócił do Elsie. Ta wypiła już do połowy drugi kieliszek i poczuła, że nogi ma jak z waty.

– Chętnie bym jeszcze z tobą porozmawiał, ale tu nie można – stwierdził Gustaw. – Może przeniesiemy się do twojego pokoju?

Elsie pokręciła głową.

– Tam śpi Lora! Nie powinniśmy jej budzić.

Obecność trzeciej osoby była nie w smak Gustawowi, zwłaszcza gdyby się okazało, że ta osoba nie śpi. Poza tym miałby problem z wyjściem z karczmy. Kto by go wypuścił, gdy gospodarz i jego służba pójdą spać? Dlatego wziął dłonie Elsie w swoje i spojrzał dziewczynie poważnie w oczy.

– W takim razie zróbmy inaczej – zaproponował. – Pójdziesz do swojego pokoju. Za kilka minut otworzysz okno i wyjdziesz przez nie na zewnątrz. Będę tam na ciebie czekać. Jak przymkniemy okno i zablokujemy je drewienkiem, będzie wyglądało na zamknięte i będziesz mogła w każdej chwili wrócić.

Elsie spojrzała na niego niepewnie.

– Ale czy Lora się nie zorientuje, że okno nie jest zamknięte?

– Teraz, w środku nocy? Jeśli będziemy się zachowywać cicho i zrobimy wszystko, jak trzeba, niczego nie zauważy.

Chociaż była całym sercem gotowa usłuchać Gustawa, przyszła jej do głowy jeszcze jedna przeszkoda.

– Ale na zewnątrz jest tak okropnie zimno. Gdzie się podziejemy?

– W stajni Wagnera jest przyjemnie ciepło. Nikt nie będzie nam tam przeszkadzał.

Elsie zrozumiała, że na rozmowie się nie skończy, ale nadzieja, że dzięki pomocy Gustawa uniknie podróży do Ameryki, przezwyciężyła wszystkie skrupuły. Poza tym mężczyzna był prawie tak przystojny jak Fridolin von Trettin, z którym chętnie udałaby się na godzinkę w ustronne miejsce. Dlatego skinęła głową i dopiła wino.

– W takim razie dobranoc, Gustawie. Zobaczymy się jutro rano! – powiedziała to tak głośno, żeby karczmarz i dziewka w drugim pomieszczeniu też ją usłyszeli, po czym udała się, tupiąc głośno, schodami na pierwsze piętro.

VIII

Gdy Elsie weszła do pokoju, struchlała, zobaczywszy, że Lora rzuca się w łóżku. Podeszła bliżej i stwierdziła, że współmieszkanka tylko niespokojnie śpi i jej nie widzi. Westchnęła więc z ulgą, podeszła do okna, by je otworzyć. Musiała użyć siły, żeby dało się odemknąć, ale to ją uradowało. Nie musi szukać żadnych przedmiotów, żeby móc nimi przyblokować okno od zewnątrz.

W twarz dmuchnęło jej zimne powietrze. Na moment straciła odwagę. Potem w świetle stojącej przed kuźnią lampy gazowej zobaczyła nadchodzącego Gustawa. Nie zastanawiając się długo, usiadła na parapecie i przełożyła nogi na zewnątrz. Teraz musiała jeszcze tylko zeskoczyć, nie robiąc sobie krzywdy. Ale odległość do ziemi wydała jej się zbyt duża. Gdy Gustaw podszedł pod samo okno i wyciągnął w jej kierunku ręce, zebrała się na odwagę i zsunęła nieco z parapetu, aby mógł przytrzymać jej nogi. Potem przymknęła za sobą okno i poprosiła go szeptem, żeby opuścił ją na ziemię.

Postawił ją ostrożnie, mocno przycisnął i zbliżył usta do jej ucha.

– Rad jestem, że się zdecydowałaś. Już się bałem, że zabraknie ci odwagi.

– Dla ciebie gotowa bym była zaryzykować więcej – odpowiedziała Elsie i przylgnęła do niego, a potem pobiegli, trzymając się za ręce, pokrytą śniegiem ulicą w kierunku rozległej posesji należącej do właściciela firmy transportowej Wagnera. Rozległo się szczekanie kilku psów, które jednak szybko z powrotem wlazły do bud, stwierdziwszy, że nocni spacerowicze już się oddalili.

Psy wartownicze znały Gustawa i tylko z cicha zaskomlały, gdy otwierał bramę, a potem wrota stajni. Chociaż we wnętrzu było tak ciemno, że Elsie nie mogła zobaczyć własnej dłoni, poprowadził ją pewnie do drabiny, po której można było wejść na górę, na siano.

– Ruszaj, tylko dobrze się trzymaj – powiedział, kładąc jej dłonie na szczeblu drabiny.

– Tu jest zbyt ciemno – zlękła się.

– To dobrze, nikt nas nie zauważy. No, idź już! Poradzisz sobie! Jestem przy tobie!

Elsie zrobiła głęboki wdech i zaczęła się wspinać. Jej towarzysz wchodził tuż za nią i cicho mówił, co ma robić. Tu, w stajni, Gustaw dobrze się orientował i nawet w najmroczniejszą noc znajdował drogę. W końcu Elsie nie była pierwszą dziewczyną, którą namówił, żeby tu z nim przyszła. Ale tym razem było inaczej, bo Elsie miała coś takiego, czego innym brakowało – mianowicie pieniądze.

Przez moment Gustaw miał wrażenie, że widzi przed sobą lśniące talary, które już niebawem będą należeć do niego. Gdy znaleźli się na sianie, pomógł dziewczynie przejść trochę bardziej w głąb stajni, a potem objął ją mocno.

– Nawet nie wiesz, jak bardzo za tobą tęskniłem – szepnął.

Jego dłonie powędrowały po jej plecach w dół, po czym zaczęły podciągać jej sukienkę i halki.

– Co robisz? Przecież mieliśmy najpierw trochę porozmawiać – zaprotestowała Elsie, ale się nie broniła.

– Możemy porozmawiać później!

Gustaw pchnął ją lekko, dziewczyna opadła na plecy, a on wślizgnął się między jej nogi. Jedną ręką chwycił ją za pierś i zaczął lekko ugniatać, drugą dłonią natomiast zaczął odpinać sobie szelki. Po chwili zsunął spodnie oraz bieliznę. Syknął cicho, bo źdźbło trawy ukłuło go w żołądź. Szybko przesunął się do przodu, prawą dłonią ustawił penisa we właściwej pozycji i wszedł w Elsie.

Poszło łatwiej, niż myślał, a gdy dobił po raz drugi, wyszła mu biodrami naprzeciw. Teraz nie była dla niego nikim więcej jak jedną z chłopskich dziewek. Podczas licznych podróży zawsze dawał radę jakąś nakłonić, by mu się oddała. Do tej pory żadna nie mogła się na niego uskarżać. Teraz też czuł, że Elsie niewiele brakuje, by osiągnąć spełnienie.

W końcu on też doszedł, ale nadal na niej leżał i wciskał swym ciężarem w siano. Zaczęła trochę marudzić, ale ją pocałował.

– Nie jest ci zimno, co? – zapytał.

Jej skóra była ciepła i uwodzicielska. Żal by mu było tej nocy, gdyby poprzestał na jednym razie.

Elsie próbowała go od siebie odepchnąć.

– Nie jest mi zimno, ale jesteś dla mnie za ciężki. Poza tym mieliśmy porozmawiać o naszej przyszłości. Jeśli chcesz, bym ze względu na ciebie została w Niemczech, będziesz musiał się ze mną ożenić.

– Oczywiście, że się z tobą ożenię! – obiecał Gustaw i w tym momencie mówił całkiem poważnie.

Żeby Elsie jeszcze bardziej udobruchać, wsparł się na ramionach i potarł jej podbrzusze penisem. Ale zanim doszedł do formy na tyle, by dalej z nią baraszkować, musiał odpowiedzieć na wszystkie pytania, którymi go zbombardowała.

IX

J uż świtało, gdy Gustaw odprowadził Elsie z powrotem do karczmy. Podniósł dziewczynę, żeby mogła mu stanąć na ramionach. Okno wciąż jeszcze było przymknięte, ale otworzyło się, gdy je pchnęła.

Wdrapała się do pokoju, obdarowana ostatnim czułym słówkiem kochanka. Na szczęście w lampie naftowej wciąż jeszcze płonął mały płomyk, co pomogło jej zorientować się w pokoju. Dziewczyna pomachała Gustawowi przez okno, zamknęła je i ściągnęła z siebie ubranie. Ale gdy chciała się położyć, poczuła parcie na pęcherz. Wyciągnęła spod łóżka nocnik, dzięki któremu goście nie musieli korzystać z zimnego wychodka za domem.

Gdy skończyła sikać, obudziła się Lora i spojrzała na nią.

– Już wstałaś?

– Właśnie się obudziłam – skłamała Elsie i musiała się powstrzymać, żeby nie zamruczeć jak zadowolony kotek.

Jej podbrzusze wciąż jeszcze wibrowało od rozkoszy, której niedawno doznała dzięki Gustawowi. Widziała teraz swą przyszłość w jasnych barwach. Ale jej towarzyszka nie powinna się niczego domyślić, dlatego zrobiła ponurą minę.

– Czy naprawdę musimy wyruszać w tę podróż? Do Ameryki taka okropnie długa droga. Boję się.

– Ja też się trochę boję – odpowiedziała Lora. – Ale dziadek kazał nam tam pojechać, więc to zrobimy.

Nie miała pojęcia, która może być godzina, ale hałasy docierające z parteru zdradzały, że inni też się już pobudzili. Dlatego wyskoczyła z łóżka, stanęła obok Elsie i się wzdrygnęła.

– Ale tu zimno!

Chociaż Elsie doskonale wiedziała, że to ona wpuściła zimno do pokoju, wchodząc tu przez okno, wskazała ręką piec.

– Najwidoczniej ogień się w nocy wypalił. Poczekajcie, panienko, sprawdzę, czy zostało trochę żaru, spróbuję go podsycić.

– Pomogę ci!

Lora uchyliła drzwiczki kozy, pociągając za drewniany uchwyt, i zobaczyła, że w piecu świeci czerwony żar. Elsie napełniła szufelkę i wrzuciła węgiel do pieca. Iskierki wzbiły się w górę i Lora musiała się odsunąć.

– Nie możesz uważać? – zbeształa służącą i szybko zamknęła drzwiczki.

– Nie sądziłam, że w środku będzie jeszcze tyle żaru – broniła się Elsie.

Nagle poczuła się nieskończenie zmęczona i ziewnęła. Chętnie by się położyła, żeby chwilę pospać. Ale jeśli plany jej i Gustawa miały się spełnić, Lora nie mogła spóźnić się na statek. Dlatego szybko dokonała porannych ablucji, ubrała się i zaprowadziła wnuczkę Wolfharda do izby karczemnej, gdzie już czekało śniadanie. Gdy piły kawę zbożową i jadły pożywne kanapki, do środka wszedł Gustaw. Nie było po nim znać, że miał za sobą nieprzespaną noc. Pozdrowił obie wesoło, a potem pokazał palcem w kierunku dworca.

– Zapowiadają pociąg z Królewca. Będzie najpóźniej za kwadrans.

– Już za kwadrans? W takim razie musimy się pospieszyć. – Lora zerwała się od stołu, bo miała obawy, że Elsie celowo zwleka, aby się spóźniły. Potem zapytała Gustawa: – Co z naszym bagażem?

– Jest na peronie i zostanie załadowany, jak tylko nadjedzie pociąg. Słyszę już, jak gwiżdże lokomotywa!

Na te słowa Elsie skoczyła na równe nogi i pobiegła do karczmarza, żeby zapłacić rachunek. Ponieważ poskąpiła napiwku, ich trójka opuściła karczmę żegnana pogardliwym wzrokiem gospodarza i jego służby. Chwilę potem na dworzec wjechał pociąg. Gdy znaleźli się w środku, a on znów ruszył, Lora miała wrażenie, że czyjaś bezlitosna ręka cisnęła ją właśnie w nieznane.

X

Podczas podróży pociągiem Lora widziała tylko dworce i znajdujące się w ich pobliżu karczmy, ponieważ Elsie nie miała odwagi pójść z nią na najmniejszy chociaż spacer i nie mówiła o niczym innym jak o nieszczęśliwych wypadkach, które rzekomo się jej przytrafiały, gdy towarzyszyła swojej wcześniejszej pani w podróżach. Lora nie za bardzo chciała jej wierzyć. Według słów służącej co trzeci pociąg musiał się wykolejać i prawie każdy statek pokonujący Atlantyk tonął, osiadał na mieliźnie albo wpadał w ręce piratów.

Lora podejrzewała, że dziewczyna naczytała się gazet i czasopism, za którymi tak przepadała, i w związku z tym wmówiła sobie, że ich podróż marnie się skończy. Bo staruszka, u której zatrudniona była Elsie, na przekór tym wszystkim czyhającym niebezpieczeństwom zmarła podobno spokojnie we własnym łóżku. Przypomniała o tym służącej, żeby ją uspokoić. Ale równie dobrze mogłaby próbować ugasić rozpalony piec garścią śniegu.

Tylko gdy Gustaw do nich dołączał, Elsie zapominała o tych przerażających historiach, tak że Lora była nawet zadowolona, kiedy się pojawiał. Jak na jej gust zachowywał się jednak zanadto władczo. Decydował, gdzie mają nocować, i zamawiał jedzenie, nie pytając, na co mają ochotę.

Lora bywała zazwyczaj pogrążona w smutnych rozmyślaniach o dziadku, rodzicach i rodzeństwie. Oderwana od stron ojczystych, przeżywała teraz śmierć bliskich silniej niż bezpośrednio po pożarze. Mimo to czuła niechęć do młodego mężczyzny i tym bardziej denerwowała ją Elsie, wynosząca Gustawa pod niebiosa i spijająca słowa z jego ust. Lora jednakże zanadto zaabsorbowana była bólem z powodu utraty wszystkich tych, których kochała, żeby przykładać większe znaczenie do poufałości tych dwojga. Podczas monotonnej podróży wróciła myślami do domku myśliwskiego w lesie. Jak się czuje dziadek? pomyślała. Czy jeszcze w ogóle żyje? Czy Kord dba o niego należycie? Nie potrafiła sobie wyobrazić Korda w roli ofiarnego pielęgniarza i w głębi ducha prosiła wiernego parobka, żeby wybaczył jej tę nieufność. Wiedziała bowiem, że gotów byłby poświęcić życie dla starszego pana. Czasami myślała też o pałacu i jego nowym właścicielu, a wtedy cieszyła ją każda mila, która oddalała ją od Trettina.

W Bremie miała wraz z Elsie poczekać na zakonnice, żeby wraz z nimi podróżować dalej. Ale gdy przybyli do miasta, służąca zrobiła się dziwnie niecierpliwa.

– Dlaczego mamy tu czekać, panienko Loro? Gustaw musi na zlecenie szefa jeszcze dzisiaj jechać dalej do Bremerhaven. Jeśli pojedziemy razem z nim, może nas zawieźć na statek, a tam łatwiej będzie nam znaleźć zakonnice niż tutaj. A co, jeśli mniszki zanocują w innej karczmie albo pojadą dalej, bo będą sądziły, że przyłączymy się do nich dopiero na statku?

Słowa służącej sprawiły, że Lora poczuła wątpliwości.

– Ale jeśli będą nas szukać w Bremie? Na pewno będą złe, jeśli nas tu nie spotkają.

– Gustaw może powiedzieć karczmarzowi, żeby przekazał im od nas wiadomość – nalegała Elsie.

Do rozmowy wmieszał się Gustaw:

– Jeśli pojedziemy razem, zatroszczę się o wasz bagaż. Mniszki na pewno nie mają ze sobą służących, którzy mogliby to dla was zrobić.

Ten argument sprawił, że Lora uległa.

– Niech będzie! Jedźmy razem dalej. Prawdopodobnie tak będzie lepiej.

Elsie i Gustaw wymienili się spojrzeniami, potem służąca chwyciła Lorę za rękę i pociągnęła ją za sobą.

XI

Jeszcze tego samego dnia wyruszyli nowo zbudowaną trasą kolejową do Bremerhaven, przenocowali tam w solidnej karczmie i następnego dnia znaleźli się wczesnym rankiem w poczekalni przedsiębiorstwa żeglugowego Norddeutscher Lloyd. Hala była pomalowana na biało i pełna światła. Przez okna widać było czarny kadłub parowca, który stał przy pirsie i pod względem długości oraz wysokości górował nad wcale nie takim małym budynkiem portowym.

Według prospektu dla pasażerów pierwszej kajuty statek miał ponad sto metrów długości i ponad dwanaście szerokości. Dziewczynie ze wsi, która do tej pory widywała tylko małe żaglowe frachtowce, pływające rzekami i po zalewie, ten widok zaparł po prostu dech w piersiach. Zafascynowana wpatrywała się w olbrzymi okręt. Katastroficzne opowiadania Elsie to na pewno tylko wymysły – pomyślała. Taki olbrzym na pewno jest w stanie sprostać każdemu sztormowi! Na wypadek, gdyby skończył się węgiel, statek posiadał jeszcze dwa maszty, które były wyższe niż wieże kościelne w jej rodzinnych stronach. Na owych masztach umieszczono wiele mniejszych i większych żagli. Wysoko nad relingiem wisiały jedna za drugą cztery białe łodzie ratunkowe, które wyglądały jednak jak zabawki. Lora uznała, że tworzą ładny kontrast w zestawieniu z usytuowanym pośrodku ciemnym kominem i z również ciemnymi masztami.

Tak się zapatrzyła na statek, że Elsie musiała dać jej kuksańca, żeby przywrócić ją do rzeczywistości.

– Jeśli nie ma panienka nic przeciwko temu, to sprawdzę, czy Gustaw zrobił wszystko, jak należy. Właśnie poszedł nadać bagaż, a wie panienka, jacy są mężczyźni. Nie chcę, żeby walizki z sukniami umieścił razem z kufrem w ładowni parowca, bo wtedy dostaniemy je dopiero po dotarciu do Nowego Jorku.

Elsie była tak podekscytowana, że Lora się ucieszyła, iż na chwilę się jej pozbędzie.

– Dobrze, zajmij się bagażem! Z pewnością wiesz lepiej niż Gustaw, czego należy dopilnować, bo podróżowałaś już statkiem ze swą poprzednią panią. On jest przecież tylko zwykłym furmanem.

Lora sama nie wiedziała, dlaczego wyraziła się tak nieuprzejmie. Zapewne dlatego, że przez całą drogę ten człowiek aż nazbyt często ją irytował. Szybko z powrotem przeniosła wzrok na parowiec, więc nie dostrzegła, że twarz służącej zapłonęła gniewem, a zaraz potem wykrzywiła się w szyderczym grymasie.

Gdy Elsie wybiegła z hali, Lora zaczęła obserwować ludzi, których przybywało do poczekalni coraz więcej. Wielu z nich miało na sobie skromne ubrania, dźwigali szmaciane torby albo paczki owinięte w papier pakowy. Strażnicy w mundurach zapędzali ich do tylnej części hali, gdzie stały tylko wąskie drewniane ławki, podczas gdy Lora miała do dyspozycji wygodne krzesło. Kawałek dalej znajdowała się strefa wyposażona w wyściełane fotele, przeznaczona dla pasażerów pierwszej klasy, aby mogli poczekać, aż zostaną wpuszczeni na pokład. Ale tam było całkiem pusto. Ważni państwo najwidoczniej wciąż jeszcze przebywali w swoich hotelach i pojawią się dopiero wtedy, gdy kapitan zezwoli na wstęp na statek.

Lora nie wiedziała, kiedy to nastąpi. Miała tylko nadzieję, że nie potrwa to długo, ponieważ pragnęła znaleźć się w miejscu, gdzie będzie mogła pobyć sama. Westchnęła ciężko na myśl, że musi dzielić kajutę z Elsie. Dziewczyna podczas podróży statkiem na pewno zamęczy ją obawami, że zatoną, co w oczach Lory było w najwyższym stopniu nieprawdopodobne.

Gdy przypadkowo spojrzała na wielki zegar na przedniej ścianie hali, stwierdziła, że Elsie nie wraca już od ponad godziny. Chciała wstać, żeby jej poszukać, ale właśnie wtedy służąca wreszcie się zjawiła i stanęła przed nią zdyszana.

– Wszystko z Gustawem załatwiliśmy. Jak tylko rozlegnie się sygnał, możemy wejść na pokład!

Lora się zdziwiła, bo głos Elsie zabrzmiał nieoczekiwanie tak radośnie, jakby dziewczyna cieszyła się na tę podróż. Ale nie było czasu na zastanawianie się nad tą kwestią, ponieważ właśnie nadjechał pociąg i stanął między parowcem a halą poczekalni. Zaczęła wtłaczać się do niej masa ludzi. Wśród nich znajdowali się też pasażerowie pierwszej klasy. Lora nie dostrzegła jednak w tłumie pięciu zakonnic, na których przybycie czekała.

Ledwo ludzie wyszli z pociągu, ten odjechał z powrotem, a chwilę potem na statku rozległa się syrena, brzmiąca jak nawoływanie wielkiego potwora. Pracownicy armatora NDL zaczęli wzywać pasażerów parowca Deutschland, żeby ci przygotowali bilety oraz dokumenty i udali się na statek. Elsie natychmiast chwyciła obie torby podróżne, które miały zostać zabrane do kabiny. Nagle wydała z siebie nerwowy okrzyk.

– Zginęła moja torebka! Chodźmy, panienko Loro. Zaprowadzę panienkę na statek, a potem pobiegnę szybko do biura armatora. Może ktoś ją znalazł i oddał!

Lora wzdrygnęła się przerażona, ponieważ w torebce znajdowały się ich dokumenty, pieniądze i bilety. Gdy Elsie poszła szukać Gustawa, wzięła ją ze sobą, mocno przyciskając.

– A co z biletami i paszportami? Przecież bez nich nie dostaniemy się na pokład!

– Musiałam je okazać urzędnikowi armatora i wsadziłam do kieszeni płaszcza. Na pewno wtedy gdzieś odłożyłam torebkę. Niech panienka się pospieszy, żebym zdążyła sprawdzić, czy ją znaleziono.

Elsie pociągnęła Lorę jak małe dziecko. Parła naprzód bez ceregieli, rozpychając się łokciami. Ignorowała skargi i przekleństwa padające w jej kierunku. Nie przejęła się też pełnym nagany wzrokiem umundurowanego pracownika NDL, który stał u stóp trapu i kontrolował dokumenty podróżnych.

Elsie podetknęła mu pod nos bilety i paszporty. Gdy tylko mężczyzna dał jej ręką znak, że może wraz ze swą towarzyszką wejść na trap, pospieszyła dalej. Na pokładzie zagadnęła jakiegoś mężczyznę w białym fraku, który wyglądał jak kelner, i wetknęła mu do rąk obie torby podróżne.

– Niech pan zaprowadzi moją młodą panią do naszej kabiny, numer 29. Tu są jej bilet i paszport. Ja muszę jeszcze na chwilę wrócić na ląd, bo zgubiłam torebkę. Panienko Loro, niech panienka czeka na mnie w kabinie. Niedługo wrócę! Niech panienka w tym czasie nie chodzi sama po statku!

Mówiąc te słowa, Elsie zawróciła i zaczęła pchać się pod prąd tłumu pasażerów, którzy wchodzili na pokład. Lora popatrzyła w ślad za nią i nagle poczuła dziwną gorycz w ustach. Coś było nie tak.

– Proszę za mną, panienko! – powiedział mężczyzna w kelnerskim fraku, zanim zdołała się na dobre zaniepokoić.

Po drodze dowiedziała się, że ma do czynienia z trzecim stewardem drugiej kajuty. To jeszcze bardziej strapiło Lorę, bo na bilecie miała napisane: „Pierwsza kajuta, dolny salon".

Gdy go o to zapytała, steward uspokoił ją:

– Proszę się nie martwić, panienko. Będzie miała panienka dokładnie tę kabinę, którą dla panienki zarezerwowano. W prospektach armatora druga klasa jest określana jako „pierwsza kajuta, dolny salon", żeby pasażerowie, którzy w ten sposób podróżują, nie czuli się tożsami z pasażerami międzypokładzia. W każdym razie będzie panienka miała wspaniałą i interesującą podróż, ponieważ w dolnym salonie miejsca zarezerwowało wielu miłych podróżnych, w tym pięć sióstr zakonnych, które przybyły tu ostatnim pociągiem.

Lora żałowała, że nie zdołała dojrzeć zakonnic w tłumie ludzi. Postanowiła, że gdy tylko Elsie wróci, natychmiast wyśle ją do sióstr, aby je poinformowała, że one również w dobrym stanie dotarły na statek.

Steward dostrzegł niepewność Lory i dał jej jeszcze mnóstwo podnoszących na duchu wskazówek. Próbował przy tym rozwiać jej obawy co do podróży statkiem.

– Proszę się nie martwić, panienko. Nasze przedsiębiorstwo żeglugowe pomyślało o wszystkim, począwszy od wygody naszych pasażerów, a skończywszy na bezpieczeństwie. Nawet gdyby nasz statek miał zatonąć, co oczywiście się nie stanie, to w łodziach i tratwach ratunkowych mamy dość miejsca dla wszystkich ludzi na pokładzie. A poza tym…

Lora była zadowolona, gdy wreszcie dotarła do kabiny i gadatliwy mężczyzna sobie poszedł. Rozejrzała się, próbując zebrać myśli.

Pomieszczenie było maleńkie bez okna czy choć bulaja, jak określa się na statku małe okrągłe iluminatory, przez które można wyjrzeć na zewnątrz. Jedynie nad drzwiami znajdowała się wąska szybka. Z korytarza wpadało przez nią stłumione światło lamp, w którym ujrzała szaro-beżową tapetę na ścianach, dwa wąskie łóżka, komodę z wpuszczoną umywalką oraz pustą szafkę.

Zdziwiona potarła sobie czoło. Przecież ich walizki powinny się tu już znajdować. Ale nie znalazła ich, mimo że przeszukała kabinę, a nawet zajrzała pod łóżka. Najwidoczniej Elsie nie dopilnowała wszystkiego i walizki razem z kufrem zostały umieszczone w ładowni w kadłubie statku. Lora miała przy sobie jedynie nieprzemakalną torbę z płaszczem z płótna żaglowego, do której Elsie włożyła dodatkowo przybory do mycia i bieliznę.

Ponieważ Lora poczuła pragnienie, podeszła do wąskiej komody i zajrzała do dzbanka. Woda wyglądała na świeżą. Napiła się łapczywie. Poczuła się nieco lepiej. Ale wciąż jeszcze nie opuszczała jej obawa, że podróż nie będzie miała takiego przebiegu, jak to zaplanował dziadek. Chciał, by Elsie się mną opiekowała, pomyślała Lora, ale to chyba ja będę musiała uważać na nią, w przeciwnym razie dziewczyna znowu nawarzy piwa.

Lora poczuła ulgę, mogąc przez jakiś czas pobyć w kabinie sama, chociaż pomieszczenie było wąskie i mało przytulne. Przypomniała sobie, co po drodze słyszała o warunkach panujących na pokładzie dla emigrantów, i się wzdrygnęła. Podróż głęboko w brzuchu statku, z dziesiątkami pasażerów międzypokładu stłoczonych w jednym pomieszczeniu, niemających możliwości, by choć na chwilę pobyć w samotności. To byłoby dla mnie piekło, pomyślała.

Żeby zająć myśli czymś innym, wypakowała zawartość torby i schowała rzeczy do szafki. Potem chciała poukładać rzeczy Elsie, ale gdy otworzyła torbę podróżną swej towarzyszki, znalazła w środku tylko papier pakowy i stary worek.

Lora popatrzyła z osłupieniem na zawartość bagażu, po czym zaczęła grzebać w środku, mając nadzieję, że pod spodem znajdzie bieliznę Elsie i jej ubrania na zmianę. Ale nic takiego tam nie było. Przestraszona złożyła dłonie i poprosiła Najświętszą Panienkę, by ją zbudziła z tego strasznego snu.

Nagle poczuła, że nie da rady wytrzymać w tej przytłaczającej kabinie, i wybiegła na zewnątrz, żeby poszukać służącej. Ale gdy wyszła na korytarz, odniosła wrażenie, że słyszy głos dziadka. „Miej ten płaszcz zawsze pod ręką i noś go, nawet jeśliby ci to odradzano".

Szybko się odwróciła, narzuciła płaszcz na wełniane wdzianko. O wiele za długi pasek kilkakrotnie owinęła sobie wokół talii. Idąc przez statek, próbowała przypomnieć sobie drogę do trapu. W pewnym momencie znalazła się na dziobie statku. Przytrzymując się relingu, popatrzyła bezradnie na plac portowy, po którym kręciło się mnóstwo ludzi.

Z komina wydobywały się coraz gęstsze obłoczki dymu, a dźwigi przenosiły właśnie do ładowni ostatnie beczki i skrzynie. Rozległo się głośne trąbienie. Na ten dźwięk uniesiono trapy oraz odczepiono liny, którymi parowiec przycumowany był do nabrzeża.

Lora już miała zawrócić do kajuty, gdy nagle przy poczekalni NDL dostrzegła Elsie i Gustawa. Właśnie wspinali się na wóz powożony przez obdartego furmana. Oboje trzymali się za ręce. Na wozie zaraz za kozłem stały dwie walizki, a obok nich kufer, który przygotował dla niej na drogę dziadek Wolfhard.

XII

Lora patrzyła z osłupieniem na wóz z Elsie i jej kochankiem, póki chybotliwy pojazd nie zniknął między domami miasta w nasilającej się zamieci śnieżnej. Jej myśli zaczęły wykonywać szalony taniec. Zastanawiała się, dlaczego Elsie wystawiła ją do wiatru? Wprawdzie służąca bała się podróży, ale po drugiej stronie oceanu, w Ameryce, mogłaby zacząć nowe życie i już nigdy nie musiałaby wykonywać słabo płatnej pracy służącej. Lora pomyślała o dziadku, który wszystko tak dokładnie zaplanował, ale tego nie przewidział. Ogarnęła ją rozpacz i łzy pociekły jej po policzkach. Nawet nie dostrzegła, że holownik właśnie zaczął ciągnąć rzeką olbrzymi statek.

W pewnym momencie odezwał się do niej mężczyzna w mundurze. Powiedział, żeby zeszła po schodach na niższy pokład. Nagle, jakby z wielkiej odległości, powróciło do niej wspomnienie kabiny, w której mogła znaleźć schronienie. Lora zdążyła jednak stracić orientację. Nie wiedziała, gdzie znajduje się jej kabina, ale nie miała dość odwagi, by zapytać o to obcego mężczyznę. Tak więc błądziła rozpaczliwie, aż w końcu znalazła się w wielkiej sali oświetlonej dziesiątkami lamp gazowych. Na moment zapomniała o Elsie, bo poczuła się tak, jakby z ponurego koszmaru przeniesiono ją do świata baśni.

Pomieszczenie miało wymiary sali balowej. W suficie znajdowały się zamontowane ukośnie ogromne okna, przez które wpadało teraz skąpe światło. Duże i mimo zimy ozdobione świeżymi kwiatami stoły ciągnęły się jeden za drugim przez całą długość sali. Z prawej i lewej strony wzdłuż stołów stały wyściełane ławki z misternymi oparciami. Dookoła w ścianach znajdowało się ponad dwadzieścia nisz z posągami i obitymi aksamitem sofami. Na podłodze, a także na stołach, leżały cudownie piękne miękkie orientalne dywany. Nawet pałac w Trettinie nie był urządzony z takim przepychem, a przecież uchodził za jeden z najpiękniejszych w okolicy.

W chwili, gdy Lora pogładziła dłonią tapicerkę jednej z sof, otworzyły się obok niej drzwi, które podobnie jak ściana obciągnięte były aksamitem i dlatego ich wcześniej nie zobaczyła. Wzdrygnęła się zlękniona. Zdążyła się właśnie zorientować, że trafiła do części statku przeznaczonej dla bogatych pasażerów. W drzwiach stanęła drobna dziewczynka w wieku około sześciu lat. Podeszła do Lory i spojrzała na nią wielkimi oczami.

Lora uświadomiła sobie z bólem w sercu, że ma na sobie okropny płaszcz, a pod nim skromne ubranie. Jej przyzwoita sukienka i nieliczne uszyte w wolnych chwilach ładne drobiazgi znajdowały się w walizkach, z którymi zniknęła Elsie wraz z Gustawem.

– Kim jesteś? – zapytała dziewczynka, uśmiechając się jak aniołek. – Emigrantką z międzypokładu? W takim razie musisz szybko odejść, jeśli nie chcesz przykrości. Chodź, sprowadzę cię na dół.

Ależ ona przypomina moją zmarłą siostrzyczkę – pomyślała Lora i podała jej rękę. Jednocześnie chrząknęła, żeby pozbyć się guli, która stanęła jej w gardle.

– Moja kabina jest w dolnym salonie pierwszej kajuty czy jakoś tak… Możesz mnie tam zaprowadzić? Zabłądziłam!

– Tak, mogę. Bardzo dobrze znam się na statkach. Chodź ze mną. Znasz numer swojej kabiny? Znam już cyfry, wiesz? Mam siedem lat, a więc jestem młodą damą i należy mi okazywać szacunek. W każdym razie tak mówi mój dziadek, któremu towarzyszę w podróży. Nazywam się Nathalia von Retzmann i jestem komtesą. Już po raz piąty przepływam przez ocean.

W jej głosie brzmiała taka duma i pewność siebie, że Lora mimowolnie się uśmiechnęła, a tym samym na moment zapomniała o osamotnieniu i strachu. Dziewczynka przypominała jej troszkę dużą porcelanową lalkę, taką, która mówi „mama", gdy się ją kładzie. Miała kiedyś taką lalkę, później bawiła się nią jej młodsza siostra. Tylko że lalka nigdy nie miała takich pięknych sukienek jak mała komtesa.

Dziecko tupnęło niecierpliwie nogą, jakby chciało ponaglić interlokutorkę, by się też przedstawiła.

– Nazywam się Lora Huppach i to moja pierwsza w życiu podróż. Też mam dziadka. To on wysłał mnie do Ameryki!

– Bez rodziców? – zapytała ciekawie Nathalia.

– Moi rodzice nie żyją. Młodsze rodzeństwo też. Wszyscy zginęli w pożarze domu. Ja żyję tylko dlatego, że byłam z wizytą u dziadka. Po pożarze zamieszkałam u niego, a teraz wysłał mnie w świat.

– Czy dziadek kupił ci bilet drugiej klasy? W takim razie to bardzo miły człowiek. Na międzypokładzie jest bowiem okropnie. Wszyscy śpią w jednej sali i prawie nie ma światła. I strasznie tam śmierdzi. Wiesz, już kilka razy się tam zakradłam i zajrzałam! Ale lepiej, żeby dziadek tego nie wiedział. On ciągle krzyczy i natychmiast pomstuje, jak coś mu nie odpowiada. Dlatego służący się go boją, ale ja nie. Niczego się nie boję! Ty też nie musisz się bać. Pływanie statkiem jest cudowne, chyba że akurat tonie. Tak, tutaj musi być twoja kabina! Jeśli chcesz jednak pójść do jadalni na obiad, powinnaś zdjąć ten okropny płaszcz, bo ludzie naprawdę sobie pomyślą, że należysz do biednych emigrantów z dołu!

Zakłopotana Lora spuściła głowę. W gruncie rzeczy była równie biedna, co ci emigranci na międzypokładzie, bo poza okropnym płaszczem i ubraniem, które miała na sobie, oraz kilkoma rzeczami na zmianę posiadała jeszcze tylko monety wetknięte jej przez dziadka w ostatniej chwili. Pieniądze na podróż i pierwsze lata w Ameryce przepadły. Elsie miała je przy sobie i razem z nimi zniknęła.

Gdy znalazły się przed właściwą kabiną, Lora pogłaskała rezolutną dziewczynkę po blond włoskach i podziękowała. Ale Nathalia wcale nie zamierzała tak od razu odejść.

– Jutro po śniadaniu przyjdź pod drzwi górnego salonu pierwszej kajuty. Wtedy pokażę ci statek. Możemy nawet obejrzeć mostek i porozmawiać z kapitanem. Dziadek jest jednym z udziałowców przedsiębiorstwa żeglugowego. Dlatego nikt nawet nie próbuje mi czegokolwiek zabraniać.

– Przyjdę – obiecała Lora, przekonana, że mała szybko o niej zapomni; najpóźniej, gdy wróci do swojej kabiny.

Nathalia skinęła z zadowoleniem głową, jeszcze raz jej pomachała i pobiegła tak szybko, jakby ją ktoś wołał. Ponieważ w tym momencie na korytarzu pojawiło się wielu pasażerów, Lora od razu zamknęła drzwi i zaszyła się w swojej kabinie jak ślimak w muszli.

Była zadowolona, że nikt się nią nie interesował. Dlatego mogła położyć się do łóżka i bez przeszkód zastanowić się nad swoją sytuacją. Rozmyślając, schrupała ususzony kawałek ciasta z kruszonką – mizerną resztkę jedzenia, które Elsie wzięła z domu. Potem wypiła jeszcze łyk wody, przeznaczonej właściwie do ablucji.

Po pewnym czasie poczuła się zmęczona i ściągnęła bluzkę oraz spódnicę, żeby się umyć. Założywszy koszulę nocną, przypomniała sobie o siostrach zakonnych, pod których opieką powinna się znajdować. Zdecydowała, że poszuka ich nazajutrz i się im przedstawi. Wprawdzie bała się zagadywać całkiem obce osoby, ale nie miała innego wyjścia. Ponieważ Elsie ją okradła i zawiodła, była teraz skazana na litościwą pomoc obcych ludzi. Tak jak ja musi się czuć mały pies, którego rozdzielono z właścicielem, pomyślała. Na tę myśl łzy napłynęły jej do oczu.

W tej chwili wolałaby służyć w pałacu w Trettinie. Ale ponieważ Deutschland już odbił od brzegu, nie miała możliwości powrotu. Wyobraźnia podpowiadała jej straszne rzeczy, które czekają na nią w Ameryce. W końcu dopadło ją zmęczenie i zasnęła.

XIII

Po wyjeździe Lory Wolfhard von Trettin dyskutował jeszcze przez jakiś czas zawzięcie ze swoim przyjacielem doktorem Mütze. Lekarz próbował uzmysłowić choremu, że jego plany są absurdalne. Nawet się zaoferował, że pojedzie za furą i sprowadzi Lorę i Elsie z powrotem.

Stary Trettin popatrzył na niego z ironią w oczach.

– Po co miałbyś to robić? To już lepiej od razu oddać Lorę tym hienom z pałacu. Nie, mój drogi, moja wnuczka pojedzie do Ameryki, tak jak postanowiłem. Tylko tam będzie bezpieczna przed Ottokarem i jego okropną żoną.

– W pałacu Lora nie miałaby wprawdzie łatwego życia, ale w Ameryce może marnie zginąć – pokiwał głową doktor Mütze.

– Może i leżę jak pień ściętego drzewa, ale mam uszy, które słyszą. Wiem, że Malwina okłada kijem nielubiane dziewki. Nie inaczej traktowałaby Lorę. Będzie tak, jak postanowiłem, i basta!

Wolfhard von Trettin uderzył pięścią w stelaż łóżka, a na twarzy poczerwieniał tak mocno, że lekarz z niepokojem sięgnął po torbę.

– Kordzie, musisz mi pomóc – powiedział do starego parobka. – Chcę twemu panu zrobić zastrzyk, żeby usnął. W przeciwnym razie będzie się za bardzo denerwował.

Kord z zatroskaniem skinął głową, dziadek Lory natomiast zaczął się śmiać. Zakrztusił się i dostał ataku kaszlu. Doktor Mütze spojrzał na niego z lękiem. Wargi starszego pana stały się purpurowe, a po brodzie spłynęła mu cienka strużka krwi.

– Wygląda na to, że faktycznie jeszcze dzisiaj staniesz przed sędzią niebiańskim.

– A jeśli nawet?! On z pewnością postąpi ze mną bardziej sprawiedliwie niż te kanalie, przy pomocy których Ottokar pozbawił mnie majątku – powiedział Wolfhard von Trettin ochryple, łapczywie chwytając powietrze w przerwach między słowami.

Był już za słaby, żeby wzbraniać się przed zastrzykiem. Przymknął zdrowe oko i po chwili lekkie chrapanie zdradziło, że zasnął.

Lekarz uniósł lewą powiekę chorego – tę po sparaliżowanej stronie ciała – odsłaniając gałkę oczną. Wzdrygnął się, bo czynność ta skojarzyła mu się z ostatnią posługą, jaką zdarzało mu się wyświadczać zmarłym pacjentom.

– Czy nie zostało jeszcze wina? Dobrze by mi zrobił łyczek – powiedział do Korda.

Ten wskazał ręką butelkę, której Wolfhard nie zdołał do końca opróżnić.

– Przyniosę zaraz panu doktorowi kieliszek. Ale powiedzcie, doktorze: czy pan von Trettin się jeszcze obudzi?

Lekarz popatrzył na chorego i pokręcił głową.

– Nie sądzę. Zużył wszystkie siły, żeby zrealizować swoje plany i wysłać Lorę w świat. Teraz przypomina wypaloną świecę. Najchętniej bym tu został i czuwał przy jego łóżku, aż przyjdzie po niego kostucha i zabierze go ze sobą. W domu czekają jednak na mnie inni pacjenci. W każdym razie przyjadę jutro przed południem. Zostaniesz do tego czasu przy swoim panu?

– To by było, gdybym sobie teraz poszedł! Pan von Trettin zawsze traktował mnie jak człowieka i powinien umrzeć jak człowiek, nawet jeśli te hieny z pałacu najchętniej pozwoliłyby mu zdechnąć jak psu.

– Dobry z ciebie człowiek, Kordzie.

Doktor Mütze kiwnął parobkowi z uznaniem głową i poszedł za nim do kuchni. Tam Kord nalał mu resztę wina. Lekarz chciał się z nim podzielić, ale ten odmówił.

– Wypijcie sami, doktorze. Ja przyniosłem z domu coś innego. – Wyciągnął z szafki dużą fajansową butelkę. – To własnoręcznie pędzona jałowcówka. Jak się jej napiję, będzie mi ciepło, gdy będę czuwał przy łóżku pana.

– Ale nie wypij za dużo! Bo będzie ci ciepło, ale nie dasz rady długo czuwać! – pouczył go lekarz.

– Nie martwcie się, panie doktorze, nie zasnę. – Kord nalał sobie do kieliszka i wypił. – Wchodzi człowiekowi w stare kości – wydyszał, a w oczach stanęły mu łzy.

– Asesor podatkowy chyba nie widział tej butelki – zadrwił doktor Mütze.

– Ani tej, ani kilku innych – mrugnął okiem Kord.

– Zachowam to dla siebie.

Doktor Mütze poklepał parobka po ramieniu i jeszcze raz udał się do pokoju chorego.

Ten leżał sztywny, jakby już był trupem. Lekarz przyłożył mu dłoń do ust. Lekki chuch, którego doktor bardziej się domyślił, niż go poczuł, świadczył, że starzec wciąż jeszcze żyje.

– Bywaj zdrów, stary przyjacielu. Oby Bóg dał, że się kiedyś spotkamy w niebie.

Doktorowi stanęły w oczach łzy. Odwrócił się i ruszył w kierunku drzwi.

Podał Kordowi rękę na pożegnanie i opuścił dom. Stary parobek wyszedł za nim na zewnątrz i z małej, nędznej stajni wyprowadził konie, które umieścił tam po przybyciu doktora, aby ochronić je przed ostrym wschodnim wiatrem, po czym pomógł założyć im szory.

Doktor Mütze zastanawiał się przez moment, czy nie pogonić koni. Może dałby radę dogonić furę, którą odjechała Lora. Zabrałby dziewczynę do siebie, a potem wysłał do krewnych, gdzie mogłaby się ukryć przed Ottokarem i jego antypatyczną żoną.

Ale ledwo zdążył przejechać gościńcem nieco ponad ćwierć mili, gdy w mroku nadciągającego zmierzchu ujrzał jakiegoś człowieka biegnącego w jego kierunku.

– Panie doktorze! Jakie to szczęście, że was tu spotykam. W Elchbergu doszło do okropnego wypadku. Doktorze, proszę, jedźcie tam. To sprawa życia lub śmierci.

Doktor Mütze skinął głową i poprosił mężczyznę, by ten wsiadł do powozu. Gdy szybkim tempem jechali do Elchberga, pomyślał, że najwidoczniej siły wyższe nie chciały dopuścić, aby zajął się Lorą. Prosząc w duchu Boga o wstawiennictwo dla rannych, poprosił go też o opiekę nad Lorą, bo uważał, że dziewczyna niezwykle potrzebuje bożego miłosierdzia.

XIV

Wbrew przepowiedniom doktora Wolfhard von Trettin okazał się bardziej twardy, niż można się było po nim spodziewać. Wprawdzie leżał długo nieprzytomny, ale serce wciąż mu biło, a płuca wciągały powietrze, wydając świszczące odgłosy.

Kord czuwał nad nim, chociaż czuł się nieswojo, uświadamiając sobie, jak silna wola życia tkwi w wycieńczonym ciele jego pana. Od czasu do czasu parobek podawał nieprzytomnemu do ust łyżeczkę wody, a poza tym czekał tylko, co nastąpi.

Miena, która również nie zapomniała, że starszy pan postępował wprawdzie surowo, ale sprawiedliwie, przynosiła czasem parobkowi coś do jedzenia. Potem się do niego przysiadała i rozmawiali o dawnych czasach, kiedy życie na Trettinie było jeszcze takie piękne.

– Zawsze mówiłam, że nic lepszego nas nie spotka – wzdychała staruszka. – Pan czyni słusznie. Opuszcza ten wyboisty świat, w którym silni coraz bardziej uciskają słabych i gdzie honor i prawość stały się rzadkością.

– Wszystko byłoby inaczej, gdyby starszy pan miał syna albo panienka Leonora wyszła za mąż za szlachetnie urodzonego pana, który by pokazał Ottokarowi, gdzie raki zimują.

Miena spojrzała na niego w zamyśleniu.

– Pan nauczyciel był dla niej dobrym mężem, Kordzie. Z nim panienka Leonora miała zacne życie. Kogo innego miałaby poślubić? Jakiegoś wsiowego junkra, który w gruncie rzeczy potrzebowałby tylko służącej? Wszyscy przecież wiedzieli, że Trettin jest majoratem i że panienka Leonora nie dostanie dużego posagu. Poza tym Ottokar rozgłosił podobno w towarzystwie, że ręka panienki Leonory została mu obiecana, aby panienka została panią na Trettinie. Mogło to co poniektórych zniechęcić do ubiegania się o jej względy.

– Ottokar był, jest i na zawsze pozostanie łotrem! – W głosie Korda zabrzmiał tłumiony gniew.

Nie zapomniał nowemu panu, jak ten go potraktował. Wcześniej liczono się w folwarku ze zdaniem Korda. Był tam przecież głównym parobkiem. A Ottokar przepędził go jak psa. Zamiast mieszkać w ładnym domku, Kord musiał wegetować w zrujnowanej chacie.

– Coś mi się wydaje, że nasz pan się budzi – zawołała zaskoczona Miena.

Na jej słowa Kord się poderwał. Popatrzył na Wolfharda i nie mógł uwierzyć w to, co zobaczył. Starzec otworzył prawe oko i spoglądał nim bystro.

– Czy doktor Mütze już odjechał? – zapytał, jak gdyby zdrzemnął się tylko na chwilkę.

– Od kiedy straciliście przytomność, pan doktor przyjeżdża tu codziennie. Jutro znowu przyjedzie – wyjaśnił parobek.

Na twarzy Wolfharda von Trettina ukazało się zdumienie.

– Codziennie, powiadasz. Ile zatem czasu upłynęło od chwili, kiedy Lora wyruszyła w drogę?

Kord zaczął się zastanawiać, w końcu jego spojrzenie padło na kalendarz, który wisiał na ścianie po drugiej stronie pomieszczenia.

– Dzisiaj jest czwarty grudnia – powiedział.

– Czwarty grudnia? – Wolfhard von Trettin zaczął się śmiać. – Czwarty grudnia! A więc to dzisiaj Lora wyrusza statkiem w kierunku Nowego Świata. Udało jej się zatem uciec przed szponami Ottokara! W jego głosie zabrzmiał triumf i głębokie zadowolenie, że dożył tego dnia. Zaśmiał się tak gromko, jak zwykł śmiać się przed laty, gdy był w pełni sił. Potem nagle zamilkł. Jego prawa ręka opadła. Gdy Miena się nad nim pochyliła, od razu wiedziała, że Wolfhard Nikolaus von Trettin dokonał żywota.

– Już po wszystkim! Nasz pan jest już teraz w innym, lepszym świecie – powiedziała do Korda i zamknęła zmarłemu otwarte oko.

Kord popatrzył na pana, jakby nie mógł zrozumieć, że ten w ułamku sekundy wyzionął ducha. Wciąż jeszcze brzmiał mu w uszach śmiech, którym dziadek Lory uczcił zwycięstwo nad bratankiem Ottokarem. Dopiero po dłuższej chwili parobek odważył się odezwać.

– Szkoda, że doktor już tu dzisiaj był. Teraz muszę iść do miasta, żeby powiedzieć mu o śmierci naszego pana. Jak sądzisz, czy mam po drodze zajrzeć na folwark i poinformować Ottokara, a potem pastora we wsi?

– Nie, nie rób tego! Nasz pan nie chciałby, aby któryś z nich stał przy jego łożu śmierci. To z winy Ottokara panienka Leonora, jej mąż i dzieci stracili życie w pożarze. Dom płonął jak pochodnia, a powóz pana Ottokara przejechał sobie tak po prostu obok. Wiesz, to dziwne… Do tej pory nikomu tego nie mówiłam, powiem to dopiero tobie. Wydawało mi się, jakby powóz dopiero ruszał spod domu nauczyciela. A więc musiał się tam zatrzymać. Ze zdenerwowania całkiem mi to wypadło z głowy…

– W takim razie…

Kord przestraszył się myśli, która zakiełkowała mu w głowie. Od Mieny i innych świadków dowiedział się, że pożar wybuchł najpierw w małej szopce, a potem przeniósł się na budynek mieszkalny. Siano w szopie było bardzo suche. Mało prawdopodobne, żeby zapaliło się samo z siebie.

– Myślę to samo co ty, i pan też pewnie tak uważał – szepnęła Miena, zerkając nieśmiało na nieboszczyka.

– Nie sądzę. Gdyby tak było, uczyniłby wszystko, żeby zemścić się na Ottokarze, nawet jeśli miałby go wezwać do siebie i zastrzelić z flinty.

– Lora nie dałaby mu broni do ręki – powiedziała Miena.

– Masz rację. Sam Pan Bóg musiałby uderzyć żelazną pięścią. – Kord wzdrygnął się. Miał świadomość, kim są oni i kim jest pan von Trettin. – Nie mów o tym nikomu ani słowa! – przestrzegł staruszkę.

– Panu to nie pomoże, a Lora jest daleko stąd. Módlmy się po cichu, żeby Pan Bóg ukarał grzesznika.

Wstał i sięgnął po płaszcz, bo czekała go długa droga do Heiligenbeilu.

– Dasz radę sama przygotować starszego pana czy mam ci przysłać kogoś ze wsi? – zapytał, stanąwszy u drzwi.

Miena pokręciła głową.

– Dam sobie radę. Jeśli komuś we wsi powiesz, dowiedzą się inni i zaniosą wieść do pałacu. Nie sądzę, żeby panu, póki tu leży, spodobało się, gdyby przyjechał tu Ottokar.

Kord też tak uważał. Pożegnał się ze staruszką, a potem ruszył zamaszyście leśną dróżką. Przez chwilę Miena patrzyła w ślad za nim, potem zabrała się do mycia i ubierania nieboszczyka.

XV

Kord dotarł do gościńca, gdy zaczął padać lekki śnieżek. Skręcił w kierunku Heiligenbeilu. Po drodze wyminęła go furmanka z Trettina. Końmi kierował parobek, którego on sam przyuczył do pracy i zawsze wspierał. Ale teraz chłopak przejechał szybko obok, nawet nie spoglądając na Korda.

– Łajdak! – wymsknęło się Kordowi.

Ale potem pomyślał sobie, że chłopak nie zasługuje, żeby tracić na niego nerwy, i ruszył ciężkim krokiem dalej. Po pewnym czasie na gościniec z drogi prowadzącej do Elchberga wyjechał zaprzęg. Woźnica dostrzegł Korda i zatrzymał konie, czekając, aż Kord go dogoni.

– Podwieźć cię? – zapytał.

– Dzięki, Henner.

Kord wdrapał się ciężko na wóz i usiadł obok furmana. Nie miał nastroju na rozmowę, ale ponieważ Elchberg znajdował się w bezpośrednim sąsiedztwie Trettina, postanowił nie pokazywać po sobie, że coś go gnębi, tylko odpowiadał na pytania woźnicy. Na szczęście ten pytał głównie o nowego pana i jego żonę. Woźnicą był ten sam parobek, który przed kilkoma miesiącami wiózł Lorę do miasta i wychwalał Ottokara i jego żonę. Teraz wypowiadał się o nich nieco bardziej krytycznie, ponieważ wśród parobków i służebnych w okolicy rozniosło się, jak źle nowi państwo traktują tę część służby, która się przed nimi nie płaszczy i stale nie podlizuje.

Kord był zadowolony, gdy wreszcie dojechali do Heiligenbeilu i mógł się pożegnać z woźnicą. Gdy zapukał do drzwi domu doktora, otworzyła mu służąca.

– Pan doktor jest u pacjenta. Przyjdź później – powiedziała wyniosłym tonem.

– Muszę porozmawiać z doktorem Mütze, i to pilnie.

Kord nie miał zamiaru pozwolić, by go odprawiono. Wsadził stopę w drzwi, żeby dziewczyna nie mogła mu ich zatrzasnąć przed nosem.

Wtedy zwróciła na niego uwagę pani Mütze. Znała go z różnych przyjęć wydawanych w pałacu w Trettinie, które odbywały się jeszcze za czasów poprzedniego pana.

– Możesz wpuścić tego człowieka, Sento. I podaj mu grzanego wina. Na pewno przemarzł na tym zimnie. Może byś też coś zjadł, Kordzie?

Kord pokręcił głową i spojrzał na doktorową pełnym smutku wzrokiem.

– A więc już po wszystkim! – westchnęła pani Mütze, ponieważ zawsze bardzo ceniła starego pana von Trettina i bardzo ją bolała myśl, że zmarł na odludziu w lesie. – Sento, ja podam Kordowi wina. Poszukaj mojego męża i powiedz mu, żeby wrócił do domu jak najszybciej.

Służąca zrobiła nadąsaną minę, ponieważ nie miała ochoty biegać po mieście na takim chłodzie.

Tymczasem pani Mütze podała Kordowi parujący kubek, do którego dolała jeszcze odrobinę jałowcówki.

– A więc pan von Trettin nie żyje…

– Tak, niestety. Ale przed śmiercią jeszcze na moment odzyskał świadomość. Wyzionął ducha, przeświadczony, że panienka Lora jest bezpieczna.

– Chętnie udzieliłabym Lorze dachu nad głową, ale nowi państwo na Trettinie by tego nie ścierpieli.

Pani Mütze westchnęła, ponieważ lubiła dziewczynę, która w tragiczny sposób straciła rodziców i rodzeństwo, a teraz znajdowała się w drodze w nieznane.

Ku zadowoleniu Korda lekarz dość szybko wrócił do domu. On też bez słów zrozumiał, co się stało. Chociaż należało się tej wiadomości spodziewać w każdej chwili, doktor Mütze był głęboko wstrząśnięty. Poklepał Korda po ramieniu i zrobił kilka głębokich wdechów, nim był w stanie coś powiedzieć.

– Sento, podaj temu dobremu człowiekowi coś do jedzenia i powiedz woźnicy, żeby zaprzęgał konie. Wychodzę na chwilę, a jak tylko wrócę, natychmiast wyjeżdżamy.

– Dokąd chcesz pójść? – zapytała żona.

– Chcę zatelegrafować do pana Fridolina. On na pewno przyjedzie z Berlina, żeby oddać stryjowi ostatnią posługę. Poza tym mam wrażenie, że go tutaj potrzebujemy. Nawet ja nie czuję się na siłach, by stawić czoła Ottokarowi von Trettinowi i jego piekielnej żonie.

To powiedziawszy, doktor Mütze wyszedł z domu i pospieszył do stacji telegraficznej. Dyktując wiadomość telegrafiście, miał nadzieję, że Fridolin von Trettin ma dość pieniędzy, żeby przyjechać do Prus Wschodnich. Pomyślał też mimowolnie o Lorze, która teraz stała się już całkiem sierotą.

CZĘŚĆ TRZECIA

Śmierć w ujściu Tamizy

I

Dziadek popatrzył na nią tak groźnie, że Lora się skuliła.
— Pojedziesz do Ameryki, a Elsie razem z tobą! — zawołał i pogroził laską.

— Ale ja… — zająknęła się Lora i nagle stwierdziła, że wokół niej szaleje zamieć śnieżna. Tuż koło siebie dostrzegła Elsie. — Chodź, musimy się dostać na pokład! — krzyknęła do niej.

Próbowała popędzać opieszałą służącą, ale Elsie tylko chichotała. Nagle pojawił się Gustaw, chwycił wielką skrzynię, uniósł ją i umieścił na wózku. Zanim Lora zdołała wykrztusić choćby słowo, oboje zniknęli, a ona pozostała sama na pokładzie statku, nie wiedząc, jak się na niego dostała.

Ale to był jakiś inny statek, nie transatlantyk Deutschland, tylko jakaś łajba, niewiele większa od łodzi pływających po Zalewie Wiślanym, które widziała przed kilkoma laty. Owa łajba wyposażona była w maszynę parową, ale na pokładzie zabrakło do niej drewna. Na horyzoncie tworzył się czarny front burzowy, a Lora usłyszała przerażony krzyk:
— Ratuj się, kto może!

Potem statek nagle zatonął, a ją pochłonęły wzburzone fale. Gdy była pewna, że za chwilę będzie po niej, usłyszała gwałtowne pukanie i podskoczyła na posłaniu. Z ulgą stwierdziła, że nie została pochłonięta przez wodę, lecz leżała w małej okrętowej kabinie. Obolałymi oczami, wciąż klejącymi się od snu, powiodła wzrokiem po pomieszczeniu, skąpo oświetlonym przez małe okienko nad drzwiami. Teraz, po tym koszmarnym śnie, kabina mimo ubogiego wyposażenia wydała jej się prawie przytulna.

Głos na zewnątrz był zniecierpliwiony. Po chwili otworzyły się drzwi i do środka wszedł mężczyzna. Lora przestraszyła się i podciągnęła koc po czubek nosa.
— Hej, czy nikogo tu nie ma? — zapytał intruz.

Lora rozpoznała gadatliwego stewarda, który pomógł jej poprzedniego wieczoru. Nagle znów sobie przypomniała, w jak rozpaczliwej sytuacji się znajduje. Poczuła, że do oczu napływają jej łzy i spływają po policzkach.

– Owszem, jestem! – odpowiedziała cienkim głosikiem i usiadła prosto.

Steward obrzucił szybkim spojrzeniem drugie nieruszone łóżko i spojrzał na nią pytająco.

– Dzień dobry, panienko. Pora na śniadanie. Wczoraj wieczorem nie widziałem panienki na kolacji. Proszę powiedzieć, gdzie pokojówka panienki. Czyżby dzisiejszej nocy tu nie spała?

Lora pokręciła z rozpaczą głową.

– Elsie… Elsie uciekła! Zostawiła mnie samą i razem z Gustawem odjechała furmanką. Chciałabym wrócić do domu! Tak bardzo boję się Ameryki!

– Kim jest Gustaw? – zapytał ze zdziwieniem steward, a potem zapalił lampę naftową, która przymocowana była do ściany nad małym nocnym stolikiem, wziął Lorę za rękę i poprosił, by mu o wszystkim opowiedziała.

Zrobiła to. Otworzyła serce przed zupełnie nieznanym mężczyzną. W ciągu kilku minut opowiedziała o wszystkim, co się jej przytrafiło, począwszy od tragicznej śmierci rodziców, aż do chwili, kiedy zobaczyła, jak Elsie ze swoim wspólnikiem Gustawem odjeżdża na starej furmance w kierunku miasta, kradnąc większą częścią ich wspólnego bagażu.

– Parowiec już odbił od brzegu, więc mogłam tylko patrzeć w ślad za nimi. Teraz jestem sama jak palec – dodała zapłakana.

W tej chwili zupełnie zapomniała, że ona i Elsie miały się oddać pod opiekę sióstr zakonnych.

– Coś takiego! Jest mi bardzo przykro, panienko.

Mimo współczucia w jego głosie Lora poczuła, że jest dla niego problemem, z którym chcąc nie chcąc, będzie się musiał uporać. Mężczyzna pozostał jednak uprzejmy i uśmiechnął się do niej życzliwie.

– Wie panienka co? Niech panienka teraz wstanie i się odświeży. Potem niech panienka pójdzie do dolnego salonu i zje śniadanie. Gdy panienka będzie miała pełny żołądek, to spojrzy na to wszystko inaczej. Może sytuacja wcale nie jest taka zła, jak się na pierwszy rzut oka wydaje. Gdy tylko kapitan będzie miał czas, powiem mu o wszystkim. Będzie wiedział, co trzeba zrobić. Dziadek panienki chciał, żeby panienka popłynęła do Ameryki, a my właśnie tam płyniemy. Bilet i dokumenty panienka ma, a wszystko pozostałe jakoś się ułoży.

Lora skinęła głową i podziękowała grzecznie, ale odetchnęła, gdy znów znalazła się sama. Choć nie nawykła jeszcze do bujania, poczuła głód, poszła więc za radą stewarda, umyła się i ubrała. Gdy na korytarzu usłyszała głos małej dziewczynki, którą spotkała poprzedniego wieczora, zdołała się nawet uśmiechnąć. Wyglądało na to, że jednak jest jeszcze na świecie interesujący się nią człowiek. Poprawiła spódnicę, zarzuciła na ramiona ciepłą chustę, która ocalała jako jedna z niewielu należących do niej rzeczy, po czym opuściła kabinę.

Nathalia skoczyła jej na szyję.

– Och, Loro, jesteś wreszcie! Tak bardzo się nudzę! Dziadek ma dzisiaj strasznie kiepski nastrój i tylko mnie strofuje, a poza tym nie ma nikogo, kto by się mną zajął. Musisz pójść się ze mną pobawić!

Ponieważ Lora naprawdę nie była w nastroju na zabawę z dziewczynką, chciała od razu odmówić. Ale gdy popatrzyła na delikatną twarzyczkę i lekko drżące usteczka, które uśmiechały się prosząco, a zarazem przymilnie, doznała szoku.

Miała wrażenie, że widzi przed sobą swą młodszą siostrzyczkę Aneczkę, która tak samo się uśmiechała. Do tego Nathalia miała długie blond loczki, nadające jej wygląd aniołka. Wielkie, błękitne oczy patrzyły na Lorę tak, że nie mogła się im oprzeć. Gdyby odepchnęła tę zachwycającą istotkę, poczułaby się bardzo źle. Nie pozostałoby jej wtedy nic innego, jak zamknąć się w swojej kabinie i płakać.

– Chętnie się z tobą pobawię, ale jeszcze nie jadłam śniadania – powiedziała.

– Nie szkodzi. Pójdę z tobą i powiem, co masz zamówić. Znasz drogę? Nie? W takim razie cię zaprowadzę. Musisz pójść na niższy pokład. Salony są położone bezpośrednio nad sobą w tylnej części kadłuba. A tak w ogóle to możesz mówić do mnie Nati, bo przecież jesteśmy teraz przyjaciółkami!

– Chętnie będę cię tak nazywać! Wczoraj wspomniałaś, że często zdarzało ci się podróżować parowcem. Można od razu zauważyć, tak dobrze się tu orientujesz.

Lora natychmiast pożałowała swojej uwagi, bo przemądrzała dziewczynka w drodze do jadalni i podczas śniadania tłumaczyła jej w najdrobniejszych szczegółach, na jakich statkach już pływała.

– Moi rodzice zginęli w katastrofie okrętu – dodała nagle, pociąggnęła nosem i wytarła łzy. – Mnie uratowano, ale ponieważ miałam wtedy tylko cztery lata, nie za bardzo to pamiętam.

Opowiedziała Lorze o katastrofie. Prawdopodobnie znała jej przebieg od dorosłych, bo słowa, których używała, nie pasowały do jej wieku.

– Nie boisz się, że ten statek też mógłby utonąć? – zapytała Lora, której wciąż jeszcze chodziły po głowie makabryczne opowieści Elsie.

Nati pokręciła energicznie głową.

– Niemieckie statki nie toną, tylko takie z Anglii albo Ameryki. Moi rodzice, kiedy zatonęli, byli na angielskim. A to jest niemiecki okręt z Bremerhaven. Dziadek mówi, że statki należące do NDL są najbezpieczniejsze na świecie. Nic nam się nie może stać.

Brzmiało to tak przekonująco, że Lora po raz pierwszy od wielu dni roześmiała się serdecznie. Wtedy jej spojrzenie padło na niszę, gdzie siedziało kilka kobiet ubranych w czarne habity. To musiały być franciszkanki. Właśnie żegnała się z nimi jakaś elegancko ubrana dama.

Gdy zakonnice niedługo potem wstały, Lora dostrzegła ich twarze. Wszystkie mniszki były jeszcze bardzo młode i to ją trochę ośmieliło. W końcu od niedawna była katoliczką i ciągle jeszcze nie wiedziała zbyt dobrze, w jaki sposób ma kultywować swe nowe wyznanie. Mimo to chciała wstać i zagadnąć siostry, ale Nathalia, która zauważyła, że Lora nie zwraca na nią uwagi, zacisnęła swe paluszki na jej ramieniu.

– Powinnyśmy teraz pójść na górę i się pobawić. Obiecałaś mi!

Lora przeniosła spotkanie z zakonnicami na później i westchnąwszy, rzekła do ślicznej jak laleczka męczyduszy:

– Pozwól mi tylko zjeść do końca śniadanie.

II

Ledwo Lora przełknęła ostatni kęs, Nathalia pociągnęła ją bezlitośnie schodami na górę, do górnego salonu pierwszej kajuty. Idąc tam, spotkały młodego, elegancko odzianego mężczyznę z modnymi bokobrodami. Prześlizgnął się pogardliwie wzrokiem po Lorze, po czym rzekł do Nati:

– Kogo ze sobą ciągniesz, kuzynko? Wiesz przecież, że hołota z międzypokładzia nie ma tu czego szukać. A więc odeślij tę brudną dziewuchę z powrotem tam, skąd ją wzięłaś!

Lora tak była zszokowana złośliwą uwagą, że odjęło jej mowę. Ale gdy chciała oswobodzić rękę, żeby pospiesznie się oddalić, dziewczynka jeszcze mocniej zacisnęła paluszki na jej dłoni i krzyknęła na młodego mężczyznę:

– Ale ty jesteś głupi, kuzynie Ruppercie! Lora nie jest brudna. Pachnie o wiele ładniej niż ty. Poza tym jest moją przyjaciółką i moją nową damą do towarzystwa. Będę ją brała wszędzie tam, gdzie zechcę. Dziadek mówi, że nie masz prawa mi nic nakazywać. Tak naprawdę nawet nie należysz do naszej rodziny, bo twoja matka nie była szlachetnie urodzona! A więc zejdź mi z drogi, zanim zawołam lokaja, żeby cię wyrzucił za drzwi.

Te pełne niechęci słowa nie pasowały do wyglądającej jak aniołek dziewczynki. Lora w pierwszej chwili była przerażona, ale dostrzegła, jakim spojrzeniem mężczyzna zmierzył Nathalię. Rzadko kiedy zdarzyło się jej widzieć tyle nienawiści i złości na twarzy człowieka. Za tym musiało kryć się coś więcej niż tylko krótka wymiana kilku niegrzecznych słów. Nie znała okoliczności, ale jedno było dla niej oczywiste: nie chciałaby spotkać tego mężczyzny sam na sam, zwłaszcza w ciemnościach. Mógł być niebezpieczny także dla Nati. Nawet Ottokar von Trettin nie był tak przerażający jak ten obcy człowiek.

Nathalia w dziecięcej beztrosce najwidoczniej nie dostrzegła uczuć kuzyna, bo przeszła obok niego z wysoko podniesioną głową, ciągnąc Lorę za sobą. Na Rupperta nawet przy tym nie spojrzała. Gdy steward chciał zastąpić Lorze wejście do górnego salonu pierwszej kajuty, dziecko stanęło przed nią i spojrzało wojowniczo na mężczyznę.

– Co to ma znaczyć? Lora jest moją nową damą do towarzystwa. A więc zejdź nam z drogi!

Ależ ta dziewczynka jest śmiała, pomyślała z uznaniem Lora. Lecz jak na swój wiek pozwala sobie chyba na zbyt dużo.

Steward tak szybko usunął się na bok, że prawie wpadł na innego pasażera, po czym zwrócił się nieco uprzejmiej do Lory:

– Czy to pani jest pasażerką drugiej klasy, która została okradziona przez swoją pokojówkę?

Gdy Lora skinęła głową, robiąc nieszczęśliwą minę, steward odetchnął.

– To wspaniałe rozwiązanie! Kapitan Brickenstein będzie bardzo zadowolony. Do Nowego Jorku może pani przebywać w swojej kabinie, a potem na pewno zatroszczy się o panią graf von Retzmann. Będzie zadowolony, że ktoś dotrzymuje towarzystwa jego wnuczce. Nasza mała komtesa jest bowiem czasami dość uparta. – Przerwał, na moment się zamyślił, po czym spojrzał badawczo na Lorę. – Rozmawiała już pani z panem von Retzmannem? Graf jest bardzo wymagający i chce mieć wokół siebie tylko takich ludzi, na których można polegać.

– Właśnie do niego idę – zapewniła Lora nie całkiem zgodnie z prawdą, ponieważ nie chciała, by Nathalia wyszła na kłamczuchę.

W duchu jednak westchnęła, bo zorientowała się, że nie obejdzie się bez dodatkowych komplikacji, których w jej sytuacji wolałaby uniknąć.

Mała komtesa przestała zwracać uwagę na stewarda. Wesołym głosem zwróciła się do Lory:

– Wiesz, ten mężczyzna, który był wobec ciebie taki niemiły, to Ruppert, syn najstarszego syna mojego dziadka. Stryj Robert nie żyje. Podobno został zastrzelony podczas kłótni w jednym z takich niedobrych domów, o jakich damom nie wypada mówić. Dziadek wyrzekł się go, ponieważ stryj ożenił się z damą, która nie była damą. Powiedz, Loro, czy to rozumiesz? Jak można być damą i jednocześnie nie być damą? Podobno wziął ją z jednego z tych niedobrych domów, do których właściwie wcale nie powinien zaglądać.

Nathalia mówiła, nie czekając nawet na odpowiedź. Opowiedziała na swój dziecięco naiwny sposób historię swej rodziny, która zdawała się składać tylko z waśni, sporów i nieszczęśliwych wypadków. W końcu ostatnimi z rodu pozostali tylko ona i jej dziadek.

Tymczasem rozgościła się wraz z Lorą we wspaniałym salonie pierwszej klasy, wobec którego skromnie urządzony salon drugiej klasy wyglądał jak pokój dzienny w zwykłym domu mieszczańskim.

Dziecko całkiem skupiło na sobie uwagę Lory, dzięki czemu choć na moment zdołała zapomnieć o troskach i dręczącym ją strachu przed przyszłością. Wtem ostry, nawykły do rozkazywania głos zmącił miłą atmosferę, jaka się między nimi wytworzyła.

– Nathalio! Czy zechcesz przedstawić mi swoją towarzyszkę?

Nathalia wydęła arogancko wargi, przestraszona Lora natomiast zerwała się na równe nogi. Zobaczyła przed sobą ponurego mężczyznę, który mimo czarnego ubrania i siwych włosów wcale nie wyglądał na tak starego, jak mogła to wywnioskować z opowieści Nati. Dygnęła przed nim, jak ją tego nauczył dziadek.

– Pańska wnuczka poprosiła mnie, żebym dotrzymała jej troszkę towarzystwa. Jestem pasażerką drugiej klasy, nazywam się Lora Huppach i pochodzę z Trettina. To majątek położony w powiecie Heiligenbeil w Prusach Wschodnich.

Graf Retzmann mruknął coś, czego Lora nie zrozumiała. Odniosła wrażenie, że powiedział coś pogardliwego, tak więc wyprostowała się i spojrzała temu rosłemu mężczyźnie prosto w twarz.

– Jestem wnuczką freiherra von Trettina. Moja matka poślubiła nauczyciela bez tytułu.

Graf Retzmann roześmiał się.

– Już dobrze, młoda damo! Nie gniewaj się. Nie mam nic przeciwko mieszczanom ani przeciwko pannom z Prus Wschodnich. Uważam tylko, że jak na damę do towarzystwa jesteś jeszcze bardzo młoda.

– Nie jestem prawdziwą damą do towarzystwa, jedynie pomagam Nathalii zabić nudę, bo podobnie jak ja nie ma towarzystwa. Steward pozwolił, żebym tu z nią pobyła. Ale jeśli pan sobie życzy, żebym odeszła, zrobię to.

– Chcesz zrejterować, dziewczyno? To nie wchodzi w rachubę! Jeśli twoi bliscy pozwolą, możesz przebywać z moją niesforną wnuczką, ile tylko chcesz.

– Lora nie ma rodziny, a jej służąca wystawiła ją do wiatru! – wtrąciła się Nathalia. – Ona potrzebuje nowej rodziny i teraz ja jestem dla niej rodziną.

– Czy to prawda? – zapytał graf Retzmann i usiadł na kanapie, podczas gdy Lora stała przed nim wyprostowana jak żołnierz.

Obejrzał ją sobie od stóp do głów, ale jego spojrzenie było teraz o wiele bardziej przyjazne. Przypominał Lorze nawet trochę dziadka, którego zapewne nigdy już nie zobaczy. Na tę myśl popłynęły jej z oczu łzy.

Graf Retzmann podał jej chusteczkę.

– Ależ dziewczyno, nie jestem przecież ludożercą. Otrzyj sobie twarz i usiądź obok mnie. A więc jesteś wnuczką freiherra von Trettina? Znałem pewnego Wolfharda von Trettina z Prus Wschodnich. Razem studiowaliśmy. Czy to może jakiś twój krewny?

Lora pociągnęła nosem.

– Mój dziadek ma na imię Wolfhard. Ale sądzę, że przyjaciele nazywali go kiedyś Nikasem, ponieważ na drugie ma Nikolaus. On mnie wysłał w tę podróż i opłacił bilet. Poza nim nie mam żadnej rodziny, która mogłaby się o mnie zatroszczyć.

Choć to nie całkiem odpowiadało prawdzie, w przekonaniu Lory było na pewno zgodne z zapatrywaniami dziadka. Wprawdzie bała się śmiertelnie samej myśli o nieznanym lądzie, ale za żadną cenę nie chciała zostać odesłana do ludzi, którzy doprowadzili do nędzy dumnego, starego pana von Trettina.

Oczy grafa von Retzmanna rozbłysły radośnie na jej słowa.

– Jesteś zatem wnuczką szalonego Nikasa? Cóż za niespodzianka. Był moim przyjacielem. Zawsze można było na nim polegać. Czy to jego pomysł, żeby wysłać cię samiutką jak palec w tę podróż? No cóż, zawsze był w gorącej wodzie kąpany. Najpierw działał, potem myślał. Mam nadzieję, że w Stanach ktoś na ciebie czeka.

Lora pokręciła głową.

– Miałam podróżować z franciszkankami i po tamtej stronie oceanu mieszkać u nich przez jakiś czas...

Na prośbę grafa opowiedziała krótko, co do tej pory przeżyła. Ku własnemu zdziwieniu czuła się teraz o wiele spokojniejsza niż rano. Nagle wydało jej się, że wszystko może się jeszcze dobrze ułożyć.

Stary graf wysłuchał jej uważnie i zadał kilka pytań. Gdy skończyła, nie rzekł nic na pocieszenie, tylko poprosił, żeby do końca podróży troszczyła się o Nathalię. Zapowiedział, że w Nowym Jorku będzie jej dalej pomagał. Potem się pożegnał i wyszedł, kierując ku zewnętrznym schodom prowadzącym do nadbudówki na pokładzie.

Lora patrzyła za nim, aż zniknął jej z pola widzenia. Potem przez jakiś czas musiała się pomęczyć, żeby znów rozpogodzić Nathalię, dąsającą się z powodu „nudnej rozmowy dorosłych". Żałowała, że gong wezwał ją do jadalni dolnego salonu tak wcześnie. Ponieważ graf

Retzmann wymagał, by jego wnuczka po obiedzie kładła się spać, Lora postanowiła przezwyciężyć nieśmiałość i zagadnąć franciszkanki, jeśli te nie udadzą się na poobiednią drzemkę.

III

Lora nieco żałowała, że zakonnice po obiedzie pozostały przy stole. Znalazły się w centrum zainteresowania dam równie pobożnych, co gadatliwych.

Lora też dołączyła do tego grona, ale nie zabierała głosu. Nie potrafiła w obecności tak wielu ludzi poruszyć tematu, który leżał jej na sercu. Poza tym zakonnice – choć miłe i budzące sympatię – wydawały się jej także bardzo młode i potrzebujące pomocy. Dlatego nie chciała się na nie całkowicie zdawać. Jak wynikło z rozmów, zakonnice nie opuściły swej ojczyzny dobrowolnie. Nowe ustawy kanclerza Rzeszy księcia Bismarcka zakazywały im pracy w Niemczech w roli nauczycielek albo pielęgniarek i dlatego wyruszyły do Nowego Świata, żeby pracować tam w niemieckich parafiach. One też bały się nieznanego kraju. Mówiły bardzo dużo o ufności wobec Boga i potrzebie żarliwych modlitw.

Nim Lora znalazła okazję, by porozmawiać w cztery oczy z jedną z sióstr zakonnych, pojawiła się Nathalia, wesoła jak ptaszek, i starała się za wszelką cenę odciągnąć przyjaciółkę od franciszkanek. Dziewczynka wyprowadziła Lorę na pokład, na którym znajdował się wygodny pawilon widokowy przeznaczony do dyspozycji pasażerów podróżujących pierwszą klasą. Można stąd było podziwiać morze, będąc osłoniętym od wiatru i od sadzy z kominów.

Tam dziewczynka dała upust swej zazdrości o zakonnice.

– Nie chcę, żebyś rozmawiała z tymi czarnymi wronami! Staniesz się jedną z nich! Będziesz się przez cały dzień modliła i nie będziesz miała czasu na zabawę ze mną. Teraz należysz do mnie, a nie do nich. Dziadek powiedział, że się o ciebie zatroszczy, a to oznacza, że możesz u mnie zostać. Będziesz mi towarzyszyć podczas podróży, a w domu będziesz jeździła ze mną powozem na przejażdżki. Będziesz mi czytała i chodziła ze mną do sklepów z pięknymi sukniami. Tobie też oczywiście kupimy piękną suknię. Będziemy teraz na zawsze przyjaciółkami, słyszysz? Nie chcę już więcej być sama. Dlatego zostaniesz ze mną!

Dziwnie te słowa zabrzmiały w ustach takiej laleczki, zdecydowanie, ale zarazem też śmiesznie. Lora zaczęła się śmiać. Mimo rozbawienia chciała zapytać Nathalię, czy ma prawo wypowiedzieć swoje zdanie w tej kwestii, ale mała tupnęła nóżką i zażądała, by Lora natychmiast potwierdziła, że się na wszystko zgadza.

Ponieważ Lora nie znosiła kłótni, w przypadku konfliktów starała się ustępować. Przyciągnęła więc do siebie Nathalię i pogłaskała ją po włosach.

– Moja kochana mała przyjaciółko, obiecuję, że będę się o ciebie troszczyć i dotrzymywać ci towarzystwa, dopóki nie dopłyniemy do Nowego Jorku, tak jak wcześniej troszczyłam się o moją małą siostrzyczkę. W Ameryce ty i twój dziadek postanowicie, czy mogę u was zostać. Kto wie, może do tego czasu przestaniesz mnie już tak bardzo lubić i będziesz rada, że się mnie pozbędziesz. Taka duża przyjaciółka może być czasem uciążliwa, zwłaszcza wtedy, gdy będzie ci musiała powiedzieć, co ci wolno robić, a czego nie.

W głębi duszy Lora miała nadzieję, że będzie mogła zostać u Nati. Nie wyobrażała sobie, że zdoła poradzić sobie w Ameryce, nie mając choćby jednego talara albo dolara w kieszeni.

– Ale masz być moją przyjaciółką i damą do towarzystwa. Guwernantek miałam już dosyć. Dziadek mówi, że trzy na rok to dla mnie za mało. Nauczycielki też ciągle przychodzą do mnie nowe. Ale większość z nich jest strasznie głupia! Chcę mieć kogoś, kto by się ze mną śmiał i bawił, a nie tylko łajał mnie i ganił, słyszysz? Musisz być zawsze wesoła i…

Nathalia mówiła jak nakręcona, jakby chciała wyrzucić z siebie wszystkie negatywne emocje, jakie zdążyły się w niej nagromadzić w ciągu jej dotychczasowego życia. Lora zdołała dzięki temu wejrzeć głęboko w charakter i życie biednej bogatej sierotki, szukającej kogoś, kto by jej zastąpił matkę, której brak tak boleśnie odczuwała. Na dodatek już chyba nieraz dotkliwie się rozczarowała. Choć Nathalia potrafiła być szarmancka wobec obcych osób i służby, to gdy uważała, że ktoś zlekceważył jej potrzeby albo ją samą, szybko przeradzała się w małego diabełka. Lora poczuła ulgę, stwierdziwszy, że dziewczynka słucha, co się do niej mówi, i potrafi być rozsądna.

Lora spędziła z nią całe popołudnie. Gdy gong wezwał na kolację, stwierdziła, że zapomniała na kilka godzin o własnych problemach i zmartwieniach. Pożegnała się z Nathalią i jej dziadkiem, po czym zeszła do dolnego salonu. Po drodze miała wrażenie, że ścigają ją czyjeś spojrzenia. Najpierw stanęła sztywno, potem się schyliła, udając, że wiąże sznurowadła. Rozejrzała się przy tym ostrożnie. W ciemnym kącie dostrzegła kuzyna Nathalii – Rupperta. Jego osadzone blisko siebie czarne oczy jakby się do niej przyssały. Lora poczuła lęk i poszła szybko dalej. Na szczęście jeśli nawet zdecyduje się zostać u Nathalii, nie będzie miała do czynienia z Ruppertem von Retzmannem, ponieważ nie mógł on – jak twierdziła Nathalia – przestępować progu ich domu. Nati stwierdziła, że to czysty przypadek, iż Ruppert znalazł się na tym samym statku co oni, ale Lora nie do końca w to wierzyła. Dlatego poczuła ulgę, gdy mężczyzna, na którego twarzy malowała się złość, odwrócił się i z powrotem poszedł na górę.

Gdy spoglądała za siebie, sprawdzając, co robi Ruppert, prawie wpadła na wysoką zakonnicę, która w mniemaniu wnuczki Wolfharda była przywódczynią grupy.

– Bardzo przepraszam – szepnęła Lora i próbowała przecisnąć się obok siostry Henriki, ale ta wyciągnęła rękę i przytrzymała ją za rękaw.

– Czy to nie ty jesteś tą dziewczyną z Prus Wschodnich, która miała do nas dołączyć w Bremie?

Lora z zakłopotania najchętniej zapadłaby się pod ziemię.

– Zgadza się – przytaknęła, robiąc nieszczęśliwą minę. – Jestem Lora Huppach. Służąca, która miała mi towarzyszyć w podróży do Ameryki, bała się, że mogłybyśmy się w Bremie nie odnaleźć, i dlatego nalegała, żebyśmy jechały dalej do Bremerhaven i weszły na pokład. Ale Elsie nie popłynęła ze mną. Powiedziała, że zgubiła torebkę, i poszła jej szukać. A potem odjechała z Gustawem i zostawiła mnie samą.

– Steward już powiedział nam o twoim nieszczęściu i nielojalnej służącej. Bardzo mi przykro, że tak się stało, ale uważam, że powinnyśmy gdzieś razem przysiąść i zastanowić się nad twoją przyszłością.

– Bardzo chętnie! Nie gniewajcie się na mnie, że do tej pory się do was nie zgłosiłam. Ale zdrada służącej spowodowała, że czułam się całkiem rozbita.

Lora uspokoiła się i poczuła ulgę, gdy siostra przyjęła jej tłumaczenie z uśmiechem.

– Widziałyśmy, że się troszczyłaś o tę małą sierotkę z pierwszej klasy. To świętobliwe zajęcie, Loro. Może to nawet twoje przeznaczenie. W Stanach jest wiele sierot i będziesz tam miała cudowne pole działania. Sądzę, że będziesz cennym nabytkiem dla naszej kongregacji.

– Co to jest kongregacja? – zapytała zdumiona Lora.

– To dom zakonny, w którym my, siostry, mieszkamy i przy którym świętobliwie służymy naszym bliźnim. Najczęściej znajduje się przy nim szkoła, przedszkole albo szpital. Ale chodź już, droga Loro! Dzisiaj wieczorem musimy jeszcze wiele omówić i lepiej się poznać. Wszystko będzie dobrze! Naprawdę nie potrzebujesz o nic się martwić.

Lora w milczeniu skinęła głową i próbowała uśmiechnąć się do miłej siostry, ale poczuła, że ma z tym problem. Gdy potem siedziała przy stole zakonnic, a steward postawił przed nią filiżankę kawy i talerz z plackiem, poczuła, że żołądek się jej ściska, a lekki niedosyt, który został jej po kolacji, szybko gdzieś zniknął. Sama się sobie dziwiła, bo już dawno temu nauczyła się brać życie takim, jakie jest, a przynajmniej w tej chwili nie miała powodu, żeby narzekać na swój los.

Jednakże na zewnątrz wył straszny zimowy sztorm, a statek kołysał się i bujał gwałtownie. Lora musiała przytrzymywać się stołu jedną ręką, żeby nie zsunąć się z krzesła. Prawdopodobnie to dlatego na kolację przyszło niewielu pasażerów. Ona sama – w przeciwieństwie do wielu kobiet przy stole – nie odczuwała jednak mdłości, nie bolała jej też głowa.

Zakonnicom bujanie wpłynęło na żołądek i nastrój. Siostra Henrica spojrzała na Lorę żałośnie.

– Wybacz, moja droga. Chcemy się w spokoju pomodlić, żeby Bóg uspokoił ten sztorm. Żadna z nas nigdy nie odbywała podróży morskiej i musimy się najpierw nieco przyzwyczaić. Jutro porozmawiamy. Za ciebie też się pomodlimy, aby Bóg wskazał ci właściwą drogę i pobłogosławił twemu przybyciu do Nowego Świata. Też powinnaś pójść do łóżka, moje dziecko, bo wyglądasz na zmęczoną. Zmów przed zaśnięciem *Zdrowaś Mario*, to Matka Boska będzie cię chronić i prowadzić. Życzę ci w imieniu naszego Pana Jezusa Chrystusa mocnego snu i słodkiego przebudzenia!

– Dziękuję, siostro Henrico. Dobranoc!

Pożegnawszy się z zakonnicami, Lora udała się do swojej kabiny.

IV

Gdy szykowała się do snu, po głowie krążyły jej nieustannie chaotyczne myśli, a gdy położyła się do łóżka i naciągnęła kołdrę na głowę, niemal nie czuła coraz silniejszego kołysania statku, tak bardzo absorbowała ją sytuacja, w jakiej się znalazła. Kadłub okrętu drżał i wibrował, nie dając zasnąć. Wstała więc i zapaliła lampę gazową w taki sposób, jak pokazał jej steward, po czym rozłożyła na drugim łóżku mizerne resztki tego, co posiadała, w tym drobną gotówkę. Pieniądze, które dziadek przeznaczył na podróż, przywłaszczyła sobie Elsie, a tych kilka pozostałych monet nie wystarczyłoby nawet na wynajęcie pokoju na jedną noc. Przez podłość swojej towarzyszki stała się pozbawioną ojczyzny żebraczką.

A więc miała dwa wyjścia: albo przyjmie propozycję Nathalii, o ile graf von Retzmann będzie skłonny wziąć ją pod swój dach, albo na zawsze dołączy do zakonnic, które chętnie zrobiłyby z niej przedszkolankę albo pielęgniarkę. Tak czy inaczej, będzie kimś w rodzaju służącej, choć takiego losu dziadek chciał jej zaoszczędzić.

Gdy rozłożyła przed sobą płaszcz z płótna żaglowego, zwróciła uwagę, jak bardzo jest ciężki. Gdy próbowała wygładzić materiał, stwierdziła, że ma wiele wypukłości, jakby w kieszeniach i w podszewce zostało coś zaszyte. Przyjrzała się dokładnie płaszczowi i odkryła kilka woreczków, które zostały starannie ukryte w smołowanym płótnie żaglowym, związane i przymocowane za pomocą wszytych pętelek.

Gdy otworzyła wypełnione po brzegi woreczki, odkryła różne przydatne rzeczy, dobrze zawinięte w papier olejowany – paczuszkę z suchym chlebem, sucharami i twardą jak kamień kiełbasą, poza tym praktyczny neseser podróżny i książeczkę z dobrymi radami dla emigrujących do Nowego Świata. Znalazła też małą metalową buteleczkę z mocną ziołową wódką, jakiej używano w jej domu w przypadku przeziębień, a na koniec z ukrytej wewnętrznej kieszeni wyciągnęła trzykrotnie zasznurowaną paczuszkę, która otoczona była kilkoma warstwami wodoszczelnego zabezpieczenia. Gdy je usunęła, w jej dłoni znalazła się niezwykle duża, dobrze zamknięta tabakierka. Otworzyła ją i rozłożyła przed sobą jej zawartość. Z wrażenia prawie zakręciło jej się w głowie. Na wierzchu znajdował się plik zielonych banknotów, na których napisane było dolar. Chociaż nie wiedziała, jaka jest wartość amerykańskiej waluty w stosunku do talara, zrozumiała, że trzyma w ręce majątek. Prawdopodobnie była to większa część pieniędzy, które dziadek dostał za sprzedaż domku myśliwskiego i lasu. Powierzył jej ten skarb, nie dbając o to, że sam nie będzie miał pieniędzy na jedzenie, nie mówiąc o opale i innych ważnych rzeczach. Lora na widok tego prezentu oniemiała. Zapragnęła podziękować dziadkowi, choć na pewno nie będzie miała takiej możliwości. Te pieniądze rozwiązywały część jej problemów, ale przysparzały nowych zmartwień.

Czy dziadek od początku liczył się z tym, że Elsie mnie okradnie? pomyślała. Można się było tego po nim spodziewać. W zamyśleniu zapakowała wszystko starannie i włożyła z powrotem na swoje miejsce. Postanowiła, że na zawsze zachowa ten płaszcz jako pamiątkę po dziadku. Nagle uświadomiła sobie, że z powodu cennej zawartości nie powinna tego płaszcza spuszczać z oczu. To oznaczało, że będzie musiała go zakładać przy każdej okazji. Co powie Nathalia, gdy zobaczy ją w tym makabrycznym stroju? A przede wszystkim co pomyśli sobie graf von Retzmann?

Westchnęła po raz ostatni i położyła się na koi. Leżąc, modliła się jeszcze długo i prosiła Jezusa Chrystusa oraz Najświętszą Panienkę o zdrowie dla dziadka, chociaż miała przeczucie, że starszego pana nie ma już wśród żywych. Sam przecież dawał jej do zrozumienia, że pragnie umrzeć w nocy po jej odjeździe. Na ile go znała, z pewnością tak uczynił. Dlatego Lora zmówiła jeszcze modlitwę, jaką zmówiłaby, stojąc przy jego grobie. I chociaż było to niestosowne, podziękowała na koniec Matce Boskiej, że nie musiała być świadkiem śmierci dziadka. Po śmierci rodziców i rodzeństwa czuwała przy otwartych trumnach i tego widoku nie zapomni do końca życia. Żeby podczas snu nie nawiedziły jej złe wspomnienia, zmówiła jeszcze jedną zdrowaśkę, prosząc Najświętszą Panienkę o spokojny sen.

Matka Boska najwidoczniej nie wysłuchała modlitwy, bo gwałtowne kołysanie statku nie pozwalało Lorze zasnąć. Dudnienie maszyn parowych było tak donośne, jakby znajdowała się bezpośrednio w maszynowni. Statek wibrował tak mocno, że aż kubek, który postawiła na komodzie obok łóżka, przechylił się nad podwyższonym brzegiem blatu i spadł na podłogę. Fale uderzały w okręt niczym gigantyczne drewniane młoty. Kadłub skrzypiał, jakby próbowała go zgnieść olbrzymia dłoń. Ze strachu Lorze zaczęło mocno bić serce. Błagała siły niebiańskie, by wspierały ją w tych godzinach.

V

W końcu Lorze udało się jednak zasnąć. Obudziło ją gwałtowne uderzenie, po którym nastąpiło drugie, jeszcze silniejsze. Impet uderzenia – niczym niewidzialna pięść – rzucił nią o ścianę niewielkiej koi. Odniosła wrażenie, że olbrzym, który już od wielu godzin uderzał w metalowy kadłub, sięgnął tym razem po jeszcze potężniejszy młot. Statek zadygotał dwa, trzy razy, potem się uspokoił. Wycie sztormu przybrało jednak na sile, a ściany drżały jak dzwon. Dudnienie maszyn przeszło w szybkie wibrowanie, a potem całkiem ustało.

Nagle Lora całkiem się rozbudziła. Musiało stać się coś niedobrego! Może okręt w coś uderzył, a może osiadł na mieliźnie…

W ułamku sekundy przypomniały jej się historie o tonących statkach. W ciągu ostatnich dni tylu się ich nasłuchała. Miała wrażenie, że jest jedyną istotą, która pozostała na pokładzie tego hałaśliwego piekła, że tkwi zamknięta w olbrzymiej trumnie i lada chwila poniesie śmierć w otchłaniach oceanu. Ale potem usłyszała ludzkie głosy – krzyki strachu, paniczne pytania, co się stało, nawoływania… Niektórzy przeklinali nieprzyzwoicie, a w kabinie obok jakaś dama dostała ataku histerii.

Lora czuła, jak mocno wali jej serce. Przez chwilę siedziała nieruchomo. Potem zerwała się na równe nogi, ściągnęła sobie przez głowę koszulę nocną i naciągnęła w pośpiechu trzy warstwy bielizny. Na to ponakładała wszystko, co miała z ubrań. Nasłuchiwała przy tym, aby nie uronić żadnego słowa z zewnątrz.

Gdy próbowała wcisnąć się w sweter z owczej wełny, który najwidoczniej skurczył się podczas ostatniego prania, do środka wpadła zapłakana Nathalia i rzuciła się jej w ramiona.

– Loro, statek tonie! Teraz i my utoniemy jak moi biedni rodzice! Boję się! Nie chcę jeszcze umierać!

Lora wzięła dziecko na ręce i próbowała je pocieszyć.

– Nie bój się, Nati. Statek wcale jeszcze nie tonie. Słyszysz, co wołają marynarze? Wszyscy pasażerowie mają udać się na pokład! Tam są przecież łodzie i tratwy ratunkowe. Bawiłyśmy się między nimi w chowanego. Chodź, daj mi rączkę. Pobiegniemy teraz szybko na górę. Nie, poczekaj! Jesteś za lekko ubrana. Musimy pójść po cieplejsze rzeczy dla ciebie.

Nathalia tupnęła nogą.

– Nie, nie wrócę do kabiny! Musisz mnie zaprowadzić do łodzi ratunkowej! Nie chcę umrzeć, słyszysz?

– Nie możesz tak wyjść na zewnątrz. Szybciej zamarzniesz, niż się utopisz. Ściągaj płaszcz. Założysz pod niego mój stary wełniany sweter. Wezmę jeszcze mój mały podróżny pled. Ale owinę cię nim dopiero wtedy, jak będziemy siedzieć w łodzi. Zobaczysz, wszystko będzie dobrze.

Lora przemawiała do Nati, a w tym czasie założyła na siebie najpierw brązowy płaszczyk, a na niego narzuciła cenny płaszcz z płótna żaglowego, którego pasek musiała owinąć sobie trzykrotnie wokół talii. Dziecko pozostawało głuche na jej słowa, że nie muszą się obawiać bezpośredniego niebezpieczeństwa.

Wyszły na pokład za innymi bladymi ze strachu pasażerami, by zająć miejsce w łodzi ratunkowej. Lora też poczuła wtedy zwątpienie. Mimo przenikliwego chłodu morze wyglądało, jakby osiągnęło temperaturę wrzenia. Spieniona lodowata woda pryskała na pokład, a wiatr wbijał śnieg w każdą szparę. Już po krótkim czasie Lora miała zaklejone oczy, a ubranie pokryte kryształkami lodu. Ktoś ją zawołał, ale potrzebowała dłuższej chwili, żeby rozpoznać grafa Retzmanna. Chciał do niej podejść, ale został odepchnięty przez spanikowanych, pchających się na pokład ludzi i Lora straciła go z oczu.

Stewardzi rozdawali grube kapoki, wypełnione korkiem i włosiem końskim. Przekrzykując sztorm, pouczali, jak należy je założyć. Lora pomyślała z obawą, że kamizelki są tak ciężkie, iż przez nie jeszcze szybciej można się utopić. Chciała jedną założyć Nathalii, ale masywna kamizelka była za duża dla dziecka niewiele większego od lalki.

Kilku oficerów i marynarzy, gorączkowo kręcąc się w tę i we w tę, próbowało spuścić na wodę pierwszą z czterech żelaznych łodzi. Znajdowało się w niej pięciu majtków. Trzymali w rękach wiosła, którymi mieli odpychać łódkę od kadłuba.

Do połowy wysokości wszystko przebiegało dobrze. Potem fala chwyciła pomalowaną na biało łódź, podniosła ją i mimo wysiłków marynarzy rzuciła nią o kadłub parowca. Rozległ się straszny huk. Pięciu marynarzy krzyknęło ze strachu, jakby już znaleźli się w diabelskim kotle. Na oczach pasażerów łódź uniosła się po raz drugi, jakby za sprawą ducha. Potem fala zerwała ją i zabrała ze sobą. Przez chwilę wśród spienionych bałwanów widać było jeszcze niewyraźnie pięć ludzkich sylwetek. Marynarze przytrzymywali się rozpaczliwie łodzi, która zniknęła niebawem w ciemnościach. Kolejne fale uniosły i obróciły następną łódź. Dwaj marynarze, którzy się w niej znajdowali, wpadli do wody i zniknęli w szalejącym morzu.

Lora nie mogła już znieść tego widoku. Z Nathalią na rękach przepchała się pospiesznie wśród innych pasażerów w kierunku schodów, jakby się bała, że to ją następną dosięgną fale. Okręt, wciąż jeszcze unoszący się na wodzie, wydawał jej się bezpieczniejszy niż małe łodzie, które były bezradne wobec rozszalałego żywiołu. Także Nathalia wolała wrócić do rozdygotanego i trzeszczącego wnętrza parowca.

Pod osłaniającym zejście na dół wygiętym w łuk daszkiem zastąpił im drogę kuzyn Nathalii. Ruppert palił papierosa, którego starannie chronił dłonią przed wilgocią i śniegiem. Był spokojny, jakby chaos panujący dookoła w ogóle go nie obchodził. Patrzył w pustkę ze zmarszczonym czołem. Wyglądał tak, jakby zastanawiał się nad czymś, co nie miało nic wspólnego z sytuacją na okręcie.

Gdy Lora chciała się obok niego przecisnąć, uniósł wzrok, wydął usta i prychnął pogardliwie:

– Popatrzcie no, komtesa Nathalia i jej nowa bona. Ja bym tę dziewuchę na twoim miejscu wysłał tam, gdzie jej miejsce, na międzypokład, do innych śmierdzących wieśniaczek. Z taką flejtuchowatą służącą wywalą cię z każdego porządnego hotelu!

Lora nie miała pojęcia, czemu Ruppert von Retzmann tak draźliwie zareagował na jej obecność, zwłaszcza że znajdowali się w położeniu zagrażającym życiu.

Ale znalazł sobie porę na swoje złośliwości! pomyślała.

Nathalia w obliczu grozy przestała zgrywać „małą dorosłą". Była teraz jedynie śmiertelnie przerażoną siedmiolatką; przylgnęła do Lory, jakby była ona jedyną kotwicą w świecie, który poszedł w rozsypkę.

Gdy Ruppert wyciągnął rękę, by chwycić Nati i wyrwać ją Lorze, dziewczynka krzyknęła głośno i uderzyła go z całych sił. Papieros upadł mu na podłogę i z sykiem zgasł w rozchlupotanej kałuży.

– Ty mała bestio – zaklął Ruppert i chciał obie pchnąć z powrotem na pokład, przez który przetaczał się właśnie potężny bałwan.

W tym momencie jakiś starszy pasażer stracił równowagę, a woda swoim impetem pchnęła go prosto na Rupperta. Ten zrobił krok do tyłu, przez co staruszek upadł na podłogę. Lora, której z Nati na rękach trudno było utrzymać równowagę, chciała pomóc staruszkowi, wobec czego Ruppert niechętnie podniósł mężczyznę. Ten popatrzył bojaźliwie i uderzony przez następną falę uchwycił się barierki schodów.

– Nie powinien pan stać w przejściu i zastawiać ludziom drogi, panie von Retzmann. Kapitan kazał wszystkim pasażerom zejść pod pokład. Właśnie straciliśmy ostatnią łódź ratunkową, a tratwy nie dają się przy tak wzburzonym morzu spuścić na wodę. Będziemy musieli czekać i się modlić, żeby za dnia przyszedł nam z pomocą jakiś inny statek.

Ruppert wymamrotał coś, co przy dobrej woli można było uznać za przeprosiny, po czym odwrócił się gwałtownie i zbiegł po schodach. Lora przepuściła starszego pana i ruszyła za nim po śliskich stopniach zalanych spienioną wodą. Za nią szli przemoczeni, zmarznięci i roztrzęsieni ludzie, którzy w najmniejszym nawet stopniu nie przypominali wytwornych pasażerów pierwszej kajuty.

Na głównym pokładzie, ale też w korytarzach i w kabinach drugiej klasy rozlokowali się pasażerowie międzypokładu. Przeznaczone dla nich pomieszczenia, podobnie jak dolny salon, wypełnione były gorącą parą. Lora dowiedziała się, że gdy statek wpłynął na mieliznę, jego spód został rozerwany. Od tej chwili woda napływała do kadłuba i wdarła się do palenisk w maszynowni. Przez to wytworzyła się gorąca para, która zabiła kilku palaczy i ludzi odpowiedzialnych za donoszenie węgla. Przez nią nie można było wchodzić do nisko położonych pomieszczeń, w tym także na międzypokład. Teraz woda się podniosła i sięgała powyżej składów węgla i maszynowni.

Dziób statku zanurzał się coraz bardziej, tak więc pokład był przechylony. Lora i Nathalia weszły na rozdygotanych nogach do górnego salonu, kierując się do kabiny dziewczynki. Przy stole najbliższym rufy siedziało czterech pasażerów. Rywalizowali ze sobą, kto zna więcej strasznych opowieści o tonących statkach. Żeby nie słuchać tych historii, Lora chciała szybko wejść do kabiny, została jednak zatrzymana przez lokaja grafa von Retzmanna. Mężczyzna szukał dziewczynki i ucieszył się, zobaczywszy ją całą i zdrową. Lora dostrzegła, że mężczyzna jest śmiertelnie przerażony i niewiele brakuje, żeby stracił nerwy. Dlatego oznajmiła, że w dalszym ciągu będzie pilnować Nathalii, i kazała mu zająć się panem i nie zostawiać go samego.

VI

Gdy zamarły maszyny parowe, przestało działać też ogrzewanie i wszędzie panował nieprzyjemny chłód. Lora szukała w rzeczach Nati jakichś cieplejszych ubrań, ale bez skutku. Znajdowała tylko modne sukieneczki i koronkową bieliznę ze zbędnymi ozdóbkami. Mimo to przebrała dziewczynkę, której ubranie było całkiem mokre, resztę odzieży uprzątnęła i zostawiła pod ręką tylko eleganckie futerko, które najwidoczniej zostało kupione na wyrost, bo było za duże na dziewczynkę. Zamierzała założyć je Nati, gdyby znowu musiały stanąć oko w oko z szalejącym żywiołem.

Jej podróżny koc podczas pobytu na pokładzie przemókł, tak więc odłożyła go bez żalu. Zamiast niego zdjęła delikatny kocyk z łóżka Nati i razem z dziewczynką usiadła wygodnie na kanapie. Żeby uspokoić wystraszone dziecko, przytuliła je do siebie i zaczęła opowiadać historyjki na dobranoc, które jej i rodzeństwu czytała kiedyś matka. Nasłuchiwała przy tym w napięciu, co dzieje się na zewnątrz kabiny – w salonie i na reszcie statku.

Sztorm nie ustawał. Wiatr wył i świstał, fale uderzały w rozdygotany statek, jak gdyby nie mogły się doczekać, kiedy rozbiją żelazny kadłub i zabiorą ze sobą w bezdenną głębię to, co się w nim kryło.

Nati leżała w milczeniu, jakby ze strachu straciła głos. Nie drgnęła nawet, gdy otworzyły się drzwi i pojawił się w nich dziadek. Odetchnął z ulgą na ich widok. Najpierw uśmiechnął się do Lory z uznaniem, potem jednak pokręcił głową i powiedział:

– Nie możecie tutaj tak siedzieć. Idźcie, przyłączcie się do innych pasażerów, bo jeszcze nie dostaniecie się na czas na tratwy, gdy trzeba będzie opuścić statek. Poziom wody w kadłubie stale się podnosi i mężczyźni muszą razem z marynarzami obsługiwać na zmianę ręczne pompy, żeby utrzymać go jak najdłużej na powierzchni. Dlatego nie mogę się o was zatroszczyć tak, jak bym tego chciał. Rozumiesz, Loro?

Przygnębiona dziewczyna skinęła głową.

– Tak, rozumiem. Usiądę z Nathalią w salonie, żeby o nas nie zapomniano.

– Bardzo dobrze! Jeśli wyjdziemy z tego cało, odwdzięczę ci się, obiecuję. A teraz powierzam ci życie mojej wnuczki. Nie spuszczaj jej ani na chwilę z oczu.

– Dobrze – odpowiedziała Lora.

I tak nie zamierzała rozstawać się z Nati. Troska o wystraszone dziecko sprawiała, że zapominała o własnym strachu, który siedział jej na karku jak wielki czarny potwór.

Graf von Retzmann poklepał ją z wdzięcznością po ramieniu, jakby potrafił czytać w jej myślach.

– Nie bój się, Loro, nie ma powodu wpadać w panikę. Nie znajdujemy się przy jakimś dzikim wybrzeżu. Osiedliśmy na mieliźnie niedaleko głównego toru wodnego, pośrodku ujścia Tamizy. Panuje tu duży ruch. Jak tylko zacznie świtać, zobaczą nas z jakiegoś statku i uratują.

Spokojny, opanowany ton grafa dodał Lorze odwagi. Poszła wraz z Nati do salonu. W ciągu następnych godzin Lora nieraz żałowała swej obietnicy, że będzie przebywać wśród innych pasażerów. Jak mogła nie upaść na duchu, skoro nawet dorośli mężczyźni tracili opanowanie i ze strachu dygotali i jęczeli?

Upragniony ratunek nie nadchodził wcale tak szybko, a noc zdawała się trwać w nieskończoność. Poprzez świetliki w suficie widać było, że po niebie pędzą ciężkie chmury. Tym, którzy wyglądali, czy nie nadpływa jakiś okręt, widok przesłaniała śnieżyca.

VII

Późnym przedpołudniem wyglądało na to, że najgorsze minęło. Woda w kadłubie osiągnęła najwyższy poziom i zaczęła opadać. Wiatr też trochę zelżał. Marynarze zdołali uruchomić pompę parową i usuwali nią wodę ze statku tak szybko, jak napływała, dlatego mężczyźni przy pompach ręcznych mogli nieco odetchnąć. Również widoczność zrobiła się lepsza. I nawet pasażerowie na dolnym pokładzie, na który z powrotem dało się wejść, mogli usłyszeć huk armat. To w regularnych odstępach strzelał statek wojenny spod Kentish Knock. Najwidoczniej dostrzeżono, że Deutschland uległ katastrofie.

– Już niedługo nadejdzie pomoc! – powiedział jeden ze stewardów, żeby uspokoić przestraszonych pasażerów.

Kapitan rozkazał jednak na wszelki wypadek wyrzucić za burtę ładunek, żeby odciążyć kadłub statku. Wszystkie zapasy żywnościowe przeniesiono na pokład główny i do sterowni.

Nagle rozległy się głośne okrzyki radości. Wywabiły one pasażerów na pokład, który teraz, podczas odpływu, przestały zalewać spienione fale. Również Lora i Nati wyszły pospiesznie na zewnątrz. Jeden z marynarzy wskazał w oddali duży czteromasztowiec. Jego kadłub znajdował się jeszcze poniżej linii horyzontu, tak więc można było dostrzec jedynie zredukowane z powodu burzy ożaglowanie, które tańczyło na falach. Ponieważ z powodu wszechobecnej wilgoci nie można było odpalić znajdującej się na pokładzie armaty hukowej, kapitan Brickenstein kazał strzelać z pistoletów, żeby zwrócić uwagę załogi żaglowca.

Kliper minął ich, nie zmieniając kursu. Stojący przy relingu zdesperowani pasażerowie tonącego parowca patrzyli na żaglowiec. Część z nich milczała, inni krzyczeli lub lamentowali, wielu wymachiwało pięściami. Z wielu warg padały na wiatr złorzeczenia pod adresem kapitana klipera.

Lora zapewniła zrozpaczoną Nati, że ludzie z żaglowca poinformują w najbliższym porcie o katastrofie ich statku i że wkrótce nadejdzie ratunek. Sama siebie próbowała przekonać, że faktycznie tak będzie, ale gdy nadeszło południe, a sztorm zaczął szaleć na nowo, musiała zebrać wszystkie siły, żeby nie zaszyć się w najciemniejszym kącie, jaki zdołałaby znaleźć. Z pewnością zostałaby stamtąd wypłoszona, bo we wszystkich ciemnych kątach rozgościli się już inni nieprzyjemni towarzysze podróży – szczury okrętowe, które powychodziły z najniższych pokładów i popiskując, szukały nowych kryjówek. Ponieważ graf von Retzmann zabronił Lorze siedzieć wraz z Nati w kabinie, spacerowała, trzymając dziecko za rękę albo nawet dźwigając je na rękach, po pokładzie głównym, który znów był suchy. W końcu gong z kuchni pokładowej wezwał pasażerów do stołu. Spóźniona kolacja przebiegała zadziwiająco normalnie, choć obok siebie zgodnie zasiedli pasażerowie wszystkich trzech klas oraz wolni w tej chwili marynarze. Większość stołów była improwizowana ze skrzynek i koców rozłożonych na podłodze. Ponieważ kambuz znajdował się na pokładzie głównym, była nawet ciepła zupa.

Zanim został wydany ostatni talerz, ktoś z zewnątrz zawołał do środka:

– Znów płynie jakiś statek! To parowiec!

Gdyby Deutschland załamał się teraz pod stopami ludzi, chaos nie mógłby być większy. Ludzie zostawili wszystko i wybiegli na pokład. W jednej chwili schody zapchane były niecierpliwymi pasażerami i krzyczącymi marynarzami, którzy byli wzywani na swoje pozycje. Kapitan i oficerowie mieli pełne ręce roboty, żeby znowu zaprowadzić porządek.

W końcu Lora wraz z wielu innymi znalazła się przy relingu i patrzyła na czarną sylwetkę parowca; na obu masztach miał ożaglowanie burzowe, a z komina ulatywała cienka smuga dymu, natychmiast rozwiewana przez wiatr.

W gęstniejącej zawiei statek mozolnie zmierzał ku horyzontowi i wkrótce było wiadomo, że powoli zniknie. Kilku marynarzy i pasażerów wystrzeliło z pistoletów, ale ich sygnały ratunkowe zabrzmiały tak cienko w ryku rozszalałych żywiołów, że dało się je usłyszeć na drugim końcu pokładu. Po chwili wysokie fale rozbijające się o kadłub statku przegnały pasażerów z powrotem do salonu. Wraz z przypływem woda znów zaczęła się podnosić, a szanse na ratunek malały.

Lora także postanowiła wrócić na ciut cieplejszy i w tej chwili nieco bezpieczniejszy pokład główny, gdy wtem górny pokład zalała szczególnie gwałtowna fala. Dziewczyna instynktownie uczepiła się rogu pawilonu, żeby woda nie obaliła jej ani dziecka. Kątem oka zobaczyła, jak ktoś się potknął i stracił równowagę. Odpływająca woda zaczęła bezlitośnie znosić nieszczęśnika w kierunku luki w relingu. Lora rozpoznała dziadka Nathalii i krzyknęła przenikliwie. Jakiś marynarz się odwrócił. Zobaczył, co się dzieje, i zrobił susa w kierunku starszego pana. W ostatnim momencie chwycił go i pociągnął ku sobie. Obu woda rzuciła na ścianę nadbudówki. Lora cofnęła się instynktownie, żeby jej też nie porwała fala. Wtedy tuż obok zauważyła Rupperta von Retzmanna. Mężczyzna potknął się o częściowo rozwinięty zwój liny i pospiesznie oddalił w kierunku drugiej burty. Na moment się odwrócił. Lora spojrzała mu w twarz wykrzywioną w grymasie nienawiści, gniewu i jednocześnie rozczarowania. W tej chwili mogłaby się założyć o własną duszę, że dziadek Nathalii nie przewrócił się sam z siebie. To Ruppert musiał go pchnąć, upatrzywszy wprzódy szczególnie niebezpieczne miejsce.

Lora podbiegła do grafa i zapytała go, czy potrzebuje pomocy. W tym momencie także Ruppert wyszedł zza nadbudówki i pochylił się nad dziadkiem, udając niepokój. Na szczęście ani graf, ani marynarz nie zostali poważnie ranni. Dzięki wodoodpornym sztormiakom, które obaj mieli na sobie, nawet specjalnie się nie zamoczyli, co na tym chłodzie mogło być nadzwyczaj nieprzyjemne.

Stary graf potraktował wnuka z pogardliwą uprzejmością i odesłał go bez zbędnych słów. Lora uznała, że może niesprawiedliwie posądziła Rupperta. Mimo to miała wątpliwości, czy fala była na tyle silna, by przewrócić rosłego mężczyznę. Spojrzała ostrożnie przez ramię. Niedaleko za nią stał Ruppert, prawą dłoń miał zaciśniętą w pięść. Spojrzał na nią tak ponurym wzrokiem, że przeszedł ją dreszcz.

Szybko odwróciła się do niego plecami i zeszła za starszym panem. Na dole pomogła mu zdjąć mokre buty i skarpety, bo jego lokaj był zbyt rozkojarzony. Jednocześnie pocieszała Nathalię, którą upadek dziadka tak przeraził, że nie można jej było uspokoić. Przy tym dostrzegła, że stary graf kilka razy w zamyśleniu zerknął na Rupperta. Ten podał mokry płaszcz swojemu – w oczach Lory dość odpychającemu – służącemu, po czym zaczął wydawać mu polecenia opryskliwym tonem.

Na moment spojrzenia obu panów von Retzmannów się spotkały i Lora zrozumiała, że obaj mężczyźni czują do siebie pogardę. Ruppert machnął w końcu ręką i kazał służącemu zapalić jedno z wielkich cygar. Potem z pyszną miną przeszedł między siedzącymi na podłodze pasażerami międzypokładu i wyszedł z salonu.

Gdy Ruppert zniknął, Lora odważyła się spytać grafa von Retzmanna, dlaczego stracił równowagę w takim niebezpiecznym miejscu, czy potknął się o zwój liny albo poler.

Starzec uniósł głowę i popatrzył przenikliwie na Lorę.

– Dlaczego o to pytasz, dziewczyno? Czy widziałaś, co się stało?

– Widziałam tylko, jak woda znosiła was w kierunku luki – odpowiedziała z zakłopotaniem. – Jednak wydaje mi się to dziwne. Nie było tam niczego, o co moglibyście się potknąć.

Starzec westchnął.

– Nie zaprzątaj sobie tym głowy, moje dziecko. Ostatecznie wszystko dobrze się skończyło. Tacy starzy ludzie jak ja nie stoją już mocno na nogach. A tak w ogóle to słyszałem twój krzyk i sądzę, że to głównie ty przyczyniłaś się do tego, że zostałem uratowany. Dziękuję ci za to z całego serca, jak i za to, że zajmujesz się moją wnuczką. Obiecaj mi tylko jedno: trzymaj się z daleka od Rupperta i zawsze przebywaj w takim miejscu, żeby widzieli cię inni pasażerowie i załoga. A przede wszystkim unikaj na pokładzie tego wraku ciemnych i samotnych miejsc. Gdy będzie już po wszystkim, dalej uważaj na siebie i na Nathalię. Obawiam się, że przez to, iż zajęłaś się moim małym aniołkiem, zyskałaś niebezpiecznego i nieobliczalnego wroga. Mimo to proszę cię, żebyś nie spuszczała Nathalii ani przez sekundę z oczu, póki nie znajdziemy się na suchym lądzie. Lękam się, że w panującym tu bałaganie mogłoby przytrafić się jej nieszczęście.

Lora zapewniła grafa, że będzie dbała o Nati jak o siebie samą. W jej uszach zabrzmiało to patetycznie i napuszenie, ale staruszek skinął głową z aprobatą.

– Mam nadzieję, że zdołam ci się odwdzięczyć. Gdybym nie wyszedł cało z tej katastrofy, zwróć się do mojego przyjaciela i partnera Thomasa Simmerna w Bremie. Zapobiegliwie uczyniłem go wykonawcą mojego testamentu i opiekunem Nathalii. On będzie wiedział, co należy zrobić. Możesz do niego dotrzeć poprzez filię NDL w Londynie. Jestem udziałowcem firmy i dlatego zrobią wszystko, żeby bezpiecznie dostarczyć was do domu. Proszę, żebyś nie opuszczała mojej wnuczki, zanim nie znajdzie się pod opieką mojego przyjaciela. Mam tutaj plik dokumentów, daję ci je na przechowanie. Napiszę jeszcze list polecający i dołożę do nich, może przyda ci się w przyszłości. Czy ten dziwny płaszcz, który masz na sobie, posiada jakieś kieszenie wewnętrzne? W takim razie możesz tam bezpiecznie umieścić paczuszkę z dokumentami i pieniędzmi, które ci przekażę.

Starzec przez moment milczał. Tak mocno zacisnął palce prawej ręki na ramieniu Lory, że mimo grubego płaszcza czuła ból.

– Jedna bardzo ważna rzecz – powiedział z naciskiem. – W żadnym wypadku nie zadawaj się z Ruppertem! Nie powinien się też dowiedzieć o tych dokumentach. Nie ufaj mu i nie powierzaj mu Nathalii. Przysięgnij, że zrobisz wszystko, by go unikać. Bezpieczne będziecie dopiero u Thomasa Simmerna w Bremie. Ruppert może podawać się za opiekuna Nathalii. Wtedy pokaż władzom ten list i zażądaj reprezentanta NDL.

– Zrobię to! – zapewniła Lora. Żeby sytuacja nie była taka napięta, spróbowała się uśmiechnąć i zapytała: – Ile bożych przykazań kuzyn Nathalii już złamał?

Graf von Retzmann zagryzł wargę.

– Obawiam się, że nie pominął ani jednego! Powiem ci naprawdę szczerze, nie mam pojęcia, co ma na sumieniu. Podczas pobytu w Londynie chciałem spotkać się z Thomasem Simmernem, żeby się tego właśnie dowiedzieć. Po przybyciu do Ameryki zamierzałem podjąć odpowiednie kroki. Aluzje w listach mojego przyjaciela każą mi przeczuwać najgorsze. Ale prawdopodobnie widzę wszystko w zbyt czarnych barwach. Nie chcę, byś się niepotrzebnie bała, ale powinnaś…

W tym momencie staruszek z naciskiem i szczegółowo zaczął tłumaczyć Lorze, jak ma postępować. Dziewczyna próbowała posłusznie wszystko zapamiętać, ale w jej głowie panował mętlik. Wyglądało na to, że wcale sobie nie uroiła próby zabójstwa. Ruppertowi prawie udało się zabić dziadka w taki sposób, żeby wyglądało to na wypadek. Starszy pan zdawał sobie z tego sprawę. Ale dlaczego milczał?

Dlaczego nie oskarżył młodzieńca i nie kazał kapitanowi Brickensteinowi aresztować swego wnuka? Jak słyszała, kapitan miał odpowiednie uprawnienia. Czyżby graf nie chciał dopuścić do skandalu, który w takiej sytuacji byłby nieunikniony? Taka ewentualność jest jak najbardziej prawdopodobna w kręgach arystokratycznych. A może starszy pan nie wierzył już, że zostanie uratowany? Jego słowa zabrzmiały jak testament. Ale jeśli tak było, to w jej osobie znalazł nędzną wykonawczynię swej ostatniej woli.

Lora chętnie poznałaby odpowiedź, nie miała jednak śmiałości go o to pytać. Od śmierci rodziców panicznie bała się nieszczęść i wypadków. A teraz sama uczestniczyła w katastrofie, a na dodatek była bohaterką jednej z tych makabrycznych historii, o których Elsie czytała w pożółkłych gazetach i miesięcznikach, by potem jej o nich opowiadać. To wszystko wydało jej się tak nierzeczywiste, że się zastanawiała, czy wciąż jeszcze nie leży w swoim łóżku w nietkniętym rodzinnym domu, a to wszystko jej się nie śni.

Pokręciła energicznie głową. Tonący statek i klnący, lamentujący i modlący się ludzie w słabo oświetlonym salonie byli rzeczywistością, od której chciała uciec w świat fantazji.

Nati też nie była porcelanową lalką noszoną na pocieszenie, lecz małym, śmiertelnie przestraszonym człowiekiem, za którego przejęła odpowiedzialność, dzieckiem wiszącym jej teraz u szyi i ciążącym jak młyński kamień.

A przy tym sama była jeszcze prawie dzieckiem, które o wiele za wcześnie utraciło rodziców i od tamtej chwili musiało zachowywać się tak, jakby było już dorosłe. Jak mogła pocieszyć Nati, skoro sama potrzebowała pocieszenia? Jeśli morze się nie uspokoi, to wkrótce obie będą martwe i wtedy nie będzie ważne, czy istnieje ktoś taki jak Ruppert von Retzmann.

VIII

Pompa parowa już dawno przestała działać, dlatego woda wraz z przypływem wdzierała się coraz szybciej do kadłuba. Ratunek wciąż jeszcze nie nadchodził. Pasażerowie, którzy pozostali po zapadnięciu zmroku na górnym pokładzie, żeby obserwować, czy nie nadchodzi pomoc, zeszli na dół przemarznięci i zniechęceni. Oznajmili, że część dziobową zalała woda, która wdarła się też na główny pokład. Na szczęście rufa parowca była uniesiona, tak więc salon pierwszej kajuty i przylegające do niego kabiny stanowiły suchy azyl. Pasażerowie wszystkich trzech klas spoczywali razem na sofach, podłodze, a nawet na stołach. Skrzynie, które posłużyły im wcześniej jako dodatkowe stoliki, zostały na rozkaz kapitana razem z zawartymi w nich zapasami wyniesione do sterowni. Mimo to miejsca było coraz mniej. Woda wdzierała się bezustannie do środka, a statek jęczał i stękał pod naporem żywiołów. Skrzypienie żelaznych elementów kadłuba zagłuszało płacze i lamenty kobiet oraz dzieci, a także modlitwy, którymi pięć zakonnic próbowało zapanować nad strachem własnym i pasażerów. Bóg musiał być jednak bardzo daleko, bo wokoło szalały wiatr i woda, jak gdyby właśnie otwarło się piekło, żeby ich wszystkich pochłonąć.

Lora chciała usiąść bliżej sióstr, żeby się razem z nimi pomodlić, chociaż dopiero od niedawna była katoliczką, a jej wiara nie była prawdziwie głęboka. Tak naprawdę wyuczono ją jedynie pewnych pobożnych zachowań. Nathalia zorientowała się, co zamierza uczynić jej towarzyszka, i gorąco zaprotestowała:

– Nie! Nie! Nie pójdziesz do siostrzyczek! One przyciągają śmierć! Mama też się modliła razem z taką jedną czarną wroną i przez to nie wsiadła razem ze mną do łodzi! Dlatego zginęła, a potem musieli się mną zająć obcy ludzie.

– Pst! Nati, wstydź się! Zakonnice są bardzo miłe i modlą się, żebyśmy wszyscy zostali uratowani. Sądzę, że w tej chwili jedynie ich modlitwa może nam pomóc. My obie także powinnyśmy się pomodlić.

Chociaż Lora próbowała uspokoić Nathalię, ta marudziła tak długo, aż w końcu jej towarzyszka ustąpiła. Mimo wiatru wdzierającego się pod pokład usiadła na schodku i obserwowała otoczenie. Woda się podniosła i wlała w końcu do salonu. Niedługo potem było jej tyle, że niemal zatopiła sofy.

Pasażerowie, którzy nie znaleźli miejsca na stołach, pchali się teraz schodami na górę. Ale w pawilonie znajdującym się na górnym pokładzie ludzie stali już tak stłoczeni, że między nimi nie dałaby rady przecisnąć się nawet mysz. Dlatego około drugiej w nocy kapitan Brickenstein rozkazał wszystkim pasażerom płci męskiej, by razem z marynarzami wspięli się na wanty, aby kobiety i dzieci mogły się pomieścić w nadbudówkach na pokładzie. Podczas tak silnego sztormu wspinaczka była koszmarem nawet dla silnych i odważnych mężczyzn, ale woda niemiłosiernie popędzała ociągających się ludzi.

Lora przycisnęła do siebie Nati tak mocno, że dziewczynka mogła złapać ją rączkami za szyję, a nóżkami objąć w talii. Potem poprosiła jednego z marynarzy, by przywiązał do niej dziewczynkę, bo chciała mieć wolne ręce. Ubrana w futerko Nati wisiała pod obszernym płaszczem z płótna żaglowego jak mała małpka na brzuchu matki. Ponieważ coraz więcej kobiet wchodziło na pokład, Lora starała się nie stracić z oczu grafa von Retzmanna i jego rozdygotanego ze strachu służącego. Z góry po raz ostatni zerknęła do salonu, gdzie woda już zalewała siedziska sof, a kobiety, które tam pozostały, tłoczyły się na stabilnych stołach. Niektóre z nich pogrążone były w rozpaczy, na twarzach innych, zwróconych w kierunku rozmodlonych franciszkanek, malowała się nadzieja.

Chociaż kapitan Brickenstein niezmordowanie próbował zapanować nad sytuacją i zapewnić wszystkim bezpieczne miejsca, ludzie w pawilonie stali tak ściśnięci, że mimo wdzierającego się do środka wiatru prawie nie mieli czym oddychać.

Lora z obawy, że Nati mogłaby ucierpieć z powodu tłoku, wycofała się na otwarty pokład. Wkrótce zaczęły jej dosięgać spienione bałwany. Przelewająca się po pokładzie woda mogła ją w każdej chwili zwalić z nóg. Uczepiona kurczowo futryny pawilonu, rozglądała się za bezpieczniejszym miejscem. Nati skuliła się ze strachu i krzyczała, wołając dziadka. Lora powoli zaczęła oswajać się z przerażającą na początku myślą o zawiśnięciu na cienkiej linie wysoko nad kipiącym morzem. Wszystko było lepsze od dalszego stania w lodowatej wodzie ze świadomością, że następna fala może je obie porwać i spłukać z pokładu. Zawołała marynarza, którego dostrzegła w pobliżu, i poprosiła go, żeby pomógł jej dostać się na maszt.

Marynarz pokręcił głową i krzyknął:

– Tylko mężczyźni! Kapitan…

W tym momencie następna fala chlusnęła lodowatą wodą i zamknęła mu usta. Lora poczuła, że ogarnia ją panika. Ma tu nadal stać, na zewnątrz pawilonu, i czekać, aż jakaś większa fala porwie ją i Nati i bezlitośnie utopi? Wciąż jeszcze w jej uszach brzmiały krzyki marynarzy porwanych wraz z łodzią ratunkową. Z całej siły uczepiła się mężczyzny, nie pozwalając mu wejść na maszt. Zawołał coś, co zabrzmiało jak słowo „sterownia", ale tam też ludzie stali ściśnięci jak śledzie w beczce. W słabym świetle lamp naftowych, które docierało z wnętrza, Lora zobaczyła łańcuch marynarzy pomagających mężczyznom dojść do przedniego masztu, o którego podstawę już rozbijały się grzebienie fal.

Gdy Lora postanowiła, że przejdzie jednak do sterowni, marynarze zaczęli wciągać na wanty lokaja grafa von Retzmanna. Mężczyzna ryczał ze strachu, jakby zamierzali go zabić.

– Zostawcie tego biedaka na dole! Mnie wciągnijcie na górę! Muszę dostać się do grafa von Retzmanna! – wołała Lora, próbując przekrzyczeć gwiżdżący wiatr. – Mam w kieszeni jego lekarstwa. Pilnie ich potrzebuje!

Mężczyźni zawahali się i spojrzeli na kapitana. Ten obrzucił wzrokiem nędzny, dziwaczny strój Lory, wzruszył ramionami i kiwnął na marynarzy, żeby wciągnęli ją na przedni maszt. Uznał, że jest służącą, a z takimi nie robiło się ceregieli. Dlatego Lora była podawana z rąk do rąk jak worek. Kilku mężczyzn podniosło ją, aż mogła dosięgnąć szczebli czegoś w rodzaju drabinki linowej, która była mokra, częściowo pokryta lodem i prowadziła do góry w niesamowitą czerń. Ale gdzieś tam musiał być dziadek Nathalii.

Dwie, trzy sekundy później Lora wdrapała się na wantę. Była całkiem zesztywniała z zimna. W dole burzyła się smagana uderzeniami wiatru woda. Porywy wichury szarpały dziewczyną, a Nati wisiała jej u szyi jak kamień. Marynarze pod nią zaczęli kląć, bo się zatrzymała. Gdzieś z tyłu jakaś kobieta zawodziła rozpaczliwie, a jej przeszywający głos zagłuszał nawet crescendo żywiołów.

– Moje dziecko, mój Adam zginął! Utopił się!

Na myśl, że Nati mogłaby zginąć tak samo jak tamten chłopczyk, Lora zebrała siły, zacisnęła zęby i zaczęła się wspinać po rozbujanej drabince, aż wreszcie usłyszała nad sobą głos grafa. Stary Retzmann usłyszał płacz wnuczki i nawoływał Lorę, by do niego podeszła. Razem z innym pasażerem pomógł jej wspiąć się na małą platformę widokową, która znajdowała się mniej więcej w połowie wysokości masztu, i przywiązał ją tam długim paskiem jej płaszcza oraz zwisającym z masztu końcem liny. Siedziała na wysokości przyprawiającej o zawrót głowy, oparta o gładkie drewno, podczas gdy dobrze osłonięta Nati przysiadła jej na kolanach. Obie musiały słuchać, jak śmierć dokonuje swoich żniw.

Na morzu wznosiły się coraz większe fale, które z niszczycielskim impetem zalewały pokład. Bałwany wprawiały maszt w drżenie, a wanty wibrowały niczym struny fortepianu. Niejednemu lina została wyszarpnięta z bezsilnych i zlodowaciałych dłoni.

Do salonu i nadbudówki na pokładzie wdzierały się ze wszystkich stron fale, jakby pomieszczenia miały ściany z papieru. Woda zatapiała ludzi, którzy już nie mogli schronić się na masztach, i bezlitośnie zabierała ze sobą każdego, kto stracił na wysokości równowagę.

IX

Gdy zrobiło się widno, odpływ odsłonił pokład statku i rozmiary katastrofy. Poprzednim razem utracili w nawałnicy łodzie ratunkowe, teraz zniknęły też zachwalane tratwy, a z nadbudówek zostały tylko mizerne resztki. Z ludzi, którzy spędzili tę noc na pokładzie, przeżyło tylko siedem kobiet i starszy mężczyzna. Przytrzymywali się świetlików górnego salonu i opierali falom, przelewającym się nad nimi całymi godzinami. Niektórzy spośród tych, co spędzili noc na takielunku, również ulegli zimnu i impetowi rozpasanych żywiołów.

Mężczyźnie przywiązanemu na dole do przedniego masztu jakiś przedmiot niesiony przez falę urwał głowę. Jego tułów z bezradnie opuszczonymi rękoma przechylił się w kierunku wody, jakby pragnął odnaleźć swój czerep.

Kapitan Brickenstein przy pomocy dwóch marynarzy odczepił trupa, żeby wyczerpanym psychicznie i fizycznie pasażerom umożliwić zejście na pokład.

Lora siedziała jak skamieniała na małej platformie i nie miała odwagi spojrzeć w dół. Obolałymi rękoma przyciskała do siebie śpiące dziecko, którego policzki mokre były od płaczu. Patrzyła na tylny maszt, skąd pasażerowie schodzili niezdarnie na pokład. Większość po paru krokach potykała się, upadała i pozostawała w pozycji leżącej. Podróżni i marynarze na obu masztach potracili w lodowatym chłodzie siły i wielu stało się ofiarami fal; los ten nie ominął też tych dzielnych mężczyzn, którzy do końca próbowali ratować innych. Lora mimowolnie spojrzała w górę, na dziadka Nati. Wisiał niewiele wyżej nad nimi, oplątany linami, i wyglądał jak mokry worek. Twarz miał szarą i zapadłą. Sztywnymi palcami nie mógł rozwiązać liny, którą przywiązano go do want. Inni pasażerowie przeciskali się obok niego, chcąc zejść na suchy pokład i odpocząć, póki następny przypływ nie przegna ich z powrotem na górę.

Graf Retzmann nie zwracał uwagi na otoczenie i majstrował zawzięcie przy węzłach, te jednak nie chciały go puścić. Ponieważ ostatni węzeł uparcie nie dawał się rozwiązać, postanowił zapętloną linę ściągnąć przez głowę. Gdy udało mu się wyciągnąć ręce z pętli, jakiś pasażer nad nim obsunął się i nastąpił mu na dłoń, którą dziadek Nati przytrzymywał się wanty. Starzec krzyknął i stracił równowagę, ale w jakiś sposób zdołał uchwycić się jeszcze drugą ręką jednej z wiszących pionowo lin. Walczył o równowagę dokładnie tak samo jak ów drugi pasażer. Obaj mężczyźni jeszcze raz się zderzyli. Tym razem graf Retzmann nie zdołał się już utrzymać i spadł jak kamień. Dopadł go spieniony zielony bałwan i wcisnął pod wodę.

Z wysokości masztu Lora widziała, jak dziadek Nati ginie. Gdy młody mężczyzna, który spowodował wypadek, ją mijał, Lora go rozpoznała – był to Ruppert von Retzmann. Jego mina zdawała się wyrażać przerażenie, a usta były otwarte jak do niemego krzyku, ale w oczach lśnił dziki triumf. Tak samo spoglądał na jej dziadka Ottokar von Trettin, gdy sędziowie przyznali mu majątek. Lora w jednej chwili pojęła, że śmierć grafa nie była wypadkiem, lecz podłym, sprytnie zaaranżowanym morderstwem.

Przemarznięci i śmiertelnie zmęczeni ludzie na statku nie poświęcili śmierci starca większej uwagi, co najwyżej pokiwali z pożałowaniem głową. Każdy był zadowolony, że to nie jego spotkał ten los, i nikomu nie przyszło do głowy, że ta śmierć to nie przypadek. Kapitan Brickenstein pomógł nawet zejść na pokład pozornie całkiem zdruzgotanemu Ruppertowi, po czym próbował młodzieńca pocieszyć.

Większość pasażerów tłoczyła się po zawietrznej stronie sterowni. Czekali tam, by dostać kąsek chleba i kiełbasy, które jeden z marynarzy zabrał ze sobą na takielunek. Wszystkie pozostałe zapasy zostały pochłonięte przez pazerne morze.

Lora do tej pory nawet się nie poruszyła, po części dlatego, że była przerażona podstępnym morderstwem, a po części dlatego, że nie chciała zbudzić Nati, która przepłakała prawie całą noc, nim wreszcie zasnęła, a teraz spokojnie drzemała na jej kolanach. W duchu dziewczyna podziękowała Bogu, że dziecko nie było świadkiem tego zdarzenia, ale nie wiedziała, jak powie dziewczynce o śmierci dziadka. Najchętniej by tak siedziała, póki coś się nie stanie, ale jej ciało domagało się wyraźnie swoich praw. Bolał ją pęcherz, a język przykleił jej się do podniebienia jak kawał skóry. Na myśl o reszcie sucharów ukrytych w płaszczu zaburczało jej głośno w żołądku. Otrząsnęła się z letargu, zdjęła dłonie z ciepłego futerka dziewczynki i wysunęła je z rękawów płaszcza, żeby rozplątać pasek i koniec liny, którymi wciąż jeszcze przywiązana była do masztu. Długo i tak nie będzie mogła zostać na pokładzie, bo przypływ znów się zaczął, a ci, co przeżyli, będą ponownie musieli szukać schronienia w takielunku.

Tymczasem kapitan dostrzegł ją w górze i wysłał po nią dwóch ludzi. Ale obaj marynarze zamiast jej pomóc, stanęli tylko obok i znieruchomieli ze wzrokiem skierowanym na zachód. Lora osłoniła dłonią oczy i również spojrzała na horyzont w tamtym kierunku.

Od ciemnego nieba odznaczał się pasek białawoszarego dymu, a niżej pojawiał się regularnie i znikał okrągławy cień. Snop dymu był cienki i szybko rozwiewał się na wietrze. Jeśli faktycznie był to parowiec, to brakowało mu masztów. Do tego bujał się na wysokich falach jak pijak. To unosił się, to znikał w dole, jakby woda go połykała. Lora inaczej wyobrażała sobie mający ich uratować statek.

– Młoda damo, czy pani też to widzi? – zapytał jeden z marynarzy, który nie do końca mógł uwierzyć w to, co dostrzegły jego oczy.

Lora chciała coś powiedzieć, zdołała jednak wydobyć z gardła jedynie nieokreślone jęknięcie, dlatego przytaknęła energicznie głową. Młody marynarz odetchnął i ześlizgnął się szybko na linie. Dotarłszy na pokład, zaczął coś mówić do kapitana, energicznie gestykulując. Brickenstein najpierw z niedowierzaniem pokręcił głową, ale potem mimo podeszłego wieku wspiął się na górę do Lory z szybkością cyrkowej małpy. Dotarłszy na platformę, wyjął z kieszeni sfatygowaną lunetę, rozciągnął ją i skierował na coraz bardziej powiększający się punkt na horyzoncie.

– Panie Boże wszechmogący! To stary holownik. Trzyma kurs na nasz okręt. Byle tylko dotarł do nas, nim przypływ zacznie się na dobre... – szepnął drżącymi wargami. Żeby ukryć zdenerwowanie, kazał Lorze i marynarzowi opuścić wreszcie platformę obserwacyjną.

Młody mężczyzna znów przywiązał Lorze do brzucha dziewczynkę, żeby dziecko nie zsunęło się podczas schodzenia z tej przyprawiającej o zawrót głowy wysokości i nie podzieliło losu dziadka. Zsuwając się ostrożnie, Lora zastanawiała się, co ma zrobić. Najchętniej powiedziałaby kapitanowi, że dziadek Nathalii nie zginął w wyniku nieszczęśliwego wypadku, lecz został zamordowany. Ponieważ Ruppert na pewno by zaprzeczył, nie sądziła, by Brickenstein uwierzył jej słowom. Kuzyn Nati był dorosłym mężczyzną i arystokratą, ją zaś na pewno uznano by za służącą, która zwariowała ze strachu, i natychmiast zabrano by jej Nathalie. Dlatego postanowiła, że na razie zachowa to dla siebie. Ludziom powie o tym dopiero wtedy, gdy obie z Nati będą już bezpieczne. Z zaciętą miną znów rozejrzała się za holownikiem. Ten był już dość blisko i faktycznie kierował się ku ich statkowi.

Gdy Lora stanęła wreszcie na spustoszonej rufie statku, która ledwo wystawała ponad grzebieniami fal, uświadomiła sobie, że bardziej boi się kuzyna Nati niż wciąż jeszcze wzburzonego morza.

Ruppert von Retzmann siedział na polerze obok częściowo zburzonej sterowni i zajadał właśnie kawałek czarnej kiełbasy i kromkę razowca, podczas gdy inni pasażerowie stali ściśnięci przy relingu i spoglądali w kierunku statku z nadzieją, że wkrótce zostaną uratowani.

Holownik walczył z prądem dwoma kołami łopatkowymi, które miał zamontowane po bokach. I choć te były ogromne, to na tak wzburzonym morzu wydawały się kruche i delikatne. Przeciążony silnik sapał i gwizdał, jakby w każdej chwili miał odmówić posłuszeństwa. W porównaniu z ogromnym kadłubem Deutschlandu holownik robił wrażenie dziecięcej zabawki, która tylko przez przypadek trafiła na ocean i którą teraz fale bawiły się jak piłeczką. Ale uparcie płynął przed siebie i coraz bardziej się do nich zbliżał.

Lora chciała przejść na bardziej bezpieczny tylny pokład i tym samym oddalić się od Rupperta, ale żeby tam dotrzeć, musiała go minąć. Popatrzył na nią bacznie, mrużąc przy tym oczy, i wyciągnął rękę, jakby chciał ją chwycić. Lora cofnęła się o dwa kroki i przycisnęła mocno do siebie Nati, a ta obudziła się pod jej płaszczem i zaczęła płakać. W oczach Rupperta wyczytała jawną groźbę, jeszcze bardziej podkreśloną przez ironiczny uśmieszek w kącikach ust. Z początku sądziła, że Ruppert podejdzie do niej, ale on wzruszył tylko ramionami i odsunął się na bok, żeby mogła przejść. Gdy go mijała, usłyszała, że mężczyzna się cicho śmieje.

Lora na sztywnych nogach podeszła niezgrabnie do stłuczonego okna, przez które do stojącego teraz pod wodą górnego salonu wpadało dzienne światło. Oparła się o futrynę. Rozdygotanymi rękoma zaczęła poluzowywać szale i sznury, którymi związana była z Nati.

Na widok Rupperta pojęła, że będzie on – jako najbliższy krewny Nathalii – tak długo uważany za prawnego opiekuna dziewczynki, póki plik listów znajdujących się w wewnętrznej kieszeni jej płaszcza nie trafi do właściwych rąk. Rupperta od majątku rodzinnego Retzmannów dzieliła tylko Nati i te papiery. Nie powinien dostać w swe ręce ani dziewczynki, ani dokumentów. Wprawdzie papiery były bezpiecznie ukryte na jej ciele, ale Lora zastanawiała się z niepokojem, co ma zrobić, by ochronić przed tym człowiekiem dziewczynkę.

Ponieważ również stary lokaj grafa został tej nocy pochłonięty przez fale, na pokładzie wraku nie było ani jednego świadka, który mógłby potwierdzić, że pomiędzy młodym Retzmannem a jego dziadkiem panowały wrogie stosunki. Przez moment zastanawiała się, czy nie oskarżyć Rupperta przy wszystkich ludziach, że zabił własnego dziadka. Nawet jeśli jej słowo nic nie znaczyłoby wobec jego słowa, to może niektórzy zaczęliby coś podejrzewać, gdyby także Nathalii pod jego opieką wydarzył się jakiś wypadek. Lecz jaki pożytek miałoby z tego biedne dziecko?

Lora czuła na karku wzrok Rupperta. Co zamierza zrobić? pomyślała. A jeśli wcale nie będzie próbował wyegzekwować swoich praw do opieki nad Nati, lecz planuje popełnić drugie morderstwo? Uważała, że jest zdolny zabić dziecko i zrzucić na nią winę. W ten sposób mógłby pozbyć się za jednym zamachem prawowitej spadkobierczyni wraz z niewygodnym świadkiem. Po człowieku, który z zimną krwią zamordował wycieńczonego starca, można się było spodziewać każdej niegodziwości. Lora nie była w stanie nic przeciwko niemu zrobić, nie widziała więc innego wyjścia, jak trzymać się od Rupperta z daleka. Nie chciała okazywać lęku, dlatego posadziła sobie Nati na kolanach i udając spokój, wypakowała suchary, które pozostały, wciąż jeszcze niezamoczone, w kieszeni płaszcza. Podszedł do nich marynarz z butelką wody i kubkiem, żeby dać im coś do picia.

Lora musiała przymusić Nathalię do opróżnienia naczynia. Gdy potem sama przełykała ze wstrętem słonawą wodę, Nati wskazała ręką przez zbite okno w głąb salonu i zaczęła krzyczeć na całe gardło.

Lora też spojrzała w tym kierunku i dostrzegła twarz siostry Henriki. Oczy martwej franciszkanki były szeroko otwarte. Przez chwilę Lora miała wrażenie, że zakonnica patrzy z pretensją prosto na nią.

Dlaczego Bóg pozostawił cię przy życiu, ty niewierna istoto? zdawała się pytać siostra Henrica. I dlaczego to ja musiałam umrzeć?

Lora otrząsnęła się i odwróciła. Marynarz spojrzał na nią ze smutkiem, a potem pogłaskał po włosach szlochające dziecko.

– Nie patrz tam, mała panienko! I madame niech też nie patrzy. Wszystkie siostry zakonne zabrał do siebie Bóg. Modliły się za nas tak długo, aż przyszła wielka fala, która w jednej chwili zalała cały salon i zniszczyła nadbudówkę na pokładzie. Wszyscy na dole zginęli. A nas niedługo uratują! Niech panienka popatrzy, stary holownik Liverpool opuszcza bajbota. Proszę, niech panienka wypije jeszcze łyk rumu dla rozgrzewki. Wsadzę panienkę i panienki podopieczną do pierwszej łodzi. Wtedy będziecie bezpieczne.

Lora zauważyła jednak w jego spojrzeniu niepokój, gdy patrzył na dość małą łódź, a na dodatek usłyszała jeszcze rozmowę dwóch marynarzy, którzy za jej plecami dzielili się swoimi wątpliwościami.

Znów rozpoczął się przypływ. Nim mały bajbot holownika zdoła wywieźć w bezpieczne miejsce wszystkich stu siedemdziesięciu ocalałych rozbitków, pokład transatlantyku znajdzie się pod wodą razem z resztkami sterowni.

Lora zobaczyła, jak Ruppert zręcznie, nikogo nie potrącając, wchodzi między pasażerów stojących najbliżej przybijającej łodzi. I oto morderca znalazł się w pierwszej dwunastce szczęśliwców, ciśniętych do łodzi, jakby byli workami z mąką. Właściwie kapitan powinien był umieścić w łodzi najpierw kobiety i dzieci, ale ocalałe kobiety bały się tej skorupki orzecha, która mimo zabezpieczających ją lin i pomocnych dłoni tańczyła dziko na wodzie.

Gdy tylko ostatni z dwunastu pasażerów dotknął dna łodzi, marynarze z Liverpoolu odepchnęli swoją łupinkę od kadłuba Deutschlandu i zaczęli tak silnie robić wiosłami, że te aż się wyginały. Zanim jednak zdołali dotrzeć do burty holownika, czas wydłużył się boleśnie do kwadransa.

– Trzydzieści sześć osób! – wykrztusił oficer, który stał obok kapitana Brickensteina i podczas manewru raz za razem zerkał na zegarek.

– Liverpool może w ten sposób wziąć na pokład trzydziestu sześciu ludzi. Reszta znów musi się schronić na wantach.

Kapitan Brickenstein wzruszył ramionami.

– Wszystko w rękach Boga, albo raczej w rękach Anglików, bo przysłali nam tylko ten przeklęty holownik. Ta stara łajba rozleci się przecież pod najmniejszym dotknięciem! Poczekaj! Hej, wy tam z przodu! Następnym razem wsadźcie do łodzi przynajmniej kobiety i dzieci! – Zwracając się zaś do oficera, dodał znacznie ciszej: – Pozostali z nas powinni się modlić. Może niektórzy przetrwają noc na wantach i zostaną uratowani przez inne statki.

Kilku pasażerów usłyszało jego gorzkie słowa. Natychmiast zaczęli pchać się do przodu, żeby znaleźć miejsce wśród pozostałych dwudziestu czterech szczęśliwców, którzy mieli szanse na ratunek.

Lora wzięła Nati za rączkę i ruszyła za nimi. Kolana jej drżały, a przez zalane łzami oczy prawie nic nie widziała. Widok martwych sióstr zakonnych pozbawił ją resztek sił i niemalże woli życia. Ale przecież musiała się troszczyć o Nati. Pruskie poczucie obowiązku, które wpoili jej rodzice, a przede wszystkim dziadek, nakazywało jej, by nie poddawała się ze względu na dziewczynkę. W ciągu tego krótkiego czasu bardzo przywiązała się do Nati, ta była teraz dla niej prawie jak siostra. Obiecała jej dziadkowi, że będzie ją chronić bez względu na wszystko. Dlatego wsiądzie z Nati do małej łódeczki, nawet jeśli myśl o tym napawała ją śmiertelnym strachem.

Pasażerowie transatlantyku przerazili się jednak, że łódka nie wróciła, lecz została wciągnięta na pokład holownika, który zaraz potem buchnął chmurą czarnego dymu, a jego koła zaczęły się gwałtownie obracać, uderzając łopatkami.

– Odpływa! – krzyknął ze złością jeden z marynarzy.

Ale Brickenstein pokręcił głową.

– Nie! Patrzcie! Liverpool chce do nas podpłynąć. Ich kapitan pewnie też doszedł do wniosku, że za pomocą łodzi nie zdoła wszystkich uratować i teraz próbuje ustawić się do nas bokiem. Niech Bóg ma w opiece tych dzielnych marynarzy. Jeśli fala rzuci Liverpoolem o nasz żelazny kadłub i zostanie uszkodzone kruche koło łopatkowe, załoga holownika zginie razem z nami!

– Ale jeśli się uda, to ta stara łajba wszystkich nas dostarczy na ląd! – zawołał jeden z pasażerów, nieuświadamiający sobie najwidoczniej zagrożenia, które ściągali na siebie Anglicy.

Kapitan Brickenstein głęboko westchnął, a potem rycząc, począł wydawać rozkazy.

– Ruszajcie się, przynieście wszystko, co może Liverpoolowi posłużyć jako odbijacz! Nie możemy dopuścić do tego, żeby Liverpool uszkodził koło o naszą burtę.

Marynarze i kilku pasażerów szukali przedmiotów, które mogłyby ochronić koło holownika przed zderzeniem z kadłubem Deutschlandu. Nie mieli dużego wyboru, znaleźli jedynie kilka częściowo rozwiniętych zwojów liny, kilka steng z takielunku, resztki porwanych przez sztorm żagli i kilka desek zrujnowanej nadbudówki.

Ale to wystarczyło. Mimo wysokich fal Liverpool zbliżył się dość łagodnie do wraku, a obudowa bocznego koła utworzyła pomost, po którym rozbitkowie mogli przejść na pokład holownika.

Lorę przeszedł dreszcz, gdy pod stopami poczuła cienkie, gładkie drewno pomostu. Na szczęście dwaj mężczyźni podtrzymali ją i pomogli jej przejść na drugą stronę. Gdy się obejrzała, zauważyła, że fale uderzają w bakburtę wraku i przykryły już więcej niż pół pokładu. Przycisnęła do siebie zapłakaną Nati i podziękowała Bogu, że w ostatniej chwili uratował ją i jej małą przyjaciółkę przed śmiercią w wodzie.

X

Liverpool odpłynął od Deutschlandu tak samo łagodnie, jak do niego przycumował. Gdy holownik znalazł się w bezpiecznej odległości, wielu uratowanych zaczęło się z radości ściskać. Ale Lora nie czuła ulgi, bo gdy na małym stateczku szukała miejsca osłoniętego od lodowatego wiatru, gdzie mogłaby umieścić szlochającą Nathalię, wpadła prosto w ramiona Ruppertowi von Retzmannowi.

– No i co, dziewczyno? Chcesz oddać mi tego podrzutka? – zapytał szyderczym tonem, ale tak cicho, że tylko Lora i Nati go zrozumiały. – A może jeszcze nie masz dość tego bachora? Możesz się trochę pozajmować tą szczeniarą. Zabiorę ją, gdy mi będzie pasowało. A teraz mi to nie na rękę.

Nati splunęła na niego, a potem zawołała ze złością:

– Jesteś zły! Nie lubię cię! Lora mnie lubi i nigdy nie zostawi mnie samej! Idź sobie, jesteś podły! I zostaw Lorę w spokoju, bo dziadek każe obić cię kijem!

Lora poczuła skrępowanie, bo inni pasażerowie zaczęli spoglądać w ich kierunku. W ich wzroku widać było zgorszenie. Ruppert roześmiał się tylko i wstał. Zrobił pobłażliwą minę i odsunął się od gorącego komina, zwalniając miejsce Lorze.

– Nathalia jest po prostu niewychowanym, rozpuszczonym dzieckiem! – powiedział do jednego z uratowanych rozbitków. – A jej opiekunka też ma nie po kolei w głowie. Dlatego będę musiał jak najszybciej wziąć je obie pod moją pieczę.

Ku złości Lory drugi mężczyzna gorliwie przytaknął Ruppertowi i popatrzył przy tym na nie ze współczuciem, po czym się odwrócił i chybotliwym krokiem odszedł w kierunku relingu.

Liverpool bujał się i kołysał na wysokich falach. Wielu rozbitków z Deutschlandu dostało choroby morskiej i zwymiotowało prowizoryczny posiłek, który spożyli wcześniej na wraku. Również Lorze ciążyły w żołądku zjedzone herbatniki i suchary, ale jej uwagę odwróciła choroba Nati. Mała zwymiotowała wszystko, co zjadła i wypiła, a potem zwinęła się w kłębek na kolanach Lory. Była blada i oddychała ciężko.

Gdy holownik wreszcie dotarł do rodzimego portu Harwich, Lora nie czuła się dużo lepiej od Nati. Popatrzyła apatycznie, jak szyper na widok miasta każe na ostrym wietrze wciągać liczne flagi i ściągać je z powrotem. Zrozumiała, że w ten sposób przekazuje pewnie jakąś wiadomość. Gdy Liverpool zacumował w porcie, nabrzeże było czarne od ludzi, a wciąż dochodzili następni. Byli tacy, co zatrzymywali się tylko i patrzyli z zaciekawieniem, część osób natomiast weszła na pokład holownika i zajęła się wycieńczonymi rozbitkami, którzy w dużej części nie byli nawet w stanie utrzymać się na nogach.

Lora ucieszyła się, gdy jakiś młody mężczyzna wziął Nati na ręce, a do niej powiedział trudnym do zrozumienia angielskim, że zaniesie jej „córeczkę" do hallu. Inny silny pracownik portu, od którego czuć było dymem i wilgocią, też wziął ją na ręce i poniósł za Nati w kierunku budynku sprawiającego wrażenie jakiegoś urzędu, z wejściem z dwoma srogo wyglądającymi posągami. Obaj mężczyźni zanieśli ją i Nati do sali z herbami i starymi sztandarami. Posadzili je na ławie obciągniętej skórą, której oparcie ozdobione było snycerskimi rzeźbieniami o wgłębieniach na grubość palca.

Urzędnicy w mundurach i młodzi pisarze biegali między rozbitkami, trzymając w rękach małe tabliczki, i pytali wszystkich o dane osobowe i miejsce pochodzenia. Musieli przy tym schodzić z drogi wielu ludziom niosącym dzbanki z gorącymi napojami, kociołki z parującą zupą, chleb i wszelkie możliwe artykuły żywnościowe, jak gdyby spontanicznie przynieśli tutaj wszystko, co mieli na zastawionych do kolacji stołach. Inni znosili koce, suche ubrania i rozmaite domowe środki na przeziębienie i wyczerpanie. Trzech lekarzy obchodziło salę i opatrywało rannych. Lora z pewnym zadowoleniem spostrzegła, że jakiś zbyt natrętny dziennikarz został wyrzucony za drzwi przez rezolutną pielęgniarkę.

Teraz, gdy niebezpieczeństwo minęło, Lora po raz pierwszy poczuła, jak bardzo jest zmęczona. Wydawało jej się, że umiera. Nie miała dość sił, by zajmować się Nati tak, jak powinna. Mała komtesa leżała cicho, jej buzia była bladoszara jak prześcieradło, gdzie ją położono.

Jakaś niewiele starsza od Nati dziewczynka podeszła do nich drobnymi kroczkami i coś powiedziała, ale jej słowa nie przypominały w ogóle angielskiego, którego Lora nauczyła się od ojca.

– *Thank you very much* – odpowiedziała nieco bezradnie.

Dziewczynka roześmiała się, wcisnęła jej do ręki wypolerowaną drewnianą łyżkę i wskazała zupę. Potem pochyliła się krótko nad Nati i zawołała coś w kierunku drugiej strony sali. Natychmiast podeszła do nich starsza kobieta, która przyprowadziła ze sobą jednego z lekarzy. Oboje przyjrzeli się z troską Nati, a potem z ulgą pokiwali głowami.

– Nie, nie, dziecko jest chore, ale żyje. Biedny, mały króliczek! – zrozumiała Lora.

Lekarz zbadał Nati i dał kilka zaleceń, potem oddalił się szybko do następnego pacjenta.

Kobieta będąca chyba pielęgniarką rozebrała Nati, pozostawiając tylko bieliznę, a potem wymasowała ją i natarła szorstkimi ręcznikami, żeby pobudzić dziecko do życia. Dziewczynka, która przyniosła zupę, pomagała jej, ale co rusz spoglądała w tym czasie na Lorę. Nagle chwyciła krzyżyk, który Lorze wysunął się z dekoltu, i zawołała coś, co zabrzmiało mniej więcej tak:

– Hej, ona jest katoliczką!

Lora się przestraszyła, bo oczyma duszy dostrzegła całe mnóstwo czekających ją nowych problemów. Wielebny Hieronymus Starzig mówił, że w Anglii katolicy uważani są za zdrajców Korony i wtrąca się ich do więzienia za wiarę i wierność wobec rzymskiego papieża.

Lora nie mogła sobie wprawdzie wyobrazić, że z nią – biednym rozbitkiem – też tak postąpią, ale nie miała przecież pojęcia, co Anglikom chodzi po głowie. A przecież nosiła na szyi krzyżyk tylko dlatego, że tak kazał jej dziadek, i była to jedyna biżuteria, jaką posiadała. Zorientowała się, że drży, gdy jeden z umundurowanych urzędników podszedł do niej.

– Panienka jest katoliczką, miss? – zapytał po angielsku, starając się mówić jak najwyraźniej.

Lora skinęła głową i przycisnęła rękę do mocno bijącego serca.

– Och, to dobrze! – uradował się mężczyzna, odwrócił i zawołał robotnika portowego, który przyniósł Lorę do hali.

– Hej, Joe Penn! Mówiłeś przecież, że mógłbyś przyjąć kobietę i dziecko do twojej „królikarni"! Mamy tu dwójkę, którą na pewno możesz wziąć pod swój dach. Dziewczynka jest niemiecką arystokratką, a miss jej opiekunką! Rodzina małej na pewno ci się sowicie odwdzięczy, jeśli będziesz się dobrze zajmował dzieckiem! Masz tyle gęb do wyżywienia, na pewno przydadzą ci się te pieniądze!

Lora z trudem nadążała za niewyraźnym angielskim, ale ku własnemu zdumieniu zrozumiała sens słów i zawstydziła się ich grubiańskiej bezpośredniości. Ale robotnik wyszczerzył zęby w uśmiechu i podszedł bliżej. Tymczasem urzędnik znów zwrócił się do Lory. Prostymi i wyraźnie wymawianymi słowami próbował jej wyjaśnić, co się stanie.

– Właśnie postanowiono, że wszyscy rozbitkowie, którzy nie znajdą miejsca w Great Eastern Hotel, zostaną umieszczeni u mieszkańców Harwich. Zadeklarowało się wystarczająco dużo rodzin gotowych kogoś przyjąć i żywić. Jako katoliczka na pewno chciałabyś mieszkać u porządnej katolickiej rodziny do czasu, póki nie dojdziesz do siebie i nie wyjaśni się, co będzie z dalszą podróżą.

Lora skinęła głową nieco oszołomiona, ale szybko się opanowała i zapytała urzędnika, czy mógłby wysłać wiadomość do Londynu, do przedstawiciela przedsiębiorstwa żeglugowego Norddeutscher Lloyd.

– Proszę, to bardzo ważne! Chodzi o tę małą komtesę, którą się zajmuję. Jest spadkobierczynią jednego z udziałowców NDL. Jej opiekun prawny też jest udziałowcem. Trzeba go pilnie powiadomić o tym, co się stało. Rozumie mnie pan... mister...?

Lora miała nadzieję, że zdoła się dogadać swym łamanym angielskim.

Młody urzędnik uśmiechnął się do niej życzliwie i skinął głową.

– Nazywam się Smithson, miss... miss Huppach – odpowiedział bardzo przyjaźnie. – Mówi panienka bardzo ładnie po angielsku, naprawdę całkiem nieźle! Niech mi panienka powie, co mam napisać, a ja poślę wiadomość oficjalną pocztą do niemieckiego armatora w Londynie.

Lora odetchnęła z ulgą i po raz pierwszy zdobyła się na nieśmiały uśmiech.

– Bardzo panu dziękuję! Wiadomość proszę zaadresować na pana Thomasa Simmerna...

Miły urzędnik zanotował tekst po angielsku i poprosił ją potem, by na wszelki wypadek napisała list jeszcze raz po niemiecku, aby uniknąć ewentualnych problemów z jego zrozumieniem.

Ponieważ Lora poczuła, że może urzędnikowi zaufać, zdobyła się na odwagę i poprosiła go, by zachował tę wiadomość w tajemnicy przed innymi, ponieważ życie małej komtesy jest zagrożone. Smithson zapewnił ją, że poza nim nikt nie zobaczy listu, póki nie dotrze on do adresata. Ale jego nieco zdziwiony wyraz twarzy i pełen współczucia uśmiech zdradziły Lorze, że jej nie wierzy i uważa ją co najmniej za histeryczkę. Przywołał machnięciem ręki robotnika, u którego Lora i Nati miały mieszkać, i zajął się następnym rozbitkiem.

Kwadrans później grubo opatulona Nati leżała w czymś, co przypominało wielki kosz na bieliznę, i była niesiona przez rosłą starszą kobietę oraz chłopca w wieku około czternastu lat. Lora, wprzódy owinięta w pled z płótna workowego, została przekazana mężczyźnie, który poniósł ją na rękach, krocząc za koszem z Nati.

Dopiero teraz Lora uświadomiła sobie, że od momentu opuszczenia holownika nie widziała Rupperta. W jakimś zakamarku jej duszy zaświtała nadzieja, że zrezygnował z planów przejęcia opieki nad Nati w tym obcym kraju, ale nie była w stanie uwierzyć w to tak do końca. Przez całą drogę spoglądała nad ramieniem Joego Penna, żeby się upewnić, że Ruppert się za nimi nie skrada. Uliczki stawały się coraz węższe, domy mniejsze i nędzniejsze, a ona przez cały ten czas nie dostrzegła nikogo, kto byłby podobny do kuzyna Nati. Kilka przecznic dalej Lora odetchnęła z ulgą. W tym labiryncie Ruppert na pewno ich nie odnajdzie.

XI

W dalekich Prusach Wschodnich śmierć, a przede wszystkim pochówek Wolfharda von Trettina spowodowały większe poruszenie, niż staruszek mógłby się tego kiedykolwiek spodziewać.

Ledwo ewangelicki pastor się dowiedział, że stary freiherr zmienił wiarę na katolicką, natychmiast oznajmił, że w krypcie rodu von Trettinów nie ma miejsca dla odszczepieńca i zabronił protestantom udziału w pogrzebie. Nawet grabarzowi przykazano, by nie ważył się kopać grobu dla dziadka Lory.

Gdy Kord usłyszał o tych zakazach, zacisnął w gniewie pięść i przysiągł, że sam prędzej zostanie katolikiem, niżby miał swego pana zawieść podczas ostatniej drogi. Tak więc osobiście wykopał grób w najodleglejszym kącie cmentarza, przeznaczonym dla włóczęgów, którzy umarli w okolicy.

Spośród mieszkańców wsi na pogrzeb oprócz niego przyszła tylko Miena, której wierność do starego pana przeważyła nad strachem przed Ottokarem von Trettinem i jego żoną Malwiną. Kroczyli razem za skromną świerkową trumną, którą załatwił przyjaciel zmarłego – doktor Mütze. Lekarz również nie usłuchał zakazów i przyjechał wraz z żoną pożegnać się po raz ostatni ze starym druhem. Wraz z nimi na pogrzeb przybyli Fridolin von Trettin i przewoźnik Wagner.

Początkowo mała grupka żałobników sądziła, że poza wielebnym Hieronymusem Starzigiem nikt więcej nie będzie brał udziału w pogrzebie starego pana, ale niebawem ze zdumieniem zobaczyli, że przed cmentarzem zatrzymują się powozy i sanie z sąsiedztwa. Wielu starych znajomych przypomniało sobie o zasadzie, że wraz ze śmiercią kończy się wszelaka wrogość. Kilku z nich, z grafem Elchbergiem na czele, wspominało z sentymentem czasy, kiedy zmarły panował na Trettinie. Nie potrafili znaleźć wspólnego języka z jego małodusznym następcą. Dlatego złożyli Fridolinowi von Trettinowi, jedynemu obecnemu na pogrzebie krewnemu zmarłego, szczere kondolencje. Spoglądali na niego z zaciekawieniem, ponieważ oczekiwali, że zobaczą też Lorę.

– Co się dzieje z wnuczką Nikasa? Czy jest chora, że nie odprowadza dziadka do grobu? – graf Elchberg zapytał wprost Fridolina.

Młody mężczyzna wzruszył z żalem ramionami.

– Nie wiem, gdzie w tej chwili jest Lora. Sądziłem, że doktor Mütze się nią zajął, aby nie musiała przebywać ze zmarłym pod jednym dachem. Ale u niego jej nie ma. Może w tej trudnej chwili udała się do Trettina, a Ottokar zabronił jej udziału w pogrzebie.

Po pełnych dezaprobaty minach Fridolin zorientował się, że większości nie zdziwiłoby takie zachowanie jego kuzyna. Ale potem sam pokręcił głową, odrzucając to podejrzenie. Lora była sprytną dziewczyną. Na pewno znalazłaby sposób, żeby przyjść na pogrzeb. Chyba że Ottokar albo Malwina zamknęli ją w piwnicy, z której nie mogła się wydostać. Na tę myśl poczuł żal, że nie poszedł do majątku, by się tam rozejrzeć za Lorą.

Gdy tak dumał nad losem kuzynki, dostrzegł skrzywioną twarz doktora Mütze. Pomyślał, że najwidoczniej doktor wie coś więcej, ale niezbyt mu się to podoba. Najchętniej Fridolin od razu by go zapytał o Lorę, nie chciał jednak robić tego w gronie sąsiadów i znajomych, lecz gdy znajdzie się z doktorem Mütze na osobności.

Hieronymus Starzig, zdenerwowany z powodu tak wielu wysoko postawionych żałobników, wygłosił kazanie, ale Fridolin nawet nie słyszał, co mówił duchowny. Myślami cały czas był przy Lorze. Już w Berlinie zastanawiał się, czy nie mógłby czegoś dla niej zrobić. Jego sakwa wciąż jednak była pusta, musiał nawet zastawić swoje ostatnie wartościowe przedmioty, żeby zdobyć pieniądze na podróż do Trettina. Mimo to nie zamierzał tak po prostu oddać siostrzenicy pod opiekę Ottokara i Malwiny. Traktowaliby Lorę jak zwykłą chłopską dziewkę i dręczyli na różne sposoby. A przecież dziewczynie jak najbardziej przysługiwały prawa do spadku. Fridolin w przeciwieństwie do kuzyna nie znał dokładnie zasad majoratu, był jednak pewien, że w przypadku przejścia majątku na krewnego w linii męskiej córkom, albo w tym przypadku wnuczce, przysługiwało prawo do należytego posagu. Ale znał Ottokara i wiedział, że ten, przede wszystkim zaś jego żona, na pewno by pod tym względem Lorę oszukał.

Tymczasem ksiądz zakończył swoją litanię. Fridolin wraz z Kordem i dwoma innymi żałobnikami spuścił trumnę z ciałem stryja do grobu. Potem rzucił do dołu garść ziemi i odszedł na bok. Wielebny Starzig po raz ostatni pomachał kadzidłem i skropił grób wodą święconą. Żałobnicy podeszli bliżej. Zmówili krótką modlitwę, a potem zaczęli się szybko rozchodzić, ażeby móc się schronić przed coraz silniejszym wiatrem wschodnim. Ten pchał przed sobą ścianę ciemnych chmur, z których już zaczęły spadać pierwsze płatki śniegu.

– Sądzę, że my też już powinniśmy iść – powiedział doktor Mütze do Fridolina.

Ten najpierw skinął głową, ale potem zobaczył, że Kord chwyta szuflę, aby zasypać grób. Młodzieniec przywołał Mienę kiwnięciem ręki.

– Załatw mi jakąś łopatę albo szpadel. Nie chcę, żeby Kord robił wszystko sam.

– Ależ jaśnie panie, to nie wypada. Jesteście przecież szlachcicem i nie możecie…

– Co mogę, a czego nie, o tym sam ciągle jeszcze decyduję – przerwał Fridolin staruszce ostrym tonem. – A teraz idź! Widzisz przecież, że nadciąga śnieżyca.

Miena usłuchała i oddaliła się w kierunku swej chatki. Lekarz podszedł do Fridolina.

– Chętnie bym pomógł, panie Fridolinie, ale nie mogę pozwolić, by moja żona zamarzła na kość na tym chłodzie. Odwiozę ją i odeślę powóz z powrotem do pańskiej dyspozycji.

Fridolin odrzucił propozycję doktora.

– Niech woźnica i konie siedzą lepiej w cieple – powiedział. – Tej nocy Kord udzieli mi schronienia.

Lekarz przez moment się wahał, a potem skinął głową.

– Wobec tej śnieżycy, na którą się zanosi, będzie to chyba najlepsze rozwiązanie. Przyjadę po pana jutro przed południem. Będziemy wtedy mogli razem pojechać do domku myśliwskiego i sprawdzimy, czy znajdziemy tam jeszcze coś, co mógłby pan zachować jako pamiątkę po stryju.

Doktor miał wątpliwości, ponieważ wiedział, że dziadek Lory sprzedał wszystko, co tylko udało mu się spieniężyć.

Młody mężczyzna machnął ręką.

– Jeśli coś się tam znajduje, to należy do Lory. Na pewno będzie tego bardziej potrzebowała niż ja.

Ponieważ Miena właśnie przyszła ze starym drewnianym szpadlem, pożegnał się z doktorem Mütze i dołączył do Korda, który wobec zimnego wiatru, przenikającego aż do szpiku kości, spojrzał na poczynania Fridolina z dezaprobatą, a jednocześnie pomyślał, że młody pan bardzo przypomina swojego stryja, gdy ten był jeszcze młody. Szalony Nikas również nie pozwoliłby swojemu parobkowi pracować samemu przy tak psiej pogodzie.

XII

Nowy pan na Trettinie i jego żona na wieść o śmierci Wolfharda otworzyli butelkę szampana, żeby uczcić to wydarzenie. Pastor, który przybył do pałacu, by przywieźć Ottokarowi i Malwinie tę wiadomość, wypił wraz z nimi kielszek. Tego dnia duchowny wciąż jeszcze się spodziewał, że to on pochowa nieboszczyka. Przy okazji zamierzał przemówić swym wiernym do sumienia i wyjaśnić, co dzieje się z grzesznikami, którzy naruszają boskie i ludzkie prawa.

Nie dane mu było jednak w tej chwili triumfować. Gdy doktor Mütze i Fridolin pojawili się na cmentarzu, pastor siedział przy stole u Ottokara von Trettina. Rozmawiali, popijając rozgrzewający grog.

– Ten stary cap nie zasłużył na nic innego – stwierdził Ottokar.

Pastor przyjął jego słowa w milczeniu.

– Mój stryj – ciągnął dalej Ottokar – doprowadził majątek do ruiny, a przy okazji przywłaszczył sobie masę pieniędzy. Ale zapewniam pastora, odzyskam każdy talar! A wtedy spełnię prośbę pastora i sfinansuję naprawę dachu na wieży kościelnej.

– To szlachetny gest – odpowiedział z zadowoleniem duchowny, a potem zadał pytanie, które dręczyło go od chwili, kiedy dowiedział się o śmierci starego pana: – Gdzie podziewa się wnuczka Wolfharda von Trettina? Czy wziął ją pan do siebie do pałacu? Będę musiał nad nią popracować, by wyzwolić jej duszę od herezji, w którą wciągnął ją szalony dziadek.

– Mój mąż miał sprowadzić tu dziewczynę, gdy staruch spocznie już w ziemi – odpowiedziała Malwina. Stała przy oknie i przez lornetkę przyglądała się ceremonii pogrzebowej.

Cmentarz leżał w dole, obok kościoła, i gołym okiem można było z wyżej położonego pałacu dojrzeć postacie maleńkie jak żuczki. Za pomocą lornetki dało się rozpoznać osoby, które przybyły, aby towarzyszyć staremu panu w jego ostatniej drodze.

Tymczasem Ottokar zapragnął usprawiedliwić swoją postawę.

– Właściwie chciałem od razu pojechać do domku myśliwskiego, żeby zatroszczyć się o siostrzenicę, ale gdy się dowiedziałem, że stryj wyrzekł się naszej szacownej wiary i został papistą, przysiągłem sobie, że przekroczę próg tego domu dopiero wtedy, gdy spocznie już w grobie. Jak tylko skończy się pogrzeb, każę zaprzęgać.

Przemilczał jednak, że unikał domku myśliwskiego, by nie musieć zapłacić za pogrzeb stryja. Nienawidził starca, który korzystał z życia i nie myślał o tym, by pomnożyć majątek dla swego następcy, dlatego nie chciał wydawać na niego nawet złamanego grosza.

– Kord i Miena też są na cmentarzu! No, ja im pokażę, mówię wam! – krzyknęła oburzona Malwina.

– Wyraźnie im tego zabroniłem! – Pastor nie chciał, by von Trettinowie obarczyli go odpowiedzialnością za to, że tych dwoje miało czelność otwarcie wystąpić wbrew woli pana i wbrew autorytetowi duchownego.

– Widzę też Fridolina i doktora Mütze – dodała Malwina nienawistnym tonem.

– Niech ten drań się nie spodziewa, że dostanie ode mnie choć talara! Lepiej wypijmy. Na zdrowie, pastorze!

Stuknęli się kieliszkami, po czym Ottokar zadrwił, że nikt więcej nie zjawi się na pogrzebie. Wtem usłyszał gniewne fuknięcie żony.

– Widzę przewoźnika Wagnera. Jak ten człowiek śmie nas prowokować? Ottokarze, nie zlecisz mu już żadnego transportu z naszego folwarku!

– Powiadasz, że Wagner przyjechał na pogrzeb? – zdziwił się jej mąż, a jednocześnie pomyślał: Jak mam powiedzieć Malwinie, że nie mam innego wyjścia, muszę korzystać z usług Wagnera, bo inaczej nie mielibyśmy co począć z nadwyżką zbiorów? Wagner na trasie od Heiligenbeilu po Zinten nie ma konkurencji, a ściągnięcie powozów z Braniewa albo Królewca byłoby nie tylko niepewne, ale też z powodu ceny uszczupliłoby potężnie zyski ze sprzedaży.

– Coś takiego! – wykrzyknęła w tym momencie ze złością Malwina.

Jej zachowanie zaczęło powoli działać Ottokarowi na nerwy.

– Co się dzieje?

– Właśnie nadjechał graf Elchberg i kilku innych sąsiadów. Jest ich coraz więcej! Co ci ludzie sobie właściwie myślą? Przecież muszą wiedzieć, że biorąc udział w pogrzebie tego starego kanciarza, występują przeciwko nam.

Malwina nie posiadała się z gniewu i chciała wrócić do obserwacji cmentarza, ale Ottokar stanął obok i sam spojrzał przez lornetkę.

– Zebrali się prawie wszyscy sąsiedzi! No cóż, jeśli uważają, że z powodu stryja muszą stać na tym zimnie, mają do tego prawo. Potem na pewno przyjadą złożyć nam kondolencje i z zadowoleniem napiją się rozgrzewającego grogu. Malwino, nakaż kucharce, aby przygotowała poczęstunek dla gości. Pastorze, zostanie pastor jeszcze, prawda? I wyjaśni paniom i panom, że sumienie nie pozwoliło mi towarzyszyć do grobu człowiekowi, który porzucił wiarę.

Ottokar von Trettin był przekonany, że sąsiedzi biorący udział w pogrzebie przybędą następnie do pałacu. Tym bardziej był więc rozczarowany, gdy zaraz po pochówku powsiadali do swoich powozów oraz sań i ruszyli w drogę powrotną, nie składając wizyty w pałacu.

– To jest afront, którego nie będę tolerował – powiedział rozeźlony.

Wtedy do drzwi zapukała nieśmiało młoda służąca.

– Czego chcesz? – zapytał warkliwie.

– Kucharka prosi przekazać, że przygotowała już grog.

– Nie potrzebujemy grogu. Idź sobie! – zawołała Malwina, chwytając rózgę, której nigdy na długo nie wypuszczała z ręki, ale przestraszona dziewczyna zdążyła uciec. Malwina ze złością smagnęła powietrze i spojrzała gniewnie na duchownego. – Wszystko przez pastora! To pastor powinien zmusić starą Mienę do milczenia! To babsko nadal rozpowiada w powiecie, że mój mąż ponosi winę za śmierć swojej kuzynki i jej rodziny, bo ich nie zbudził. A przecież był w tym czasie w drodze do Królewca. Sam diabeł chyba tylko wie, co ta stara czarownica naprawdę widziała. W każdym razie nie mojego męża.

Na szczęście dla Ottokara pastor patrzył w tym momencie na Malwinę, a nie na niego. Ordynat zbladł bowiem i zaczął nerwowo mrugać. Na krótką chwilę zasłonił twarz dłońmi. Wiedział aż za dobrze, jak doszło do pożaru w obejściu nauczyciela. Gdy dopadały go czarne myśli, wydawało mu się, że słyszy nawet wołanie: „Morderca! Morderca!".

Odrzucił szybko tę myśl, jak nieraz już do tej pory, i zwrócił się do pastora:

– Trzeba coś z tym zrobić! Jeśli Miena będzie nadal rozpowiadała to kłamstwo, każę ją przegnać z chaty, nieważne, czy będzie mróz, czy śnieg na wysokość sążnia.

– Korda też musisz przegonić! – dodała czerwona z gniewu Malwina. – Oboje opowiedzieli się po stronie Wolfharda i muszą ponieść konsekwencje.

Pastor miał już poprosić o łaskę dla Mieny i Korda, ale gdy spojrzał na rozgniewane twarze gospodarzy, ugryzł się w język. Bóg jest miłosierny i zajmie się tamtą dwójką, a jeśli nie, to z pewnością dlatego, że ciążą na nich grzechy.

– Florinie, gdzie jesteś? – zawołał głośno Ottokar.

Po chwili do środka wszedł stangret i się ukłonił.

– Jaśnie pan ma jakieś życzenie?

Florin nie patrzył na Ottokara von Trettina i unikał jego wzroku. Jego panu się to nie spodobało.

– Każ zaprzęgać! Chcę pojechać do domu stryja i zobaczyć, w jakim stanie mi go zostawił. Poza tym przywiozę tu Lorę. Niech ochmistrzyni przygotuje dla niej izbę.

– Lora może razem z innymi dziewkami spać w kuchni – jadowitym głosem powiedziała Malwina.

Jej mąż uniósł rękę uspokajającym gestem.

– Musimy dbać o nasz wizerunek. Niestety, Lora jest naszą krewną. Źle by nas oceniono, gdybyśmy traktowali ją jak zwykłą służącą.

– Na nic lepszego nie zasługuje!

Malwina potrząsnęła pięściami, ale ona też rozumiała, że lepiej będzie zachować pozory. W duchu przysięgła sobie, że pokaże Lorze jej miejsce.

Tymczasem jej mąż się zorientował, że Florin wciąż jeszcze stoi w salonie.

– Masz zaprzęgać! – wrzasnął na niego.

Florin zbladł i wskazał ręką na zewnątrz.

– Jaśnie panie, nadciąga śnieżyca. Jeśli dopadnie nas w drodze, konie mogą utknąć, nawet jeśli weźmiemy sanie, a nie powóz.

Zdenerwowany Ottokar podszedł do okna i spojrzał na ciemne, nisko wiszące chmury. Śnieg już padał gwałtownie, a myśl, żeby przy takiej pogodzie wyjść z domu, była mało zachęcająca.

– W takim razie jutro tam pojedziemy – burknął i chciał odejść od okna, ale wtedy Malwina podała mu lornetkę.

– Popatrz, Fridolin został grabarzem. Co za wstyd, że ktoś taki jest naszym krewnym!

XIII

Fridolin spędził tę noc u Korda. Na dworze wył wiatr i intensywnie padał śnieg, oni tymczasem siedzieli obok pieca, popijali grog z własnoręcznie pędzonej jałowcówki i rozmawiali o Wolfhardzie von Trettinie. Kord miał wiele do powiedzenia o swoim dawnym panu, a ponieważ Fridolin przez wiele lat podczas wakacji spędzał co roku kilka tygodni na Trettinie, wywiązała się ożywiona wymiana zdań.

– Przynajmniej pan Wolfhard nie musi się już przejmować swoim bratankiem. Na Boga, cóż za okropny człowiek z tego pana Ottokara! – westchnął Kord. – Nawet nie pozwolił pochować stryja w krypcie rodu Trettinów.

– Ottokar jest tak zawistny, że wydłubałby drugiemu człowiekowi oczy – odpowiedział Fridolin tonem gorzkiej kpiny. – Nie potrafił nawet poczekać, aż stryj umrze, tylko za życia musiał odebrać mu majątek. Nie spodziewałem się po nim takiego szubrawstwa. Musiał porządnie oczernić stryja i mieć dużą siłę przekonywania, żeby przeciągnąć sąd na swoją stronę. – Fridolin wypił łyk z parującej filiżanki. – Ale ten twój grog jest mocny, Kordzie. Jeśli wypiję go więcej, to zaraz stoczę się na podłogę. No cóż, tak naprawdę to nie potrzebuję się staczać, bo już jestem na dnie.

– Znowu jest pan goły, panie Fridolinie?

– Co to niby ma znaczyć „znowu"? Właściwie to ciągle jestem goły. Dlatego żyję w miarę cnotliwie, bo brakuje mi mamony na wyskoki, a nie tak łatwo jest ją zdobyć. Lichwiarz żąda zabezpieczenia, którego nie mam, w bankach panowie dyrektorowie, gdy przychodzę zaciągnąć kredyt, każą mówić, że są nieobecni, a wśród ludzi mojego stanu cieszę się fatalną opinią, zwłaszcza przez oszczerstwa Ottokara. Nie dostałbym od nich nawet kromki chleba z masłem, a co mówić o pożyczce.

Ponieważ Fridolin, powiedziawszy te słowa, zaśmiał się cicho, Kord uznał, że młody pan wcale nie żałuje, że żyje tak, jak żyje.

– Szkoda, że to nie pan jest spadkobiercą. Przyniósłby pan chlubę swojej rodzinie.

– Nie wydaje mi się!

Fridolin pomyślał o właścicielce berlińskiego burdelu, z którą łączyła go upojna przyjaźń, i o kilku znajomych, którzy również nie za bardzo nadawali się do tego, żeby pokazywać się z nimi w towarzystwie. Potem machnął ręką, wyrzucając tę myśl z głowy.

– Nie o mnie powinniśmy się martwić, lecz o Lorę. Gdybym mógł, chciałbym nie dopuścić, by trafiła w ręce Ottokara i Malwiny.

– Gdyby starszy pan żył choć pół roku dłużej, spróbowałby wydać Lorę za pana, panie Fridolinie!

Kord był bardziej wtajemniczony w zamiary starego pana von Trettina niż ktokolwiek inny i wolałby to rozwiązanie od ucieczki Lory do Ameryki.

Fridolin roześmiał się dźwięcznie.

– Na Boga, dziewczyna może się cieszyć, że do tego nie doszło. Jest biedna jak mysz kościelna, a ja nie mam ani talara w kieszeni. Nie sądzę, żeby odpowiadało jej takie życie.

Kord stwierdził, że Fridolin bardziej przejmuje się Lorą niż sobą i choć zgrywa lekkoducha, można na nim polegać. Mało kto zdecydowałby się na uciążliwą podróż z Berlina do Prus Wschodnich po to tylko, żeby wziąć udział w pogrzebie. Dlatego Kord pożałował jeszcze bardziej, że z wcześniejszych planów jego pana nic nie wyszło. Za kilka miesięcy Lora skończyłaby szesnaście lat i tym samym mogłaby wyjść za mąż. A dzięki pieniądzom, które Wolfhard von Trettin dał jej na drogę, młodzi byliby w stanie rozpocząć nowe życie.

Ale chwilę potem Kord przypomniał sobie, że Ottokar nie dałby wtedy za wygraną i na pewno pozwałby Lorę, żeby dopaść rzekomo ukradzione pieniądze. Zagarniając Trettin, otrzymał już od losu więcej, niż mógłby to sobie wymarzyć jako młodzieniaszek.

Ponieważ tego typu refleksje były bezcelowe, Kord z powrotem skierował uwagę na swego gościa i na nowo napełnił szklanki grogiem. Na zewnątrz zawieja szalała tak mocno, że nawet w ciepłej izbie ogarniał człowieka strach. Chociaż stary parobek zamknął okiennice, a okna uszczelnił pakułami, to przez szczeliny wpadały małe płatki śniegu. Przez chwilę leżały na podłodze, a potem topniały, tworząc kałużę, która stawała się coraz większa.

– Jak pan uważa, panie Fridolinie, czy to już aby nie pora, by położyć się do łóżka?

Fridolin wstał, ale natychmiast musiał się przytrzymać stołu, żeby się zanadto nie zachwiać.

– Twój grog ma swoją moc! Trudno ustać po nim na nogach – powiedział, uśmiechając się nieco żałośnie.

Po chwili obaj leżeli pod pierzyną. Fridolin szybko zapadł w sen, Kord natomiast myślał o wnuczce swojego pana. Miał nadzieję, że jej statek nie trafi na morzu na taką zawieruchę, jaka rozpętała się tutaj.

XIV

Następnego ranka żywioły się wyszalały i okolica leżała spowita grubą białą pierzyną. Kord poczuł ulgę, że pogoda się poprawiła, bo z miasta miał przyjechać doktor Mütze, żeby przejąć w posiadanie domek myśliwski. Dotychczas odwlekał to, mając na względzie swego zmarłego przyjaciela. Ale teraz Wolfhard von Trettin leżał w ziemi, a życie musiało toczyć się dalej.

Gdy Fridolin się obudził, Kord dał mu gorącej wody, żeby mógł się umyć i ogolić, a w tym czasie przygotował śniadanie.

– Nie mogę panu, panie Fridolinie, zaproponować takich delikatesów, jakie przygotowuje kucharka doktora Mütze, ale owsianką też można się najeść.

Co powiedziawszy, nałożył do misek gęstej owsianki z suszonymi owocami i jedną podał gościowi.

Fridolin zjadł skromny posiłek z apetytem. Zdziwił się, widząc, jak biednie żyje Kord. W majątku zbierano dość zboża i ubijano dość zwierząt, żeby można było dobrze zaopatrzyć wszystkich ludzi, a ponadto dużą część artykułów sprzedawano z zyskiem. Mały przydział dla Korda wynikał z pewnością z zemsty Ottokara, bo stary parobek pozostał wierny staremu panu.

– Ale z niego podły szczur, co nie?

Chociaż Fridolin nie użył imienia, Kord natychmiast zrozumiał, o kim młodzieniec mówi.

– Zgadza się, panie Fridolinie. Nie mogę jednak nic powiedzieć, bo wygna mnie z chaty. Prawdopodobnie i tak to zrobi, bo oddałem staremu panu ostatnią posługę.

Na te słowa Kord posmutniał. Pomyślał, że najlepiej by było, gdyby też spoczął na cmentarzu, tak jak spoczęła jego żona, przedwcześnie zmarłe dzieci, a teraz także pan von Trettin.

– Może doktor Mütze zdoła ci pomóc. Chce przecież zatrzymać domek myśliwski. Będzie potrzebował kogoś do pilnowania i utrzymania porządku – zasugerował Fridolin.

Kord uniósł głowę i spojrzał na młodzieńca z nadzieją w oczach.

– Sądzicie, że doktor by mnie najął?

– Porozmawiam z nim – zapewnił Fridolin i zajął się resztą owsianki.

Po pewnym czasie usłyszeli przejeżdżające obok chaty dwa zaprzęgi. Kord podszedł do okna i wyjrzał na zewnątrz. Na jego twarzy pojawiło się obrzydzenie.

– Pan Ottokar jedzie jednymi saniami, a na drugich jest cała zgraja parobków. Nie mam pojęcia, dokąd się kierują.

– Zapomnijmy o Ottokarze i napijmy się lepiej grogu. Jakoś tu zimno! – Fridolin potarł sobie zziębnięte ramiona, zmuszając Korda, by ten dołożył drew do ognia.

– Pan Ottokar przydzielił mi mało drewna na opał, ale jeśli doktor pozwoli mi mieszkać w domku myśliwskim, to nie muszę oszczędzać.

Na te prostoduszne słowa Korda Fridolin postanowił w duchu, że koniecznie nakłoni lekarza, by zatroszczył się o starego parobka. To byłaby hańba, gdyby przez Ottokara ten starzec skazany był na takie nędzne życie.

– Kiedy przyjedzie pan doktor? – zapytał Kord.

– Sądzę, że jak tylko ludzie z majątku usuną z gościńca zaspy.

– W takim razie niedługo powinien już tu być.

Kord odetchnął głęboko, gdy rozległo się pobrzękiwanie dzwoneczków u sań zapowiadające przybycie lekarza. Doktor Mütze przywiózł ze sobą Wagnera.

Weszli do środka. Już na progu przywitał ich apetyczny zapach dochodzący od pieca, gdzie Kord właśnie napełniał kubki gorącym grogiem.

– Dzień dobry – powiedział doktor. Wziąwszy do ręki kubek i upiwszy łyk, dodał: – Oto odpowiedni trunek na taką pogodę!

Wagner pokiwał z uznaniem głową.

– Gorący i mocny. W mieście czegoś takiego się nie dostanie.

Spojrzał na Fridolina i uśmiechając się dobrodusznie, wyjaśnił:

– Nasz doktor Mütze uznał, że chciałby mieć przy sobie świadka, gdy będzie przejmował domek myśliwski. Mam nadzieję, że nie macie, panie, nic przeciwko temu?

– Dlaczego miałbym mieć coś przeciwko temu? Właściwie ja tu nie jestem stroną. Domek należał do mojego stryja i ten mógł go sprzedać albo pozostawić w spadku, komu chciał.

– Sprzedał go – sprecyzował lekarz.

– No i bardzo dobrze! W takim razie Lora ma przynajmniej trochę pieniędzy!

Fridolin odetchnął z ulgą i zapytał, kiedy obaj panowie zamierzają ruszyć w drogę do domku.

– Jak tylko opróżnimy kubki. Z tym że może Kord napełniłby je jeszcze raz – odpowiedział lekarz i podsunął parobkowi swoje naczynie. Wkrótce potem wsiedli na sanie. Doktor Mütze podał Fridolinowi koc, bo ten miał na sobie tylko modny płaszcz, który może pasował do miasta, ale na pewno nie spełniał swego zadania na prowincji, gdzie chłód rozsadzał nawet pnie drzew.

Konie wprawdzie stały krótko na chłodzie, ale wyglądały na zadowolone, że mogą biec dalej. Najwidoczniej znały drogę, bo woźnica nie musiał ich poganiać. Gdy lekarz i jego towarzysze podjechali pod zniszczony budynek, czekała ich niemiła niespodzianka. Przed domem stały zaprzęgi konne z Trettina, drzwi były wyłamane, a ze środka dobiegał szczekliwy głos Ottokara:

– Rozbijcie meble na kawałki! Na pewno gdzieś tam znajduje się jakaś skrytka. Ten stary cap musiał przecież gdzieś schować pieniądze.

– To już szczyt wszystkiego!

Oburzony doktor Mütze zeskoczył z sań i pobiegł do budynku. Fridolin tuż za nim. Wagner się zawahał. Popatrzył na Korda, pomagającemu woźnicy doktora wprowadzić parujące konie do małej stajni, żeby nie stały na mrozie.

Gdy doktor Mütze przestąpił próg, ujrzał z osłupieniem, że wyposażenie kuchni zostało kompletnie zdewastowane, a pachołkowie Ottokara właśnie przymierzali się rozbijać meble w salonie. Ich pan stał obok, czerwony na twarzy i wsparty o laskę.

Doktor Mütze podszedł do Ottokara i zapytał ze złością:

– Co się tu dzieje?

Policzki ordynata zadrgały, gdy tak niespodziewanie zobaczył przed sobą lekarza.

– Idź do diabła, człowieku! Nie masz tu czego szukać.

– Wręcz przeciwnie! A wy macie natychmiast przestać, rozumiecie!?

Ostatnie zdanie doktora skierowane było do parobków, którzy właśnie przewrócili szafę i zaczęli rąbać ją siekierami.

– Róbcie swoje! – rozkazał im Ottokar, chwycił lekarza i pchnął go w kierunku drzwi. – Wynocha stąd, bo poznasz mnie lepiej!

– Pan sobie teraz stąd pójdzie, panie von Trettin. To mój dom. Kupiłem go od pańskiego stryja!

Ottokar popatrzył zdumiony na doktora, a potem roześmiał się głośno.

– Ten stary cap nie miał już nic do sprzedania. Wszystko, co posiadał, należy do majątku, a tym samym do mnie. Do mnie! Zrozumiano? A teraz mówię po raz ostatni: wynocha albo za siebie nie ręczę!

Nim doktor Mütze zdołał coś odpowiedzieć, Ottokar uderzył go laską. Lekarz jęknął i się zatoczył, wpadając na Fridolina. Ten stanął między swoim kuzynem a doktorem i skrzyżował ręce na piersiach.

– Zawsze wiedziałem, że jesteś łotrem. Ale tym razem posunąłeś się za daleko. Ten dom należy zgodnie z prawem do doktora Mütze i jeśli natychmiast nie zabierzesz stąd swych ludzi…

Ottokar von Trettin przerwał mu kpiąco:

– Jeśli ktoś ma się stąd wynosić, to ty, przeklęty gołodupcu! Jak chcesz wysępić pieniądze, to próbuj gdzie indziej. To moja własność, słyszysz? Nie masz tu czego szukać.

– Kiedyś wyrażałeś się bardziej na poziomie, kuzynie – zadrwił Fridolin.

– Dla takiego łachmyty jak ty nie będę się wysilał. A tak w ogóle to gdzie ukryłeś bachora Leonory? Jestem opiekunem prawnym tej dziewuchy i pozwę was do sądu, jak mi jej natychmiast nie przekażecie.

Ottokar chwycił Fridolina za pierś i chciał nim potrząsnąć, ale młodszy kuzyn z łatwością obronił się przed jego chwytem. Wściekły ordynat uniósł laskę, żeby nią obić Fridolina jak zwykłego parobka. Ten jednak wyrwał mu laskę i prawie od niechcenia złamał ją na kolanie.

Ottokar von Trettin zaczął wrzeszczeć:

– Ty nędzny draniu, zapłacisz mi za to! Łapcie go i porządnie obijcie, żeby do końca życia pamiętał, że nie ma tu czego szukać.

Florin jako jedyny trzymał się z boku i nawet uniósł ręce w obronnym geście, ale pozostali parobkowie spojrzeli po sobie z uśmiechem i podeszli do Fridolina na rozstawionych szeroko nogach. Ottokar zatarł ręce, a jego twarz wyrażała satysfakcję, że jego kuzyn zaraz dostanie baty. Uśmiech zgasł mu jednak na twarzy, gdy Fridolin sięgnął pod płaszcz i wyciągnął mały dwulufowy pistolet, który dawał się wygodnie umieścić w kieszeni.

– Dobrze jest mieć taki drobiazg przy sobie, gdy trzeba się bronić przeciwko zbójcom i podobnym plugawcom – powiedział młodzieniec ze śmiechem i skierował broń w parobków. – Pierwszy, który zrobi krok w moim kierunku, znajdzie się za trzy dni na cmentarzu! Drugą kulę dostanie mój zacny kuzyn. Może Malwina się nawet ucieszy, gdy tak przedwcześnie zostanie wdową.

Głos młodzieńca brzmiał zdecydowanie. Ottokara von Trettina zdjął lęk.

– Nie rób głupstw, Fridolinie! – zawołał. – Jesteśmy przecież rodziną. Ja…

– Zabieraj swoich ludzi i stąd znikaj. Za szkody, które tu wyrządziłeś, zapłacisz doktorowi co do grosza. A ponieważ pytałeś o Lorę, to oświadczam, że nie mam pojęcia, gdzie przebywa. Ale jestem pewien, że niezależnie od tego, gdzie się znajduje, woli być tam niż w trettińskim pałacu.

Fridolin odsunął się na bok, żeby nieproszeni goście mogli opuścić dom, a ponieważ trzymał broń gotową do strzału, także Ottokar von Trettin, zgrzytając zębami, skierował się ku wyjściu. W drzwiach jeszcze na moment przystanął i pogroził kuzynowi pięścią.

– Policzę się jeszcze z tobą, ty draniu. A ciebie, Mütze, pozwę do sądu. Tam się okaże, do kogo należy ten dom i las. Wsadzę was obu do więzienia za uprowadzenie Lory!

Przewoźnik Wagner, który początkowo stał w sieni, usłyszawszy ostatnie groźby Ottokara, poczuł się zmuszony interweniować:

– Panie von Trettin, niech pan nie przeciąga struny. Widziałem, jak się pan tu zachowywał. Ludzie na pewno będą oburzeni na wieść, że włamał się pan do domu doktora Mütze i pobił go laską. A co się tyczy pana Fridolina, to każdy sąd honorowy uzna, że może wyzwać pana na pojedynek za pańską bezczelność. Co się zaś tyczy pańskiej siostrzenicy Lory Huppach, to pan Wolfhard jeszcze za życia wyprawił ją w podróż do Ameryki. Będzie pan mógł znaleźć jej nazwisko na liście pasażerów armatora Norddeutscher Lloyd.

– Lora pojechała do Ameryki? – zawołał przestraszony Fridolin. – Stryj chyba całkiem upadł na głowę!

CZĘŚĆ CZWARTA

Uprowadzenie

I

Wąski, dwupiętrowy dom Joego Penna stał w długim szeregu prawie identycznych budynków, ciągnącym się wzdłuż dużego basenu portowego. Tuż przy ulicy, w czarnej brei, której nie marszczyła żadna fala, bujały się setki zacumowanych łodzi i niewielkich żaglówek. Wszędzie suszyły się rozwieszone sieci i śmierdziało zepsutą rybą. Ta ulica również wyglądała na nigdy niesprzątaną, ponieważ rynsztok pełen był śmieci i brudów. Ale rozkrzyczane dzieci, które wybiegły Joemu Pennowi na spotkanie, były w miarę czyste i miały nienagannie uczesane włosy.

Mężczyzna delikatnie odsunął otaczających go chłopców na bok, podobnie jak jazgoczącą kobietę, która wypadła z domu i zalała go potokiem słów; Lora nie była w stanie niczego zrozumieć. To na pewno jego żona, missis Penn – pomyślała dziewczyna. Chyba nie jest zadowolona, że małżonek przyniósł jej takie żywe upominki. Lora drżała z zimna, strachu i skrajnego wyczerpania. Przez chwilę miała nadzieję, że zdołały ujść Ruppertowi, ale jeśli missis Penn nie zgodzi się udzielić im schronienia, to jej mąż odda je na pewno z powrotem, niewykluczone, że prosto w ręce mordercy.

Joe Penn zawołał coś do kobiety i chłopca, niosących kosz z Nati. Ci przywitali się nieśmiało z missis Penn i skierowali ze swoim bagażem do dużej kuchni, pełniącej zarazem funkcję pokoju dziennego i zajmującej większą część parteru. Stamtąd wąskimi, stromymi schodami zanieśli dziewczynkę na przystosowany do celów mieszkalnych strych. Joe Penn, cały czas z Lorą na rękach, wszedł tam w ślad za nimi. Po tym rosłym mężczyźnie nie widać było wysiłku, jakby zamiast prawie szesnastoletniej dziewczyny niósł na ramieniu co najwyżej wypełnioną puchem poduszkę. Lora odetchnęła z ulgą, gdy położył ją na wąskim, pachnącym intensywnie lawendą łóżku. Nim ogarnęły ją ciemności, zdążyła jeszcze zauważyć, że obok na wiklinowym krześle siada jasnowłosa dziewczyna i pochyla się nad nią.

Gdy Lora się ocknęła, usłyszała tuż obok kłótnię dwóch kobiet, cichą, ale pełną pretensji. W tle popłakiwało dziecko. W ułamku sekundy rozbudziła się i usiadła na łóżku, choć z trudem udało jej się otworzyć sklejone powieki. Bolała ją głowa. Miała wrażenie, że świat wokół niej się chwieje. To na pewno płacze Nati, pomyślała. Biedne dziecko mnie woła. Przez moment Lorze wydawało się, że znów znajduje się na pokładzie rozbujanego wichurą okrętu Deutschland i mimowolnie wydała z siebie okrzyk przerażenia. Ale znajdowała się tylko w pokoiku na strychu, niskim i pachnącym lawendą oraz tanią naftą do lampy. Obok starsza kobieta i siedząca w wiklinowym fotelu dziewczyna kłóciły się o sakiewkę z pieniędzmi jak psy o kość.

Dziewczyna przytrzymywała jedną ręką oparcie fotela, a drugą trzymała mocno portmonetkę, podczas gdy kobieta próbowała ją wyrwać. Wtedy zauważyły, że Lora nie śpi, i zastygły w bezruchu. Starsza kobieta, missis Penn, jak sobie przypomniała Lora, opanowała się pierwsza i zalała Lorę potokiem słów. Nie przestała trajkotać, nawet gdy Lora w geście obrony uniosła ręce i poprosiła z trudem dobranymi słowami, żeby kobieta mówiła wolniej i wyraźniej.

Dopiero gdy młodsza z kobiet pociągnęła starszą za fartuch, ta umilkła i popatrzyła z niechęcią, jak tamta drżącymi rękoma i z rumieńcem na twarzy oddaje sakiewkę, po czym powoli i wyraźnie artykułując słowa, prosi o wybaczenie. Dopiero w tej chwili Lora rozpoznała portmonetkę z pieniędzmi, którą dał jej graf von Retzmann. Spojrzała na kobiety z osłupieniem.

– Proszę... ja nie rozumiem – powiedziała.

– Och, miss, tak mi przykro. Moja matka chciała po prostu wziąć pieniądze z panienki portmonetki, miss...

– Jestem Lora, Lora Huppach. Opiekuję się komtesą von Retzmann – odpowiedziała przyjaźnie Lora. – Jeśli są wam potrzebne pieniądze, możecie spokojnie powiedzieć. Oczywiście zapłacimy za jedzenie i noclegi.

Missis Penn najwidoczniej zrozumiała, co Lora mówi, bo wymierzyła w nią palcem.

– Dziecko jest bardzo chore, a doktor przepisał drogie lekarstwa i zalecił szczególnie delikatne jedzenie. Jesteśmy biednymi ludźmi! Nie mogę gościć wielmożów, bo ledwo udaje mi się napełnić żołądki własnych dzieci. Moja najstarsza córka siedzi tu cały dzień nad szyciem i psuje sobie oczy, żeby pomóc mi wyżywić rodzinę. Nie wiem, co Joe sobie myślał, przyprowadzając tu jeszcze dwie gęby do wyżywienia, do tego chore! Ja…

– *Mom!* – przerwała jej córka. – Przestań tak pytlować. Jeszcze dziewczynka rozchoruje się przez to bardziej! Słyszysz przecież, że lady chce za wszystko zapłacić. A więc powiedz jej, ile potrzebujesz pieniędzy.

Lora skinęła głową, słysząc te słowa. Wstrzymała oddech, przeglądając banknoty. Wśród nich znalazła dziewięć niemieckich marek, stare talary, pruskie kuranty, amerykańskie dolary i kilka banknotów z napisem „Bank of England". Stary graf powierzył jej prawdziwy majątek. Wzięła jeden z angielskich banknotów i podała go missis Penn.

– Czy to na początek wystarczy? – zapytała.

Kobieta popatrzyła na banknot, potem skinęła głową i schowała go błyskawicznie. Córka popatrzyła na Lorę wielkimi ze zdumienia oczami.

– Ależ to dwadzieścia funtów! Na Boga, to więcej, niż mój ojciec zarabia w trzy miesiące. To o wiele za dużo!

Lora z uśmiechem pokręciła głową, bo z własnego doświadczenia wiedziała, jak źle opłacane są szwaczki. W gazetach w domu wyczytała też, jak mało zarabia robotnik. Futerko Nathalii na pewno kosztowało więcej niż dwukrotność tej kwoty. Wydałaby dużo większą sumę, byle ratować zdrowie, a może nawet życie dziewczynki. Dzieci tak łatwo umierają na wszelkie możliwe choroby.

– Proszę, missis Penn, niech pani weźmie pieniądze i kupi lekarstwa i dobre jedzenie dla nas wszystkich, także dla swoich dzieci! Jeśli to nie wystarczy, dam jeszcze dwadzieścia funtów. Proszę pamiętać, gdy opiekun prawny odnajdzie komtesę całą i zdrową, wypłaci pani nagrodę, co najmniej sto funtów! Obiecuję to pani!

Twarz missis Penn stała się w jednej chwili dużo przyjaźniejsza, a jej oczy zalśniły.

– A więc jeszcze dwadzieścia funtów na potrzeby małej i sto funtów nagrody? – zapytała nieufnie.

– Jeszcze dwadzieścia funtów i kolejnych sto, jeśli komtesa Nathalia von Retzmann wyzdrowieje – potwierdziła Lora, czując się jak handlarka na targu końskim. Wiedziała aż za dobrze, że bieda może uczynić człowieka łasym na pieniądze.

Missis Penn rzuciła jeszcze raz okiem na banknot, jakby nie całkiem wierzyła w jego prawdziwość, i schowała go z zadowoleniem do kieszeni fartucha.

– A ty, Mary, skończ już z tym głupim szyciem i haftowaniem – przykazała córce. – Usiądź z łaski swojej przy łóżku małej lady i zrób jej zimne okłady na łydki. Jonny przyniesie świeżej wody ze studni. Ja tymczasem pobiegnę po lekarstwa i zioła na obniżenie gorączki. Kupię też trochę cytrusów, żeby dziewczynka miała świeży sok do picia. Twoja siostra niech nagotuje posilnego rosołu! Ale nie ważcie się czegokolwiek ruszyć, póki miss i mała lady się nie najedzą!

Gdy kroki missis Penn ucichły na schodach, Mary przeprosiła wylewnie za matkę.

Lora machnęła ręką.

– Już dobrze. Najważniejsze, że moja komtesa będzie żyć! Straciła w katastrofie statku najbliższego krewnego.

Wstała, wzięła jedną z dwóch lamp naftowych i podeszła na wciąż jeszcze miękkich kolanach do Nati. Dziecko leżało w niespotykanie wielkiej rzeźbionej kołysce, której farba już się mocno złuszczyła. Nati była rozpalona. Na twarzy miała rumieńce wyglądające jak namalowane róże. Do tego w piersiach charczało jej bardziej niż dziadkowi Lory tuż przed tym, jak wysłał wnuczkę w świat. Ale dziewczynka rozpoznała Lorę i próbowała wyciągnąć do niej rączkę.

Gdy Lora się nad nią schyliła, Nati zarzuciła jej ramiona na szyję i prosiła raz za razem, by nie zostawiać jej już nigdy samej. Lora obiecała jej to i próbowała wyjaśnić, że pójdzie tylko na trochę do kuchni, żeby przygotować coś smacznego do jedzenia. Dziecko jej na to pozwoliło, lekko się nawet uśmiechnęło, po czym popatrzyło na Mary, która podeszła z trudem, wspierając się na dwóch ciężkich kulach. Dopiero teraz Lora dostrzegła, że nogi dziewczyny są równie cienkie jak kule i nie mogą unieść ciężaru jej ciała.

– O, nie! Droga Mary, proszę, nie wysilaj się. Ja sama mogę zająć się Nathalią. Przepraszam, nie zauważyłam…

– …że jestem kaleką? Mimo to nie jestem całkiem bezużyteczna! Szyję, haftuję i robię na szydełku koronki. Zarabiam na tym prawie tyle samo co ojciec!

W jej słowach zabrzmiała taka duma i pewność siebie, że Lora miała ochotę przeprosić za litość w swoim spojrzeniu.

Mary kiwnęła do niej życzliwie głową.

– Proszę, postaw mój fotel przy kołysce, a obok stolik z przyborami do szycia. Dzisiaj w nocy będę czuwać przy łóżku małej lady, a ty będziesz spała w moim łóżku.

– Ale przecież nie mogę zajmować twojego łóżka – zawołała ze zgrozą Lora. – Równie dobrze mogę się przespać na kanapie w salonie albo na sienniku w kuchni.

– Na ławkach w kuchni śpią już moi dwaj najstarsi bracia, a za zasłoną stoi łóżko moich dwóch młodszych sióstr. Tam śpi też jeszcze nasz mały braciszek, do którego należy ta kołyska. Łóżka w dwóch pokojach pod nami zajmują rodzice i pozostałe rodzeństwo. W każdym łóżku śpią po dwie osoby. Jestem jedyną, która ma łóżko tylko dla siebie. Będziemy spać w nim na zmianę.

W jej głosie brzmiała taka determinacja, że Lora nie miała odwagi się sprzeciwiać.

– Mary, ile masz rodzeństwa?

– Razem ze mną jest nas dwanaścioro. Troje umarło…

Mary cieszyła się, że ma uważną słuchaczkę. Podczas gdy matka i jej rodzeństwo jedno po drugim wnosili na górę po schodach lekarstwa, zupę, herbatę, wełniane koce, gorące cegły i zimną wodę i ciekawie spoglądali na biedną, chorą, a mimo to tak niewiarygodnie bogatą komtesę, Mary opowiedziała Lorze historię swojej rodziny, sąsiadów i innych krewnych. Nie zaśmiała się przy tym ani razu z tego, że Lora miała problemy ze zrozumieniem, lecz z wielką cierpliwością odpowiadała na jej pytania i usiłowała sprawić, by Lora szybko oswoiła się z jej rodziną i z obcym językiem.

II

– Idź sobie! Zostaw nas w spokoju! – Lora sama się zdziwiła, jak płynnie wypowiedziała te słowa po angielsku, ale Ruppert tylko ją wyśmiał i mimo szalejącego sztormu wyciągnął ręce po Nati, żeby wyrwać ją Lorze z objęć i wrzucić do kipiącego morza…

Lorę zbudził jej własny krzyk. Przestraszona rozejrzała się dookoła. Ale nie było tu żadnego Rupperta ani wysokich, wznoszących się wysoko fal. Leżała w łóżku należącym do Mary, drżała z zimna i pilnie potrzebowała nocnika. Przez małe okno w szczycie wpadało pierwsze słabe światło budzącego się świtu, a z kuchni dobiegały na górę ciche dźwięki i głosy.

Mary siedziała w wiklinowym fotelu obok kołyski ze śpiącą Nati. Angielka nawet przez sen trzymała kurczowo swoją robótkę. Lora nie pamiętała, jak położyła się do łóżka. Prawdopodobnie zasnęła, słuchając opowieści Mary. Potem ją rozebrano i naciągnięto na nią wielką jak namiot koszulę nocną. U stóp łóżka leżała jeszcze owinięta w płótno cegła, która służyła jako termofor. Płaszcz z płótna żaglowego narzucono jako dodatkowe okrycie na cienki wełniany koc.

Lora ubrała się cicho, żeby nie budzić Mary i Nati. Ale deski podłogowe piszczały i skrzypiały potwornie i natychmiast postawiły na nogi pozostałych mieszkańców domu. Nati rzucała się w kołysce i zaczęła płakać. W tej chwili do pokoju weszła na czworakach w brudnej pielusze najmłodsza z sióstr Mary, za nią przybiegła nieuczesana szczerbata dziewczynka, która ciekawie zajrzała do kołyski, po czym chwyciła uciekinierkę i ściągnęła na dół po schodach jak worek mąki. Następnie zjawiła się missis Penn i przyniosła miskę ze świeżym rosołem, dzbanek z pachnącą herbatą i czysty basen, z którego Nati natychmiast skorzystała.

Gdy już jako tako zadbano o małą komtesę, Prudence, druga pod względem wieku córka Pennów, zaprowadziła Lorę do małej lodowatej szopy za domem i pokazała jej latrynę. Z dumą wyjaśniła, że wychodek jako jedyny w okolicy stoi przy samym domu i jest do wyłącznego użytku ich rodziny. Gdy Lora skończyła, Prudence zaprowadziła ją do kuchni i wyrzuciła braci, żeby gość mógł się spokojnie umyć.

Lora w towarzystwie Prudence zjadła małe śniadanie. Radowała ją spokojna, naiwna, ale dość pouczająca paplanina dziewczęcia oraz życzliwość i ofiarność pozostałych członków wielodzietnej rodziny – chociaż na początku ona i Nati spotkały się z niechęcią ze strony missis Penn. Lorze nie przeszkadzała świadomość, że zawdzięczają to nade wszystko dwudziestofuntowemu banknotowi.

Płacz i marudzenie Nati wezwały ją szybko z powrotem na górę, gdzie Mary leżała w łóżku i cicho chrapała. Lora podała dziewczynce herbatkę zbijającą gorączkę i położyła jej na czole ściereczkę zanurzoną w wodzie lawendowej. Przy tym musiała kilkakrotnie powtarzać, że nie zamierza małej komtesy opuścić. Potem przesunęła kołyskę i wiklinowy kosz bliżej ściany, ciepłej od murowanego komina, który ogrzewał wszystkie piętra małego domu. Mimo to musiała się owinąć wełnianym kocem, zanim usiadła wygodnie w fotelu z robótką Mary w rękach, ponieważ wilgotne zimno wdzierało się przez wszystkie szczeliny. Następne godziny minęły szybciej, niż się tego spodziewała. Zajmując się Nathalią, drobnym ściegiem dokończyła bluzkę, szykowaną przez Mary dla małżonki jednego z miejscowych notabli. W tym czasie na zmianę przychodzili do pokoiku na poddaszu matka i rodzeństwo Mary, przyprowadzając ciekawskich sąsiadów. Ci, których było na to stać, przynosili małe prezenty, inni coś do jedzenia albo przynajmniej najnowsze wieści. Otyła, silnie pocąca się kobieta opowiedziała, że udało się jeszcze uratować żywą dwu- lub trzyletnią dziewczynkę podróżującą parowcem Deutschland, dziecina jednak zmarła w ramionach matki podczas rejsu do Harwich.

Lora przypomniała sobie jak przez mgłę maleńką Paulinę i jej matkę, które też znalazły schronienie w takielunku. Dziewczynka w mokrych, klejących się do ciała ubrankach już podczas znoszenia z masztu przypominała bardziej woskową lalę niż żywą istotę. To samo mogło stać się z Nati, gdyby Lorze nie udało się zapewnić dziecku ciepła i ochrony przed wodą. Ale wciąż jeszcze życie dziewczynki było zagrożone. Mimo lekarstw, kompresów na łydki i wszystkich herbatek już koło południa znowu wzrosła jej gorączka. Oddychała tak ciężko, jakby się miała udusić.

Pospiesznie wezwany lekarz przepisał inne lekarstwo oraz zalecił wypocenie się w okładzie z liści brzozowych. Lora musiała się powstrzymać, żeby nie okazać po sobie gniewu. Skąd, na Boga, miała wziąć o tej porze roku liście brzozowe? Mary ją jednak uspokoiła. Aptekarz wiedział, co zaleca doktor, więc zapełnił całą szopę suszonymi liśćmi brzozy. Najstarsi bracia Mary natychmiast do niego pobiegli, żeby kupić worek.

Gdy wrócili, opowiedzieli ze śmiechem, że zaczepił ich znany w mieście włóczęga – mężczyzna, który środki do życia czerpał z prac dorywczych, a czasem ktoś kupił mu w pubie piwo w zamian za różne nowinki i plotki. Ów mężczyzna chciał wiedzieć wszystko o Lorze i Nati, nawet gdzie śpią. Chłopcy, którzy niespecjalnie lubili tego człowieka, poinformowali go żartem, że obie dziewczyny mieszkają w piwnicy, gdzie ojciec urządził mieszkanie, żeby je odpłatnie wynajmować. W rzeczywistości jednak pomieszczenia piwniczne nie nadawały się do użytku, ponieważ przepływający w pobliżu strumień, występując z brzegów z powodu budowy nowej przetwórni rybnej, zalewał je raz za razem. W związku z tym w piwnicy nie czuły się dobrze nawet szczury i pluskwy. Obaj chłopcy ubawili się, wprowadzając mężczyznę w błąd, i planowali, że naopowiadają mu jeszcze innych bajeczek. Ale Lora poczuła niepokój. Za tym mógł się kryć Ruppert. Wyglądało na to, że je znalazł.

Dopiero pod wieczór, gdy wszyscy ciekawscy goście już sobie poszli, znalazła okazję, żeby porozmawiać z Mary o niebezpieczeństwie, w którym znajdowała się Nati. Niepełnosprawna dziewczyna sprawiała wrażenie, że po cichu rządzi rodziną. Potrafiła utrzymać w ryzach zarówno porywczego ojca, jak i nerwową i przemęczoną obowiązkami domowymi matkę. Teraz Lora opowiedziała dziewczynie swoją historię, począwszy od dnia, kiedy musiała opuścić dom dziadka, a skończyła na groźbach, które na pokładzie holownika Liverpool rzucał pod jej adresem Ruppert. Wyznała też, że ma w posiadaniu listy i dokumenty grafa, ale poprosiła Mary, by ta nikomu, nawet rodzicom, o tym nie mówiła.

Mary cierpliwie jej wysłuchała, przyglądając się jednocześnie z rosnącym zadowoleniem bluzce zszywanej przez Lorę. Na koniec pokiwała w zamyśleniu głową.

– Cóż za okropna historia. Ten Ruppert musi być bardzo złym człowiekiem. Na pewno skończy w najgłębszych czeluściach piekła. Ale skoro wszyscy uważają, że śmierć grafa Retzmanna była wypadkiem, to ten człowiek wciąż jeszcze cieszy się ogólnym szacunkiem. Jako arystokrata jest nie do ruszenia. Jeśli powiesz coś przeciwko niemu, wszyscy uznają cię za wariatkę. Nikt nie uwierzy w taką historię biednej dziewczynie. Dlatego radzę ci, żebyś zachowała to dla siebie. Zostań u nas, droga Laurie, póki nie przyjedzie niemiecki pan z Norddeutscher Lloyd, żeby was zabrać. Jemu możesz opowiedzieć to, co wiesz, a wtedy wszystko będzie dobrze.

– A jeśli Ruppert planuje coś nam zrobić? – zapytała Lora. – Wciągam was wszystkich w tę sprawę. Możecie przez nas ucierpieć.

Mary próbowała ją uspokoić.

– A co ten człowiek może zrobić? Przecież nie przyjdzie tak po prostu do naszego domu i nie zabije naszej małej lady.

Lora westchnęła.

– Ja też mam taką nadzieję. Ale teraz musimy zająć się Nati. Mam wrażenie, że biedactwo czuje się trochę lepiej.

Faktycznie po wypoceniu się i po zażyciu nowego lekarstwa gorączka dziewczynki zmalała. Nati oddychała też nieco swobodniej. Ale to wszystko nie ułatwiało pracy obu opiekunkom. Dziecko uporczywie marudziło, co męczyło nawet Mary. Przez całą noc mała dawała się obu dziewczynom we znaki. Reszcie mieszkańców domu również zakłócała zasłużony sen. Missis Penn wstawała za każdym razem naburmuszona, żeby sprawdzić, czego Lora znowu szuka w spiżarce albo na kuchni. Ale pomagała jej, nie skarżąc się ani nie marudząc. Od czasu do czasu napomykała, żeby Lora powiedziała opiekunowi Nati, jak dobrze zajmowali się małą komtesą.

Następnego ranka Jonny przyniósł wiadomość, że ktoś zbił szybę okna w piwnicy. Ponieważ nic nie skradziono, a Mary i Lora nie wspomniały o swoich podejrzeniach, włamanie pozostało zagadką i zajmowało sąsiadów przynajmniej do czasu, póki ich uwagi nie zajęły najnowsze wiadomości z portu.

Stary holownik Liverpool popłynął poprzedniego dnia jeszcze raz do wraku transatlantyku Deutschland i wrócił wieczorem z ciałami rozbitków, które zdołano wydobyć z górnego salonu i z maszynowni. Między nimi znajdowały się też cztery spośród pięciu franciszkanek, których smutny los dał mnóstwo tematów do rozmów mieszkańcom przyportowej ulicy, będącym w przeważającej części katolikami.

Około południa Nati znów zaczęła silniej gorączkować i trzeba jej było zrobić okłady z liści brzozowych, ale żadna z sąsiadek nie przejmowała się małą pacjentką ani jej przemęczonymi opiekunkami. Przychodziły po dwie albo trzy i ledwo jedne wyszły, wchodziły następne. Każda z nich pytała Lorę, czy katolicy są w Niemczech prześladowani. Początkowo Lora nie rozumiała, o co im chodzi, i ze zdziwieniem dopytywała, co mają na myśli.

– Co takiego ma się niby dziać w Niemczech?

– *Kul-tur-kampf* – przeliterowała jedna z kobiet, która trzymała w ręce nieco starszą londyńską gazetę, służącą jej za papier pakowy. – Bismarck walczy z Kościołem katolickim. Co to oznacza, miss Laurie? Czy cesarz i kanclerz Niemiec są w stanie wojny z Watykanem?

– O nie, z całą pewnością nie! – zawołała Lora, tłumiąc śmiech, chociaż wcale jej to nie bawiło. Przypomniała sobie, co mówił jej dziadek i co wyczytała w politycznych czasopismach, które okrężnymi drogami trafiły do ich biednego domu i często miały już po kilka miesięcy. – Nie chodzi o wojnę, tylko o spór polityczny. Reichstag postanowił, że w szkołach publicznych mogą nauczać tylko świeccy nauczyciele, a nie duchowni, księża, mnisi czy zakonnice. Siostry zakonne mogą teraz pracować tylko jako pielęgniarki. Ale osoby duchowne nie mogą być zatrudniane tylko w szkołach państwowych. Nie dotyczy to tych szkół, które należą do Kościoła, tak przynajmniej sądzę.

– Ale tu piszą coś o zakazie pracy dla katolików. Czy wierni w Niemczech muszą iść na żebry, bo nie wolno im pracować? – zapytała inna sąsiadka tym samym tonem, a jej córka zapytała Lorę, czy Bismarck nie jest Lucyferem we własnej osobie, bo na pewno kryje w butach końskie kopyta.

Lora nie wiedziała, co ma na to odpowiedzieć, ponieważ jej dziadek bardzo cenił księcia Ottona von Bismarcka, dlatego rozpaczliwie szukała odpowiednich słów.

– Nie, oczywiście, że nie! Naprawdę chodzi tylko o publiczne szkoły i przedszkola w Rzeszy Niemieckiej. Reichstag nie chce zatrudniać nauczycieli ani opiekunów, którzy są katolickimi duchownymi. W Niemczech można wierzyć, w co się chce, i nikt nie jest pozbawiany pracy tylko dlatego, że jest katolikiem.

Jedna z kobiet dowiedziała się od innych rozbitków, że Lora podróżowała z pięcioma franciszkankami i prawdopodobnie też zamierza zostać zakonnicą. Plotka rozniosła się błyskawicznie, a ponieważ także wszystkie gazety w okolicy na stronach tytułowych rozpisywały się o zatonięciu transatlantyku Deutschland i śmierci franciszkanek, Lora znalazła się w centrum zainteresowania. Z terenu wokół starego portu rybackiego schodziły się kobiety, żeby dowiedzieć się czegoś z pierwszej ręki o biednych zakonnicach, które w oczach angielskich katolików poniosły męczeńską śmierć za wiarę.

Nadaremnie Lora próbowała tłumaczyć, że tak naprawdę to nawet nie poznała dobrze franciszkanek i w żadnym razie nie zamierza wstąpić do zakonu.

Oblegano ją przez dwa dni, podczas gdy ona zajmowała się ofiarnie Nati, której stan zdrowia nie chciał się wyraźnie poprawić. Na szczęście pomagały jej Mary, Prudence i missis Penn. W przeciwieństwie do Lory rodzina Pennów nie miała nic przeciwko ciągłym wizytom, ponieważ wszyscy poza dwójką najmłodszych szkrabów rozkoszowali się popularnością zdobytą za sprawą Lory i Nati i potrafili to zainteresowanie zamienić na brzęczącą monetę.

Finansowe problemy dziadka sprawiły, że Lora stała się wyczulona na punkcie pieniędzy, tak że nie umknęło jej, iż missis Penn przyjmuje prezenty od odwiedzających rodzinę kobiet, a potem każe synom, by wszystko natychmiast spieniężyli. Gdy dziewczyna wspomniała o tym Mary, ta wyjaśniła, że pewien sklep w dzielnicy wyspecjalizował się właśnie w tego typu handlu.

– To powszechne – mówiła dalej Angielka. – Pomaga obu stronom zachować twarz, tak że nikt nie musi żądać od sąsiada pieniędzy za przysługę. Zresztą ja też czerpię korzyści z tylu gości, bo mam więcej zleceń na szycie i hafty. Przynajmniej do samej Wielkanocy będę musiała się sprężać, żeby się wyrobić. A proponowane wynagrodzenie przewyższa nawet zwykłe stawki.

– Cieszę się.

Mimo niepokoju o Nati Lora poczuła ulgę, że gościna, którą Pennowie okazali im dwóm, opłaciła się tym poczciwym ludziom również pod tym względem.

III

Na trzeci dzień późnym przedpołudniem przyszła z wizytą wysoko postawiona dama, która należała do najlepszych klientek Mary. Na obfitym biuście nosiła rzucający się w oczy krzyżyk, a wokół nadgarstka miała owinięty różaniec, który raz za razem odwijała, żeby przewinąć przez palce kolejne perełki. Dopytywała się przy tym dokładnie o los Lory i jej samopoczucie, a potem zaprosiła dziewczynę, by wspólnie udały się do kościoła, gdzie czekały na swą ostatnią podróż cztery trumny z martwymi zakonnicami.

– Ciała biednych siostrzyczek – powiedziała z namaszczeniem – zostaną dzisiaj w południe przewiezione koleją do Londynu. Do pociągu odjeżdżającego o pierwszej po południu Towarzystwo Kolejowe doczepi dodatkowy wagon ozdobiony krepą. W Stratfordzie, dzielnicy Londynu, znajduje się klasztor franciszkański i na tamtejszym cmentarzu zakonnice, niech im ziemia lekką będzie, zostaną jutro pochowane po wielkiej ceremonii pogrzebowej. Przedtem nasz ksiądz, wielebny Emend, odprawi mszę dla naszej parafii, ponieważ większość z nas nie będzie mogła pojechać do Londynu.

Lora spojrzała ze zdumieniem na damę.

– Zawsze myślałam, że katolicy są w Anglii prześladowani i muszą się kryć z wiarą przed władzami. W każdym razie tak mówiono u nas w domu i w kościele. Jak jest naprawdę?

Dama roześmiała się tak niestosownie głośno, że Nati zaczęła płakać.

– Ach, moja droga dziewczyno, te czasy już dawno minęły. W końcu żyjemy w dziewiętnastym wieku, a nie w średniowieczu! Obecnie katolicy noszą głowy równie wysoko, co anglikanie. Zobaczysz, w Anglii nikt nie będzie robił ci problemów z powodu wiary. Tu jesteś bezpieczna przed złym Bismarckiem, który prześladuje katolików w Niemczech.

Lora mruknęła coś uprzejmie w odpowiedzi, bo nie zamierzała korygować poglądów korpulentnej damy. Próbowała to zrobić w przypadku kobiet z dzielnicy, ale bezskutecznie.

W końcu dama zaczęła mówić o mszy żałobnej; miała zostać odprawiona nie tylko za dusze zakonnic, ale też za dusze wszystkich, którzy zginęli na pokładzie transatlantyku Deutschland.

– Na pewno będziesz chciała uczestniczyć w tym nabożeństwie, moje dziecko – powiedziała w końcu, zapraszając także missis Penn.

Podczas gdy ta ostatnia z radością przyjęła zaproszenie, Lora zaczęła się wymawiać, twierdząc, że nie może zostawić Nati samej. Ale obie kobiety przekonywały ją tak umiejętnie, że musiała ustąpić. Gdyby dalej wzbraniała się tak zawzięcie, źle by to odebrano, a nawet naraziłaby na uszczerbek dobrą opinię rodziny Pennów. Mary, która nie mogła iść o kulach po rozmokłym śniegu, i jej bracia obiecali, że będą uważać na Nati i ją chronić. Chłopcy z powodu kilku nieprzystojnych figli nie mogli i tak pokazywać się w kościele aż do Bożego Narodzenia i wyglądali na zadowolonych, że zostali mianowani strażnikami „małej księżniczki".

Gdy Lora chciała wyruszyć w drogę, Mary na siłę pożyczyła jej swój płaszcz zimowy.

– W tej cienkiej jesionce – powiedziała i wskazała wełniany jasnobrązowy płaszczyk, który Lora nosiła pod sztormiakiem od dziadka – zamarzniesz, nim znajdziesz się w kościele!

Lora nie sprzeciwiała się, chociaż była innego zdania. W Anglii o tej porze roku było o wiele cieplej niż w Prusach Wschodnich, chociaż również o wiele wilgotniej. Ale ciemny przyodziewek lepiej pasował do smutnej okazji. Dlatego przyjęła płaszcz Mary, podziękowała i musnęła wzrokiem komodę pod oknem, w której leżał ukryty okropny sztormiak razem z jego cenną zawartością. Mary dojrzała jej spojrzenie i skinęła konspiracyjnie głową. Od niej, obiecała to Lorze, nikt nie dowie się o schowanych dokumentach.

Przez moment Lora zapragnęła znaleźć równie dobrą skrytkę dla Nati. W ostatnich dniach z troski o zdrowie dziecka i z powodu inwazji gości rzadko myślała o Ruppercie, mimo że ktoś włamał się do piwnicy. Ale teraz uświadomiła sobie, że dom będzie przez dwie, trzy godziny pusty. Na tę myśl poczuła niemal fizyczny ból. Dwaj chłopcy w wieku dwunastu i czternastu lat niewiele poczną, gdy na ich drodze stanie mężczyzna, który z chęci zysku zaryzykował własne życie, żeby na oczach wszystkich popełnić morderstwo, udając, że doszło do nieszczęśliwego wypadku. Wahała się i chciała już powiedzieć, że nie pojedzie, ale stangret damy podniósł ją i usadził obok swojej pani w otwartym powozie, po czym opatulił ją sprawnie w koc z owczej wełny. Potem wskoczył na kozioł, zwolnił hamulec i cicho cmoknął. Oba deresze ruszyły przed siebie, ciągnąc powóz.

Przejeżdżając przez dzielnicę portową, Lora rozglądała się nerwowo, ale nie dostrzegła ani Rupperta, ani nikogo, kto by ją śledził na jego zlecenie. Ale to nie przyniosło jej ulgi. W wyobraźni widziała Rupperta wyskakującego zza każdego rogu, celującego w nią z pistoletu i żądającego wydania Nati. Dama dostrzegła niepokój Lory i chwyciła jej dłoń.

– Wiem, dziecko, że nie jest łatwo stanąć przed trumnami tych, których się kochało i czciło. Bądź dzielna, moja mała niemiecka panienko. Twoje towarzyszki i opiekunki są teraz pod dobrą opieką u Najświętszej Panienki i jej syna Jezusa Chrystusa. Na pewno patrzą już na ciebie z góry i będą ci towarzyszyć jako anioły stróże, gdzie tylko się znajdziesz. Pomyśl, jak będą się cieszyć z twoich modlitw. Na pewno później, gdy twoja podopieczna wyrośnie spod twojej opieki, pójdziesz w ślady czcigodnych sióstr i sama wstąpisz do zakonu. Gdyby brakowało ci potrzebnego posagu, pomogę ci, obiecuję. Zorganizuję bal charytatywny, podczas którego możemy zebrać tyle pieniędzy, że wystarczy ci na wstąpienie do angielskiej gałęzi zakonu. W naszej pięknej, starej Anglii na pewno będziesz się czuła jako zakonnica szczęśliwsza niż po tamtej stronie oceanu, w Stanach.

Lora popatrzyła na kobietę bez zrozumienia. Ale gdy dama tym samym namaszczonym tonem mówiła dalej, dziewczyna pojęła, o co jej chodzi. Ta kobieta też była w pełni przekonana, że Lora chce zostać zakonnicą i w tej chwili wstrzymuje ją przed tym jedynie odpowiedzialność za sierotę. Tym samym nad Lorą zawisło kolejne niebezpieczeństwo. Przecież nie jest jeszcze pełnoletnia i przebywa w obcym kraju bez rodziny i opiekuna prawnego. Niewykluczone, że angielskie władze z miejsca umieszczą ją w klasztorze, bo będą myślały, że już w Niemczech została przeznaczona do życia zakonnego. Lora zastanawiała się, kto rozpuścił tę plotkę i czy nie zrobił tego w jakimś określonym celu. Z pewnością inni pasażerowie powiedzieli jej gospodarzom, że podróżowała z zakonnicami, i być może zostało to źle zrozumiane przez tutejszych pobożnych katolików. Ale równie dobrze za tą gadaniną mógł stać Ruppert. Jemu na pewno by pasowało, gdyby zniknęła za murami klasztornymi, a on tymczasem bez problemu uzyskałby od tutejszych władz prawo opieki nad Nathalią.

Lora była tak przejęta, że w ogóle nie dostrzegała, co się wokół niej dzieje. Myśli kłębiły się jej w głowie i miała wrażenie, że nieuchronnie zbliża się ku skrajowi przepaści. Gdy przekroczyła próg kościoła, zaczęła podejrzewać, że w każdej chwili może podejść do niej jakiś mężczyzna w mundurze albo w sutannie, który zaciągnie ją do klasztoru.

Jej towarzyszka odbierała niepokój i nieobecność duchową Lory jako wyraz głębokiej żałoby i raz za razem głaskała ją pocieszająco po dłoni. Po mszy – która zdawała się nie mieć końca – wyprowadziła Lorę jak małe dziecko na zewnątrz i nie puszczając jej ani na chwilę, podeszła do księdza i wikarego. Obaj mężczyźni skojarzyli się Lorze z czarnymi, drapieżnymi ptakami, które miały się na nią zaraz rzucić. Ale obaj starsi, nieco rumiani panowie okazali się przyjaźni i złożyli jej kondolencje, jakby była bliską krewną zmarłych franciszkanek. Wyrazili ubolewanie, że straciła swoje opiekunki, i pochwalili ją za odwagę i zaopiekowanie się sierotą podczas strasznej katastrofy.

Wikary uśmiechnął się ze zrozumieniem do Lory.

– Missis Shelton opowiedziała nam o trudnym położeniu, w którym się teraz znajdujesz. Twoje opiekunki nie żyją, ale bądź pewna, że zrobimy wszystko, by ci pomóc, gdyby krewni dziecka nie chcieli się tobą zająć.

– Dziękuję! To bardzo uprzejme – odpowiedziała Lora.

Poczuła ulgę, gdy obaj duchowni pożegnali się i odeszli.

Za to zwróciła się do niej missis Shelton:

– Przygotowałam małą uroczystość ku czci świętej pamięci sióstr zakonnych. Chciałabym cię, moje drogie dziecko, serdecznie zaprosić.

– Bardzo chętnie, ale… nie mogę na tak długo pozostawiać mojej podopiecznej samej. Dziecko jest bardzo chore – odpowiedziała Lora, która chciała koniecznie uniknąć zaproszenia.

– Rozumiem to bardzo dobrze. Ale gdy mała komtesa wyzdrowieje, odwiedzicie mnie obie, dobrze?

Dama się uśmiechnęła i skinęła głową. Wyglądała na zadowoloną, że ma przed sobą taką odpowiedzialną dziewczynę. Potem przedstawiła Lorę innym damom z szacownych miejscowych domów. One również zapraszały Lorę, by odwiedziła je podczas wydawanych przez nie oficjalnie wieczorków, nie ukrywały jednak, że chcą od niej usłyszeć autentyczną relację z katastrofy statku, łącznie ze wszystkimi potwornymi szczegółami.

Zaproszenia dotyczyły też missis Penn, której twarz aż promieniała radością. Kobieta tak przymilała się damom, że Lora poczuła zażenowanie. W domu nasłuchała się dość o takich towarzyskich wieczorkach i nie czuła się komfortowo na myśl, że będzie bezlitośnie oglądana, oceniana i wypytywana, by gospodarze i ich goście mieli temat do rozmów przez wiele dni. Jednakże nie pozostało jej nic innego, jak przyjąć zaproszenia i uprzejmie podziękować. W skrytości ducha miała nadzieję, że przedtem pojawi się Thomas Simmern albo inny przedstawiciel NDL, by wziąć Nathalię pod swoją opiekę.

IV

Wynajęty powóz z całą rodziną Pennów i ich gościem skręcił w ulicę przy starym porcie i zatrzymał się przed zbiegowiskiem. Przed wąskim domkiem Pennów zebrali się kloszardzi z całej dzielnicy. Krzycząc i gestykulując, tłoczyli się wokół Rupperta von Retzmanna i chudego niskiego mężczyzny w wytwornym, ale znoszonym ubraniu. Kuzyn Nati przeklinał i groził im pejczem, ale łobuziaki tylko się śmiały i blokowały obu mężczyznom dojście do domu.

Gdy Ruppert dojrzał Lorę siedzącą na koźle, gniew ulotnił się z jego twarzy i zastąpiła go mieszanina złośliwej satysfakcji i ulgi. Odepchnął dzieci na bok i podszedł do niej. Uśmiechając się drwiąco, chwycił ją za ramiona, ściągnął z kozła i postawił brutalnie na ziemi. Potem zamachnął się i wymierzył jej siarczysty policzek.

– Ty szalona złodziejko! – krzyknął na nią po angielsku. – Co ci przyszło do głowy, żeby porywać moją podopieczną? Zabrałaś ją, nie pytając mnie o zgodę! Chciałbym wiedzieć, co myślał sobie mój dziadek, zatrudniając jako opiekunkę do dziecka taką nieodpowiedzialną dziewuchę!

Podniósł rękę, żeby ponownie uderzyć Lorę, ale wtedy Joe Penn zadarł głowę, położył dłoń na ramieniu Rupperta i z lekkością obrócił go ku sobie.

– Hej, chłopcze! Nie podoba mi się, jak traktujesz mojego gościa, chociaż z ciebie taki elegant!

W tej chwili we wszystko wmieszał się niski człowieczek o staroświeckim wyglądzie. Podsunął Joemu Pennowi pod nos urzędowy dokument.

– Stój! Jeśli tkniesz mojego klienta, złożymy na ciebie doniesienie. Przybyliśmy tu oficjalnie, żeby zabrać podopieczną mojego klienta, którą ta osoba uprowadziła.

Mówiąc to, wskazał na Lorę.

– To nieprawda! – krzyknęła Lora. – Nie uprowadziłam Nathalii. Powierzył mi ją pod opiekę jej dziadek. Mogę...

W tym momencie otrzymała silny cios w żebra, aż odebrało jej dech w piersiach. Skuliła się i wtedy dojrzała najstarszego z braci Mary – Jonny'ego. Chłopiec przystawił palec do ust i gwałtownie pokręcił głową. Chociaż Lora nie zrozumiała, co miał na myśli, wybąkała na znak protestu jakieś słowo i umilkła. Wszyscy skupili uwagę na adwokacie. Ten przeczytał sądowe rozporządzenie, którego treści Lora nie zrozumiała. Ale zrozumiała to, co najważniejsze: Ruppert podał się u władz za opiekuna prawnego Nathalii i kazał wydać sobie urzędowe zaświadczenie, które dawało mu uprawnienia do dysponowania dzieckiem. W całej tej sprawie musiało być jednak coś trefnego, bo Jonny zrobił pogardliwy gest w kierunku adwokata i pokazał na górę, na okienko na poddaszu, za którym zarysowała się głowa Mary. Dziewczyna pomachała krótko. Wyglądała tak, jakby chciała przekazać coś ważnego.

Adwokat kazał tymczasem Lorze pójść do domu, ubrać dziecko i owinąć kocem, aby *count* Retzmann, jak nazwał Rupperta, mógł je zabrać. Na koniec dodał zarozumiałym tonem:

– Ty też możesz spakować swoje rzeczy. Twój pan chce ci puścić płazem wszystkie przewinienia i nadal zatrzyma cię jako opiekunkę do dziecka, chociaż ta straszna katastrofa na statku najwidoczniej pomieszała ci w głowie.

Lora zachowywała się tak, jakby zamierzała bez sprzeciwu spełnić polecenie. Wchodząc po schodach, czuła oszołomienie. Tak musi czuć się mysz złapana w pułapkę – pomyślała. Obiecała grafowi von Retzmannowi, że będzie chronić jego wnuczkę przed Ruppertem i zawiodła go na całej linii! Zamiast siedzieć tu, u tych miłych ludzi, powinna była powierzyć opiekę nad dzieckiem troskliwej Mary, a sama pojechać koleją do Londynu i tam osobiście udać się do biura NDL. Gdyby miała u boku przedstawiciela przedsiębiorstwa żeglugowego, a w ręku odpowiednie dokumenty, ten złoczyńca Ruppert odszedłby teraz z kwitkiem. Ale ta myśl przyszła jej do głowy dopiero w kościele, o wiele za późno, jak się okazało.

Gdy powiedziała to Mary, ta pokręciła głową.

– Bzdura! Prawdopodobnie nie zajechałabyś daleko. Ten podlec Ruppert na pewno kazał cię przez cały czas obserwować. Sądzę, że zna Anglię jak własną kieszeń. Adwokat, którego przyprowadził ze sobą, maczał palce w niejednej śmierdzącej sprawie, mówię ci! Brata pewnej damy, dla której szyję, pozbawił wiejskiego domu w Kencie tylko dlatego, że biedaka nie było stać na dobrego adwokata. A ten naciągacz zna wszystkie sztuczki, więc do tej pory nikt nie mógł mu niczego udowodnić. Tylko nie pokazuj mu tych listów, które dał ci stary pan graf. On ci je zabierze, a potem będzie twierdził, że nigdy ich nie miałaś!

– Ale ja nie mogę oddać Nati temu mordercy! – zaprotestowała Lora. – Muszę…

– Niczego nie musisz! Opanuj się, wszystko będzie dobrze! Póki Ruppert sądzi, że Nati nie przeżyje gorączki, nie zabije jej. Musisz teraz z nim pójść i zachowywać się tak, jakby nasza mała panienka umierała. Moi bracia odstawili już niezły teatr, wiesz…

Lora przerwała jej zdenerwowana.

– Nati może naprawdę umrzeć, jeśli nie będzie miała należytej opieki. Popatrz, wciąż jeszcze ma gorączkę! Ruppert na pewno nie dopuści, żeby zajął się nią jakiś lekarz.

Mary roześmiała się gorzko.

– Och, ten świński ryj na pewno przyprowadzi jakiegoś pijanego konowała, który zbada naszą małą lady i przepisze jej coś, co jej zaszkodzi. Jeśli Ruppert chce przejąć jej majątek, nie może się zdradzić. Potrzebuje lekarskiego zaświadczenia, że dziecka nie można było uratować. Uważaj, Laurie, moja kochana. Mam pomysł, jak możemy go wystrychnąć na dudka.

Lora spojrzała zdziwiona. Czy Mary nie naczytała się w gazetach za dużo historii o rabusiach? Niepełnosprawna dziewczyna wyjawiła jej swój plan przechytrzenia Rupperta, jakby nigdy nie zajmowała się niczym innym.

– Pójdziesz teraz zupełnie spokojnie z tym świńskim… z Ruppertem i będziesz pilnowała naszej laleczki jak oka w głowie. Moi bracia i ich przyjaciele pobiegną za dorożką, żeby zobaczyć, gdzie was zawiezie. Ja wezmę z twojej sakiewki jeszcze pięć funtów. Mój najstarszy brat John pojedzie w wizytowym garniturze do Londynu i spróbuje przekonać kogoś z NDL, żeby wam pomógł. Napiszę jeszcze szybko pismo, w którym poinformuję, że zły Ruppert zabrał lady Nathalię, chociaż jest śmiertelnie chora. Wtedy na pewno przyjedzie tu jakiś człowiek z NDL. Pokażę mu wtedy list, który dostałaś od dziadka Nati, i opowiem mu, że Ruppert jest winny śmierci grafa. Mogą o tym zaświadczyć zarówno kapitan statku, jak i uratowani pasażerowie i marynarze. Przedstawię mu to wszystko tak dramatycznie, że na pewno pójdzie ze swoim adwokatem na policję i was uwolnią. No, co na to powiesz?

Lora miała mnóstwo zastrzeżeń, ale nie potrafiła wymyślić lepszego rozwiązania. Poza tym z troski o Nati nie była w stanie myśleć rozsądnie. Włosy i koszulka nocna dziecka były mokre od potu. Dziewczynka drżała na całym ciele, jakby znowu wróciły ataki drgawek.

Na dole Ruppert wołał je już tubalnym głosem, grożąc, że zaraz wezwie policję, jeśli Pennowie nie wpuszczą go do domu. Ale Joe Penn stał jak skała w drzwiach, podczas gdy missis Penn zażądała głośno od Ruppperta stu funtów, które Lora obiecała rodzinie za opiekę nad Nati. Słabą pociechą było to, że Ruppert faktycznie wyciągnął pieniądze, żeby missis Penn, jak się z obrzydzeniem wyraził, „zamknęła gębę".

Lora wytarła dokładnie Nati i nałożyła na nią ciepłe, grube ubranka, które przyniosła Prudence. Dostała też dość dziecięcych ubrań na zmianę na następne dni. Jednakże były to głównie ubrania chłopięce, które Mary i Prudence uszyły dla swoich młodszych braci. Nati nie zwracała uwagi na to, co dzieje się wokół niej. Sprawiała wrażenie tak słabej, że nie dałaby chyba rady unieść głowy. Jej ciałko było zupełnie wiotkie. Lora poczuła, że żołądek się jej ściska ze strachu. Jeszcze raz włożyła Nati do kołyski i stanęła obok Mary, która siedziała wyprostowana w swoim wiklinowym fotelu, a brodę oparła na jednej z kul.

– Nathalia chyba umiera – szepnęła Lora.

Spojrzenie Mary wróciło z daleka i musnęło Nati, która ostrożnie zerkała nad krawędzią łóżka.

– O, nie – odpowiedziała równie cicho Mary. – Nasza laleczka jest zdrowsza, niż myślisz. Dzisiaj rano była rześka jak skowronek i pogorszyło jej się dopiero teraz, gdy usłyszała na ulicy głos tego drania. Boi się i udaje śmiertelnie chorą, bo ma nadzieję, że Ruppert zostawi ją wtedy w spokoju. Zachowuj się tak, jakbyś też była przekonana, że lady niebawem umrze. Wtedy ten łotr nie będzie usiłował jej zaszkodzić. Ale dobrze na nią uważaj, i na siebie też. Nasza księżniczka jeszcze nie jest zdrowa i w każdej chwili znów może się jej pogorszyć. Wtedy ten nikczemnik miałby rzeczywiście powód do radości.

Lora zdobyła się na mały uśmieszek. Jeśli Nati udaje chorą, to znaczy, że wracają jej siły życiowe. Dlatego zdecydowała się podjąć tę grę i czekać, aż plan Mary zostanie zrealizowany i nadejdzie pomoc. A żeby samej nie zostać bez grosza przy duszy, przełożyła jeden banknot z portmonetki grafa do kieszeni zimowego płaszcza Mary, który miała zatrzymać. Całą resztę gotówki dała Mary na przechowanie.

– Jeśli będziesz czegoś potrzebowała, weź banknot lub dwa – powiedziała. – Jeśli nie wrócę, pieniądze będą należeć do ciebie. Nie powinny trafić w ręce Rupperta.

Mary skinęła głową.

– Nie tylko to nie powinno trafić w jego ręce. Ale nie martw się. O dokumentach nie wie nikt poza mną, a ja oddam je tylko tobie. Nawet temu człowiekowi z NDL przedłożę tylko list, który mi pokazałaś. Bo może się okazać, że ten ktoś będzie podstawiony. Ale teraz musisz już iść, bo inaczej ten łajdak na oczach wszystkich zabije mojego ojca. Życzę tobie i naszej laleczce dużo szczęścia!

V

Sytuacja Lory i Nathalii była dramatyczna i trudno im było liczyć na szczęście. Ruppert spojrzał z odrazą na grubo okutane dziecko i odsunął się przestraszony, gdy Lora powiedziała mu, że dziewczynka cierpi prawdopodobnie na zaraźliwą influencę, na którą w dzielnicy portowej zmarło już kilka osób. Dlatego kazał im obu wejść do powozu, poszturchując je pejczem, sam zaś mimo chłodu usiadł u góry, na koźle. Niestety, do środka wsiadł za to osiłek, czekający do tej pory obok woźnicy. Gdy tylko Lora zajęła miejsce, wyciągnął błyskawicznie sznurek i związał jej nogi. Dłuższy koniec sznurka przymocował do uchwytu znajdującego się we wnętrzu powozu.

– Szef mówi, że jesteś podstępną uciekinierką. Ale już mu więcej nie uciekniesz!

Lora ledwo rozumiała jego dialekt, ale domyśliła się, co ma na myśli, gdy dostrzegła pożądliwy błysk w jego oczach. Mężczyzna przejechał językiem po wargach. Bawiąc się swoim marynarskim nożem, uśmiechnął się do niej tak obleśnie, że poczuła mdłości. Pochyliła głowę nad twarzyczką Nati, żeby ukryć swą bezradność, gniew i strach. Bałaby się spotkać takiego osobnika nawet w jasny dzień, nie mówiąc już o nocy, a teraz znajdowała się w jego rękach.

Przez moment zawładnęła nią obawa na myśl, co ów mężczyzna i jego kompani chcą z nią zrobić, i przeszedł ją dreszcz. Elsie uświadomiła ją kiedyś, wyjaśniając bez ogródek, co mężczyźni robią z kobietami, gdy są małżeństwem, opowiedziała jej też w szczegółach, co stało się z pewną wiejską dziewczyną, która miała zanieść jedzenie dwóm drwalom, a ci zaciągnęli ją w krzaki i brutalnie wykorzystali.

Jej strażnik również wyglądał tak, jakby nie miał żadnych zahamowań. I faktycznie, jeszcze podczas jazdy dorożką wyciągnął rękę i próbował obmacywać jej piersi.

Lora pochyliła się jeszcze bardziej nad Nathalią, ale wtedy mężczyzna zaczął powoli unosić jej płaszcz i spódnicę.

– Jeśli nie przestaniesz, będę krzyczeć tak, że zbiegną się ludzie – syknęła.

Mężczyzna roześmiał się krótko, ale cofnął rękę i oparł się wygodnie o oparcie wyściełanej ławki. Jego postawa nie pozostawiała złudzeń, że Lora nie ma żadnych szans, by się przed nim obronić.

Zrozumiała, że nie może polegać jedynie na planie Mary, ale przy pierwszej okazji powinna uciekać. Ruppert nazwał ją uciekinierką, a ona postanowiła, że stanie się nią, gdy tylko nadarzy się jakaś sposobność. Jednak nie miała zamiaru uciekać bez Nati. Mała lady nie może za żadne skarby pozostać w rękach tych przestępców!

Głośny krzyk wyrwał ją z zamyślenia. Woźnica zaklął, ściągając koniom cugle. Strażnik Lory rzucił jej na kolana koc, żeby nikt, kto przypadkiem spojrzałby do powozu, nie zauważył sznurka na kostkach jej nóg, po czym spojrzał na nią groźnie. Ale Lora nie zwróciła na to uwagi, tylko wyciągnęła szyję, żeby wyjrzeć przez porwaną skórzaną zasłonkę zawieszoną w oknie powozu. Może

Matka Boża sprawiła cud i w ostatnim momencie zesłała kogoś na pomoc.

Przed powozem Rupperta o pierwszeństwo przejazdu kłócili się dwaj zdenerwowani woźnice. Otwarty, ciągnięty przez dwie chude, stare szkapy pojazd adwokata zajął środek ulicy, żeby nie wjechać w śmierdzący rynsztok. Teraz znalazł się naprzeciwko ciężkiego powozu podróżnego, opryskanego porządnie błotem i ciągniętego przez cztery silne kasztanki, który tak szybko wyjechał zza rogu, że niemal nadział na dyszel konie adwokata. Na szczęście obaj woźnice szybko zareagowali i zatrzymali swoje konie.

Teraz wyzywali się słowami, które dla Lory były zupełnie niezrozumiałe, i wymachiwali groźnie batami.

Adwokat podskakiwał na swojej ławce i klął jak szewc. Pasażer drugiego powozu zachował za to spokój. Na jego rozkaz woźnica i lokaj, również siedzący na koźle, zeskoczyli na ulicę, chwycili pojazd adwokata i zepchnęli go na bok.

Lora usłyszała, jak Ruppert głośno wciąga powietrze w płuca, po czym wyrzuca z siebie kilka francuskich wyzwisk, tak wulgarnych, że oblała się rumieńcem. Poznała te słowa od dzieci hugenotów, które uczyły się w szkole w Trettinie, a ich ojcowie pracowali jako urzędnicy w okolicznych folwarkach. Dzieci te były dwujęzyczne i chełpiły się znajomością francuszczyzny.

Gdy Ruppert się uspokoił, kazał swemu woźnicy pomóc tym dwóm mężczyznom i sam wziął cugle w ręce. Trójka mężczyzn przepchnęła rozklekotaną bryczkę pod ścianę domu, żeby duży powóz mógł przejechać. Adwokat, którego duma została urażona, kazał swemu woźnicy popędzić biedne szkapy i jego bryczka szybko się oddaliła od miejsca upokarzającego zdarzenia.

Także Ruppert popuścił koniom cugle, opuszczając je zwierzętom na grzbiety, tak że woźnica musiał wskoczyć na pojazd, gdy ten już się toczył. Minęli ów duży powóz, do którego wnętrza Lora mogła na ułamek sekundy rzucić okiem. Siedział tam mężczyzna w średnim wieku, który patrzył na Rupperta, marszcząc brwi. Gdy powóz zniknął jej z oczu, Lora z powrotem zajęła się kwiłącą cicho dziewczynką oraz swoimi własnymi problemami i lękami. Przez moment złościła się, że nie wezwała głośno pomocy, ale potem powiedziała sobie, że nie wiadomo, czy obcy podróżny byłby gotów się narażać.

Ruppert popędzał konie tak bezwzględnie, że powóz podskakiwał na nierównym bruku, a na zakrętach niemal wywracał. Lora poczuła ciężar na sercu. Przy tym szalonym tempie Freddy i jego przyjaciele nie dadzą rady ich ścigać. Tym samym plan Mary spali na panewce. Przeraziła się, że znajdą się bezradne w rękach chcącego wyłudzić spadek mordercy i jego bezwzględnych pomocników. Jeśli natychmiast nie przyjdzie jej nic do głowy, co mogłoby je uratować, wkrótce obie będą martwe.

Mimo dziko rozkołysanego powozu Nati zasnęła jej w ramionach albo przynajmniej wyglądała na śpiącą, bo przy każdym wyboju się wzdrygała. Lora pogłaskała dziecko po twarzy i patrzyła przez powiewającą w oknie skórzaną zasłonkę. Próbowała zapamiętać drogę, ale szybko musiała przyjąć do wiadomości, że za mało widzi. Fasady domów były do siebie podobne jak dwie krople wody i wkrótce kompletnie straciła orientację.

Ku jej zdumieniu powóz zatrzymał się pośrodku Harwich na placu, gdzie panował ożywiony ruch. Ruppert oddał cugle woźnicy, zsiadł sztywno z kozła, jakby musiał rozchodzić nogi, i obszedł powóz. Machnięciem ręki przywołał przy tym mężczyznę w łachmanach, który stał wraz z innymi łapserdakami oparty o ścianę na wpół rozwalonego budynku. Ruppert spytał go o drogę. Lump splunął, zmierzył go bezczelnie wzrokiem i z ociąganiem podszedł bliżej. Zamiast odpowiedzieć na pytanie, położył Ruppertowi dłoń na ramieniu, domagając się najwidoczniej pieniędzy.

Ten odepchnął go z odrazą i zwymyślał, pozornie zdenerwowany jego zachowaniem. Ale Lora dostrzegła, że lump szybkim ruchem wsunął do kieszeni Rupperta ciemny, płaski przedmiot, po czym – pchnięty do tyłu – cofnął się, zachwiał i usiadł z pluskiem w błocie.

Lora zrozumiała, że na jej oczach rozegrał się teatr, który zapewne miał na celu zamaskowanie faktu, że właśnie zostały przekazane pieniądze albo jakaś wiadomość. Najwidoczniej w ten oto sposób Ruppert von Retzmann dokonuje swych ciemnych interesów – bezczelnie i na oczach ludzi.

Lump zaczął wściekle kląć i wygrażać pięścią. Jego towarzysze podeszli bliżej, robiąc groźne miny. Ruppert jednym susem wskoczył na kozła i kazał woźnicy popędzić konie. Byli jeszcze w zasięgu wzroku łachmytów, gdy kazał znowu stanąć i zapytał przechodnia o drogę. Ale nazwa miejscowości, której szukał, zabrzmiała teraz inaczej niż wtedy, kiedy pytał o nią tamtego lumpa.

Mężczyzna oznajmił z żalem, że nie zna owego miejsca, a Ruppert burknął w zamian krótkie „dziękuję". Potem ich powóz znowu ruszył, by za jakiś czas skręcić przy niewielkim ryneczku.

Lora, która podczas incydentu z obdartusem dostrzegła pełen zadowolenia uśmiech na twarzy swego strażnika, zastanawiała się, w jakie brudne interesy na terenie Anglii uwikłany jest Ruppert, który mówi po angielsku prawie tak płynnie jak miejscowi i traktuje ludzi, jakby znajdował się u siebie w domu. Lora czuła się coraz bardziej zgnębiona. Z każdym metrem traciła odwagę. Miała wrażenie, że wszystko sprzysięgło się przeciwko niej i Nati.

Pojazd opuścił granice miasta i znalazł się na płaskiej wiejskiej przestrzeni. Były tu tylko pola przykryte cienką kołderką śniegu, okolone ogołoconymi z liści żywopłotami. Pojedyncze zagrody przycupnęły jak zabawki pod łysymi drzewami i tylko słupy dymu, które wydobywały się z kominów, świadczyły, że mieszkają w nich ludzie. Krajobraz był tak rozległy, że aż przyprawiał o zawrót głowy. Widoku nie zasłaniała żadna większa przeszkoda, tak że z daleka można było dostrzec każdego człowieka i każdą furmankę. W mieście Lora miałaby jeszcze jakąś szansę, żeby zbiec Ruppertowi i jego kompanom, teraz jednak czuła się jak konik polny schwytany w pajęczą sieć i czekający, aż lada chwila zostanie pożarty.

Poza ich powozem na drodze nie widać było żadnego innego pojazdu. Lora nie mogła oprzeć się wrażeniu, że podążają ku krańcowi cywilizowanego świata. Niebo nad nimi stawało się coraz ciemniejsze, podczas gdy na zachodzie przybrało kolor płomiennej czerwieni, jakby słońce próbowało się jeszcze raz przedrzeć przez warstwę chmur. W lśniącym mroku pojawiła się szeroka wstęga głównego gościńca. Droga, którą jechali, łączyła się z nim pod kątem prostym. Kilka metrów dalej stał dom, a przy nim opuszczony szlaban. Z budynku wyszedł mężczyzna i spojrzał w kierunku powozu.

Na moment w sercu Lory zagościła nadzieja. Jeśli zwróci na siebie uwagę, to mężczyzna może być świadkiem, który potwierdzi, że w powozie przewożone było małe dziecko. Musiała więc w jakiś sposób skłonić Nati do krzyku albo przynajmniej do głośnego płaczu. Wtedy ten ktoś mógłby dać ludziom z NDL jakąś wskazówkę. Ale ta nadzieja zgasła szybciej, niż się zrodziła. Powóz wolno podjechał do gościńca, ostro zakręcił i pojechał w innym kierunku. Na dodatek mężczyzna przy szlabanie chyba znał Rupperta i jego ludzi, bo podniósł rękę, pomachał i coś zawołał, na co woźnica się roześmiał i rzucił kilka słów w odpowiedzi. Wkrótce potem powóz zjechał z gościńca i skręcił w dróżkę, która prowadziła na ogrodzoną murem działkę. Lora dojrzała połyskujący między gołymi koronami drzew dach dość dużego domu. Zrozumiała, że dotarli do celu.

Powóz zbliżył się do bramy z metalowych prętów, którą otworzył przysadzisty mężczyzna w stroju majordomusa. Inny mężczyzna – ubrany jak zwykły lokaj – próbował uciszyć cztery paskudne wielkie psy, które piekielnie głośno szczekały i dziko skacząc, niemalże obaliły ogrodzenie swego wybiegu. Mężczyźni zrobili na Lorze równie odpychające i groźne wrażenie, co woźnica i strażnik. Po raz ostatni spojrzała z rozpaczą na drogę, ale nie zobaczyła niczego, co mogłoby dać jej nadzieję na ratunek. Od strony miasta wąską drogą jechał tylko wolno jakiś wieśniak prymitywnie zbudowanym wozem ciągniętym z mozołem przez wychudzonego konia. Z przodu, o ile Lora mogła dojrzeć, siedział starszy mężczyzna, a obok niego dziecko. Przez moment miała wrażenie, że chłopiec daje jakiś znak, ale może tylko rzucił kamieniem albo śnieżką. Potem odwrócił się ku swemu towarzyszowi.

W tym momencie brama się zatrzasnęła, a Lora miała wrażenie, że wiozą ją na szafot.

VI

Ledwo powóz się zatrzymał, strażnik wyrwał Lorze dziecko z ramion i podał je na zewnątrz. Potem zdjął sznur z kostek dziewczyny, wziął ją na ręce i wyniósł z powozu, ściskając tak mocno, że mało jej nie zgniótł. Krzyknęła z bólu, na co mężczyzna zareagował obrzydliwym śmiechem. Lokaj ściągnął z twarzy dziewczynki koc. Ruppert, stojąc w bezpiecznej odległości, ujrzał rozpalone policzki i mokre od potu włosy. Widać było, że się boi, iż mógłby się zarazić. W końcu kiwnął z zadowoleniem głową i kazał znowu osłonić twarz dziecka. Potem wciśnięto opatuloną dziewczynkę Lorze w ramiona.

– Zaprowadź obie na górę, Williamie! – rozkazał Ruppert. – Ale uważaj, żeby dziewucha znowu mi nie uciekła razem z bachorem. – Potem zwrócił się po niemiecku do Lory: – Posłuchaj, dziewczyno! Właściwie nie masz nic wspólnego z naszymi rodzinnymi waśniami. Dlaczego nie miałabyś uprościć sprawy? Pomóż tej smarkuli zejść w nocy z tego świata. Jutro zeznasz przed lekarzem, że sama umarła. Wszyscy możemy poświadczyć, że dziecko rozchorowało się u tych brudasów mieszkających przy porcie i nie można go było już uratować. Dam ci za to tysiąc nowych niemieckich marek albo ich równowartość w funtach bądź dolarach amerykańskich. Zawiozę cię potem do Londynu albo lepiej do portu dalekomorskiego w Southampton, żebyś mogła kontynuować swoją podróż do Ameryki. No, co ty na to?

Lora dojrzała w jego oczach błysk. Czuła, że chce dać jej złudne poczucie bezpieczeństwa. Gdybym zrobiła to, czego ode mnie żąda, i tak by mnie zabił – pomyślała. Ruppert nie może sobie pozwolić na pozostawienie mnie przy życiu, zbyt wiele wiem o jego zbrodniach. Przez moment kusiło ją, żeby powiedzieć mu prosto w twarz, co o nim sądzi, ale potem doszła do wniosku, że ze względu na Nati musi go zwodzić.

– Ja… nie wiem – wybąkała i spojrzała na niego szeroko rozwartymi oczami. – Muszę się zastanowić. Może tak byłoby najlepiej…

– Nie zastanawiaj się zbyt długo! Moja cierpliwość ma swoje granice! – Pchnął ją tak, że wpadła w ramiona Williamowi, który spojrzał na nią z obleśnym uśmiechem. – Na górę z nią! – polecił Ruppert. – Pojadę teraz do majora, żeby się dowiedzieć, czy nowy towar dotarł już do Southampton. Jeśli dostawa będzie się dalej opóźniać, nasi zleceniodawcy się zezłoszczą, a to może nam w przyszłości zaszkodzić w interesach!

Strażnik chwycił tymczasem Lorę za kark i za pasek. Popychał ją brutalnie, prowadząc po schodach. Usłyszała jeszcze, jak jeden z ludzi Rupperta zapytał ze zdumieniem:

– Southampton? To towar już nie jest rozładowywany w Londynie, skąd przywozili go tutaj nasi furmani?

– Nie, Edwinie, z tym już definitywnie skończyliśmy. Za dużo osób dowiedziało się o naszych interesach i niektórzy zrobili się zachłanni. Łapówki, których zażądali za dwa ostatnie transporty, były czystym wymuszeniem. No cóż, teraz i tak nie mogą sobie za te pieniądze pożywać! – Ruppert roześmiał się krótko, a potem nagle w jednej chwili spoważniał. – Przeniesiemy naszą kwaterę główną do południowej Anglii. Stamtąd możemy przewozić towar najnowocześniejszymi parowcami transoceanicznymi. Tylko dlatego płynąłem tym przeklętym parowcem Deutschland, bo chciałem jak najszybciej zlikwidować nasze kontakty w Londynie. Gdyby ten idiota Brickenstein nie wprowadził łajby na mieliznę, dawno już wszystko byłoby załatwione, a my siedzielibyśmy sobie teraz wygodnie w naszej nowej kwaterze i liczylibyśmy mamonę. Ale cały plan legł w gruzach i muszę jeszcze raz wyłożyć sporą sumkę, żeby przyciągnąć naszych starych partnerów biznesowych. Jak tylko nie będziemy ich potrzebować, wyślemy ich w długą podróż, tak samo jak tamtych pazernych urzędników.

Na dole rozległ się triumfujący okrzyk:

– W podróż bez powrotu, że tak powiem! To bardzo dobrze! Niewiele brakowało, a ci głupcy wydaliby ładunek przeznaczony dla Serbów prosto w łapy szpiegów i mnie też by wsypali. Czy nowy ładunek też ma dotrzeć na Bałkany? Podobno Bułgarzy planują powstanie przeciwko Osmanom.

– O tym ćwierkają już wróble na dachu. Ale my nie mamy nic wspólnego z tym powstaniem. Bułgarzy wolą przyjmować prezenty od Rosjan, zamiast samemu wydawać pieniądze.

Lora usłyszała, jak mężczyzna, którego nazywano Edwinem, roześmiał się drwiąco.

– Co znaczą te śmieszne rosyjskie strzelby w porównaniu z amerykańskimi karabinami! Przecież do niczego się nie nadają! Dostaliśmy ze Stanów najlepsze karabiny maszynowe i lekką artylerię. Dla partyzantów na koniach nie ma nic lepszego.

– Właśnie na taką broń czekałem – odpowiedział Ruppert, wydając z siebie westchnienie ulgi. – Sądzę, że Abisyńczycy będą zadowoleni, zwłaszcza jeśli dotrzymamy terminu. Zawieź wszystko do Dover.

– Do Dover? Szefie, po co mamy wieźć towar do Dover? – zapytał zdumiony Edwin.

– Nie będziemy przecież wysyłać towaru z portu, w którym go odebraliśmy. Dlatego macie teraz z Southampton zawieźć wszystko kutrami rybackimi do Dover i tam przeładować. Stamtąd przewieziemy towar do Hawru, tam załadujemy go na pokład francuskiego parowca, ten zaś przewiezie go przez Morze Śródziemne i Kanał Sueski do Afryki Wschodniej. Ładunek, który miał trafić do Czarnogóry, sprzedałem po waśni z naszymi londyńskimi wspólnikami cesarzowi Janowi IV z Abisynii. Zapłaci za niego takimi niewinnymi towarami, jak kość słoniowa, strusie pióra i najcenniejszymi kamieniami szlachetnymi! Sądzę, że nasi dostawcy będą bardzo zadowoleni.

W tym momencie strażnik Lory zatrzasnął drzwi.

– Nie nasłuchuj tak, to niezdrowo – powiedział z ironią.

Lora uświadomiła sobie, że Ruppert nigdy by tak otwarcie nie mówił o swoich planach w jej obecności, gdyby faktycznie miał zamiar po śmierci Nathalii puścić ją wolno. Nawet jeśli zrozumiała co najwyżej połowę z jego słów, upewniła się w tym, czego dotychczas tylko się domyślała – że kuzyn Nati był pozbawionym skrupułów przestępcą uwikłanym w ciemne interesy.

Strażnik uderzył ją w żebra, wyrywając z zamyślenia i przywracając do rzeczywistości. Z odrazą obejrzała pomieszczenie, do którego zostały przyprowadzone. Było tu zimno jak w psiarni i tak wilgotno, że ściany pokryły się grzybem. Na dodatek ciągnęło od rozbitej szyby w oknie.

Wyposażenie składało się z chwiejnego wąskiego łóżka i pogryzionego przez korniki krzesła. Lora stwierdziła, że na łóżku nie ma żadnego koca, tylko dwa tak powycierane prześcieradła, że przez materiał można by czytać gazetę. Nędzne wyposażenie uzupełniał stary nocnik z utrąconym uchem.

Lora położyła Nati na łóżku i zaczerpnęła powietrza.

– W takich warunkach nawet pies nie dałby rady przenocować. Potrzebuję poduszek i ciepłych koców dla mnie i dziecka. I jeszcze dzbanka z wodą i miskę do mycia, i coś do picia. Czy dostaniemy kolację na dole? W przeciwnym razie potrzebujemy jeszcze stołu i oczywiście drewna do kominka. Sama mogę to wszystko poprzynosić, jeśli mi ktoś pokaże, gdzie mogę te rzeczy znaleźć…

– Niczego nie potrzebujesz, ty mała suko! – odpowiedział mężczyzna, szczerząc szyderczo zęby. – I nie będziesz sobie spacerować po domu. Myślisz, że jesteśmy głupi? Siadaj! Nim Lora się spostrzegła, rzucił ją na łóżko i uniósł jej lewą nogę. Przygniotła przy tym Nati, która ze strachu zaszlochała. Nim Lora zdołała się podnieść, mężczyzna założył jej na kostkę łańcuch i zabezpieczył kłódką. Drugi koniec przymocował do ramy łóżka, tak że Lora mogła co najwyżej je obejść i dojść do okna, ale drzwi były dla niej nieosiągalne.

Lora krzyknęła na niego:

– Jak mam się teraz zajmować dzieckiem? Będziecie musieli mi przynosić wszystko, czego potrzebuję!

Mężczyzna uśmiechnął się szyderczo.

– Szef powiedział, że bachor już niczego nie potrzebuje. A ty dostaniesz jedzenie dopiero wtedy, jak bachor zdechnie.

Lora przełknęła ślinę i spojrzała z osłupieniem na mężczyznę.

– Co to ma znaczyć?

– Szef ci przecież wszystko wytłumaczył! Zabijesz bachora, a wtedy szef da ci dość pieniędzy, żebyś mogła wyjechać do Ameryki. Zna dobrego lekarza, który wystawi odpowiednie dokumenty. Napisze, że smarkula zmarła na influencę, i nikt cię nie posądzi, że jej pomogłaś. Jeśli chcesz posłuchać mojej rady, to złóż kilkakrotnie koc i przyciśnij go tej małej szczurzycy do twarzy. Pójdzie szybko. Jak szef wróci dziś w nocy, ma być już po wszystkim. Bo inaczej…

Nie wypowiadając groźby do końca, William zamknął za sobą drzwi, zostawiając Lorę i Nati w szybko zapadających ciemnościach. Lora skorzystała z nocnika, a potem pomogła zrobić to samo dziewczynce. Z obawy, że niebawem kompletnie się ściemni, wytarła spoconą Nati prześcieradłem i opatuliła tak ciepło, jak tylko się dało. Miała do dyspozycji jedynie rzeczy założone w domu Pennów. Torba podróżna z ubraniami, które dała im Mary, została albo w powozie, albo stała gdzieś na dole i była dla nich równie nieosiągalna, co rodzinne strony albo wybrzeże Ameryki.

Lora usiadła na łóżku, opierając się o wezgłowie, chociaż z powodu łańcucha musiała nienaturalnie wyciągnąć lewą nogę. Odpięła guziki płaszcza i przyciągnęła Nati do siebie, żeby ją ogrzać. W ten sposób przetrwają noc. Nie miała odwagi myśleć o tym, co będzie dalej.

Do tej pory Nati przyjmowała wszystko, co się wokół niej działo, w milczeniu. Lora myślała nawet, że dziecko usnęło. Dlatego przestraszyła się, gdy nagle Nati jasnym głosem zapytała:

– Czy będzie boleć, jak mnie teraz zabijesz?

– O czym ty mówisz? – zapytała osłupiała Lora.

– Słyszałam wszystko dokładnie! Ten świński ryj Ruppert puści cię wolno, jeśli mnie ukatrupisz. Sam to powiedział, i ten drugi człowiek też!

Określenie „świński ryj" wypowiedziała po angielsku. Usłyszała je zapewne w domu Pennów – od Mary albo jej braci.

– Wcale nie mam zamiaru cię zabijać i nie można używać takich brzydkich słów. W ten sposób wyrażają się tylko ulicznicy – odpowiedziała zmęczona Lora.

– Mary tak mówiła i dobrze wiem, co to znaczy. Ja też trochę znam angielski. Ruppert powiedział, że cię zabije, jeśli ty mnie nie zabijesz. Ale ty nie możesz umrzeć, bo byłaby to moja wina, a ja tego nie chcę.

– Bzdura! Jeśli umrzemy, to winny będzie jedynie twój wredny kuzyn. Ale my nie umrzemy! Mary przyśle pomoc, zaraz jutro rano…

Lora zauważyła, jak mało przekonująco brzmią jej słowa. Gdy tu jechały, gdzieś po drodze sama straciła nadzieję, że wszystko się dobrze skończy.

Nati to wyczuła.

– Musisz mnie zabić, inaczej ty też zostaniesz zabita. Dokładnie wszystko zrozumiałam. Dziadka też zabito, prawda? Wszyscy ludzie, których lubię, muszą umrzeć, bo przynoszę nieszczęście. Tak powiedziała matce Cyganka, gdy nie było mnie jeszcze na świecie. Potem umarli tata i mama, i siostra taty, i babcia von Retzmann. Wszyscy zginęli w katastrofach statków. Poza babcią Retzmann. Ją stratował spłoszony koń, gdy chciała mnie przed nim uratować. Teraz nie żyje jeszcze dziadek von Retzmann. Sądzisz, że wszyscy są w niebie?

– Tak, na pewno – odpowiedziała Lora.

Ale to sprawiło, że Nati zaczęła płakać.

– W takim razie już nigdy ich nie zobaczę, nigdy! – zaszlochała

dziewczynka. – Bo ja trafię do piekła. Wszystkie opiekunki i guwernantki mi to mówiły!

– Ale to nieprawda! – zawołała Lora. – Ewangelickie dzieci nie
trafiają do piekła. Dla nich wcale nie ma piekła. A więc ty też trafisz
do nieba. Kiedyś, gdy będziesz już babcią...

– Nie, ja umrę, żebyś ty mogła żyć. W przeciwnym razie ten
świński... ten zły Ruppert to zrobi, on specjalnie tak zrobi, żeby bolało. Dziadka też chyba bolało, jak go zabijał. Chcę być dzielna. Może
wtedy trafię jednak do nieba.

– Nati, przestań tak mówić! Nie zabiję cię! Hej! Skąd właściwie
wiesz, że Ruppert zabił twojego dziadka? Poza Mary nikomu o tym
nie mówiłam, a ty spałaś.

– Mówisz przez sen! Wołałaś całkiem głośno, że Ruppert jest
mordercą i że zepchnął dziadka z masztu. Mary musiała przekuśtykać
przez pokój i mocno tobą potrząsnąć, bo zbudziłabyś cały dom.

– Och! Nie wiedziałam o tym. Chciałam ci zdradzić prawdę
o śmierci dziadka później. Wszyscy na statku widzieli, jak Ruppert
się z nim zderzył, ale każdy myślał, że doszło do wypadku. To jednak
nie był wypadek.

– Oczywiście, że nie! – odpowiedziała rezolutnie Nati. – Jeśli
Ruppert macza w czymś swe brudne palce, wtedy zawsze dzieje się
coś złego. Dziadek często tak mówił do Klausa, swojego kamerdynera. Klaus naprawdę bał się Rupperta i drżał już na sam dźwięk jego
imienia. Ale teraz on też nie żyje, biedny, stary głupek.

– Kochana, tak się nie mówi! O zmarłych można mówić tylko
dobre rzeczy, nie wiesz o tym? Bo w przeciwnym razie będą źli i przyjdą z powrotem.

– Tak? To w takim razie pomówmy źle o dziadku, szybko! Wtedy
przyjdzie i ukręci Ruppertowi głowę!

Lora pokręciła z żalem głową.

– Nie, Nati! Tak nie można. Zmarli przychodzą co najwyżej jako
upiory, a te człowiekowi nie mogą nic zrobić. One tylko straszą.

– Szkoda – powiedziała rozczarowana Nati. – W takim razie ja po
śmierci stanę się upiorem i przestraszę Rupperta tak bardzo, że już nigdy więcej nie zdoła usnąć! Może wtedy ze strachu spadnie ze schodów
i złamie sobie kark, jak to się kiedyś przytrafiło stajennemu dziadka.

– Ktoś tak zły jak Ruppert nie boi się nawet upiorów. Na pewno poza twoim dziadkiem ma więcej ludzi na sumieniu. Sądzę, że wciąż sypia głęboko i mocno. Nati, my nadal żyjemy, a nasz pastor zawsze mawiał, że póki życie się tli, nadzieja jeszcze nie umarła. Śpij już! Może jutro za dnia przyjdzie nam do głowy jakiś sposób, by tego drania wywieść w pole.

Nati nie odpowiedziała, więc Lora uznała, że dziecko już faktycznie zasnęło. Miała zimne nogi, a od nich czuła chłód w całym ciele, tak że straciła nadzieję na przynoszący ukojenie sen. Ale gdy mimo wzburzenia trochę się zdrzemnęła, obudził ją głos Nati:

– Loro, obiecaj mi, że mnie zabijesz! Nie chcę, żeby ten drań dotykał mnie swoimi brudnymi łapskami. No, powiedz, że mnie zabijesz! Bo inaczej nie usnę!

Lora jęknęła i powiedziała:

– Tak.

Zabrzmiało to bardziej złowróżbnie, niż zamierzała.

– Dobrze – mruknęła Nati i było to naprawdę ostatnie słowo, które wymówiła tej nocy, gdyż niebawem zapadła w sen.

VII

Lora obudziła się odrętwiała z zimna. Stwierdziła, że przez brudne okna przenika do środka szaroczerwony świt, a chmury wyglądają, jakby ktoś pozostawił na nich ślady krwawych palców. Szybko obmacała Nati i odetchnęła z ulgą, czując jej ciepłe ciało. Ale po chwili usłyszała dobiegające z dołu hałasy i głośne rozmowy – i znowu przypomniała sobie, w jak beznadziejnym położeniu się znajdują.

Ruppert i jego ludzie najwidoczniej wcześnie wstali, bo na korytarzu toczyła się już gwałtowna dyskusja, której jednak nie mogła zrozumieć. Słyszała także brzęk naczyń kuchennych oraz przenikliwy gwizd czajnika.

Nati spała zwinięta na jej brzuchu niczym mały kotek. Zsunęła ją z siebie, po czym wstała, żeby rozchodzić nogi. Czuła mrowienie w stopach, jakby stąpała po igłach, usta miała wyschnięte, a żołądek zaburczał jej głośno. Tak kiepsko, jak tego ranka, nie czuła się nawet po lodowatej nocy spędzonej na platformie widokowej okrętu

Deutschland. Najchętniej znowu by się położyła, aby znaleźć zapomnienie we śnie. Ale miała świadomość, że niebawem zjawi się Ruppert, by sprawdzić, czy zabiła Nati.

Gdy zastanawiała się nad wymówką, Ruppert faktycznie wszedł do środka. Tym razem nie wyglądał na triumfatora. Wyglądał, jakby miał za sobą nieprzespaną noc, a wyraz jego twarzy przypominał pysk rozdrażnionego buldoga. Najwidoczniej wczorajsza wycieczka nie przebiegła pomyślnie. Lora nie miała jednak czasu się z tego cieszyć, bo twarz mężczyzny zmieniła się tak szybko, jakby założył maskę. Nagle stał się człowiekiem pewnym siebie, a jednocześnie rozbawionym.

– Zdaje się, że jesteś uparta – powiedział i wskazał ręką Nati, która pojękiwała i charczała, jakby faktycznie miała lada chwila wydać ostatnie tchnienie. – Co chcesz osiągnąć, sprzeciwiając się mojej woli? Sądzisz, że z nieba zstąpi anioł z ognistym mieczem i cię uratuje? Nikt nie wie, gdzie jesteś, i nikt nie będzie się tym interesował. Wczoraj złożyłem ci dobrą propozycję…

– Ale z jakiego powodu? – krzyknęła Lora. – Tylko po to, żeby mnie oszukać! Mam zabić Nati, a potem oskarży mnie pan o morderstwo, sam mając czyste ręce.

Ruppert roześmiał się cynicznie.

– Tyle nieufności w tak małej główce! Przyznaję, że rozważałem tę opcję. Ale gdybym dał ci możliwość zeznawania przed sądem, nie wpłynęłoby to korzystnie na to, co mam w planach. To by tylko przyciągnęło ludzką ciekawość. Chcę przejąć majątek Retzmannów, nie wzbudzając zbytniej sensacji. Dlatego wolałbym, żebyś pomogła mi usunąć z drogi tę jedną małą przeszkodę. Jak już wczoraj powiedziałem, jestem gotów odwdzięczyć się pokaźną sumką.

Lora przygryzła dolną wargę i pokręciła głową.

– Tysiąc marek za morderstwo, które panu przyniesie najprawdopodobniej setki tysięcy? Czy to nie nazbyt skąpa oferta?

Ruppert prychnął zdumiony i spojrzał na nią badawczo.

– Co to za nagła zmiana tonu? Chcesz wyciągnąć ode mnie więcej pieniędzy? Od razu sobie pomyślałem, że zajęłaś się tym bachorem dla własnej korzyści. Przyznaj się, chciałaś napchać sobie kabzę. No cóż, możemy porozmawiać. Jeśli wyświadczysz mi tę przysługę, zadbam o twoją przyszłość…

– Ale jak? – przerwała mu Lora. – Otrzymam filiżankę z trucizną czy cios nożem w plecy? Dokładnie widziałam, jak zabił pan grafa von Retzmanna, a teraz chce mnie pan uczynić swoją wspólniczką?

– Czy nie ma w tym czegoś na rzeczy? – zapytał ze śmiechem Ruppert. – Przyznaj się, dlaczego nie oskarżyłaś mnie od razu na pokładzie, że to zrobiłem. Od początku zamierzałaś mnie szantażować!

Lorę przeszedł dreszcz. Ten mężczyzna był rzeczywiście zepsuty do szpiku kości i przypisywał swoją niemoralność także wszystkim wokół. Zależało jej, żeby zyskać na czasie. Może jednak Mary zdoła coś dla nich uczynić. Dlatego wzruszyła tylko ramionami i zacisnęła zęby.

Ruppert uznał to za potwierdzenie.

– Skoro tak, to nie pozwolę ci tak po prostu odejść. Ale jeśli zrobisz, co ci mówiłem, oboje na tym zyskamy. Przydałaby mi się taka sprytna dziewczyna, która nie grzeszy nadmiarem drobnomieszczańskiej moralności. Nie stracisz na tym!

Zanim Lora zdążyła odpowiedzieć, on mówił dalej tym samym napuszonym tonem:

– Myślisz prawdopodobnie, że jestem drobnym oszustem, utrzymującym się z fałszowania weksli, szulerki albo z pomagania w oszustwach podatkowych. Tak ci o mnie opowiadał dziadek Nathalii, prawda? Ale to były, że tak powiem, grzechy młodości. Ten stary dusigrosz nie miał pojęcia, jakie sam stworzył mi możliwości. Otóż załatwił mi, skruszonemu grzesznikowi, posadę w biurze pewnego ważnego maklera okrętowego. Dobrze wykorzystałem ten czas, pielęgnując stare kontakty i nawiązując mnóstwo nowych. Najpierw współpracowałem ze spekulantami i przemytnikami wszelkiego rodzaju, którym w zamian za dobre wynagrodzenie pomagałem umieścić ich towary ze sfałszowaną dokumentacją na różnych transportowcach. Ale niebawem mogłem wykorzystać moją rosnącą wiedzę, nawiązując kontakty z amerykańskimi i angielskimi producentami broni. Właśnie im mocno zależy, by dostarczać towar klientom na całym świecie, pomijając oficjalne drogi. Teraz brakuje mi tylko odpowiedniego kapitału na start, żeby całkiem uniezależnić się od poleceń i kaprysów innych. Przy tylu miejscach na świecie, gdzie toczą się różnego rodzaju konflikty zbrojne i gdzie miałbym zbyt na broń, w krótkim czasie pomnożyłbym majątek Retzmannów dziesięciokrotnie.

– A jaką rolę ja miałabym pełnić w tych planach? – zapytała zdumiona Lora.

– Potrzebna by mi była stewardesa albo pielęgniarka okrętowa, która podróżowałaby raz na tym, raz na innym transatlantyku i miała oczy i uszy otwarte. Żeby w tej branży dobrze prosperować, potrzeba mnóstwa informacji zdobywanych na różne sposoby. Wiele można osiągnąć, posługując się szantażem, ale by go stosować, należy dużo wiedzieć. Muszę być na bieżąco informowany o oficerach i załogach określonych statków, jak również o biznesmenach, maklerach okrętowych i ich pracownikach i tak dalej, i tak dalej. Dziewczyna o takim ładnym i niewinnym wyglądzie byłaby dla mnie dużą pomocą.

– No cóż… – odpowiedziała Lora, przeciągając słowa. – Brzmi to zachęcająco. Muszę się nad tym zastanowić.

– Nie zastanawiaj się za długo. Musimy opuścić ten dom jutro rano, bo inaczej wpadnę w tarapaty. Ale nie będę tej smarkuli ciągnął ze sobą, zwłaszcza że jest chora na taką niebezpieczną influencę. Najpóźniej dziś po południu sprawa musi być załatwiona albo sama nie doczekasz następnej nocy.

– Co to za „tarapaty"? – zapytała Lora.

– Ty mała szczurzyco, faktycznie masz zadatki, by zostać szantażystką. Ale zapamiętaj sobie: nie pozwolę, by kiedykolwiek ktoś mnie szantażował. Jeśli zatem chcesz pozostać przy życiu, musisz przejść na moją stronę. Daję ci czas do wczesnego popołudnia. Na znak swej dobrej woli przekażesz mi dokumenty, które dał ci na przechowanie stary Retzmann.

Lora przełknęła ślinę.

– Jakie doku…

– No, dziewczyno, nie udawaj głupiej. Dobrze wiem, że stary napisał na wraku nowy testament!

– Ale ja już go nie mam! – zawołała zrozpaczona Lora. – Graf kazał mi go włożyć do kieszeni płaszcza i przymocować szpilką. Wspinając się na maszt, zaczepiłam o coś i wtedy paczuszka z dokumentami wypadła mi z kieszeni. Przez całą noc robiłam sobie straszne wyrzuty, bo nie wiedziałam, jak się wytłumaczyć grafowi…

– W takim razie musiałaś się w skrytości ducha cieszyć, że sprzątnąłem tego starego rakarza. – Ruppert roześmiał się ze złością, ale zaraz potem zacisnął prawą dłoń w pięść i uderzył nią w wewnętrzną stronę lewej dłoni, a następnie zaczął chodzić w tę i z powrotem między drzwiami a kominkiem. – Cholera! Potrzebny mi rękopis starego, żebym mógł sfałszować testament. To jest...

Nagle się odwrócił i popatrzył przenikliwie na Lorę. Poczuła, że dostaje wypieków.

– Prawie wyprowadziłaś mnie w pole, ty nędzna, podła dziwko! Ale musisz się jeszcze nauczyć, jak oszukiwać ludzi, żeby się nie zorientowali!

Otworzył drzwi.

– Williamie! Chodź na górę i przeszukaj tę dziwkę! – zawołał człowieka, który poprzedniego dnia pilnował Lory.

Wszystko potoczyło się tak szybko, że dziewczyna nie zdążyła nawet otworzyć ust do krzyku, gdy stała się najgorsza rzecz, jaka kiedykolwiek się jej przytrafiła. Chociaż próbowała się bronić, mężczyzna rozebrał ją do koszuli i wszędzie obmacał. Uśmiechał się przy tym tak lubieżnie, że Lora poczuła mdłości. Po chwili stała w swej najcieńszej haleczce i przyglądała się, jak szubrawiec rozpruwa najlepszy płaszcz Mary i próbuje z niego coś wytrząsnąć.

– Niczego nie ma, szefie! Dziwka miała przy sobie tylko dwadzieścia funtów.

Ruppert zacisnął zęby i popatrzył na porozcinany płaszcz.

– Może faktycznie powiedziałaś prawdę. Ale jestem bardziej skłonny uwierzyć, że ukryłaś dokumenty u tych brudasów mieszkających przy porcie. No, ubieraj się! Policzę się z tobą, jeśli mnie oszukałaś! Tym razem jednak dam ci spokój. Wychodzi na to, że potrafisz walczyć o własną korzyść. I tak mam coś do załatwienia w Harwich. Przy okazji odbiorę dokumenty. Jeśli będzie trzeba, to załatwię całkiem oficjalną rewizję. Jak wrócę, dzieciak ma nie żyć! W przeciwnym razie rzucę cię psom na pożarcie.

Lora ubrała się, choć drżały jej ręce. Wezbrał w niej taki gniew, że najchętniej od razu rzuciłaby się Ruppertowi do gardła. Z trudem się opanowała i próbowała tak artykułować słowa, żeby jej głos nie brzmiał zanadto lękliwie.

– Skąd mam wiedzieć, czy dotrzyma pan słowa? Może na znak dobrej woli każe pan na przykład dać mi porządne śniadanie, kawę z gorącym mlekiem i ciepłą wodę do mycia.

– A niech tam. Ale to będzie ostatni posiłek tego bachora – rzekł, wskazując Nathalię, która leżała bezwładnie na łóżku i obserwowała scenę spod lekko uchylonych powiek. – Twój też, jeśli nie usłuchasz – dodał, śmiejąc się cynicznie. – Williamie – rzekł do kompana. – Przynieś wodę do mycia i coś do jedzenia. Dzisiaj jestem wspaniałomyślny!

William skwitował te słowa obrzydliwym uśmiechem.

– Wszystko będzie zrobione, szefie. Uważam, że nasza lalunia powinna mi być wdzięczna, że tak o nią dbam.

– Łajdak! – powiedziała hardo Lora, ale jej oczy były prawie czarne ze strachu.

Cała się zatrzęsła, gdy William chwycił ją za biust i go ścisnął, pokazując przy tym wybrakowane uzębienie i język, którym przejechał po wargach jak obrzydliwym, wilgotnym robalem.

Potem obaj mężczyźni odeszli i zostawili Lorę w stanie całkowitego upadku ducha.

VIII

William wrócił po zaledwie kilku minutach. Przyniósł dzban pełen wody oraz obitą miskę, którą postawił na bujającym się krześle. Za nim wszedł lokaj o twarzy łotra, który niósł kilka kromek chleba i dwa kubki z parującą brunatną breją.

– Ty mieć jedzenie – powiedział łamanym niemieckim i postawił zamaszyście tacę na łóżku, nic nie wylewając.

Ruppert też zajrzał do pokoju, jakby chciał coś jeszcze powiedzieć, ale tylko ironicznie się uśmiechnął i kiwnął głową do Lory, po czym oddalił się razem ze swoimi ludźmi. Jeszcze na schodach wydawał im podniesionym głosem polecenia. Najwidoczniej następnego dnia wczesnym rankiem faktycznie zamierzał opuścić ten dom.

Chociaż zachowywał się tak buńczucznie, Lora odniosła wrażenie, że ziemia pali mu się pod nogami. Ale to oznaczało, że na pewno spełni swe groźby.

Przezwyciężyła odrazę przed brudnymi naczyniami, ułamała chleba i zanurzyła kawałki w jeszcze ciepłej kawie z mlekiem. Skromny posiłek smakował dużo lepiej, niż wyglądał, i rozgrzał ją od środka.

Nati najwidoczniej była tego samego zdania, bo od razu pochłonęła chleb.

– Ruppert jest obrzydliwym, podłym szubrawcem – stwierdziła, spałaszowawszy ostatni okruszek, a potem przesunęła się w nogi łóżka, by przyjrzeć się łańcuchowi swej opiekunki.

Lora tymczasem wstała, umyła sobie ręce lodowatą wodą z dzbanka i wysuszyła prześcieradłem. Gest Rupperta wcale nie jest wspaniałomyślny, pomyślała. Jak by mnie potraktował, gdybym faktycznie zrobiła to, czego ode mnie żąda? Uznała, że wykorzystałby ją do swych celów, a potem pozbył się jej jak zużytej szmaty. Oburzona pokręciła głową. Niech ten drań mówi sobie i robi, co chce – ona woli umrzeć z czystym sumieniem, niż dać się wciągnąć w jego przestępcze machinacje.

Na pokładzie Deutschlandu śmierć groziła wszystkim ludziom. Lora pogodziła się z tym, że ona też może umrzeć. Ale wszystko burzyło się w niej na myśl, że zginie z ręki łajdaka, któremu może depcze już po piętach policja. Ale tym razem wyglądało na to, że nie ma żadnego wyjścia z sytuacji i że nie pojawi się żaden zbawca, jak Liverpool, który nadpłynął w ostatnim momencie, żeby wziąć na pokład pozostałych przy życiu rozbitków.

Gdy Lora męczyła się z tą myślą, na dziedzińcu przed domem zapanował harmider. Łańcuch u jej kostki był na tyle długi, że mogła podejść do okna i wyjrzeć na zewnątrz. Na dole zobaczyła Rupperta wsiadającego właśnie do otwartej dwukółki, ciągniętej przez tylko jednego konia. Zamknięte w kojcu psy podniosły piekielny hałas, gdy pojazd wyjeżdżał z posesji. W nocy Ruppert pozwolił im chyba biegać luzem przy ogrodzeniu, bo wieczorem Lora słyszała, jak węszą pod jej oknem.

Ledwo Ruppert przejechał przez bramę, zwierzęta z powrotem ucichły, chociaż Edwin, William i dwaj inni mężczyźni pilnie biegali między domem a powozownią i ładowali do dużej bryczki skrzynie i walizy. Z tyłu powozu znajdowała się półka przykryta dużą skórzaną plandeką. Tam właśnie złoczyńcy umieścili ciężką skrzynkę z pieniędzmi, którą mocno przywiązali i przykryli płóciennymi i skórzanymi workami. Przez chwilę Lora się zastanawiała, czy nie powinna nakłonić Nati, by ta zbiegła na dół i się tam ukryła. Ale mężczyźni na pewno by ją dostrzegli, zanimby tam dotarła. Nawet gdyby dziewczynka zdołała się schować pod plandeką, pozostawały jeszcze psy, a te robiły wrażenie, że bardzo by się ucieszyły, dostawszy kilkuletnie dziecko na śniadanie.

Gdy Lora odwróciła się tyłem do okna, dostrzegła, że Nati zdjęła płaszcz i szeleszczącą sukienkę i w samej koszuli chciała wymknąć się z pokoju, drżąc przy tym z zimna i osłabienia, że aż dzwoniły jej zęby.

– Zostań tu! – fuknęła na nią Lora. – Zwariowałaś? Nie możesz przecież biegać prawie naga. Natychmiast się ubierz, bo dostaniesz zapalenia płuc!

– Tak, panno guwernantko! – odpowiedziała Nati i się skrzywiła.

– Chciałam tylko sprawdzić, czy nie znajdę czegoś na dole, czym by można było zdjąć ten głupi łańcuch.

Lora z powrotem ubrała Nati i dała jej delikatnego klapsa. Jednocześnie próbowała otrzeć sobie łzy, których nie mogła powstrzymać.

Nati podała jej rąbek koszuli nocnej.

– Możesz się spokojnie w nią wysmarkać. Dziadka stajenny też tak zawsze robił, gdy w nocy musiał iść do jakiegoś konia.

Lora mimowolnie zachichotała. Wychowanie małej komtesy faktycznie pozostawiało wiele do życzenia. Ale nim zdążyła coś odpowiedzieć, dziecko wskazało rączką na łańcuch.

– Jedna z moich opiekunek też mi kiedyś coś takiego zrobiła! Powiedziała, że to za karę, bo byłam bezczelna i nie chciałam leżeć w łóżku, jak mi rozkazała. Wtedy zawołałam pucybuta, a on polanem z kominka wyłamał szczeble w łóżku i mnie uwolnił. Potem wraz z łańcuchem zaprowadził mnie do stryjecznej babki Ermingardy. Dostała ataku histerii i od razu zwolniła nianię. Pucybuta też zwolniono, bo zepsuł cenne łóżko, zamiast kogoś zawołać. Ale dziadek powiedział mi później, że załatwił mu nową, lepszą posadę. Gdybyśmy miały drewniane polano, mogłybyśmy cię uwolnić.

Lora przyjrzała się dokładniej ramie łóżka. Drewno było suche i zżarte przez korniki, ale gdy je szarpnęła, stawiło jej opór.

– Może mając polano, jakoś dałybyśmy radę. Ale co zrobiłybyśmy potem? Gdy zbiegniemy po schodach, ci ludzie natychmiast nas zobaczą. Musiałybyśmy wyjść przez okno…

Zachwycona Nati zaklaskała w dłonie.

– Tak, zróbmy to! Potrafię opuszczać się po ścianie! Naprawdę! W domu już dwa razy wychodziłam przez okno. – Nim Lora zdążyła jej przeszkodzić, ta podciągnęła się na parapet i spojrzała w dół. – Ale tam nie było tak wysoko jak tutaj... – dodała cicho.

– Nie zapomnij, że brakuje nam polana – przypomniała dziewczynce Lora. Miała wrażenie, że w gardle tkwi jej gula niepozwalająca na swobodne artykułowanie słów. – A poza tym nie zaszłybyśmy daleko także ze względu na psy. Ach, Nati, tak bym chciała, żeby już było po wszystkim. Ja...

Przygryzła wargę. Nie powinna przy dziecku okazywać strachu. Powinna zrobić wszystko, żeby dodać małej odwagi. Nim zdążyła coś powiedzieć, usłyszała na schodach kroki. Do środka wpadł William. Uśmiechał się szeroko i spoglądał na Lorę pożądliwie. Dziewczyna poczuła, że na jego widok ściska jej się żołądek.

– Grzecznie wszystko zjadłyście – powiedział, spojrzawszy w bok na puste kubki. Potem podszedł do Lory i pociągnął ją w kierunku łóżka. – Szef powiedział, żebym ci pokazał, jak masz później pozyskiwać ważne informacje. Jeśli będziesz robić to, czego od ciebie chcę, mogę cię nawet wyręczyć i zakatrupić za ciebie tego bachora. No, czy to nie dobra oferta?

Mówiąc to, sięgnął pod spódnicę Lory i ją zadarł. Lora chciała go odepchnąć, ale uderzyła kolanem w kant łóżka i upadła na siennik.

– Wyglądasz już dorośle i na pewno robiłaś to już z różnymi mężczyznami. Ale zobaczysz, jestem od nich lepszy.

Jedną ręką przytrzymywał Lorę na materacu, a drugą manipulował przy rozporku.

W domu, w Prusach Wschodnich, Lora widziała swych młodszych braci nago, wiedziała więc, czym różni się chłopiec od dziewczyny, ale ta okropna rzecz, którą wyciągnął ze spodni William, była o wiele większa, niż mogłaby sobie wyobrazić, a na dodatek groteskowo wygięta w górę.

– Zaraz ci dogodzę – wysapał mężczyzna.

– Zostaw Lorę w spokoju! – krzyknęła Nati.

Rzuciła się na Williama i zaczęła drapać go paznokciami po twarzy. Puścił Lorę, odwrócił się i wymierzył dziecku policzek, przewracając je na podłogę.

Lora wyskoczyła z łóżka i zaczęła w niego walić obiema pięściami. William chwycił jej ręce, ścisnął w nadgarstkach, obejmując jedną dłonią. Drugą uderzył dziewczynę mocno w twarz. Zaczął mówić, pryskając jej w twarz kropelkami śliny, a ona miała wrażenie, że zaraz zwymiotuje. Najgorsze było jednak to, czym jej zagroził.

– Ty mała dziwko! Zrobisz teraz, co ci mówię, w przeciwnym razie najpierw zabiję tego bachora, a potem ciebie. Nie myśl, że szef będzie cię żałował. Musisz być dobrze ujeżdżona, jeśli masz mu się potem do czegoś przydać. Ale jeśli będziesz się stawiać, staniesz się warta mniej niż karma dla psów.

Lora wiedziała, że mężczyzna mówi poważnie. Zabiłby dziecko bez skrupułów, a potem i tak by ją zgwałcił, a następnie pozbawił życia. Ze łzami w oczach przestała się opierać i pozwoliła, żeby położył ją na łóżku i pomimo chłodu zadarł jej suknię i halkę, a potem ściągnął majtki, tak że leżała przed nim całkiem naga.

– Zobaczysz, że będzie ci dobrze – wykrztusił i chciał właśnie rozłożyć jej nogi, gdy zaszczekały psy.

W następnej chwili rozległ się przenikliwy głos Edwina.

– William, gdzie jesteś? Chodź tu natychmiast!

Słowom Edwina towarzyszył odgłos nadjeżdżającego powozu. William zaklął, puścił Lorę i podbiegł do okna, żeby wyjrzeć na zewnątrz.

– Do cholery, co za obcy tu jedzie? Czego tu szuka?

Z trudem chowając fallusa w spodniach, rzekł do Lory:

– To nie potrwa długo. Za chwilkę będziemy kontynuować tam, gdzie przerwaliśmy.

Po tych słowach zniknął i pozostawił Lorę bardziej martwą niż żywą. Ubrała się ze znużeniem, a potem siedziała nieruchomo, zakrywając twarz rękoma.

Nati pociągnęła ją za rękaw.

– Podejdź do okna, Loro. Patrz, nadjeżdża jakiś duży powóz.

– To na pewno bandyci, którzy chcą się zobaczyć z Ruppertem. Może to on sam wynajął drugi powóz, żeby wywieźć wszystkie swoje rzeczy – odpowiedziała z goryczą Lora. Przełknąwszy ślinę, wpatrzyła się w nadjeżdżający pojazd. – Dziwne, to te same konie co wczoraj przy porcie, cztery piękne kasztanki. Wszystkie mają z przodu po jednej jasnej i jednej ciemnej pęcinie. Skórzana plandeka nad półką na bagaż jest również czerwona. To musi być powóz, który mijaliśmy w porcie.

Nati nie odpowiedziała, lecz uczepiła się Lory i patrzyła na pojazd. Faktycznie stanął przed żelazną bramą. Dowodzący bandą podczas nieobecności Rupperta Edwin splunął i dał ręką znak, żeby otworzono bramę. William podbiegł natomiast do psów, które szalały w kojcu, jakby wstąpił w nie diabeł.

Teraz Lora rozpoznała także woźnicę pojazdu, po jego przypominającym mundur płaszczu z dużym dwubarwnym kołnierzem przykrywającym ramiona. Mężczyzna z trudem dawał radę zapanować nad spłoszonymi przez psy końmi. Pełne temperamentu kasztanki uderzały tylnymi kopytami w przednią ścianę powozu, nie miał więc innego wyjścia, jak zeskoczyć z kozła, żeby przytrzymać zaprzęg. Lokaj, który siedział obok niego, również zsiadł, żeby mu pomóc. Lora widziała teraz tylko głowy koni, ponieważ powóz podjechał pod dom, który częściowo go przesłonił. Żałowała, bo była ciekawa, czy w środku siedzi ten sam wytworny pasażer co dzień wcześniej.

Edwin stał na rozstawionych nogach przed powozownią, wziął się pod boki, nie mając zamiaru zrobić choćby kroku w kierunku niespodziewanego gościa. William i jeszcze jeden mężczyzna trzymali na smyczach po dwa ujadające psy. Stanęli w taki sposób, że obcy przybysz, wychodząc zza rogu, musiał trafić między nich.

Lora dostrzegła wytwornego pana w kapeluszu z bobrzego futra i płaszczu przypominającym płaszcz woźnicy, ale skrojonego z bardzo drogiego materiału. Mężczyzna miał na sobie długie obcisłe spodnie oraz błyszczące buty. Robił wrażenie człowieka szlachetnie urodzonego. Gdy w geście pozdrowienia zdjął kapelusz, Lora rozpoznała, że to faktycznie podróżny, z którym mijali się poprzedniego dnia.

Ten mężczyzna na pewno nie jest jednym z kompanów Rupperta, pomyślała i poczuła w sercu cichą nadzieję.

– Mój Boże, może to człowiek z przedsiębiorstwa żeglugowego. Może przyjechał tu po nas.

Dłonią przycisnęła walące mocno serce.

– Ach, popatrzcie, Niemiec – zawołał na dole Edwin. Musiał krzyczeć, żeby zagłuszyć psy. – No, panie Niemiec, co pana tu sprowadza?

– Chciałbym porozmawiać z panem von Retzmannem – odpowiedział przybysz. – Pragnę…

Reszty jego słów Lora nie dosłyszała, bo na dole ponownie rozszczekały się psy, a na górze, tuż koło jej ucha, rozległ się pisk. Nati objęła gwałtownie przyjaciółkę.

– Jesteśmy uratowane! To wujek Thomas! Przyjechał, żeby nas uwolnić!

– Masz na myśli Thomasa Simmerna, twojego opiekuna? – zapytała z niedowierzaniem Lora.

– Tak! Loro, musimy krzyczeć, żeby wiedział, gdzie jesteśmy! Wujku Thomasie! Wujku Thomasie! Jesteśmy tutaj!

– Nie usłyszy nas. Psy szczekają zbyt głośno. O Boże, gdybyśmy tylko mogły zbiec na dół. Popatrz, ten wstrętny Edwin uderza twojego wujka w pierś. Chyba chce go zmusić, żeby wsiadł z powrotem do powozu. O Najświętsza Panienko, pomóż nam! Muszę pozbyć się tego łańcucha. Mam nadzieję, że pan Simmern nie pozwoli się tak szybko odprawić z kwitkiem.

Lora obrzuciła spojrzeniem pokój. Jej wzrok spoczął na krześle. Mogłaby go użyć zamiast polana.

– Nie bój się! – krzyknęła do Nati.

Dziewczynka skupiona była tylko na tym, co działo się na dole.

– Loro, Loro, ci dranie chcą chyba, żeby psy zagryzły wujka Thomasa.

Lora oparła się chęci podbiegnięcia do okna. Wzięła krzesło, podniosła je i uderzyła nim w obudowę kominka. Uderzenie nie było szczególnie głośne, ale miała wrażenie, że zabrzmiało jak strzał z armaty. W jej rękach pozostała tylko część oparcia.

Nati odwróciła na moment głowę w jej kierunku.

– Znakomicie! Pospiesz się! Wujek Thomas ma teraz pistolet w ręce. Chyba chce zastrzelić psy.

– Już, spieszę się.

Lora odłożyła krótsze kawałki drewna, chwyciła jedną z nóg i wsadziła w ramę łóżka. Silne szarpnięcie i zmurszały stelaż zaczął pękać. W końcu zdołała wyciągnąć łańcuch. Aby się za nią nie ciągnął, wsadziła drugi koniec za pasek, po czym spojrzała na Nati.

Ta siedziała już na parapecie i chciała wydostać się na zewnątrz przez okno.

– Chodź szybko! – zawołała.

– Zwariowałaś? Przecież nas zobaczą – przestraszona Lora wciągnęła małą z powrotem do środka.

Potem po raz ostatni obrzuciła spojrzeniem dziedziniec przed domem. Edwin właśnie zakasywał rękawy i bujając się na boki, napierał na
nieproszonego gościa. Nie można było zrozumieć, co mówi, ale Thomas Simmern mimo pistoletu w dłoni nie wyglądał na pana sytuacji.

Lora przeżegnała się i przysięgła sobie, że zapali Matce Bożej
szczególnie dużą świecę, jeśli obie z Nati opuszczą to miejsce żywe.
Z przyzwyczajenia wzięła dziecko na ręce, ale natychmiast z powrotem je postawiła.

– Chodź, pobiegniemy korytarzem na drugą stronę domu. Wezmę prześcieradła, spuścimy się po nich.

– Robiłaś już kiedyś coś takiego?

– Nie. Ale czytałam o tym. Uda się nam.

Usłyszawszy ten plan, Nati poczuła ekscytację i ruszyła za Lorą
niosącą pod pachą zwinięte prześcieradła. Wyszły ostrożnie na korytarz. Lora próbowała ocenić, pod którym z okien przystanął powóz,
a następnie wybrała drzwi. Okna pomieszczenia wychodziły na małą
przybudówkę z jednospadowym dachem, jego szczyt zaczynał się
mniej więcej metr pod parapetem.

Lora uniosła Nati i wystawiła ją na dach, który natychmiast po-
dejrzanie zaskrzypiał.

– Ostrożnie – ostrzegła Lora. – Pozostań blisko muru i trzymaj
się mocno.

W tym momencie zorientowała się, że psy przestały szczekać.
Przestraszona wsłuchiwała się w pospieszne kroki i nawoływania,
które świadczyłyby, że odkryto ich ucieczkę. Ale w domu nic się nie
działo.

Po kilku sekundach psy znów zaczęły skomleć, ale tak ochryple,
jakby się zmęczyły. Za to mężczyźni krzyczeli głośniej. Najwidoczniej
Thomas Simmern dobrze wiedział, że Nati jest tu przetrzymywana,
i żądał wydania jej wraz z opiekunką. Ale jego głos brzmiał raczej
bezradnie, podczas gdy ludzie Rupperta raz za razem wybuchali śmiechem. Całe zdarzenie musiało sprawiać im frajdę, bo bawili się z gościem w kotka i myszkę.

Lora w duchu niemal pragnęła, by opiekun prawny Nati po prostu zastrzelił tych bandytów. Ale ponieważ miała świadomość, że tego nie zrobi, zmówiła błagalną modlitwę i ruszyła wzdłuż muru, jedną ręką popychając przed sobą dziewczynkę, a drugą przytrzymując się ściany i odrapanego tynku. Pod ich stopami obluzowało się kilka dachówek. Nathalia dwukrotnie zapadła się w zmurszałym dachu i zawisła przytrzymywana tylko przez Lorę, która wciągnęła ją z powrotem na górę. Powoli przesuwały się dalej. Sądząc po głosach, zbliżały się coraz bardziej do powozu. Po chwili zobaczyły wystający zza rogu budynku tył pojazdu. Czerwona plandeka ze skóry, przysłaniająca półkę na bagaż, zwisała luźno, jakby nic się pod nią nie znajdowało. Lora jeszcze raz głęboko zaczerpnęła powietrza.

– Teraz wszystko zależy od tego, kto szybciej znajdzie się przy powozie, my czy ludzie Rupperta ze swoimi psami – szepnęła dziewczynce do ucha.

Gdy dotarły do brzegu dachu, zorientowały się, że ziemia jest dużo niżej, niż przypuszczały. Na dodatek nie miały możliwości zaczepienia gdziekolwiek prześcieradeł, po których chciały zejść. Nie zastanawiając się długo, Lora zaczęła wiązać prześcieradła i jednym ich końcem opasała Nati na wysokości piersi. Ale słaby ze starości materiał rwał się, gdy próbowała mocniej pociągnąć. Dlatego odłożyła prześcieradła i przyciągnęła Nati do siebie.

– Chwycę cię za ręce i zsunę na tyle, na ile dam radę. Potem cię puszczę. Uważaj, żebyś nie zrobiła sobie krzywdy, jak będziesz spadać. Jeśli coś cię zaboli, nie wolno ci krzyknąć, słyszysz? Podkradniesz się do rogu i sprawdzisz, czy któryś z bandytów Rupperta nie patrzy w tę stronę. Jeśli będą odwróceni plecami, pobiegniesz do powozu i schowasz się na półce na bagaże. Zrozumiałaś mnie?

Nati spojrzała na Lorę wielkimi oczami i skinęła gorliwie głową, ale Lora czuła, że dziecko drży, a jednocześnie płonie od nowego rzutu gorączki. Prawdopodobnie dziewczynka nie będzie miała dość sił, żeby utrzymać się na gładkiej półce pod plandeką. Przez chwilę Lora się zastanawiała, czy nie będzie lepiej wycofać się do domu i odwrócić uwagę ludzi głośnym krzykiem, żeby Nati mogła wejść do wnętrza powozu. W ten sposób przynajmniej dziecko by uciekło. Ale potem pomyślała o Williamie i przeszedł ją dreszcz.

Lora wystraszona, ale napędzana wolą ucieczki, położyła się na brzuchu i pomogła Nati zsunąć się z dachu jak najniżej. Potem ją puściła, modląc się w duchu. Nati spadła jak kamień i leżała w dole nieruchomo. Przestraszona Lora spuściła nogi z dachu i skoczyła. Luźny koniec łańcucha wysunął jej się zza paska i uderzył ją po nogach. Żeby nie krzyknąć, zacisnęła mocno zęby. Spadając, trafiła prawą ręką w kamień i skręciła sobie nadgarstek. Z trudem wstała na nogi. Gdy się podniosła, Nati nagle zaczęła się ruszać.

– Wszystko mnie boli – poskarżyła się dziewczynka.

Chwyciła Lorę za rękę i kulejąc, podbiegły do powozu. Mężczyźni znajdowali się bardzo blisko. Lora słyszała ich kroki po drugiej stronie powozu. Sądząc po odgłosach, Edwin i jego pomocnicy wpychali właśnie Thomasa Simmerna na siłę do środka. Powóz zabujał się pod naporem tylu rąk. Mężczyźni na szczęście w ogóle nie zwracali uwagi na otoczenie.

Lora szybko uniosła Nati i wsunęła ją pod czerwoną skórzaną plandekę zakrywającą półkę na bagaże i sama wślizgnęła się tam za nią. Łańcuch przy jej nodze zabrzęczał i uderzył w drewno. Lorze prawie stanęło serce. Ale nikt nie podszedł i nie sprawdził.

– Przekażcie panu Retzmannowi, że nie uważam sprawy za załatwioną. Jeśli mi nie odda swej kuzynki Nathalii i jej opiekunki całych i zdrowych, zadbam, by nie mógł się pokazać w Niemczech. Spowoduję też, że będzie miał w Anglii poważne problemy! Posiadam dowody na jego przestępczą działalność, ale jestem gotów oddać mu je wszystkie, jeśli przekaże mi obie dziewczyny. Będę czekał na niego dokładnie dwadzieścia cztery godziny. Znajdzie mnie w hotelu Fisherman's Rest przy starym porcie. Potem pójdę na policję.

– W tej starej budzie? W takim razie wesołego łapania pluskiew – zadrwił Edwin.

W tym momencie powóz ostro ruszył, jakby konie były zadowolone, że wreszcie oddalają się od psów.

IX

Lora z trudem utrzymywała siebie i Nati na półce na bagaże. Zacisnęła kurczowo palce na skórzanych rzemieniach służących do mocowania kufrów, a nogami zaparła się o drewno. Ale każde szarpnięcie przesuwało ją w kierunku brzegu półki. Gdy po kilku minutach powóz się zatrzymał, początkowo odetchnęła z ulgą, ale potem zrobiła się sztywna z przerażenia. Czyżby kompani Rupperta odkryli ucieczkę i zablokowali drogę, aby odebrać uciekinierki? Ale nie usłyszała podniesionych głosów ani szczekania psów. Za to ktoś wysiadł z powozu i podszedł bliżej. Jego kroki zaskrzypiały na podłożu. Skórzana plandeka została podniesiona, a Lora ujrzała uśmiechniętą twarz Thomasa Simmerna.

– Czy mogę zaprosić szanowne panie do środka? Tu, z tyłu, nie jest zbyt wygodnie, nie sądzą panie?

Wydobył Lorę z ukrycia, podnosząc ją, jakby ważyła tyle co piórko, i podał ją w ramiona służącemu. Dojrzawszy łańcuch przy jej nodze, rzekł:

– Ruppert chciał być pewny, że nie uciekniesz. Od łańcucha mogę cię uwolnić dopiero wtedy, gdy znajdziemy się w hotelu. Na Boga, sądzę, że będziesz mi miała wiele do opowiedzenia, moja panienko!

Zdumiona Lora skinęła głową, ale on nie zwracał już na nią uwagi, lecz przyciągnął Nati do siebie, która teraz, gdy napięcie minęło, znów poczuła się gorzej. Jej twarzyczka niemal płonęła, wargi miała spękane, a oczy błyszczały w gorączce.

– Mój Boże, Nathalio! – zawołał. – Chyba mi nie umrzesz, kotku! Zaraz zawiozę cię do lekarza.

– Na pewno jest bardzo spragniona – powiedziała Lora, siedząc już w powozie i próbując uwolnić się z koców i futer, w które właśnie zapakował ją służący. – Od wczorajszego południa dostałyśmy do picia tylko po kubku kiepskiej kawy z mlekiem. Proszę, panie Simmern, nie ma pan przy sobie nieco zimnej herbaty albo czegoś w tym stylu? Podajmy ją Nati bardzo ostrożnie. Musi się szybko znaleźć w ciepłym łóżku. Sądzę, że powinniśmy jej ponownie zrobić okłady z brzozowych liści. Mary Penn zna się na tym. Był pan przecież u Pennów, prawda? Jej bracia mogą nam załatwić liście do okładów.

Thomas Simmern wolną ręką pchnął Lorę z powrotem na siedzenie.

– Siedź, dziewczyno! Ja zatroszczę się o naszego małego kotka. Sama wyglądasz, jakbyś pilnie potrzebowała lekarza. Proszę, napij się tego. To *ale*, cienkie piwo, które moi ludzie bardzo cenią w podróży. Nati dostanie resztkę wody z butelki. Muszę tylko postawić ją na chwilę na gorącej cegle, bo od zimnego napoju mała dostanie jeszcze zapalenia płuc.

Thomas Simmern zaczął ogrzewać wodę. Uśmiechnął się serdecznie do Lory i dodał:

– Cieszę się, że ci się udało uciec razem z naszą kruszynką. A wracając do twego pytania: owszem, poznałem Pennów. List, który kazałaś napisać panu Smithsonowi, dotarł do mnie w Londynie. Ruszyłem do Harwich tak szybko, jak tylko się dało. Kapitan portu odesłał mnie do twych gospodarzy. Niestety, przybyłem pół godziny za późno.

Lora napiła się kwaśnego piwa i uśmiechnęła powściągliwie i trochę z ulgą. Teraz rozumiała, dlaczego Nathalia z takim zachwytem wyrażała się zawsze o wujku. Był to miły, ale energiczny mężczyzna, którego wytworne ubranie nieco ucierpiało w incydencie z bandytami. Poza tym wszystko wskazywało na to, że co najmniej w dwóch miejscach ugryzły go psy. Uznała, że może zaufać mężczyźnie, skoro ten tak narażał się dla wnuczki przyjaciela.

– Za to dzisiaj przyjechał pan w samą porę! Okropny kuzyn Nati chciał, żebym ją jeszcze dzisiaj zabiła. Miało to wyglądać tak, jakby zmarła od gorączki. W zamian obiecywał mi podstępnie różne rzeczy. Sądzę, że chce sfałszować testament grafa von Retzmanna i siebie samego ustanowić jego spadkobiercą. Wspomniał o człowieku potrafiącym naśladować różne charaktery pisma, któremu już zapłacił... Och, testament jest w paczuszce, razem z papierami powierzonymi mi przez dziadka Nati, zanim został zamordowany. Schowałam wszystko u Mary Penn, a teraz ten drań już tam na pewno jest, żeby to zabrać. Nie możemy dopuścić, żeby morderca dostał testament w swoje ręce. Najświętsza Panienko, mam nadzieję, że nie jest za późno!

Thomas Simmern próbował ją uspokoić.

– Najpierw zawieziemy Nati i Konrada, mojego kamerdynera, do hotelu. Tam Konrad sprowadzi lekarza, który zatroszczy się o naszą kruszynę. A my oboje natychmiast pojedziemy dalej do Pennów. Twoja przyjaciółka Mary nie wygląda na osobę, która dałaby się łatwo komuś zastraszyć. Prawie mi oczy wydrapała, bo przyjechałem zbyt późno, by wyśledzić Rupperta.

Simmern roześmiał się cicho, gdy sobie o tym przypomniał, a potem kontynuował swoją opowieść:

– Jeden z braci Mary wynajął wóz i jeździł nim po ulicach miasta. Wypytywał o Rupperta uliczników z całego Harwich. Chłopiec miał szczęście, bo zdołał wyśledzić powóz tego drania i widział, jak skręca w kierunku starego domu. Ale los z niego zakpił, bo w drodze powrotnej koń ciągnący wóz stracił podkowę i właściciel nie chciał jechać dalej. Dlatego dopiero dzisiaj rano zostałem poinformowany o miejscu waszego pobytu. Jak widzisz, twoja przyjaciółka dotrzymała słowa i zrobiła wszystko, by cię uratować.

– I by uratować Nati! – odpowiedziała Lora. – Obiecałam dziadkowi naszej małej lady, że będę na nią uważać i nie zostawię jej, póki nie będzie bezpieczna w pańskich rękach. I dotrzymałam słowa.

– No cóż, mam nadzieję, że jeszcze przez chwilę zostaniesz razem z nią, przynajmniej tak długo, póki nie znajdzie się cała i zdrowa z powrotem w swoim domu w Bremie. Gdy wrócimy do hotelu, lekarz powinien zbadać także ciebie. Zatrudnię pokojówkę, albo może raczej pielęgniarkę, żeby się wami obiema zajęła. Jesteś bardzo blada, moja dziewczyno. Powinnaś znaleźć się w łóżku. Sądzisz, że dasz radę wytrzymać jeszcze jazdę do Pennów? Czy powinienem cię może od razu zostawić w hotelu?

– Nie! Pojadę z panem, koniecznie! To znaczy, jeśli ktoś inny zatroszczy się w tym czasie o Nati. Czy można polegać na panu Konradzie?

– Nie na panu Konradzie, tylko po prostu na Konradzie. Był sternikiem na statku, którym dowodziłem, gdy sam jeszcze wypływałem na morze. A teraz jest moim kamerdynerem, ale wciąż nazywa mnie kapitanem. Tak, można na nim polegać, a poza tym zna Nathalię od niemowlęcia. Nie martw się, będzie się o nią troszczył lepiej niż niejedna mamka.

Nati otworzyła oczy i uśmiechnęła się do swego wujka.

– Konrad jest miłym człowiekiem! Kradł dla mnie jabłka, a kiedyś zwinął nawet czekoladę. Będzie mnie pilnował, póki wy nie załatwicie sprawy z Ruppertem.

Thomas Simmern roześmiał się dźwięcznie.

– Moja kochana Nathalio, jesteś niepoprawna! Tym razem Konrad nie ukradnie dla ciebie żadnej czekolady, bo najpierw musisz wyzdrowieć. Potem dostaniesz tyle czekolady, ile będziesz chciała. Ale nie wypluj jej znowu na moje najlepsze spodnie.

– Zrobię to, jeśli nie przywieziesz Lory z powrotem – mruknęła senna Nati. – To moja najlepsza przyjaciółka. Uratowała mi życie. Ona też ma szlachetnie urodzonego dziadka, który przyjaźnił się kiedyś z moim dziadkiem. Musisz ją traktować jak damę, słyszysz? Od teraz zostanie ze mną na zawsze i będzie pilnować, żebym była grzeczna.

Wujek Thomas uśmiechnął się i pogłaskał Nati po rozpalonym czole.

– Ależ oczywiście, mój mały skarbie. Zostanie z tobą na pewno. A teraz śpij. Wszystko będzie dobrze, obiecuję ci.

– Nikt już nie umrze i nie będzie żadnych wypadków? – zapytała jeszcze Nati.

– Nie, mój mały aniołku – odpowiedział wujek Thomas.

Ale Nati mimo gwałtownego turkotu powozu zdążyła już zasnąć.

Lora spojrzała z uśmiechem na Thomasa Simmerna. Niewielu mężczyzn potrafi tak czule obchodzić się z dziećmi. Chciała coś powiedzieć, ale on pokręcił głową i przez boczne okno wskazał ręką w kierunku, w którym jechali.

– Zaraz będziemy na miejscu. Porozmawiać zdążymy później, panienko von Huppach!

– Po prostu Huppach – odpowiedziała automatycznie Lora.

Ponieważ siedziała tyłem do kierunku jazdy, musiała się przechylić i odsunąć zasłonkę, żeby móc wyjrzeć. Przed nimi pojawił się hotel, w którym mieszkał Thomas Simmern, a za nim można było zobaczyć część starego portu rybackiego. Przed wjazdem na dziedziniec hotelowy czekał na nich podekscytowany brat Mary – Freddy.

– Mister Simmern! Mister Simmern! – zawołał. – Ten drań znowu do nas przyjechał. Przyprowadził gliniarzy, a ci teraz wywracają dom do góry nogami i wyrzucają meble na ulicę. My też zostaliśmy przeszukani, a potem wyrzucono nas na zewnątrz, na to pierońskie zimno. Czy to nie podłość? Ach, Laurie, jesteś! Czy ten szlachetny dżentelmen cię uwolnił? Mary przez cały czas lamentowała. Myślała, że jesteście już martwe. Czy udało się uratować laleczkę, przywieźliście ją? Ach, jest! Zawinięta jak kiełbasa. Jak dobrze!

Wujek Thomas przerwał jego paplaninę.

– Dobrze, już dobrze, mój chłopcze. Wszystko się ułoży. Na pewno znasz dobrego lekarza, prawda? Pobiegnij szybko do niego i powiedz, że lady Nathalia pilnie go potrzebuje. To sprawa życia i śmierci. Niech przyjdzie do hotelu Fisherman's Rest do pokoju trzysta jeden. Ja tymczasem pojadę do twoich rodziców i załatwię tę sprawę.

Zachęcony szylingiem Freddy pobiegł, jakby chodziło o jego życie. Tymczasem Konrad wziął Nati delikatnie na ręce, jakby miał do czynienia z jakimś niezwykle cennym i kruchym przedmiotem, i zaniósł ją spiesznym krokiem w kierunku drzwi wejściowych do hotelu. Thomas Simmern zwrócił się do Lory:

– Jesteś pewna, że nie chcesz do hotelu?

Pokręciła głową.

– Nie, ale chętnie pozbyłabym się tego łańcucha u nogi – powiedziała. – Czy nie dałoby się go jakoś usunąć?

– Nie mamy na to czasu. Albo pójdziesz teraz razem z Nati do pokoju, albo jedźmy dalej. Dasz radę? Możesz się spokojnie wypłakać. Płacz przynosi ulgę sercu. A ja zapytam Rupperta przy wszystkich, z jakiego powodu wnuczkę pana... Jak się nazywał twój dziadek?

– Mój dziadek? Wolfhard von Trettin.

– Och! Jesteś wnuczką szalonego Nikasa! No, to teraz wiem, dlaczego byłaś taka odważna. Chodź, dzielna dziewczyno. Wprawdzie nie uda nam się pojmać wilka, ale może przynajmniej go wypłoszymy.

Choć Lora miała wrażenie, że powóz wokół niej wiruje, skinęła głową i uśmiechnęła się przez łzy.

– Mam taką nadzieję! Jadę z panem, panie Simmern.

– Możesz do mnie mówić „wujku Thomasie"! W końcu znałem twojego dziadka, gdy byłem jeszcze szkrabem w krótkich spodenkach. Graf von Retzmann masę lat później w zażyłym gronie panów nieraz opowiadał anegdotki o szalonym Nikasie.

Lora poczuła, że płoną jej policzki. Znała kilka bardziej niewinnych opowieści o dziadku, ale nawet te nie były odpowiednie dla uszu damy.

Tymczasem powóz znowu ruszył i skręcił teraz w ulicę przy starym porcie. Przed domem Pennów zgromadził się tłum ludzi, tak że droga była zupełnie nieprzejezdna. Kilku uliczników i młodych mężczyzn weszło nawet na dach portowej komendantury, żeby lepiej widzieć, co się tam dzieje. Krzyki były okropne, ale głos missis Penn zagłuszał wszystkie inne głosy. Brzmiało w nim takie oburzenie, jakby policjanci właśnie zagrozili, że wrzucą ją i całą jej rodzinę nago do basenu portowego.

X

Thomas Simmern wyskoczył z powozu i zaczął się przepychać przez tłum. Gdy Ruppert go zobaczył, splunął i stanął do niego plecami. Wujek Thomas chwycił go jednak za ramię i zmusił do odwrócenia. Lora nie mogła niestety zrozumieć, co do niego powiedział, ale przyglądała się z satysfakcją, jak kuzyn Nati robi się purpurowy na twarzy i szczerzy zęby na podobieństwo wściekłego buldoga. Thomas Simmern wrócił do powozu, jakby nic się nie stało. Po chwilowym odrętwieniu Ruppert ruszył za nim. Tuż przy drzwiczkach chwycił Simmerna za klapę surduta i przycisnął go do ściany powozu.

– Co to ma znaczyć? – zapytał po niemiecku cichym, zduszonym głosem.

– Tylko jedno: pójdź do swego kauzyperdy, powiedz, że to wszystko było twoją pomyłką i odwołaj całą tę akcję. W przeciwnym razie dopilnuję, żeby Scotland Yard dowiedział się o twoich konszachtach z tym paserem i przemytnikiem broni Horrisem Blandonem! Pamiętasz kapitana czteromasztowej barki Fair Lady, która osiadła na mieliźnie dwa lata temu? Byłeś wobec niego zanadto wylewny. Nie tylko powiedział mi, w jaki sposób zdefraudowałeś w NDL trzydzieści tysięcy amerykańskich dolarów, lecz też napomknął mi to i owo o twoich kontaktach z niejakim Hankiem Pycroftem z Bostonu i jego wspólnikiem Horrisem Blandonem. Sądzę, że w Londynie są tacy, co by się ucieszyli, gdybym przekazał im tę wiadomość.

Ruppert zesztywniał, jakby trafił go grom z jasnego nieba. Z trudem odzyskiwał głos.

– Pieprzony szantażysta! Jego też powinienem był zaka... Ale ty się tym lepiej nie interesuj, parszywy platfusie! Myślisz, że wygrałeś i że możesz jako opiekun mojej kuzynki zająć wymoszczone gniazdko w Bremie? Sądzisz, że zdołasz przywłaszczyć sobie majątek starego, co nie? Ale tak ci się tylko wydaje. Jak znajdę testament, będziesz mógł sobie wziąć tę swoją diabelną chrześnicę, ale pieniądze będą moje. Jeśli spróbujesz wejść mi w paradę, własnoręcznie ukręcę głowę tej małej diablicy, przysięgam. Nie pozwolę, żeby córka ruskiej kurwy pozbawiła mnie spadku. Ani taki śmieszny dorobkiewicz jak ty.

– Lepiej nie próbuj szantażować mnie czymś, czego nie posiadasz – odpowiedział Thomas Simmern równie cicho, ale z nutą rozbawienia w głosie. – Na twoim miejscu wsiadłbym teraz do bryczki i odjechał.

Ruppert uniósł głowę i popatrzył Lorze prosto w twarz. Chociaż serce waliło jej jak oszalałe, to mimowolnie się roześmiała, bo kuzyn Nati przypominał teraz świeżo złowionego dorsza. Kilka razy otworzył usta, łapiąc powietrze i nie wydając przy tym z siebie żadnego dźwięku. W końcu zaklął szpetnie, ale potem poskromił swój głos, żeby obcy nie mogli go usłyszeć.

– Nie wiem, jak przechytrzyłeś moich ludzi, bo dobrowolnie nie oddaliby ci tej dziewuchy ani bachora. Ale jeszcze nie wygrałeś.

– Ależ owszem, sądzę, że tak. Jeśli stąd zaraz nie znikniesz i nie zostawisz Nati, jej opiekunki i reszty rodziny w spokoju, oskarżę cię o porwanie. Łańcuch na nodze panienki Huppach jest wystarczająco wymowny, nawet twój kauzyperda nie zdoła nic zełgać.

Ruppert wyglądał, jakby chciał Simmerna uderzyć, ale ograniczył się do wzruszenia ramionami.

– Eee, nikt mi nie zabroni karcić służącej, jeśli uważam to za stosowne. Skoro jej nie zabiłem, niech nikt się nie wtrąca.

– Mylisz się. Nie masz żadnego kontraktu z panienką Huppach. Poza tym nie jest ona służącą, tylko wnuczką pana von Trettina. Jeśli zapomniałeś, kto to taki, to ci przypomnę: to szalony Nikas, przyjaciel ze studiów twego dziadka. Graf von Retzmann zajął się nią ze względu na starą przyjaźń i prosił, żeby towarzyszyła mu w podróży jako bona Nathalii. Mam pisemne oświadczenie samego grafa.

Ruppert pokręcił głową tak energicznie, że aż włosy mu się wzburzyły.

– Kłamiesz! Każdy wie, że to nędzna łachmaniarka. Podróżowała z zakonnicami, które zdechły na wraku. To zwykła praczka albo coś w tym rodzaju.

– Czy uda ci się znaleźć praczkę, która ma pieniądze, by podróżować drugą klasą, i to w towarzystwie własnej pokojówki? Norddeutscher Lloyd zlecił mi załatwienie wszystkich spraw związanych z katastrofą statku, bo przypadkiem byłem jedynym członkiem Rady Nadzorczej NDL, który w tym momencie przebywał w Londynie. Przestudiowałem listę pasażerów i mogę poświadczyć, że Lora Huppach była pasażerem dolnego salonu pierwszej kajuty, jak przystało na przedstawicielkę klasy mieszczańskiej. Oprócz tego chciałem odwiedzić grafa von Retzmanna na pokładzie Deutschlandu, żeby mu powiedzieć o twoich poczynaniach w Anglii. Dlatego też nie wierzę, by jego śmierć była nieszczęśliwym wypadkiem. Celowo strąciłeś dziadka z wanty i chęć dorwania się do spadku po nim nie była jedynym twoim motywem.

Twarz Rupperta zrobiła się szara. Gdy jego adwokat podszedł z nosem zwieszonym na kwintę, ten odepchnął go gwałtownie, aż mężczyzna wpadł na oficera policji i runął, obalając go również na ziemię. Nie zwracając na nich uwagi, Ruppert chwycił Thomasa Simmerna, uniósł go, jakby ten niewiele ważył, i rzucił nim o powóz.

– Policzę się z tobą, podstępny gadzie! Biegnij sobie do Scotland Yardu! Nie masz żadnych dowodów, a poza tym pijakiem McThorne'em z Fair Lady nie masz też świadków. Jeśli liczysz na zeznania Hanka Pycrofta i Horrisa Blandona, to wiedz, że obaj kilka dni temu zginęli w nieszczęśliwym wypadku. Lepiej uważaj, żeby tobie także nic się nie stało. Londyn jest cholernie niebezpiecznym miejscem dla zamożnych obcokrajowców. Morderstwa na tle rabunkowym są tam na porządku dziennym. W Anglii mam wielu przyjaciół, którzy chętnie wyświadczą mi taką czy inną przysługę.

Ruppert zawiesił na moment głos i wepchnął Thomasa Simmerna do powozu, jakby miał do czynienia z workiem. Na jego wargach pojawił się ironiczny uśmieszek.

– W gruncie rzeczy wyświadczasz mi przysługę – dodał. – Dla mnie to nawet lepiej, jeśli ta żmija Nathalia zdechnie u ciebie. Wtedy będę miał czyste ręce.

Co powiedziawszy, odwrócił się i odszedł, nie zwracając uwagi na wywołane zamieszanie.

Oficer policji zignorował Rupperta, a całą złość z powodu bezskutecznej rewizji i ubrudzonego munduru wyładował na adwokacie.

Poza tym chciał się od niego dowiedzieć, gdzie się podziała owa służąca, która rzekomo ukradła poszukiwane dokumenty.

Gdy Lora to usłyszała, wtuliła się mocniej w tapicerowaną ławę w powozie. Thomas Simmern mrugnął do niej i pokręcił głową. Potem otrzepał raczej symbolicznie brud ze swego dość już sfatygowanego surduta, wysiadł i zamknął za sobą drzwiczki powozu.

Oficer policji podszedł do niego, wyraźnie zadowolony, że widzi przed sobą człowieka, który może mu wszystko wyjaśnić.

Lora przyłożyła dłoń do ucha, żeby lepiej słyszeć, co policjant ma do powiedzenia. Ale mówił dialektem, więc nawet Thomas Simmern miał problem, by go zrozumieć.

Nagle Lora dostrzegła dwie staruszki. Obie nieoczekiwanie wsiadły do powozu drzwiami z drugiej strony i nie mówiąc ani słowa, spoczęły na ławce obok niej. Jedną była odpychająca starucha, która w jednej ręce trzymała wgniecioną menażkę. Druga wspierała się o dwie grubo ciosane laski i miała twarz prawie całkowicie przesłoniętą brudną chustą. Gdy ją sobie zsunęła na ramiona, Lora rozpoznała w niej Mary. Dziewczyna uśmiechnęła się szeroko.

– Gliny przetrząsnęły nasz dom, jakbyśmy uprowadzili następcę tronu i ukryli go w nocniku – powiedziała. – Sądzę, że mama się nie uspokoi, póki nie dostanie głowy tego szubrawca. Przykro mi, ale znaleźli twój płaszcz. Ruppert pociął go nożyczkami. Nic jednak nie znalazł, do butów powpadały mu tylko okruchy ciasteczek.

Lora wzdrygnęła się.

– A gdzie się podziały… hm, inne rzeczy?

– Ach, moja droga Laurie! Prawie na oczach glin sprawiliśmy, że stały się niewidoczne. – Mary mrugnęła okiem. – Jak to powiada nasz wikary? „Ubierzcie ubogich i nakarmcie głodnych, żebyście sami byli przez Boga karmieni i zaopatrywani w przędziwo". Stara Emma jest najbardziej uczciwą żebraczką, jaką znam, więc dałam jej coś do jedzenia. Niestety to, co jest w menażce, nie jest dla niej łatwostrawne. Dlatego moja przyjaciółka sprzeda ci to za pięć funtów.

Lora stłumiła okrzyk i wyrwała żebraczce z rąk menażkę. Gdy ją otworzyła, ujrzała na wierzchu portfel grafa. Wzięła go do rąk. Z portfela wystawał pięciofuntowy banknot. Emma chwyciła go, uśmiechnęła się do Mary i Lory bezzębnymi ustami i wysiadła z powozu tak zwinnie, jakby się bała, że Lora zabierze jej pieniądze. Ale Lora z powrotem zajęła się blaszaną menażką i stwierdziła, że wewnątrz znajduje się wszystko, także jej własne dokumenty i pieniądze dziadka.

Mary wskazała na portmonetkę i się uśmiechnęła.

– Ponieważ Jonny nie musiał jechać do Londynu, to poza paroma szylingami wszystko jest w środku. Elegancki pan z Niemiec przyjechał kilka minut po tym, jak ten szubrawiec was uprowadził. Dałam mu natychmiast twój list i wytłumaczyłam, co się stało. Bardzo się martwił o Nati, my wszyscy pozostali oczywiście też. Gdzie jest nasza laleczka? Czy wciąż jeszcze żyje? Czy ten szalony łotr nic jej nie zrobił?

– Nati jest bezpieczna. Wujek Thomas zawiózł ją do hotelu, a tam z pewnością zajmuje się nią już lekarz.

– Bogu niech będą dzięki – ucieszyła się szczerze Mary.

Lora spojrzała na nią w zamyśleniu. Thomas Simmern oznajmił po drodze, że będzie chciał dla małej komtesy zatrudnić pokojówkę. Chociaż Mary była fizycznie ułomna i chodziła o kulach, to w oczach Lory nadawała się do tego wyśmienicie. Po doświadczeniach z Ruppertem Lora nie chciała, żeby w pobliżu Nati kręciła się obca osoba. Dlatego skubnęła nieśmiało Simmerna za rękaw.

– O co chodzi? – zapytał przyjaźnie.

– O Mary, a raczej o Nati. Czy Mary nie mogłaby się zajmować Nathalią? Jest bardzo obowiązkowa i rzetelna. A poza tym to ona dopilnowała, żeby testament grafa von Retzmanna i inne dokumenty nie trafiły w ręce Rupperta.

Widząc kule, Thomas Simmern skrzywił się z powątpiewaniem, za to Mary, usłyszawszy tę propozycję, bardzo się podekscytowała.

– Ja bardzo chętnie będę się troszczyć o małą lady. Ale jeśli ma pan wątpliwości w związku z moimi nogami, to moja siostra Prudence mogłaby mnie zastąpić. Na pewno byłaby lepsza niż wynajęta pielęgniarka. Obca opiekunka rzadko kiedy się do czegoś nadaje. Bywa, że nadużywa alkoholu, zostawia otwarte okno, robiąc przeciąg, i jest zbyt wyniosła, żeby pomagać. Laurie, znasz moją siostrę. Biegała po schodach w górę i w dół, żeby wam usługiwać, i w ogóle się nie skarżyła. Proszę, panie Simmern, niech ją pan zatrudni, przynajmniej dopóki będziecie przebywać w Anglii. Gdy potem szanowny pan wystawi jej dobre świadectwo, będzie miała widoki na dobrą posadę jako opiekunka do dziecka albo pomoc domowa.

Gdy „szanowny pan" spojrzał pytająco na Lorę, ta skinęła głową, chociaż wolałaby towarzystwo Mary. Zanim jednak zdążyła coś powiedzieć, pojawiła się missis Penn, chwyciła Simmerna za rękę i pocałowała ją czołobitnie.

– Zawsze będziemy pańskimi dłużnikami! Ach, Mary, wyobraź sobie, że szanowny pan dał nam trzysta funtów zamiast obiecanych przez lady Laurie stu. To za te całe nerwy i zrujnowane meble. *Oh, my lord!* Nie wiem, jak mam panu dziękować.

– Mamo, chodzi o Prudence – Mary przerwała swojej matce. – Lady Nathalia znów się rozchorowała. Prudence może przecież wyjechać razem z Laurie i pracować u szanownego pana, prawda?

– Ależ tak, łaskawy panie! Możecie wziąć ze sobą moją córkę na tak długo, jak sobie życzycie. Nie potrzebujecie płacić jej pensji. Możemy zawrzeć umowę od razu, tu, na ulicy. Tam, po drugiej stronie, stoi pośredniczka.

Thomas Simmern uśmiechnął się pobłażliwie.

– Młoda dama otrzyma oczywiście wynagrodzenie za swoją pracę. Musi być tylko przygotowana na to, że wyjedzie do Londynu, a prawdopodobnie też do Southampton. Zaangażuję ją tylko pod tym warunkiem. Ale nie tu, na ulicy, i nie na tym zimnie. Przyjdźcie razem z córką i pośredniczką do hotelu, gdy wysprzątacie dom.

Gdy wielce uradowana missis Penn skinęła głową, Lora objęła na pożegnanie Mary.

– Prudence jest bardzo miła, ale bardzo bym się cieszyła, gdybyś ty też mogła być razem z nami. Jesteś taka zaradna. Wiesz co? Gdy osiągnę wiek, kiedy będę mogła otworzyć własną pracownię krawiecką, napiszę do ciebie. My obie... Och, wujek Thomas robi się niecierpliwy! Nati jest sama w hotelu. Będziemy w kontakcie. Dobrze?

Mary skinęła energicznie głową, pocałowała Lorę w policzek i przy pomocy ojca wyszła z powozu. Gdy konie ruszyły, Lora długo jeszcze machała jej ręką. W końcu ogrodzenie hotelu przesłoniło dom stojący przy starym porcie.

CZĘŚĆ PIĄTA

W Londynie

I

Fridolin skrzywił się, zobaczywszy przez okno, jak sanie z Trettina przejeżdżają obok domu doktora Mütze i zatrzymują się przed stacją kolejową. Dojrzał kuzyna opatulonego w drogie futro. Ottokar pożegnał się ze swoją żoną, wysiadł i ruszył w kierunku dworca. Natychmiast podbiegli doń dwaj tragarze, żeby ponieść mu walizki. Na ten widok Fridolin poczuł ukłucie zazdrości. Gdy przyjeżdżał pociągiem do Heiligenbeilu lub stąd wyjeżdżał, żaden z tragarzy nawet nie raczył się pokazać, tak że sam musiał dźwigać swój bagaż. Ale mając pustą sakwę, nie mógłby dać im napiwku.

Tymczasem stangret zawrócił konie i znów przejechał obok domu doktora. Ponieważ Malwina siedziała w saniach, zapewne jej następnym celem był sklep z kapeluszami albo krawcowa podająca się za Francuzkę, która swojsko brzmiące nazwisko Haase zmieniła na de Lepin.

Nie po raz pierwszy Fridolin stwierdził, że los jest niesprawiedliwy. Ottokar mógł zwać się panem na Trettinie, chociaż nie miał innych atutów prócz tego, że był synem starszego z braci. W podzięce wygnał z majątku starego pana, a tym samym pozbawił Lorę, jako potomkinię ostatniego ordynata, przysługującego jej spadku.

On sam... Fridolin przerwał posępne rozmyślania i chciał odejść od okna, gdy zobaczył, że sanie z Trettina wracają. Tym razem w eleganckim pojeździe zasiadał tylko stangret – Florin. Przed laty to on udzielał Fridolinowi pierwszych lekcji jazdy konnej. Były to piękne czasy, a Florin był wtedy młodym, wesołym mężczyzną. Stangret zatrzymał się przed gospodą i rzucił cugle parobkowi, który do niego wybiegł.

Ku zdziwieniu Fridolina Florin wcale nie wszedł do gospody, tylko spojrzał kilka razy w górę i w dół ulicy, po czym skierował się ku domowi doktora. Mimo niezgrabnego futra z owczej wełny i naciągniętej głęboko na uszy czapki już na odległość robił wrażenie człowieka, który boi się własnego cienia.

Ottokar i Malwina zawsze korzystali z usług lekarza z Zinten, ponieważ nie mogli darować doktorowi Mütze jego przyjaźni ze starym Wolfhardem. Skoro stangret Florin tu zmierzał, musiało stać się coś szczególnego. Rozległ się dzwonek, a po chwili ktoś zapukał do drzwi pokoju Fridolina.

– Proszę! – zawołał młodzieniec.

Drzwi uchyliły się odrobinę. Służąca doktora zajrzała do środka.

– Jaśnie panie, przyszedł człowiek, który chce z jaśnie panem rozmawiać.

– Idę! Fridolin spojrzał w wiszące na ścianie małe lusterko i przygładził cienkie wąsiki. Gest ten nic nie zmienił w jego wyglądzie, ale dawał mu poczucie dbałości o prezencję.

Służąca czekała z uśmiechem. Chociaż Senta miała już swoje lata, nie mogła się oprzeć czarowi młodego mężczyzny.

– Jaśnie panie, czy mam jaśnie panu przynieść do palarni kieliszeczek wina? – zapytała.

Fridolin pokręcił głową.

– Dziękuję, to bardzo miło z twojej strony. Ale o tak wczesnej porze nie pijam alkoholu.

– Dobrze pan robi – rozległ się w tym momencie głos pani domu.

– Nadmierne picie nie sprzyja żadnemu mężczyźnie – stwierdziła pani doktorowa, po czym zwróciła się do służącej: – Mimo to powinnaś poczęstować pana Fridolina jakimś likierkiem. Proponuję Bärenfang albo Goldwasser. Zanieś panu Fridolinowi do palarni. I sprawdź, czy jest tam dość cygar, żeby pan Fridolin mógł sobie wybrać takie, jakie mu smakują.

– Ależ nie trzeba, ja nie palę – oświadczył z uśmiechem Fridolin.

Gospodyni spojrzała na niego ze zdumieniem.

– Ale przecież wszyscy mężczyźni palą cygara.

Fridolin nie chciał jej tłumaczyć, że na gatunki, które mu smakują, nie ma dość pieniędzy, natomiast machorka palona przez służących i rzemieślników budzi w nim odrazę. Żeby nie zagłębiać się w temat, przypomniał o gościu, który chce się z nim zobaczyć, i służąca zaprowadziła go od razu do palarni, a po chwili wpuściła do środka Florina. Fridolin przestraszył się, zobaczywszy go z bliska. Mężczyzna wyglądał na zgnębionego i wycieńczonego. Ręce mu drżały. Można było pomyśleć, że za chwilę się odwróci i ucieknie. Fridolin pojął, że Florina musi przygniatać ogromny ciężar, dlatego dał znak służącej, żeby wyszła z pokoju. Nim zamknęła drzwi, poprosił:

– Nie mogłabyś przynieść dla Florina szklaneczki grogu?

Senta prychnęła z niezadowoleniem, ponieważ ludzie służący nowemu panu na Trettinie nie byli w tym domu mile widziani. Wyszła jednak i niedługo potem wróciła z tacą, na której stała szklanka parującego grogu i kieliszek z likierem miodowym.

– Na zdrowie – powiedziała i odeszła, żałując, że nie jest myszką, która mogłaby potajemnie podsłuchać rozmowy obu mężczyzn.

– Napij się. Wyglądasz, jakbyś pilnie potrzebował mocnego grogu – powiedział Fridolin do stangreta.

Ten posłusznie wziął szklankę do ręki, spojrzał jednak na młodego mężczyznę z wyrazem goryczy w oczach.

– Picie też już mi nie pomoże, panie Fridolinie. Wszystko we mnie płonie! Nie mogę już tego znieść.

Potem pociągnął nosem i zaczął płakać.

– Hej, Florinie! Nie znam cię takim. Co się stało?

Fridolin miał wprawdzie pretensje do Florina, że mężczyzna tak ochoczo przyjął posadę u nowego pana na Trettinie, choć wcześniej służył jego stryjowi, mimo to było mu go żal.

– Jaśnie panie – zaczął mówić Florin. – Nie ma pan pojęcia, jak bardzo dręczy mnie sumienie z powodu pożaru, w którym spłonął dom nauczyciela.

– A więc jednak Ottokar przejechał obok gorejącego budynku, nie budząc Leonory i jej rodziny. Na Boga, to przecież prawie tak, jakby sam ich zamordował!

Fridolin skrzywił się, a Florin pokręcił głową.

– Pan Ottokar nie tylko przejechał obok domu nauczyciela. On go podpalił!

Te słowa trafiły Fridolina jak grom z jasnego nieba.

– Co ty mówisz? – młodzieniec zapytał z niedowierzaniem.

Twarz stangreta zdradziła mu jednak, że mężczyzna powiedział prawdę.

– Florinie, jesteś tego pewien?

W głowie Fridolina kłębiły się myśli. Nie mógł uwierzyć w to, co właśnie usłyszał. Nie spodziewał się po kuzynie aż takiej niegodziwości. Czy to możliwe, że Ottokar zabił umyślnie pięcioro ludzi?

– Nie pięcioro. Sześcioro! – powiedział na głos. – Na pewno myślał, że Lora jest w domu, i chciał za jednym zamachem pozbyć się całej rodziny. Na Boga, jak człowiek może być aż tak podły! Fridolin poczuł, że ze złości i osłupienia do oczu napływają mu łzy. Florin gniótł w dłoniach czapkę, jakby pragnął znaleźć się teraz na końcu świata. Ponieważ tamtego fatalnego wieczora pozostał na koźle, nie widział dokładnie, co robi jego pan. Ale Ottokar wrócił do powozu dopiero wtedy, gdy płomienie objęły dach domu, i rozkazał mu popędzić konie, by jak najszybciej się stamtąd oddalić.

– Musiałem go jeszcze tej samej nocy zawieźć do Heiligenbeilu, żeby mógł pierwszym pociągiem pojechać do Królewca. Na Boga, panie Fridolinie, nie wie pan, jak mnie to gryzie. Powinienem był wtedy głośno krzyczeć. Wszyscy nadal by żyli. Ale ja smagałem batem konie i jechałem do pałacu tak szybko, jak się dało.

Stangret w geście rozpaczy załamywał ręce, lecz Fridolin nie mógł go pocieszyć ani uwolnić od winy. Wiadomość o zbrodni, którą popełnił Ottokar, odebrała mu na dłuższą chwilę mowę. Wstydził się, że jest z kimś takim spokrewniony. Wszystko w nim wołało, żeby udać się na posterunek żandarmerii i donieść na kuzyna. Ale zatrzymał się już w połowie drogi do drzwi. Ottokar – jako pan na Trettinie – cieszył się dużą estymą i miał wpływowych przyjaciół w kręgach prawniczych. Żaden z nich nie dałby wiary zeznaniom Florina.

Zdruzgotany położył dłoń na ramieniu stangreta.

– Przykro mi, ale żaden z nas nie może donieść na Ottokara. Wszystkiemu by zaprzeczył, a u panów sędziów jego fałszywe słowo honoru miałoby większą wartość niż twoje szczere zeznanie.

– Co mam teraz robić? – zapytał stangret. – Za każdym razem, kiedy jadę przez wieś, widzę płonący dom i słyszę krzyki ludzi wewnątrz. Zmarli złorzeczą mi, bo im nie pomogłem. Nie mogę tak dalej żyć.

– Uspokój się, Florinie. Bóg ci wybaczy. Poza tym przysięgam, że Ottokar pewnego dnia za to zapłaci, nawet jeśli będę musiał go wyzwać na pojedynek i własnoręcznie wysłać do piekła.

Fridolin zacisnął dłoń w pięść i pogroził w bezsilnej złości w kierunku Trettina. Przypomniał sobie przy tym starszego pana, dla którego ten gest stał się niemal rytuałem, i uświadomił sobie, że Ottokar miał na sumieniu także stryja. Z bezsilności zaczął złorzeczyć, gdy wtem jego spojrzenie padło na kartkę papieru leżącą na małym stoliku obok pudełka z cygarami. Był to papier listowy bez wydrukowanego nagłówka, dziewiczo biały, jakby czekał na niego.

Wziął kartkę i podał Florinowi.

– Zapisz wszystko! Muszę mieć to na piśmie na wypadek, gdyby Ottokar chciał coś zrobić Lorze. Twoje zeznanie nie dałoby rady wtrącić go do więzienia, ale przynajmniej zepsułoby mu reputację w okolicy.

Fridolin podsunął stangretowi papier, wyciągnął z kieszeni kamizelki wieczne pióro i odkręcił skuwkę.

Florin popatrzył na ów przyrząd nieufnie i wziął go ostrożnie do ręki, jakby miał się mu rozsypać w palcach. Dopiero na energiczne wezwanie Fridolina usiadł i zaczął pisać. Miał niewyrobiony charakter pisma, a tekst był usiany błędami, ale przez to robił wrażenie jeszcze bardziej autentycznego.

– Może teraz, gdy wyznałeś, co ci leży na sercu, poczujesz się trochę lepiej – próbował pocieszyć Florina.

Ten przestał pisać w połowie słowa i spojrzał ponuro.

– Przymierzałem się już, żeby porozmawiać z naszym pastorem. Ale dla niego pan Ottokar jest prawie tak ważny jak sam Pan Bóg. Powiedziałby, że jestem takim samym kłamcą jak stara Miena. Całe szczęście, że pan doktor Mütze pozwolił jej i poczciwemu Kordowi zamieszkać w domku myśliwskim. Pan Ottokar wysłał bowiem swego zarządcę, żeby przegnać oboje z ich chat. Teraz pastor mówi o braku moralności, bo mieszkają razem w jednym domu, i chce zmusić Mienę, żeby przeniosła się do przytułku dla ubogich.

Fridolin roześmiał się gorzko.

– Ten człowiek ma w sobie prawdziwie chrześcijańskie miłosierdzie! Ale Kord i Miena są przecież owdowiali. Mogą się więc pobrać i wtedy pastor nie będzie miał się do czego przyczepić.

Po raz pierwszy na twarzy Florina pojawił się cień uśmiechu.

– Przekażę im to, panie Fridolinie, gdy zobaczę ich następnym razem. Sądzę, że prawie wszyscy we wsi by się ucieszyli, gdyby Kord i Miena utarli w ten sposób pastorowi nosa.

Potem pisał dalej i przestał dopiero, gdy przelał na papier wszystko, co zdarzyło się przy domu nauczyciela. Na wezwanie Fridolina złożył pod spodem swój podpis, a potem podał mu kartkę.

– Teraz jest mi lżej na sercu, bo wiem, że pan kiedyś pociągnie pana Ottokara za tę zbrodnię do odpowiedzialności. Muszę iść! Zegar wybił wpół do, muszę się spieszyć, jeśli chcę na czas odebrać panią od krawcowej.

– Idź z Bogiem, Florinie. Zgrzeszyłeś, ale Bóg ci wybaczy.

Fridolin podał stangretowi dłoń i odprowadził go wzrokiem. Gdy tamten zniknął za drzwiami, sięgnął po kieliszek z likierem miodowym i wypił duszkiem jego zawartość. Wychodząc z palarni, w korytarzu zobaczył doktora wraz z żoną. Ich miny zdradziły mu, że słyszeli większą część rozmowy.

Doktor Mütze wskazał kartkę, którą Fridolin właśnie złożył i schował do kieszonki kamizelki.

– Co pan zamierza z tym zrobić? Będzie pan próbował odebrać Ottokarowi majątek, tak jak on odebrał go stryjowi?

Przez moment myśl ta wydała się Fridolinowi kusząca, ale potem wzruszył ramionami.

– Niestety, nie mogę. Po pierwsze, brakuje mi pieniędzy, żeby podołać długiemu procesowi z Ottokarem, a poza tym pozostają jeszcze Malwina i jej synowie. Nawet jeśli ich ojciec zostałby skazany za morderstwo, to najstarszy z chłopców przejmie majątek. W końcu Ottokar nie zabił kogoś, kto miałby przed nim pierwszeństwo w dziedziczeniu. Nie, panie doktorze! To oświadczenie wykorzystam, tylko jeśli Lora będzie miała przez Ottokara jakieś problemy.

– A więc morderca może sobie dalej spokojnie żyć i cieszyć się nieprawnie zdobytym majątkiem… – skwitował doktor Mütze z goryczą.

Fridolin nie wiedział, co ma odpowiedzieć. Czuł taką samą bezsilność, jaką musiał czuć jego stryj.

II

Po rozmowie ze stangretem Fridolina już nic nie trzymało w Heiligenbeilu. Zamierzał najbliższym pociągiem pojechać do Gdańska, a stamtąd do Berlina, żeby nie ulec chęci zastrzelenia Ottokara jak wściekłego psa. Poza tym nie chciał już obciążać kieszeni doktora Mütze.

Pani doktorowa kazała kucharce zapakować mu na drogę dużą paczkę z artykułami żywnościowymi, a gdy Fridolin rzucił na nią okiem, stwierdził, że wszystkiego starczy mu na dobry tydzień. Chociaż ostatnie pieniądze wydał na podróż do Prus Wschodnich, czuł się zażenowany tą wspaniałomyślnością. Odetchnął więc, gdy na stację wjechał pociąg i mógł wsiąść do środka, pomachawszy po raz ostatni.

Zanosiło się, że podróż będzie równie długa, co nudna. Ludzie, którzy przy takiej pogodzie podróżowali koleją, byli albo podekscytowani nadchodzącymi świętami Bożego Narodzenia, albo zwieszali nosy na kwintę, jakby wywożono ich na koniec świata. Nikt nie nadawał się na interlokutora. Fridolin pomyślał, że to dobrze, bo będzie mógł w spokoju oddać się refleksjom.

Nie potrafił pojąć, co skłoniło kuzyna do zamordowania własnej kuzynki i jej rodziny. Czy Ottokar zrobił to, bo nie chciał dopuścić, by Leonora Huppach otrzymała przysługującą jej część spadku? A może pragnął zemścić się za to, że dwadzieścia lat temu odtrąciła go i wyszła za prostego nauczyciela?

Wtedy Fridolin był jeszcze niemowlęciem i znał te wydarzenia tylko ze słyszenia. Jego matkę bardzo one zdenerwowały. Nazywała Wolfharda von Trettina nieobliczalnym libertynem i często ostrzegała syna, by nie poszedł w ślady stryja. Mimo niechęci do starszego pana przyjmowała od niego pieniądze, które przekazywał jej jako wdowie po swym młodszym bracie, a w czasie wakacji wysyłała swego syna do Prus Wschodnich. Teraz i ona nie żyje. Wedle prawa Ottokar był także opiekunem prawnym Fridolina i miał nim pozostać, póki ten nie skończy dwudziestu jeden lat. Ale na szczęście nie próbował niepokoić kuzyna.

Chyba zbyt często go naciągałem, gdy jeszcze mieszkał w Berlinie – pomyślał Fridolin i uśmiechnął się ironicznie.

Ottokar nigdy nie podał mu pomocnej dłoni ani nie wsparł go finansowo, a jedynie pouczał. A przecież mógł bez problemu załatwić mu posadę lejtnanta w pułku liniowym, chociaż tradycja rodzinna Trettinów wymagała, żeby Fridolin – jako syn nieuprawniony do przejęcia spadku – zaciągnął się do gwardii kirasjerów albo został pastorem. Brakowało mu jednak pieniędzy, by pójść do szkoły wojskowej. Nie mógł też zostać duchownym, bo nie zachowywał się odpowiednio do swego stanu i nie czuł w ogóle powołania. Poza tym potrzebowałby też kogoś, kto by mu załatwił dochodową posadę pastora.

Z goryczą pomyślał, że zarabia pieniądze na życie, wprowadzając bogatych próżniaków z prowincji w nocne życie Berlina. W gruncie rzeczy nie był niczym więcej niż naciągaczem, ale zajęcie to bardziej godziło się z honorem arystokraty niż uczciwa praca zarobkowa. Arystokrata nie mógł bez potępienia ze strony towarzystwa wykonywać pracy rzemieślniczej ani przyjąć posady u przemysłowca z warstwy mieszczańskiej. Nie akceptowaliby go wtedy nawet drobni mieszczanie.

Żeby nie popaść w melancholię i pogardę dla siebie samego, Fridolin zaczął obserwować swoich współpasażerów. Byli to bez wyjątku mieszczanie, którzy mogli sobie pozwolić na bilet drugiej klasy. Większość miała do przejechania jedynie kilka stacji. Zanim zajął miejsce, w jego przedziale siedziała tylko tęgawa matrona z dwojgiem nastoletnich dzieci. Sądząc po liczbie kanapek w koszyku, musiała być przygotowana do długiej podróży. W Gdańsku dosiadł się mężczyzna, który mimo dobrego garnituru wyglądał na nowobogackiego kupca i jak powiedział, jego celem był Berlin.

Ani kupiec, ani kobieta nie próbowali nawiązać rozmowy. Matrona miała dość zajęcia z uspokajaniem swojej dziatwy, która nudziła się coraz bardziej, a mężczyzna wyciągnął gazetę i zaczął czytać stronę tytułową. Najpierw Fridolin na niego nie zważał, ale gdy ten zaczął mruczeć ze zdumieniem i złością, zagadnął go:

– Może mi pan powiedzieć, co się stało? Czy Bismarck znowu wypowiedział wojnę?

Kupiec spojrzał na niego oburzony. Dla niego Otto von Bismarck był bohaterem. Nie wyobrażał sobie, że ktoś, choćby młody arystokrata siedzący naprzeciwko, mógłby krytykować taki autorytet. Wiadomość, którą czytał, zdenerwowała go jednak jeszcze bardziej, dlatego dał upust swej frustracji.

– Widzi pan, co za tragedia! Jeden z naszych parowców zatonął u ujścia Tamizy. I to akurat transatlantyk Deutschland. Podobno zginęło mnóstwo osób!

– Co takiego? Deutschland zatonął?

Fridolin zerwał się na nogi i wyrwał mężczyźnie gazetę z ręki. Faktycznie, wiadomość o katastrofie znajdowała się na samej górze strony, wydrukowana dużą czcionką.

Obcy zaprotestował, bo chciał odzyskać gazetę, ale Fridolin nie zwracał na niego uwagi. Przewoźnik Wagner powiedział mu, że Lora miała płynąć szybkobieżnym parowcem Deutschland, a myśl, że kuzynka mogła utonąć albo znaleźć się bezradna w Anglii, była dla niego tak szokująca, że nie potrafił jej znieść. Szybko przeczytał notkę, którą przetelegrafował z Londynu korespondent gazety. Ale nie dowiedział się nic więcej poza tym, że statek podczas sztormu osiadł na mieliźnie w pobliżu Kentish Knock i że zginęli ludzie.

Drżącymi rękoma oddał gazetę i z powrotem usiadł. Pasażer dostrzegł wzburzenie Fridolina.

– Czy na pokładzie znajdował się może jakiś pana znajomy?

Teraz także matrona uniosła wzrok, a jej dzieci na chwilę ucichły. Fridolin nie miał jednak ochoty zaspokajać ciekawości obcych ludzi. Pokręcił więc głową i powiedział:

– Nie, nie sądzę, żeby ktoś, kogo znam, był na tym statku.

Doświadczenie nabyte w grze w karty pomogło mu zachować kamienny wyraz twarzy, podczas gdy w głowie kłębiły mu się myśli. Lora nie może być martwa! Jest taka miła! Która inna dziewczyna zajmowałaby się ofiarnie dniem i nocą chorym dziadkiem?

O Panie w niebiesiech, spraw, żeby żyła, modlił się w duchu. Jest przecież jeszcze taka młoda. Chcesz dodatkowo nagrodzić Ottokara za to, co zrobił? Gdyby nie on i Malwina, mój stryj nigdy nie zdecydowałby się na wysłanie wnuczki do Ameryki.

W tym momencie zrozumiał, że nawet gdyby Lora przeżyła katastrofę, nie byłaby bezpieczna. Na pewno zdołała uratować jedynie siebie i to, co miała na sobie. A więc będzie musiała się zatrudnić w Anglii jako służąca. A nawet jeśli dotrze do Ameryki, na pewno będzie jej trudno się tam zadomowić. O ile znał stryja, ten nie dał jej pieniędzy do ręki, tylko ukrył gdzieś w bagażu, a tym samym wszystko pewnie leżało razem ze statkiem na morskim dnie.

Poza tym nie wolno zapominać o Ottokarze. Jeśli się dowie, że Lora przebywa w Anglii, na pewno tam pojedzie i będzie próbował wyegzekwować swoje prawo do opieki nad dziewczyną, choćby tylko po to, żeby zamanifestować swoją władzę.

Nagle Fridolin zrozumiał, co ma zrobić. Wprawdzie nie miał dość pieniędzy na bilet z Berlina do Poczdamu, spróbuje jednak wszystkiego, żeby dotrzeć do Anglii. W razie potrzeby pomoże mu Heda. Choć myśl, że będzie musiał naciągnąć burdelmamę, miała w sobie coś uwłaczającego, dla Lory był gotów na to poświęcenie. Jednocześnie zastanawiał się, co zrobi, gdy odnajdzie ją żywą w Londynie. Zapewne faktycznie nie będą mieli innego wyjścia, jak wyemigrować do Ameryki i rozpocząć tam nowe życie. W razie czego, gdy oboje osiągną odpowiedni wiek, będą się musieli pobrać. On sam stanie się pełnoletni za dwa miesiące, a do szesnastych urodzin Lory w kwietniu też nie pozostało dużo czasu.

III

Dotarłszy do Berlina, Fridolin skoczył na krótko do swojego pokoju, wynajmowanego u leciwej wdowy po nauczycielu. Zostawił tam walizkę i przebrał się w wyjściowy garnitur. W szklance stojącej w szafce znalazł jeszcze kilka groszy, które zaraz potem wydał na dorożkę, żeby szybciej niż zazwyczaj dotrzeć do Le Plaisir. Na miejscu zapłacił dorożkarzowi i wpadł do środka.

Anton, służący Hedy Pfefferkorn, przywitał go z nieskrywaną radością.

– Jak miło znów pana widzieć, panie Fridolinie! Madame już żałowała, że wyjechał pan do Prus Wschodnich.

– Oto jestem z powrotem. Gdzie mogę znaleźć madame?

– W dużym salonie. Niech pan poczeka, wyszczotkuję panu kołnierz marynarki. Zdaje się, że osiadł tam panu kurz.

Co mówiąc, Anton zaniósł płaszcz Fridolina do garderoby i wrócił z miękką szczoteczką.

Fridolin pozwolił mu przejechać krótko szczotką po kołnierzu, potem odwrócił się do niego plecami i poszedł dalej. W dużym salonie, wysokim pomieszczeniu z kolumnami, obitym czerwonym pluszem, kręciło się kilka młodych kobiet w uwodzicielskich sukniach, nadskakujących sporej liczbie mężczyzn w każdym wieku. W głębi salonu jacyś studenci przekomarzali się z pewną dziewczyną. Takim chłopcom chodziło najczęściej o to, żeby choć raz od środka zobaczyć osławioną świątynię grzechu, bo brakowało im albo pieniędzy, albo odwagi, by zniknąć z jedną z dziewcząt w jej buduarze.

Spojrzenie Fridolina spoczęło na rosłym mężczyźnie o silnych rękach, które świadczyły o tym, że musiał ciężko pracować, zanim osiągnął bogactwo. Ten przemysłowiec, podobnie jak oficerowie, również zaliczał się do stałych gości Le Plaisir i pozdrowił Fridolina jak starego znajomego. Młodzieniec skinął tylko krótko głową, bo rozglądał się za Hedą Pfefferkorn, właścicielką burdelu. Ponieważ nie mógł jej wypatrzyć, chciał już zapytać o nią jedną z dziewcząt, gdy wtem Heda stanęła tuż obok niego.

Była jeszcze całkiem młoda, miała nie więcej niż dwadzieścia pięć lat, i tak oszałamiająco piękna, że niejeden mężczyzna, który trafiał do jej przybytku, miał nadzieję na znalezienie się z nią sam na sam. Większość musiała się jednak obejść smakiem, bo na ogół madame zlecała swoim dziewczętom, by zadowalały klientów. Sama obsługiwała tylko wybrańców. Takim przywilejem cieszyli się prawie wyłącznie panowie, którzy mogli ochronić Le Plaisir przed nadgorliwymi żandarmami albo wpłynąć na urząd skarbowy, by ten przymykał od czasu do czasu oko.

Jedynym mężczyzną, z którym dzieliła łoże bezinteresownie, był Fridolin. Oczywiście korzystał z tego, ale nie mógł pozbyć się wrażenia, że Heda widzi w nim bardziej chłopca niż dorosłego mężczyznę. Zachowywała się wobec niego tak władczo, jakby była jego starszą siostrą. Również tym razem nie dopuściła go do słowa, lecz wcisnęła mu do ręki rulonik monet.

– Jak to miło, że przyszedłeś, mój drogi. Potrzebuję twojej pomocy. Rendlinger jak zawsze, zanim zdecyduje się na którąś z dziewcząt, chce pograć w karty. Ale dzisiaj nie przyszedł do nas nikt, z kim mógłby to zrobić. Przysiądź się do niego i rozegraj z nim kilka partii. Jeśli przegrasz, pójdzie to na mój rachunek, jeśli wygrasz, możesz zatrzymać pieniądze.

Co powiedziawszy, pchnęła młodzieńca w kierunku stołu, gdzie siedział przysadzisty przemysłowiec. Fridolin pomyślał, że Heda będzie bardziej skłonna pożyczyć mu pieniądze na podróż do Anglii, jeśli spełni jej prośbę.

Dlatego skłonił lekko głowę i przysiadł się do Rendlingera.

– Dobry wieczór! Madame powiedziała, że ma pan ochotę na partyjkę.

Rendlinger przytaknął z zadowoleniem, a Fridolin powstrzymał się od ironicznego uśmiechu.

Przemysłowiec przyjeżdżał regularnie do Berlina, żeby prowadzić negocjacje z urzędnikami, a następnie odwiedzał burdel Hedy Pfefferkorn. Podczas gdy inni goście wypijali kieliszek dobrego wina albo od razu szampana, Rendlinger, aby wejść w odpowiedni nastrój, potrzebował ekscytacji płynącej z gry karcianej. Podczas gry wypijał butelkę wina i zachowywał się tak, jakby dziewczęta, które sobie potem wybierał, były tylko dodatkiem.

Fridolin uznał, że mężczyzna jest sztywniakiem, ale nie przeszkodziło mu to wyłożyć na stół monet wciśniętych mu przez Hedę. Spojrzał wyzywająco na Rendlingera. Ten sięgnął do kieszeni marynarki i wyciągnął sakiewkę, która zabrzęczała uwodzicielsko, i dopiero wtedy się przywitał:

– Dobry wieczór, panie von Trettin – powiedział, podkreślając złośliwie partykułę „von".

Rendlinger nie ukrywał, że uważa Fridolina za szlachetnie urodzonego nieroba, dla którego wiele drzwi stoi niesłusznie otworem, podczas gdy on – jako przemysłowiec mieszczańskiego pochodzenia – musi je sobie z trudem otwierać za pomocą pieniędzy.

Z wyćwiczonym uśmiechem Fridolin sięgnął po karty, przetasował je i rozdał. Podczas pierwszych partii zwycięzcami byli na zmianę to jeden, to drugi, ale po pewnym czasie Fridolin zaczął mieć dobrą passę i wkrótce na stole zaczęły się przed nim mnożyć złote monety dwudziestomarkowe. Rendlinger grał z coraz większym zacięciem, żeby odzyskać pieniądze, stawiał coraz wyżej i znowu przegrał, ale tym razem przez własny błąd.

Zagarniając monety, Fridolin poczuł, że palce mu drżą. Wygrał od Rendlingera tyle, że starczyłoby mu to na ponad miesiąc życia. Ale jego celem była Anglia, a podróż tam mogła kosztować więcej niż ta garstka dziesięcio- i dwudziestomarkowych monet. Poza tym musiałby też sfinansować swoją i Lory podróż do Ameryki. A potrzebnej na to sumy nie dostałby nawet od Hedy.

Zrobiło mu się sucho w ustach i był zadowolony, gdy jedna z dziewcząt podała mu kieliszek wina. Wypił, spróbował rozszyfrować minę Rendlingera i po jego wzroku zorientował się, że przeciwnik musi mieć dobre karty. A ponieważ jego były średnie, nie podjął dalszej walki, tylko się poddał, tracąc dziesięć marek. Przesuwając monetę w kierunku Rendlingera, poczuł, że krwawi mu serce. Przemysłowiec był bogaty jak Krezus i wkrótce miał zostać przyjęty do herbarza pruskiej szlachty, jak sam o tym właśnie z dumą poinformował.

– Żyjemy w nowych czasach, panie von Trettin. Przyszłość nie należy już do starej szlachty osiadłej na swych włościach, lecz do nas, przemysłowców, którzy dzięki naszym fabrykom czynimy ten kraj wielkim i potężnym. Już wkrótce jego wysokość cesarz i król Prus złoży swój podpis pod moim patentem szlacheckim. Wtedy będę baronem von Rendlingerem. A jaki tytuł pan właściwie nosi?

– Freiherr von Trettin – odpowiedział Fridolin z lekko skwaszoną miną.

Złościło go, że inni nie tylko są bogaci, ale do tego przyjmuje się ich do stanu szlacheckiego. Kto ma wielką górę pieniędzy, zyskuje jeszcze więcej, podczas gdy on musi się rozglądać, jak zebrać parę groszy, którymi musi opłacić pokój.

– Freiherr to przecież to samo co baron – oświadczył arogancko Rendlinger.

– Jest pewna różnica – odpowiedział Fridolin, uśmiechając się bez śladu jakiejkolwiek serdeczności. – My, Trettinowie, należymy do pierwszych, którzy ruszyli śladami zakonu krzyżackiego i osiedlili się w Prusach Wschodnich. Jeden z Trettinów walczył pod Grunwaldem. Inny był paziem podczas koronacji króla Fryderyka I w Królewcu. Jego syn służył jako pułkownik w armii króla Fryderyka Wilhelma I, a jego syn walczył z kolei w tuzinie potyczek ku chwale Fryderyka Wielkiego. Mój ojciec padł, walcząc za króla i ojczyznę w bitwie pod Dybbøl w Szlezwiku. To są zasługi, których nie da się tak po prostu przeliczyć na pieniądze.

Na ogół Fridolin był uprzejmy, ale rozdrażniła go pycha, z jaką spoglądał na niego Rendlinger.

Przemysłowiec roześmiał się drwiąco.

– Zobaczymy, panie von Trettin, kto z nas zrobi kiedyś większą karierę. Zdobyłem dość pieniędzy, żeby kupić synowi tytuł grafa, a córkom zapewnić zamążpójście z książętami.

W takim razie masz dość pieniędzy, by mi sfinansować podróż do Anglii, Ameryki i dokądkolwiek indziej, pomyślał Fridolin. Do tej pory zawsze był dumny z tego, że gra uczciwie, ale teraz jego palce zaczęły żyć własnym życiem. Gdy rozdawał, as, który właściwie należał się Rendlingerowi, powędrował potajemnie do niego. Po minie przeciwnika zobaczył, że ten ma teraz niezbyt wysokie karty, więc postawił natychmiast sporą sumę.

Przemysłowiec grał dalej i podwyższył stawkę. Z zimną miną Fridolin dał kontrę i patrzył, jak góra monet pośrodku stołu robi się coraz większa. Gdy w końcu odkryto karty, Fridolin miał przewagę.

Rendlinger parsknął.

– Sam sobie jestem winien. Z takimi kartami nie powinienem był zwiększać stawki.

Fridolin zgarnął wygraną i czekał, aż przeciwnik rozda karty. Tym razem trafiły mu się gorsze, ale przebiegle natychmiast postawił sporą kwotę i zabił ćwieka przemysłowcowi. Rendlinger chwilę się zastanawiał, a potem rzucił karty na stół.

Następną partię Rendlinger przegrał, tracąc mniejszą sumę, potem dwa razy z rzędu wygrał, ale niskie stawki. W kolejnym rozdaniu mimo dobrych kart przegrał za to znaczącą sumę.

Gdy Fridolin zgarnął wygrane pieniądze na swoją stronę, nagle padł na niego cień. Spojrzał w górę i dostrzegł Hedę. Jej twarz wyrażała służbistą uprzejmość, ale jej oczy miotały błyskawice.

– Pan von Trettin ma dzisiaj szczęście w grze, prawda, panie radco handlowy? Za to pan będzie miał więcej szczęścia w miłości.

Kiwnęła ręką. Na ten gest podeszły dwie dziewczyny i przysiadły się do przemysłowca. Jedna z nich należała do najpiękniejszych dziewcząt madame, druga zaś spełniała najbardziej nietypowe życzenia mężczyzn. Obie zaczęły delikatnie gładzić Rendlingera po twarzy, a gdy się pochyliły, mógł zajrzeć im głęboko w dekolty.

Głęboko westchnął i natychmiast z jego twarzy znikła złość, że przegrał tyle pieniędzy.

– Czy panie zechcą napić się ze mną szampana? – zapytał.

Oczywiście obie zapewniły, że chcą, ale nie przy stole do gry, tylko we troje na osobności.

Ledwo dziewczęta zniknęły wraz z Rendlingerem w jednym z luksusowych pokoi, Heda poklepała Fridolina po ramieniu.

– Chodź do mojego gabinetu.

Fridolin szybko schował wygrane złote monety i poszedł za nią. Wprawdzie wstydził się, że oszukiwał w grze z przemysłowcem, mimo to zadarł buńczucznie głowę.

Heda zamknęła drzwi i podeszła do szafy. Wyjęła stamtąd dwa kieliszki i butelkę koniaku, po czym zbeształa Fridolina.

– Nie wiem, co ci przyszło do głowy. Miałeś zabawiać Rendlingera, a nie go oskubać, oszukując w grze. Teraz Gerda i Reinalda będą musiały się starać, by poprawić mu humor, a i tak na pewno nie da już napiwków, które zwykle od niego dostajemy.

– Przykro mi, ale…

Heda mu przerwała:

– Wiesz, że cię lubię, Fridolinie. Ale nigdy więcej tego nie rób! Nie chcę, żeby mój zakład przez takie machinacje zyskał złą sławę i żeby goście zaczęli go omijać.

– Powiedziałem przecież, że mi przykro! Nie zrobiłbym tego, ale jeszcze dzisiaj muszę pilnie wyruszyć do Anglii i dlatego potrzebuję pieniędzy.

Przyszło mu do głowy, że w ramach odszkodowania powinien zaproponować Hedzie podział wygranej, ale myśl o czekających go kosztach podróży sprawiła, że tego nie zrobił.

Heda spojrzała na niego zdumiona:

– Po co chcesz jechać do Anglii?

– Na pewno słyszałaś, że zatonął transatlantyk Deutschland. Na statku znajdowała się moja siostrzenica Lora. Chcę ją odnaleźć i jej pomóc.

– Tak, podobno zginęło wielu ludzi, przede wszystkim kobiety. Miejmy nadzieję, że twoja siostrzenica przeżyła. Mimo to, drogi Fridolinie, dobrze ci radzę: nie oszukuj podczas gry, na dłuższą metę to się może źle skończyć. Czy może chciałbyś, żeby w końcu ktoś, kto się zorientuje, że oszukiwałeś, przystawił ci do skroni pistolet? – Heda podała Fridolinowi kieliszek, a drugim wzniosła toast: – Za ciebie.

I obyś znalazł siostrzenicę żywą. A gdy następnym razem będziesz potrzebował pieniędzy, zwróć się z tym do mnie.

– Właściwie chciałem to zrobić. Ale gdy Rendlinger zaczął być opryskliwy, dopadła mnie taka złość, że chciałem mu odpłacić pięknym za nadobne.

– Strata tych kilkuset marek, które z nim wygrałeś, go nie zaboli. Powinieneś był raczej uwieść jedną z jego córek i zrobić jej dziecko. Ale nawet wtedy, jak sądzę, byłby zadowolony, mogąc wydać za ciebie córkę. Widziałam ich kiedyś, jak spacerowali po Unter den Linden*. Cóż to za niezgrabiasze, powiadam ci. Masz rację, Rendlinger jest niemiłym i zarozumiałym człowiekiem. Ale taka jest właśnie ta nasza nowa Rzesza stworzona przez pana von Bismarcka. Trzeba się więc jakoś ułożyć z ludźmi takimi jak Rendlinger. On tu też przychodzi tylko po to, żeby z moimi dziewczętami robić rzeczy, których nie może robić w domu, w łożu małżeńskim. Jak sądzisz, dlaczego zawsze próbuję dopilnować, żeby zajęła się nim Reinalda? Nie jest ani najmłodsza, ani najpiękniejsza z moich dziewcząt, ale ma zwinne usta i potrafi wspaniale grać na specjalnym flecie. Poza tym jest gotowa do innych rzeczy, których Gerda i pozostałe dziewczęta nie robią tak chętnie.

– Masz na myśli miłość grecką? Rendlinger nie wygląda na takiego, co potrafiłby coś takiego docenić.

Heda wzruszyła chłodno ramionami.

– Na pewno nie przychodzi tu po to, żeby robić rzeczy, na które zgadza się jego małżonka! Ale wracając do ciebie: czy chcesz jeszcze dziś ruszyć w drogę, czy zostaniesz tu może na noc? Mając pieniądze wyciągnięte z kieszeni Rendlingera, mógłbyś sobie pozwolić na jedną z moich dziewcząt.

Myśl, że mógłby baraszkować z prostytutką, podczas gdy zwłoki Lory zostały może gdzieś w Anglii wystawione na katafalku, podziałała na Fridolina tak odpychająco, że pokręcił gwałtownie głową.

– Zaraz dzisiaj wyjeżdżam. Masz, podaruj swoim dziewczętom kilka butelek szampana.

---

* Unter den Linden – dosł. *pod lipami*, historycznie główna ulica Berlina (przyp. tłum.).

Fridolin sięgnął do kieszeni kurtki, wyciągnął banknot dwudziestomarkowy i rzucił go Hedzie.

Ta złapała go w powietrzu i schowała do kasetki.

– Zaczynam znowu w ciebie wierzyć. Powodzenia, chłopcze, i już nie kantuj. Tak będzie dla ciebie najlepiej!

– Spróbuję, Hedo – odpowiedział Fridolin, który myślami był już w drodze.

IV

Gdy Lora się obudziła, leżała w nieznanym, przyciemnionym pomieszczeniu. Nie wiedziała, gdzie się znajduje. W głowie miała pustkę, jakby ktoś wyssał z niej wszystkie myśli. Język przykleił się jej do podniebienia i była tak zlana potem, że miała całkiem mokrą nocną koszulę. Przez szczelinę pod zasłonkami wdzierało się jaskrawe, białe światło, od którego aż rozbolała ją głowa. Okno z zewnątrz było oblepione śniegiem, stale nawiewanym przez wiatr. Panujące w pokoju gorąco sprawiało, że biały puch zaraz topniał, a po szybie spływały grube krople.

Lora dziwiła się, czemu jest tak ciepło, bo w pokoju nie było pieca, a kominek wyglądał raczej na ozdobę. Gdy wysunęła z łóżka nogi, żeby wpuścić do dusznego pomieszczenia nieco świeżego powietrza i poszukać nocnika, dotknęła stopami jednej z grubych rur biegnących pod oknem. Rura była tak gorąca, że dziewczyna poparzyła sobie palce u stóp i ze strachu aż krzyknęła. To z pewnością jeden z tych nowych, modnych systemów ogrzewania parowego, o których czytała w gazecie. Przypomniało jej się nagle, że pomieszczenia na pokładzie statku były ogrzewane czymś podobnym. Ale ona i wielu innych uświadomili to sobie dopiero tej strasznej nocy, gdy wdzierająca się woda zdusiła w piecu materiał opałowy i we wnętrzu wraku zapanowało lodowate zimno. Na to wspomnienie dostała nagle dreszczy i szybko wślizgnęła się z powrotem do łóżka. Choć w pomieszczeniu było gorąco, ona pod kołdrą szczękała zębami.

Najwidoczniej ktoś ją usłyszał, bo niedługo potem otworzyły się drzwi i do pokoju weszła przysadzista kobieta w stroju pielęgniarki. Lora poczuła ukłucie w sercu. Czyżby wuj Thomas nie pozwolił, by

Prudence została pokojówką jej i Nati? Najwidoczniej zdecydował się jednak na zawodową pielęgniarkę. Kobieta natychmiast wyraziła niezadowolenie, bo Lora częściowo się odkryła. Zaczęła ją na nowo opatulać. Zmieszana Lora nie potrafiła sobie przypomnieć angielskiego słowa oznaczającego nocnik. Tak więc wskazała na miejsce, gdzie pod kołdrą znajdował się jej brzuch, i powiedziała:

– Siusiu.

Na szczęście kobieta ją zrozumiała. Wyjęła z szafy gruby szlafrok, który wyglądał na całkiem nowy. Wyćwiczonymi ruchami założyła go Lorze. Potem naciągnęła jej na stopy mięciutkie bambosze, postawiła dziewczynę na nogi i wyprowadziła, mocno przytrzymując, na krótki korytarz, od którego odchodziło sześcioro drzwi. Jedne z nich były prawie niewidoczne, bo znajdowały się za wieszakiem na ubrania, a prowadziły do łazienki. Lora zobaczyła przed sobą nowoczesną toaletę spłukiwaną wodą i różne wanny i umywalki. Nie luzując chwytu, kobieta posadziła Lorę na muszli i przytrzymywała ją, jakby miała do czynienia z małym dzieckiem. Potem posadziła ją na czymś w rodzaju nieidużej umywalki, która stała obok, przymocowana do podłogi. Umyła Lorę i wysuszyła.

Brakuje tylko, żeby mi założyła pieluchę, pomyślała dziewczyna, która ze wstydu chciała zapaść się pod ziemię. Poza matką nikt jeszcze nie widział jej nagiej, nawet Elsie, nie mówiąc o dotykaniu. To było po prostu niestosowne. Ale pielęgniarki i niańki muszą zapewne wykonywać takie posługi u wielu osób.

Podczas gdy kobieta myła jej ręce i twarz w dużej umywalce, Lora przysięgła sobie, że nigdy nie będzie wykonywać takiego zawodu; uważała go za upokarzający. Wtedy przypomniała się jej Nathalia. Tak samo pielęgnowała dziewczynkę podczas choroby i robiłaby to znowu, gdyby była taka potrzeba. Chciała zapytać pielęgniarkę, jak się czuje mała lady, ale z gardła wydobył się jej tylko ochrypły dźwięk, a gdy chciała wstać, nogi się pod nią ugięły. Siostra wzięła ją na ręce i zaniosła z powrotem do łóżka, które pokojówka zdążyła właśnie powlec w świeżą pościel.

Lora wtuliła się w suche, pachnące lawendą poduszki i posłusznie wypiła gorzką ziołową herbatę z kubka z dzióbkiem. Nim zdołała odzyskać głos, by móc zapytać o dziewczynkę, pokój wypełnił się ludźmi.

Nati wpadła do środka jak dzikie sarniątko, za nią weszła Prudence, bezskutecznie próbująca powstrzymać dziecko, które mimo jej wysiłków wskoczyło na łóżko i usiadło na pacjentce okrakiem. Mała objęła Lorę tak gwałtownie, że kubek z dzióbkiem przefrunął przez pokój i reszta płynu rozlała się po miękkim dywanie.

Pielęgniarka się rozkrzyczała, ale wuj Thomas, który wszedł cicho do pokoju, natychmiast ją uspokoił. Do środka przykuśtykała także Mary, wsparta na dwóch nowych i delikatniejszych kulach z metalu. Za nią pojawił się Konrad; wniósł wiklinowe krzesło i koszyk z akcesoriami do szycia. Do środka zajrzeli nawet stangret wuja Thomasa i Weates, angielski lokaj. Zapytali, czy niemiecka miss lepiej się czuje. Wuj Thomas odprawił ich ze śmiechem i powiedział, że powinni wypić po butelce piwa za zdrowie Lory.

Prudence tymczasem ściągnęła Nathalię z Lory i razem z dzieckiem usiadła na brzegu łóżka. Mary natomiast zajęła miejsce w wiklinowym krześle tuż obok i wypakowała swoją robótkę. Szczęśliwa Lora przenosiła wzrok z jednej osoby na drugą i nie wiedziała, o co ma najpierw zapytać.

Wuj Thomas dał wolne pielęgniarce i wcisnął jej napiwek w dłoń. Potem przysunął bliżej fotel stojący w nogach łóżka i odpowiedział na pytające spojrzenie Lory uśmiechem.

– No cóż, moja panienko, znów wróciłaś do świata żywych. Porządnie nas wystraszyłaś.

Lora odchrząknęła.

– Co… co się stało?

– Och, wysiadając z powozu, straciłaś przytomność i do dzisiaj tak naprawdę nie byłaś świadoma, co się wokół ciebie dzieje. Zachorowałaś na tyfus. Lekarz powiedział, że to z nerwów i wyczerpania. Na szczęście nie doszło do tego zapalenie płuc, bo mogłabyś umrzeć. I tak byłaś w wystarczająco kiepskim stanie. Miałaś przywidzenia i rzucałaś się w łóżku. Nie mogliśmy cię nawet na chwilę pozostawić samej. Ledwo pielęgniarka na chwilę wyszła z pokoju, a ty się obudziłaś i już chciałaś spacerować.

Lora poczuła natychmiast wyrzuty sumienia. Nie chciała być dla nikogo ciężarem, powinna ponosić za siebie odpowiedzialność. Nauczyli ją tego matka i dziadek.

– Przykro mi! Nie chciałam panu, to znaczy tobie, wuju Thomasie, narobić tylu kłopotów. Za lekarza i pielęgniarkę mogę zapłacić, proszę się nie martwić. Mój dziadek dał mi trochę pieniędzy na podróż. Wuj Thomas roześmiał się gromko i pokręcił głową.

– Loro, co to za brednie! Dwa razy uratowałaś Nathalii życie, pielęgnowałaś ją ofiarnie, żeby wyzdrowiała. Przez to sama mogłaś zginąć, a ty jeszcze próbowałaś udaremnić podłe zamiary tego drania Rupperta. Czegoś takiego nie można spłacić pieniędzmi. Wszyscy jesteśmy ci bardzo, bardzo wdzięczni. Mary specjalnie wprowadziła się do nas do hotelu, żeby czuwać nad tobą w nocy. I tak komenderowała Konradem, Weatesem i dwoma boyami hotelowymi, że biedni nie mogli zmrużyć oka. W tym czasie Prudence dniem i nocą zajmowała się Nathalią. Sądzisz, że oczekujemy od ciebie, żebyś nam zapłaciła za te przysługi? Nie, moja droga, zachowasz pieniądze, albo raczej dostaniesz je z powrotem, gdy będziesz ich potrzebowała. Zaniosłem je do banku i otworzyłem dla ciebie konto powiernicze, które w każdej chwili można przenieść do Ameryki albo do Niemiec. Pieniądze powinny być zabezpieczeniem twojej przyszłości, ale póki nie osiągniesz pełnoletniości, będę się o ciebie troszczył. Tak, mam nadzieję, że już nie masz powodu do zmartwień. Przecież wyzdrowiejesz i będziesz z nami świętować Boże Narodzenie, prawda? A teraz napij się jeszcze herbaty i spróbuj znowu usnąć!

– Ale ja wcale nie jestem zmęczona – odpowiedziała Lora. – Jak długo leżę już w tym łóżku?

– Szósty dzień – odpowiedział Thomas Simmern z uśmiechem.

Lora przestraszyła się po raz drugi i zalała łzami.

– O, nie! Przez tyle czasu byłam ci, wuju, kulą u nogi! Czy ze względu na katastrofę statku nie musiałeś wracać od razu do Londynu? Mam nadzieję, że z mojego powodu nie będziesz miał kłopotów.

– Ależ Loro! Przestań już płakać. Nie byłaś mi żadną kulą u nogi. Równie dobrze mógłbym powiedzieć, że Nathalia przysporzyła mi problemów. W końcu przyjechałem tutaj z jej powodu. Jeśli cię to uspokoi, to i tak musiałbym przyjechać do Harwich, żeby być obecnym przy wydobywaniu ciał z zatopionego Deutschlandu. Dużą część spraw mogłem załatwić stąd. W końcu rozbitkowie zostali uratowani przez tutejszego kapitana, łącznie z naszym „rycerzem smętnego oblicza".

– O kim mówisz? – zapytała zdumiona Lora.

– O kapitanie Brickensteinie. Zawsze boleję, gdy wytrawny kapitan żeglugi morskiej zamienia się z powodu katastrofy statku w kupkę nieszczęścia. Anglicy też robią mu różne trudności i stawiają częściowo nieuzasadnione zarzuty. Musiałem jeździć w tę i z powrotem między Harwich a Londyńską Izbą Handlu i Żeglugi Morskiej. Na szczęście istnieje dobre połączenie koleją z Londynem. Mogłem więc regularnie podróżować do stolicy, żeby pertraktować z tamtejszymi władzami. Jeśli cię to interesuje, dam ci jutro do przeczytania kilka wycinków z gazet. Dzisiaj pozwól, by Mary i Prudence ci dogadzały. Musisz wreszcie zjeść jakiś krzepiący posiłek, żebyś znów stanęła na nogi. Hotel ma przykazane, by serwować wszystko, na co wy cztery macie tylko ochotę. Szybko zdrowiej, moja panienko! Gdy lekarz stwierdzi, że ty i Nati możecie już podróżować, przewiozę was do Londynu. Zabierzemy oczywiście także Mary i Prudence. Zostaną z nami, póki będziemy przebywać w Anglii. Ale teraz muszę was zostawić same. Obiecaj mi tylko, że odeślesz Nati do łóżka, gdy cię zanadto zmęczy.

– O nie, wuju Thomasie! Nie możesz mnie ciągle odsyłać do łóżka! – zaprotestowała Nati, która przez jakiś czas siedziała cicho, przyciskając sobie dłoń Lory do policzka. – Nie jestem już przecież małym dzieckiem i wcale nie zamęczam Lory. Przecież ona jest moją najlepszą przyjaciółką! Lora znowu wyzdrowieje, zadbam o to. Idź już sobie do tych twoich głupich negocjacji. Ale Konrada musisz tu zostawić, żeby na nas uważał. Nie podobają mi się ci ludzie, którzy stoją tam na zewnątrz. Czuć od nich jakiś dziwny zapach!

– Co za ludzie? – zapytała zdziwiona Lora.

Mary się roześmiała.

– Wspaniałomyślny wuj naszej Nati zatrudnił ochroniarzy. Sądzę, że to przebrani gliniarze. Jak ktoś pochodzi z portowej dzielnicy, to poznaje gliny na milę. Ich garnitury czuć naftaliną, jakby przez całe lata nie wyciągali ich z szafy, i nie zachowają się jak goście hotelowi, tylko jak ludzie nawykli do noszenia mundurów i rozkazywania.

– Mądra dziewczyna! – roześmiał się wuj Thomas. Pchnął lekko Konrada w kierunku drzwi. – Chodź, wilku morski. Panie chcą teraz zostać same.

Gdy zamknęły się za nimi dwoma drzwi, Prudence, jakby tylko czekała na tę chwilę, powiedziała radośnie:

– Och, Laurie! Wreszcie jesteś sobą. Dziękuję ci, że się za mną wstawiłaś. Nie zapomnę ci tego nigdy w życiu. Ten hotel jest najpiękniejszy i najprzytulniejszy w całym Harwich, a sir Thomas wynajął w nim największy apartament. Czegoś tak pięknego jak wnętrze tego hotelu jeszcze nigdy nie widziałam. Wydaje mi się, że jest tu piękniej niż u najbogatszych klientek, dla których szyje moja siostra.

Mary, wygładzając właśnie szew paznokciem kciuka, roześmiała się na te słowa.

– Nie przesadzaj, siostrzyczko! *Living rooms* i *boudoirs* moich klientek są często jeszcze piękniejsze. Do tej pory poznałaś w eleganckich domach tylko wejścia dla dostawców i zaplecza kuchni.

– Dziwne – odpowiedziała w zamyśleniu Lora. – Pamiętam, jak Edwin, jeden z kompanów Rupperta, życzył wujowi Thomasowi powodzenia w łapaniu pluskiew. Wyobrażałam więc sobie, że wuj zakwaterował się w jakimś obskurnym hoteliku. À propos Edwina! Co się dzieje z Ruppertem? Czy wy albo wuj Thomas słyszeliście coś o tym człowieku?

– No i znów wracamy do starego tematu – zakpiła Mary. – Pozwól, że odpowiem najpierw na twoje pierwsze pytanie. W tym miejscu stała kiedyś brudna i okryta złą sławą gospoda wraz z noclegownią. Marynarze mogli tu tanio przenocować w wieloosobowych sypialniach. Nazwa Fisherman's Rest pochodzi jeszcze z tamtych czasów. Wtedy wiele szmuglowano i podobno bywali tu też piraci. W każdym razie przed kilkoma laty wszystko się spaliło. Gdy rozeszła się wieść, że powstanie tu przystań dla parowców, pewien bogacz wybudował ten szykowny hotel. Nowy port powstał jednak pół mili stąd i teraz właściciel hotelu musi wysyłać do portu powóz zaprzężony w cztery piękne konie, by przywozić tu gości. My jesteśmy zadowoleni, że hotel stoi w naszej dzielnicy, bo wiele kobiet i dziewcząt znalazło tu pracę albo w kuchni, albo w charakterze pokojówek. A co do twego drugiego pytania: nic nie słyszeliśmy o tym draniu Ruppercie i jego wspólnikach. Mister Simmern poinformował o wszystkim Scotland Yard. Policja kryminalna podejrzewa, że Ruppert zamordował w Londynie dwóch ludzi. Chcieli tego szubrawca aresztować, ale gdy obstawili dom na wsi, okazało się, że ptaszek zdążył już wyfrunąć. Teraz na wszystkich dworcach i u każdego maklera okrętowego wisi list gończy. Tym samym Ruppert nie może się w Anglii nigdzie pokazać, w przeciwnym razie zostanie schwytany. Sądzę, że już dawno zwiał, gdzie pieprz rośnie.

Ponieważ Lora się przekonała, jaki bezwzględny potrafi być Ruppert von Retzmann, nie podzielała optymizmu Mary. Mężczyzna, który na oczach wszystkich popełnił morderstwo i zachowywał się tak, jakby to był wypadek, z pewnością nie uciekł przed wymiarem sprawiedliwości, lecz ukrył się gdzieś jak żmija w trawie, żeby znowu zaatakować, gdy nadarzy się sposobność. Zbyt dobrze pamiętała jego groźby. Zapowiedział, że każe zabić Nati i wuja Thomasa w Londynie. Na pewno będzie chciał to zrobić, gdy tylko trafi mu się okazja. Jeśli nie zostanie oficjalnie oskarżony i jeśli nie znajdą się świadkowie jego przestępstw, może wrócić spokojnie do Niemiec i zgarnąć majątek Retzmannów. Wuj Thomas najwidoczniej zapatruje się na to podobnie, bo inaczej nie zatrudniłby przebranych policjantów.

Mary zauważyła, że Lora jest nieobecna duchem. Uznała, że to wynik zmęczenia. Dlatego odesłała Prudence i zażarcie protestującą Nathalię, przykręciła knot lampy naftowej na stole i przesłoniła płomień małym kloszem, żeby światło padało tylko na jej robótkę.

– Prześpij się trochę, potem dostaniesz zupy. To, co przeszłaś w ciągu ostatnich czterech tygodni, starczyłoby na całe życie pełne koszmarów i załamań nerwowych.

Lora się przeciągnęła, a potem pokręciła głową.

– Nie, muszę sobie z tym poradzić! Nie jestem wytworną damą, która może sobie pozwolić na załamania nerwowe. Muszę, tak jak ty, żyć z pracy moich rąk albo mieć zamożnego męża. Ale jako sierota bez rodziny nie mam wielkich szans na znalezienie małżonka, który nie byłby zainteresowany tą odrobinką posiadanych przeze mnie pieniędzy, lecz chciałby i potrafiłby utrzymać mnie i nasze dzieci. Ach, Mary… Tak bym chciała, żeby Nati była już z powrotem w Bremerhaven, i ja zresztą też bym chciała już tam być. Jestem tylko przerażona, gdy pomyślę, że znów będę musiała wejść na statek.

Gdy Mary to usłyszała, spojrzała na nią z blaskiem w oczach.

– W takim razie, Laurie, musisz zostać tu, w Anglii. Nie miałabym nic przeciwko temu, wręcz przeciwnie! Jeśli zostaniesz u nas, będziesz mogła mieszkać razem ze mną na poddaszu. Pomagałabyś mi powiększyć klientelę. Za kilka lat obie przeniesiemy się do Londynu. Za zgromadzone oszczędności i za twoje pieniądze otworzymy sklep z odzieżą. Co ty na to? Miałabyś ochotę?

Lora westchnęła głęboko.

– Ochotę bym miała, ale zanim zginął graf von Retzmann, obiecałam mu, że będę się troszczyć o Nati i chronić ją, póki to będzie konieczne. Jej kuzyn mógłby przekupić nauczycieli albo wymyślić coś innego. Jeśli chcę dotrzymać słowa, muszę wrócić do Niemiec, żeby strzec Nati, póki nie osiągnie wieku, kiedy będzie mogła uważać sama na siebie.

Mary popatrzyła z niedowierzaniem na Lorę i popukała się w czoło.

– Znasz naszą laleczkę dopiero od dwóch tygodni, a twoja obietnica dotyczyła właściwie czasu do momentu uratowania was z tonącego statku. Nie, Laurie, *darling*, wydaje mi się, że po prostu pragniesz wrócić do Niemiec. Nigdy nie chciałaś stamtąd wyjeżdżać, prawda? Ruszyłaś w drogę, bo tak kazał ci dziadek. A pewnie też ze strachu przed złymi krewnymi, o których mi opowiadałaś. Wiesz tak dobrze jak ja, że sir Thomas może nad naszą małą lady roztoczyć najlepszą opiekę. Jeśli on sobie nie poradzi z tym szubrawcem, to jak ty miałabyś to zrobić? Jeśli będziesz miała pecha, to zginiesz, podczas gdy mister Simmern i mała lady wrócą cali i zdrowi do Niemiec. Przez kilka lat będą się modlić za ciebie w rocznicę twojej śmierci i kupować kwiaty na twój grób, jeśli w ogóle będziesz miała jakiś grób. Zastanów się, czy naprawdę chcesz poświęcić życie dla dziecka, które nie jest z tobą w żaden sposób spokrewnione.

Mary zacisnęła zęby i znów pochyliła się nad robótką, manifestując swoje niezadowolenie.

Lora ją rozumiała i było jej przykro, że musi odrzucić ofertę przyjaciółki. Mary dostawała za swoją pracę dużo mniej, niż ona sama była w stanie zarobić u krawcowej w Heiligenbeilu, zanim została zwolniona z powodu Malwiny. W ten sposób niepełnosprawna dziewczyna nigdy nie zdoła zaoszczędzić tyle, żeby otworzyć sklep w okolicy, gdzie znalazłaby bogatą klientelę, zwłaszcza że nie wiadomo, czy damy chciałyby zamawiać stroje u krawcowej, która chodzi o kulach. Poza tym – czego dowiedziała się od Mary – Londyn jest jeszcze droższy niż Berlin, ale na pewno można w nim więcej zarobić. Lecz Anglia to nie Ameryka, która przyjmuje imigrantów z otwartymi rękoma, ani Niemcy, gdzie Lora czuła się swojsko; to kraj dziwnych obyczajów i jeszcze dziwniejszych uprzedzeń, a do tego Ruppert, jej nieprzyjaciel, ma tu wielu kompanów.

Mary nazwała Rupperta szaleńcem. Lora też odniosła takie wrażenie. Mężczyzna zachowywał się tak, jakby miał nie po kolei w głowie. O ile dobrze pamiętała, dziadek Nati też coś o tym napomknął. Wtedy nie zrozumiała tego do końca, ale teraz bała się jeszcze bardziej. Szaleni ludzie, których wygląd nie zdradza, że ich umysły odbiegają od normy, są szczególnie mściwi i niebezpieczni.

Lora nie chciała pozostać w kraju, w którym szalony morderca porusza się jak ryba w wodzie, nawet jeśli będzie musiała jeszcze ten jeden ostatni raz wejść na statek. Przecież nie zawsze zimą szaleją sztormy i nie każdy parowiec tonie.

Gdyby nie Ruppert, a przede wszystkim gdyby nie Nati, propozycja Mary by ją może zainteresowała. Ale postanowiła, że pozostanie pod skrzydłami wuja Thomasa razem z małą komtesą, póki nie będzie się mogła w Niemczech usamodzielnić. Przez chwilę pomyślała, że przez następne pięć lat, do czasu osiągnięcia pełnoletniości, będzie musiała się ukrywać przed Ottokarem von Trettinem, ale uznała, że Brema leży dość daleko od jej ojczystych stron i że będzie mogła żyć tam spokojnie.

Poza tym w Bremie mogłaby wykorzystać znajomości wuja Thomasa, żeby później założyć większą pracownię. Snując takie przyjemne fantazje, w końcu zasnęła. Spała do chwili, kiedy boy hotelowy przyniósł obiad. Reszta dnia upłynęła na zabawach, które proponowały Nati i Prudence. Wspólnie rozwiązywały zagadki, grały w gry planszowe i przeplatywały sobie kolorowe nitki na palcach. Lora uczestniczyła w tych zabawach z dużym zapałem.

V

Noc minęła spokojnie, a następnego dnia wuj Thomas przyniósł wycinki z gazet o katastrofie transatlantyku Deutschland. Ku zdziwieniu Lory znajdowały się wśród nich także wycinki z niemieckich gazet. Pierwsze artykuły przekazywały tylko lakoniczne informacje, które poszły w świat za pośrednictwem przeciągniętego pod morzem kabla. Większość wspominała o śmierci zakonnic i w zależności od profilu niemieckich gazet dodawała do tego komentarz, który krytycznie odnosił się albo do ustaw o „walce kulturowej", albo do Kościoła katolickiego i jego potęgi w Niemczech.

Angielskie gazety szczegółowo opisywały trzydziestogodzinną walkę ludzi na pokładzie wraku z wodą i zamiecią śnieżną. Zadawały też pytanie, dlaczego pomoc nie dotarła szybciej. „Times" uznał to za wielki skandal i krytykował marynarzy z Harwich, którzy z powodu sztormu nie mieli dość odwagi, by wyruszyć w morze. W jednym z następnych wydań burmistrz Harwich nazwał londyńskich dziennikarzy ignorantami. Wyjaśnił, że mielizna przy Kentish Knock, na którą wpłynął Deutschland, znajduje się w odległości dwudziestu czterech mil morskich od Harwich, a latarniowiec stojący na kotwicy sześć mil od miejsca katastrofy mógł dopiero w nocy zawiadomić stały ląd o potrzebie pomocy, wystrzeliwując sygnały rakietowe.

Kapitan holownika Liverpool, John Carrington, mężczyzna powyżej sześćdziesiątki, był w całym kraju traktowany jak bohater. Ale nie był jedynym, który mimo sztormu szukał wraku. W morze wypłynęło jeszcze kilka mniejszych statków zaalarmowanych przez rakiety z latarniowca, w tym także kutry rybackie; miały wprawdzie jedynie napęd żaglowy, ale ich właściciele znali usiany mieliznami teren jak własną kieszeń. Kutry te same trafiły na mieliznę z połamanymi masztami i porwanym takielunkiem albo zostały zniesione przez wiatr i wodę. Jeden z pięciu marynarzy, którzy zostali porwani wraz z pierwszą łodzią ratunkową, przeżył i zdołał zaalarmować straż wybrzeża koło Sheerness. Straż też wysłała statki na ratunek, ale dotarły one za późno.

Większość artykułów nie pozostawiała suchej nitki na kapitanie Brickensteinie, który odpłynął dość znacznie od toru wodnego w przypominającym kształtem lejek ujściu Tamizy i wprowadził swój statek na teren szczególnie gęsto położonych i niebezpiecznych mielizn. Wielu dziennikarzy chwaliło jednak gorąco niemiecką załogę, która mimo trudnej sytuacji zdołała ocalić od śmierci podczas burzliwej nocy większość pasażerów.

Lora dowiedziała się z raportów, że kapitan oraz oficerowie Deutschlandu musieli zeznawać przed sądem angielskiej marynarki handlowej, stawi się przed nim także przedstawiciel niemieckiego armatora, Thomas Simmern. Oznaczało to, że wuj Thomas będzie się musiał na jakiś czas zatrzymać w Londynie, gdzie na jego życie czyhają ludzie Rupperta.

Dlatego Lora tylko pobieżnie przejrzała szczegółowe artykuły o pochówku czterech wydobytych z wraku zakonnic, opisy pięknie zdobionych trumien oraz informacje o uczestnikach ceremonii pogrzebowej. Rozgniewały ją za to głupie uwagi na temat Bismarcka i niemieckiego cesarza Wilhelma, którzy według artykułów urządzali prawdziwe krucjaty przeciwko Kościołowi katolickiemu w Niemczech i którym przypisano winę za śmierć sióstr zakonnych. A przecież były to wierutne bzdury! Mimo że była katoliczką, Lora chciała wrócić do domu, nawet jeśli tym domem nie miały być już Prusy Wschodnie, tylko Wolne Hanzeatyckie Miasto Brema.

Trzy dni później Lora wraz z wujem Thomasem, Nati, Konradem i obiema siostrami Penn pojechała do Londynu. Ta podróż stała się dla niej jednym z najpiękniejszych przeżyć w Anglii, bo wszyscy siedzieli razem w wielkim powozie, który został hojnie wyposażony w nagrzane cegły i futrzane koce. Ich bagaż, nadany przez Weatesa, angielskiego lokaja, miał dotrzeć do londyńskiego hotelu koleją.

Wuj Thomas chciał, żeby jego goście poznali miasto od najlepszej strony. Ponieważ zbliżało się Boże Narodzenie, Londyn był pięknie udekorowany i jasno oświetlony. Czegoś podobnego ani Lora, ani Mary czy Prudence nigdy nie widziały i napawały się tym całym przepychem z błyszczącymi z zachwytu oczami. Ale Nati powiedziała rezolutnie, że źródłem jasności są latarnie gazowe, które rozrzutni londyńczycy palą nawet w ciągu dnia.

Wuj Thomas się uśmiechnął, a Konrad dał bystrej dziewczynce prztyczka w nos.

– Ma to po dziadku – wyjaśnił. – Stary pan był wspaniałomyślny, ale nie znosił marnotrawstwa. Jego najstarszy syn wydawał pieniądze lekką ręką i zmarł wskutek bezsensownego zakładu. Przedtem ożenił się z rozwódką, która rzekomo spodziewała się jego dzie' ka. Abstrahując od tego, że panna młoda uzyskała tytuł szlache' poprzez małżeństwo, to tak naprawdę wcale nie była damą, wręcz przeciwnie. Poza tym okazała się pazerną na pieniądze harpią, a na nazwisko Retzmann zaciągnęła mnóstwo długów. Stary pan spłacił jej zobowiązania i poszedł do sądu przeciw niej, by to ukrócić. Kobieta i jej syn Ruppert mieli odtąd nie pokazywać mu się na oczy. I tak się stało, wdowa bowiem wkrótce znalazła sobie trzeciego męża, którego mogła naciągać. Podobno potem zwariowała i umarła w prywatnej klinice, gdzie umieściła ją rodzina jej trzeciego męża po tym, jak ten zastrzelił się z powodu wywołanych przez nią licznych skandali. Ruppert pozostał jednak wrzodem na ciele rodziny Retzmannów. On...

– Dziękuję, to wystarczy! – Mary przerwała gniewnie Konradowi. – Wspominając to imię, popsułeś nam nastrój bożonarodzeniowy! Popatrz na Laurie! Zaraz znowu zaleje się łzami!

Konrad uśmiechnął się z zakłopotaniem i niezdarnie przeprosił. Tymczasem Nati zebrała trochę brudnego śniegu, który osadził się na zewnątrz drzwiczek, i rzuciła go służącemu w twarz.

– Jeśli jeszcze raz zdenerwujesz Lorę, Konradzie, to wypowiem ci moją przyjaźń!

Podczas gdy Konrad siedział nieruchomo, sztywny jak kołek, Lora wzięła chusteczkę i wytarła mu twarz, po której spływała brunatna breja z topniejącego śniegu. Jednocześnie krótko, ale dobitnie przypomniała Nati o przyzwoitym zachowaniu.

– Przeproś Konrada! – zażądała. – To porządny człowiek i wierny sługa. Nie zasłużył sobie na takie traktowanie. Wszyscy ciągle jeszcze myślimy o tym świńskim... o tym panu. Konrad nie chciał mnie zranić.

– Właśnie że chciał... – mruknęła cicho Nati, ale na głos powiedziała: – Przepraszam, Konradzie! Nigdy już czegoś takiego nie zrobię! Wiem, że jesteś zazdrosny o Lorę, ale ja cały czas lubię cię tak samo jak dawniej. Pomyśl, gdyby nie Lora, już byś mnie więcej nie ᵔᵃczył.

ᵔad przełknął ślinę i spojrzał z zakłopotaniem na Lorę.

ᵔᵃła komtesa ma rację, panienko Loro. Muszę panienkę
ᵗᵃm, że komtesa Nati nie chce mnie znać, bo teraz
ᵔᵢ. Ale właśnie mi pokazała, że jeszcze coś dla

Roześmiali się, a powóz skręcił na oświetlony gazowymi latarniami dziedziniec dużego hotelu. Gdy wysiadali, wciąż jeszcze się śmiejąc, Lora usłyszała, jak jeden z boyów mówi do drugiego:

– Też bym chciał być taki wesoły i beztroski jak oni.

VI

Słowa boya chodziły Lorze jeszcze długo po głowie. Może byliśmy wtedy weseli, ale na pewno nie beztroscy – pomyślała, rozglądając się raz za razem na wszystkie strony. W Londynie będzie się trudniej zorientować, czy Ruppert wysłał za nimi szpicli, bo mimo chłodu po mieście krąży więcej ludzi niż w Harwich. Jest tu bez liku lumpów i żebraków, którzy oferują swe usługi albo napastliwie nagabują przechodniów. Każdy z nich może być szpiclem Rupperta.

Wuj Thomas wybrał hotel w centrum miasta, z ponad dwustoma pokojami. Nocowali tam przede wszystkim handlowcy i biznesmeni, dlatego dniem i nocą panował w nim ożywiony ruch. Goście nie tylko spędzali tu noc, ale też przyjmowali kurierów, wspólników bądź agentów handlowych. Lora doszła do wniosku, że jeśli szpiedzy Rupperta zechcą się tu wślizgnąć, będą mieli ułatwione zadanie. Czuła potworny lęk i stale miała się na baczności. Wuj Thomas próbował jej wytłumaczyć, że pod każdym względem zadbał o bezpieczeństwo ich wszystkich, ale dostała wtedy takiego ataku furii, jakiego dotychczas można było oczekiwać tylko ze strony Nati.

– A co, jeśli Ruppert każe ukraść testament? I zabije Nathalię, pozorując wypadek?

– Testament zdeponowałem w skarbcu dużego, dobrze strzeżonego banku. Poza tym wysłałem list do adwokatów rodziny Retzmannów w Bremie. Opisałem w nim całą sytuację. Nie wiem tylko, czy to pismo będzie mogło w jakikolwiek sposób wpłynąć na proces spadkowy, bo pruskie, albo raczej niemieckie ustawy nowej Rzeszy nie są moim zdaniem tak jednoznaczne i surowe jak nasze stare bremeńskie regulacje. Poza tym w dużej części unieważniają zwyczaje rodzinne szlachty, inaczej Ruppert z góry byłby bez szans, żeby zostać spadkobiercą majątku Retzmannów. Zresztą nie sądzę, żeby był, jak twierdzisz, szaleńcem. Myśli jedynie, że może zdobyć wszystko,

261

co sobie postanowił. Ale ja na to nie pozwolę. Nie powinnaś się już tym przejmować. Chcę, żebyś była jak najbardziej wesoła i beztroska. Wtedy Nathalia też taka będzie. Musisz zadbać o to, żeby dziecko jak najszybciej zapomniało o tych wszystkich przykrych zdarzeniach, a stanie się to tylko wtedy, jeśli ty dasz jej przykład. Rozumiesz, co mam na myśli? Będziesz się troszczyć o Nati i podtrzymywać ją na duchu. Reszta należy do mnie.

Po krótkiej chwili Lora skinęła głową.

– Ja też chcę, żeby Nati przeżyła piękne święta – powiedziała i podała wujowi Thomasowi rękę.

Ten uścisnął ją uradowany.

– Za to obiecuję ci, Loro, jeszcze jedną rzecz. Postanowiłem, że nie popłyniemy do Bremy statkiem, przeprawimy się nim jedynie przez kanał La Manche. Sądzę, że Nati też nie ma w tej chwili nastroju na dłuższą podróż drogą morską. Niestety, nasz pobyt w Londynie przeciągnie się do stycznia. Poza tym mam jeszcze do załatwienia kilka spraw w Southampton. Norddeutscher Lloyd otrzyma tam własną keję dla linii Brema – Ameryka, żeby nasze wielkie parowce nie musiały korzystać z niebezpiecznego ujścia Tamizy. Gdy już wszystko załatwię, przepłyniemy z południowej Anglii do Francji i pojedziemy stamtąd do Bremy pocztowymi dyliżansami oraz, o ile to będzie możliwe, koleją. Czy to nie dobra propozycja?

– O, tak! Bardzo się cieszę! – Lora skinęła głową z wielką ulgą. Myśl o nowej dłuższej podróży morskiej powodowała, że czuła ciężar w żołądku. Spojrzała jeszcze raz ze zdumieniem na Thomasa Simmerna. – Mówisz, wuju, że musimy do stycznia zostać w Londynie. Czy to znaczy, że święta Bożego Narodzenia spędzimy w hotelu?

– Tak, ale na sposób angielski! Z gałązką jemioły, indykiem, puddingiem i wszystkim, co jeszcze wiąże się ze świętami. Mary już mi napisała, co chciałybyście dostać. Mam nadzieję, że będziecie zadowolone z prezentów. Podczas świąt nie mam żadnych posiedzeń i mogę się wam całkowicie poświęcić.

– Wspaniale – ucieszyła się Lora. – Nati będzie bardzo rada! Może to uśmierzy jej boleść po stracie dziadka.

– Mam nadzieję, że ty także będziesz zadowolona i że mogę liczyć na taniec z tobą.

– To Anglicy przy okazji świąt urządzają tańce?

– Tak, urządzają, a dama, która się znajdzie pod gałązką jemioły, otrzymuje pocałunek.

– Ja nie jestem żadną damą, tylko biedną dziewczyną, która została boną małej komtesy, a takie dziewczyny jak ja nie są całowane.

– Roześmiała się i wyszła z pokoju, szeleszcząc spódnicą.

Wyobraziła sobie, jak wuj Thomas z nią tańczy, a potem ją całuje. Nagle poczuła pragnienie, żeby naprawdę do tego doszło.

VII

Lora dotrzymała obietnicy, że w obecności Nati zachowa pogodę ducha. Ku jej własnemu zaskoczeniu wcale nie musiała się do tego przymuszać. Po części dlatego, że coraz lepiej radziła sobie z angielskim, a po części dlatego, że przestała się bać, iż drobne przyjemności mogłyby ją odciągnąć od obowiązków. Nati też zachowywała się dużo radośniej. Już nie budziła się każdej nocy z płaczem, jakby straszne wydarzenia opadły z niej niczym skóra z węża.

Dwa dni przed Bożym Narodzeniem czekali właśnie na powóz, gdy Konrad podszedł do Lory i jej podziękował.

– Szanowna panienko Loro, wydaje mi się, że nigdy nie widziałem jeszcze naszego aniołka tak grzecznego, a zarazem tak wesołego, jak w towarzystwie panienki. Nasza mała księżniczka wprost odżyła.

– Sądzę, że to także zasługa Mary i Prudence – odrzekła Lora i zachichotała, bo Nati uparła się, że będzie pchać wózek inwalidzki Mary, co przez jednego z boyów hotelowych zostało skwitowane pełnym dezaprobaty spojrzeniem. – Ale obawiam się, że jej wytworne wychowanie ucierpi trochę przez swawole, na które jej pozwalamy.

Lekki cień padł na twarz Konrada.

– Gdy znajdziemy się z powrotem w Bremie, o wychowanie Nati będzie się troszczyć jej stryjeczna babka Ermingarda. Wtedy panienka będzie się musiała szczególnie starać, aby nasz skarb z powrotem nie oduczył się śmiechu. Teraz, gdy starszy pan nie żyje, do miejskiej willi Retzmannów wprowadzi się chyba cała rodzina pani Ermingardy, żeby choć w ten sposób uszczknąć coś z bogatego spadku. Powiem jedno, panienko Loro: niech panienka nie wchodzi z nimi w żadne konszachty. Jak będzie panienka miała jakieś wątpliwości, to niech poprosi o radę i pomoc pana Simmerna. A tak w ogóle to dzisiaj mamy pojechać po niego do biura NDL. Kapitan chce zjeść z nami kolację, a potem będzie nam towarzyszył w teatrze.

Gdy Nati usłyszała ostatnie zdanie, zaczęła szaleć z radości. Pchnęła przy tym wózek inwalidzki, tak że Mary by z niego wypadła, gdyby Konrad nie chwycił jej w ostatnim momencie. Lora dostrzegła znaczące spojrzenia, które oboje przy tym wymienili. Czy coś się między nimi nie kroi? Na wszelki wypadek będę się im bacznie przyglądała – pomyślała. Pragnęła, by Mary mimo kalectwa znalazła sobie dobrego męża, nawet jeśli przez to ich plany wspólnego otwarcia salonu mody miałyby spalić na panewce.

W tym momencie boy hotelowy oznajmił, że powóz nadjechał. Nati natychmiast wybiegła na zewnątrz, a Konrad wyprowadził wózek Mary. Lora wyszła za nimi zatopiona w myślach. Tak intensywnie rozważała ewentualne małżeństwo Mary i Konrada, że nieco później w biurowcu NDL wpadła na jakiegoś mężczyznę.

– Bardzo przepraszam – powiedziała i dopiero potem spojrzała temu człowiekowi w twarz.

Zastygła w osłupieniu. Był to Edwin, jeden z pomocników Rupperta kwaterujących w domu, w którym uwięziono ją i Nati.

On także ją rozpoznał i popatrzył na nią drwiąco. Poruszył przy tym wargami, jakby chciał coś powiedzieć. Sądząc po wyrazie jego twarzy, mogła to być tylko groźba. Ruppert nas znalazł! przeleciało Lorze po głowie. W panice chciała uciekać, ale zobaczyła, że z drugiej strony nadchodzi Thomas Simmern. Podbiegła i chwyciła go za rękaw.

– Tam jest Edwin, członek bandy Rupperta – wykrztusiła, nie mogąc złapać tchu.

Wskazała na miejsce w hali, gdzie dostrzegła mężczyznę. Ale nikogo już tam nie było.

– Jesteś tego pewna?

– To Edwin! Widziałam go całkiem wyraźnie. Dopiero co tutaj był. Musiał przyjść stamtąd… – wyrzucała z siebie Lora. Rozejrzała się wokół, a potem wskazała na drzwi prowadzące na zewnątrz. – Idzie teraz ku wyjściu! To ten człowiek z dziwaczną wełnianą czapką i w szaliku. Właśnie przechodzi przez drzwi!

Wuj Thomas pchnął ją lekko w ramiona Prudence, która przestraszona podeszła bliżej, i ruszył szybko ku drzwiom. Edwin go zobaczył i zaczął biec. Ponieważ dwuskrzydłowe drzwi się przymknęły, Lora nie mogła dostrzec, co dzieje się na zewnątrz. Ale nie robiła sobie wielkich nadziei. Wuj Thomas, w eleganckich butach i na śliskim chodniku, nie miał żadnych szans, by dogonić Edwina. A nim zdołają zaalarmować policję, ten drań na pewno zniknie w jakiejś dziurze.

Thomas Simmern przyszedł dopiero po kwadransie w towarzystwie policjanta, który z niewzruszoną miną spisał ich zeznania. Obiecał, że przekaże je do Scotland Yardu. Przez ten incydent minęło mnóstwo czasu i wszyscy musieli udać się do teatru bez kolacji. Nie był to szczególnie pomyślny wieczór, ponieważ owo zdarzenie na nowo obudziło w nich strach przed Ruppertem. W takiej sytuacji woleliby porozmawiać, a nie w milczeniu patrzeć na scenę i słuchać aktorów. Ale gdy po teatrze nawiązali rozmowę, Lora szybko się zorientowała, że jest wprawdzie wiele pytań, ale nie ma na nie odpowiedzi. W gruncie rzeczy byli bezradni. Musieli czekać, aż Ruppert uderzy. Była to wysoce nieprzyjemna perspektywa.

Także następne dni niczego nie wyjaśniły. Edwin zniknął bez śladu i ani wuj Thomas, ani inspektor ze Scotland Yardu nie byli w stanie dowiedzieć się, czego pomocnik Rupperta szukał właśnie w biurowcu, w którym siedzibę ma przedstawiciel przedsiębiorstwa żeglugowego Norddeutscher Lloyd. Pracownicy NDL zeznali, że nikt taki ich nie odwiedzał. Inni maklerzy okrętowi, którzy wynajmowali w budynku pomieszczenia biurowe, stwierdzili, że ów mężczyzna nie załatwiał u nich żadnych spraw.

Gdy wuj Thomas przyniósł im tę wiadomość, zapanowało najpierw milczenie. W końcu odezwała się Lora:

– Przecież Edwin musiał mieć jakiś powód, żeby przyjść do tego budynku!

Thomas Simmern skinął głową.

– Masz rację. Ale ponieważ z nikim nie rozmawiał, policja sądzi, że spotkanie z tobą przeszkodziło mu w tym, co zamierzał zrobić. Musiał dać drapaka, zanim załatwił swoją sprawę.

W jego głosie brzmiała taka pewność, że Lora zapragnęła w to uwierzyć, ale uświadomiła sobie, że Edwin wychodził już z budynku, więc znów nabrała wątpliwości.

– Czy można polegać na maklerach okrętowych pracujących w NDL? Przecież jeden z nich mógł skłamać.

Wuj Thomas zamyślił się na chwilę, a potem wzruszył ramionami.

– Nie mogę oczywiście zajrzeć ludziom do głów, ale nie bój się, panienko. Scotland Yard dowie się, czego Edwin tam szukał.

Właściwie Thomas Simmern chciał uspokoić Lorę i pozostałych, ale szybko zrozumiał, że sam też uczepił się tej nadziei. Jednocześnie próbował wczuć się w Rupperta, który poniósł w Anglii porażkę i z pewnością chce trafić w rejony bardziej dla niego bezpieczne. Dlatego Simmern doszedł do wniosku, że Edwin mógł na jego polecenie pytać o możliwości wyjazdu z Anglii. Jeśli tak faktycznie było, to spotkanie Edwina z Lorą miało raczej skutek negatywny, bo zapobiegło owemu wyjazdowi. Simmern wolałby, żeby Ruppert znalazł się w jakimś odległym zakątku świata. Krewny Nati był wprawdzie przestępcą, ale skandal, jaki wywołałyby jego aresztowanie i proces, zatoczyłby szerokie kręgi i może nawet wstrząsnął firmą NDL.

– Nie ma potrzeby, byście się bały Rupperta. Zanim wyjedziemy z Anglii, już dawno będzie siedział na jakimś zdezelowanym parowcu, którego kapitan nie przywiązuje specjalnej wagi do dokumentów swoich pasażerów. I oby znalazł kryjówkę jak najdalej stąd.

– Chciałabym, żeby popłynął do Botokudów – powiedziała Nati z naciskiem.

Usłyszała kiedyś nazwę tego plemienia od Konrada i uznała, że mieszka ono w jakimś nieprzyjemnym zakątku świata, na dodatek tak odległym, że Ruppert nie dałby rady stamtąd wrócić.

Innych jej słowa rozbawiły. Mary i Prudence zaczęły rywalizować w wymyślaniu różnych okropnych miejsc, w które chciałyby wysłać Rupperta. W końcu Prudence popatrzyła błyszczącymi oczami.

– Chcę, żeby wywieziono go na Wyspę Świętej Heleny jak tego okropnego Napoleona. Według mnie to właśnie odpowiednie miejsce dla niego.

Lora nie uczestniczyła w tej zabawie, tylko pokręciła gwałtownie głową.

– Żeby Rupperta dokądkolwiek wywieźć, trzeba się najpierw dowiedzieć, gdzie przebywa. Wtedy policja mogłaby go aresztować.

– Nie ma obawy! Jeżeli będzie dłużej przebywał w Anglii, to na pewno do tego dojdzie. Doskonale zdaje sobie z tego sprawę – odpowiedział wuj Thomas tonem pełnym przekonania. – Nie pozostało mu nic innego, jak przenieść się w jakąś odległą część świata, żeby tam uprawiać swój przestępczy proceder.

– Ale co z tamtejszymi ludźmi, jego przyszłymi ofiarami? A jeśli nadal będzie przemycał broń? Czy nie będziemy winni śmierci tych, którzy przez to zginą?

Lora aż zatrzęsła się na tę myśl, pozostali również ucichli na moment.

Potem rozległ się głos Thomasa Simmerna, wyraźny, ale trochę też zawstydzony:

– Niestety, masz rację. Ja też bym wolał, żeby policja go schwytała i zamknęła. Możemy pocieszać się tylko tym, że jest jednym z wielu przemytników broni i z pewnością nie największym. Jeśli nie on będzie dostarczał broń, uczynią to inni.

Lora od razu zrozumiała, że to tylko niezręczna wymówka. Najwidoczniej Thomas Simmern sam w ten sposób odbierał własne słowa, bo nagle zaczął robić wrażenie zmęczonego i spiętego. Lorze robiło się z tego powodu przykro i zaczęła się zastanawiać, co może zrobić, żeby mu pomóc i podnieść na duchu. Taka odpowiedzialność musiała być dla niego dużym ciężarem. Łagodność, z jaką traktował Nati, ale też Mary, Prudence i ją samą, przypominała jej ojca, najlepszego człowieka, którego kiedykolwiek znała. Na myśl o ojcu w oczach stanęły jej łzy. Jednocześnie ucieszyła się, że w Thomasie Simmernie znalazła pokrewną duszę.

Uśmiechnęła się do niego i wzięła go za rękę.

– Drogi wuju Thomasie, Ruppert nie powinien zepsuć nam radości ze zbliżających się świąt Bożego Narodzenia. Tutejsza policja na pewno szybko go schwyta albo przynajmniej przepłoszy z Anglii.

Thomas Simmern skinął głową i odpowiedział uśmiechem na jej uśmiech.

– Moja panienko, jak zawsze masz rację!

VIII

Ponieważ Boże Narodzenie było tuż-tuż i każdy zajęty był przygotowaniami do świąt, incydent z Edwinem wkrótce poszedł w zapomnienie i przestano o nim wspominać. Tylko Lora myślała czasem o nieprzyjemnym spotkaniu i próbowała sobie rozpaczliwie przypomnieć, o jakich planach rozmawiali kiedyś Ruppert i Edwin. Ale chociaż bardzo się starała, nic nie przychodziło jej do głowy.

Wigilię celebrowali według niemieckich zwyczajów. Zebrali się pod dużą choinką ozdobioną szklanymi bombkami i świecami, którą Konrad i stangret wstawili do apartamentu hotelowego, a Lora, Mary i Prudence ozdobiły z dużą przyjemnością.

Stół z prezentami był przepełniony. O nikim nie zapomniano, nawet o pokojówce i dwóch boyach hotelowych, którzy byli do ich dyspozycji. Kierownictwo hotelu wstawiło do ich apartamentu dość stare pianino, a Thomas Simmern zagrał nie tylko *Cichą noc*, ale też inne kolędy, popularne w tym czasie w Niemczech, w tym niedawno powstałą pieśń *Pastuszkowie przybywajcie*.

Nati śpiewała początkowo dźwięcznym głosikiem, ale po jakimś czasie umilkła i patrzyła tylko na pudła z prezentami. W końcu na czubkach palców podkradła się bliżej. Wkrótce do śpiewów dołączył odgłos rozrywanego papieru. Lora się odwróciła.

– Ależ Nati, musisz poczekać, aż skończymy! – powiedziała.

Thomas Simmern uniósł pobłażliwie rękę.

– Zostaw ją, Loro. Wolę, żeby Nati cieszyła się życiem, niżby miała wypłakiwać sobie oczy za dziadkiem.

– Bardzo jej brak pana grafa. Często płacze, gdy uważa, że nikt na nią nie patrzy – powiedziała Lora, mając poczucie, że musi bronić swojej podopiecznej.

– Wiem, wiem – pokiwał głową Simmern. – Tym bardziej nie powinno się studzić jej radości. A więc, panienko, co takiego przyniosło ci Dzieciątko Jezus? – Ostatnie zdanie skierował do Nati, która z dumą wypakowała porcelanową lalkę z prawdziwymi włosami, prawie tak dużą jak ona sama.

Dziewczynka popatrzyła na lalę błyszczącymi oczami i w końcu ją pocałowała.

– Podoba mi się. Naprawdę bardzo ją lubię.

– Bardziej niż Lorę? Lory bowiem nie pocałowałaś – powiedział Konrad żartobliwie.

Nati natychmiast podbiegła do Lory i ją objęła.

– Ciebie lubię najbardziej!

Potem pocałowała swą opiekunkę, ale zaraz potem znów wróciła do lalki.

– Dostałaś jeszcze inne prezenty – odezwał się wuj Thomas.

Nati skinęła gorliwie głową i zaczęła rozpakowywać kolejne paczki. Nie zwracała przy tym uwagi, czy są przeznaczone dla niej. Zdziwiona popatrzyła na krawat w dyskretne paski, który Lora kupiła dla Thomasa Simmerna.

– Ale to nie dla mnie – stwierdziła i włożyła go z powrotem do pudełka.

Lora z zakłopotania zrobiła się czerwona jak dojrzała wiśnia.

– Mam nadzieję, wuju Thomasie, że krawat ci się podoba. Mój ojciec nosił podobne.

Spojrzała na Simmerna lękliwie, jakby oczekiwała, że mężczyzna rzuci jej ów prezent pod nogi z wyrazem pogardy.

– Jest bardzo gustowny, bardzo chętnie go założę – odpowiedział Simmern z uśmiechem.

Lora odetchnęła z ulgą. Nati tymczasem odkryła chusteczki do nosa haftowane własnoręcznie przez Lorę.

– Jakie piękne – uradowała się dziewczynka. – Popatrzcie, tu są moje inicjały i korona rangowa. Bardzo chętnie będę ich używać.

Próbowała przy tym naśladować ton wuja Thomasa, czym wywołała ogólny śmiech.

Nati się tym jednak nie przejęła, lecz spojrzała na Lorę.

– Teraz ty musisz wypakować swoje prezenty! – zażądała.

– Tak jest – przytaknął wuj Thomas i pokazał ręką na kilka dużych kartonów, przy których wisiały karteczki z imieniem Lory.

Lora się zawahała, ale Prudence, która w wielodzietnej rodzinie nauczyła się, że ten, kto się zastanawia, zawsze traci, popchnęła ją w kierunku stołu.

– Obejrzyj prezenty. Ja i Mary też to zrobimy.

– I Konrad – dodała Mary, zerkając krótko na kamerdynera wuja Simmerna.

– Tak jest, rozpakujmy resztę prezentów – przytaknął Konrad.

Podszedł do kalekiej dziewczyny i pomógł jej pokonać tych kilka kroków do stołu bez użycia kul. Wziął też od razu dwie paczuszki z karteczkami z imieniem Mary. Dziewczyna poczekała jednak na Lorę, a ta drżącymi rękoma otworzyła pierwszą paczkę, w której znajdowało się ciepłe futerko. Takiego modnego futra nie miała nawet pani Malwina, żona Ottokara von Trettina. Lora zdziwiła się, że właśnie w tym momencie pomyślała o nieprzyjemnej krewniaczce, i przegnała kobietę ze swych myśli.

– Ale to futro jest dla mnie zbyt cenne – wymsknęło się jej.

– Wcale nie jest zbyt cenne dla mojej najlepszej przyjaciółki – powiedziała rezolutnie Nati. – Poza tym uratowałaś mi życie, a twój stary płaszcz jest zbyt cienki. A więc powiedziałam wujkowi Thomasowi, że potrzebujesz czegoś ciepłego.

– Dziękuję.

Lora nie miała odwagi spojrzeć na Thomasa Simmerna. Jeszcze nigdy nie zetknęła się z podobnym mężczyzną. Gdyby miała kiedyś wyjść za mąż, chciałaby, żeby jej mąż był właśnie taki. Na tę myśl się wzdrygnęła. Za cztery miesiące skończy szesnaście lat. Dziewczęta w tym wieku mogą wychodzić za mąż. Jej dziadek nieraz powtarzał, że pragnie dożyć jej zamążpójścia. Teraz spoglądała ukradkiem na Thomasa Simmerna. Uznała, że jest młodszy, niż początkowo założyła. Najwidoczniej troska o Nati sprawiła, że wyglądał początkowo na dużo starszego. Próbowała jeszcze raz ocenić, ile ma lat, i uznała, że około trzydziestu pięciu. To oznaczało, że jest od niej dwa razy starszy. Ale to z pewnością nie problem. Dobrze, jeśli mężczyzna jest mądry i doświadczony, aby móc kierować swoją żoną.

Był tak przystojny, że nie mogła sobie wymarzyć na męża nikogo urodziwszego. Wyższy od niej o prawie pół głowy, szczupły, ale silny. Miał ręce, którymi potrafiłby zarówno mocno chwycić, jak i łagodnie głaskać. Jego twarz z modnymi bokobrodami robiła miłe wrażenie, a gdy spoglądał na Nati, w jego oczach pojawiał się tak czuły blask, że Lora pragnęła, by to spojrzenie było przeznaczone dla niej.

Ale czy on w ogóle mógłby mnie polubić? zastanawiała się. Na razie nie dawał po sobie poznać, że widzi w niej kogoś więcej niż opiekunkę Nati. Bo kim ona była? Nikim. Ubogą sierotą. Na pewno zasłużył na kogoś lepszego niż ona.

– Musisz otworzyć jeszcze inne paczki! – zawołała zniecierpliwiona Nati.

Jej głos sprawił, że Lora była zmuszona przerwać rozważania o Thomasie Simmernie. Otworzyła drugie pudełko i znalazła w nim cienki złoty łańcuszek, na którym zawieszone było małe rubinowe serce.

– To ode mnie – wyjaśniła z dumą Nati. – Powiedziałam wujkowi Thomasowi, co chcę, żeby kupił jako prezent ode mnie dla ciebie, i on to natychmiast kupił!

Lora była zakłopotana, dostawszy tak cenne prezenty.

– Dziękuję – wybąkała. Objęła dziewczynkę. Musiała przy tym walczyć ze łzami, które cisnęły się jej do oczu. Wprawdzie dziadek Wolfhard, gdy mieszkał na Trettinie, też obdarowywał ją hojnie, ale płaszcz i złoty łańcuszek przewyższały wszystko, co kiedykolwiek dostała. Dlatego była zadowolona, znalazłszy w kolejnej paczce piękne serwetki, które wyhaftowała dla niej Mary. Dały jej poczucie normalności. Przypomniały o świętach bożonarodzeniowych w jej domu, kiedy to ogromnie cieszyła się właśnie z takich prezentów. Ale już przy następnej paczce zakłopotanie wróciło. Znalazła w niej modne botki zapinane na guziki. Takich botków pozazdrościłyby jej gorąco najelegantsze damy z okolic Heiligenbeilu.

Teraz inni też otworzyli pudełka ze swoimi prezentami. Konrad z zadowoleniem popatrzył na ciepłe rękawiczki i na pudełko z dobrymi cygarami. Siostry Penn nie wiedziały, jak wyrazić swój zachwyt. Thomas Simmern obie hojnie obdarował. Mary dostała dodatkowo od Konrada jeszcze jedną małą paczuszkę; ponieważ wiedział, że jest katoliczką, podarował jej niemiecki katechizm.

Mary popatrzyła nieco zdziwiona na nieznany język i pociągnęła Lorę za rękaw.

– Będziesz mnie musiała nauczyć, jak się to czyta – szepnęła i obdarzyła Konrada wdzięcznym spojrzeniem.

– Jeśli już wszystko wypakowaliście i obejrzeliście, możemy pojechać na pasterkę!

Wuj Thomas nieco ich popędzał. Ze względu na Lorę zdecydował się na nowy niemiecki kościół w Whitechapel. Wzniesiono go w monumentalnym nowoczesnym stylu i został poświęcony zaledwie przed kilkoma dniami, akurat przed Bożym Narodzeniem. Lora i wszyscy pozostali bardzo się ucieszyli z tego wyboru.

IX

Następny ranek zaczął się od anglikańskiej mszy w słynnej katedrze Świętego Pawła. Świątynię, jak wyjaśnił wuj Thomas, zbudowano na wzór rzymskiej Bazyliki Świętego Piotra, ale w przeciwieństwie do tej ostatniej katedrę urządzono w środku w stylu barokowym. Również msza była tu odprawiana zupełnie inaczej niż w rodzinnych stronach Lory. Wszystko było tak wzniosłe i pompatyczne, że dziewczyna ledwo miała odwagę oddychać. Dlatego ucieszyła się, gdy onieśmielające nabożeństwo było już za nimi i mogli wreszcie opuścić dom Boży.

Potem w hotelu odbyła się jeszcze jedna ceremonia rozdawania prezentów – tym razem na modłę angielską, z wywieszonymi przy kominku poprzedniego wieczora skarpetkami. Po długim spacerze wuj Thomas, który od powrotu z angielskiej mszy robił wrażenie szczególnie przygnębionego, postanowił, że zje *dinner* razem ze swoimi „paniami" w wytwornie urządzonej i świątecznie przyozdobionej restauracji hotelowej. Duża sala została całkiem niedawno wyremontowana w stylu marynarskim. Wystrój wnętrza skojarzył się Lorze nieprzyjemnie z górnym salonem pierwszej kajuty parowca Deutschland.

Oprócz gości hotelowych i ich współbiesiadników przy stołach siedziało wiele rodzin angielskich pochodzących z wyższej warstwy mieszczańskiej, przybyłych tu, żeby obejrzeć sobie nowy wystrój i rozkoszować się niezwykłym jak na angielski hotel jadłospisem, który również wzorowany był na obyczajach panujących na dużych transoceanicznych parowcach. Nieco sztywna kapela wykonywała angielskie kolędy, robiąc sobie co jakiś czas przerwę.

Grupka zgromadzona wokół wuja Thomasa nie potrafiła nie ulec panującemu tu uroczystemu nastrojowi. Lora po raz pierwszy poczuła, że żałoba po dziadku i utracie rodziny ustąpiła w niej miejsca nowym doznaniom, a zwłaszcza fascynacji Thomasem Simmernem. Gdy kapela znowu zrobiła sobie przerwę, Nati uniosła głowę.

– Wujku Thomasie, powiedz, co to takiego rosyjska dziwka.

Zadała pytanie dość dziwnym, ale dobrze zrozumiałym angielskim, który przyswoiła sobie, mając do czynienia z różnymi miejscowymi dialektami.

– Co takiego?

Thomas Simmern, który siedział nieobecny duchem, spojrzał na nią i w pierwszym momencie nie wiedział, co odpowiedzieć.

– Nathalio! Wstydź się! – zawołała przerażona Lora. – Dobrze wychowana panienka nie pyta o takie rzeczy. Popatrz, państwo dookoła są zupełnie osłupiali. Pewnie sobie pomyśleli, że przyszliśmy prosto z rynsztoka.

Nati się rozejrzała i pokazała język dwóm matronom, które taksowały ją wzrokiem przez pozłacane lorniony.

– Nasz woźnica grał w karty z Weatesem i użył wtedy tych słów – odpowiedziała wciąż jeszcze dość głośno, strojąc fochy. – Ruppert, ten diabeł, krzyknął głośno, że moja mama była ruską kurwą. To na pewno nieprawda! Ale chcę wiedzieć, co to takiego. Mam do tego prawo! Jeśli to coś bardzo złego, wtedy kopnę mego niedobrego kuzyna mocno w piszczel.

Chociaż Thomas Simmern w kręgu bliskich osób potrafił być rozmowny i nieskrępowany, to w towarzystwie przykładał dużą wagę do dobrego wychowania. Poza tym, jak większość mężczyzn jego stanu, nienawidził skupiać na sobie niezdrowego zainteresowania. Spojrzał na Nati groźnie, odłożył sztućce i oświadczył, że biesiada skończona.

– Nathalio! Wstydzę się za ciebie! Póki nie nauczysz się zachowywać, jak przystało na komtesę von Retzmann, nie będziesz jadła w towarzystwie ani brała udziału w publicznych imprezach. A to oznacza, że nie będzie już żadnego teatru, lunaparku, zoo ani zakupów. To dotyczy też Lory i reszty twej świty, która nie potrafiła cię nauczyć, jak masz się zachować. A poza tym zakazałem wam wszystkim używać podczas świąt imienia twojego kuzyna. Moje panie, skoro nie posłuchałyście, nie miejcie do mnie pretensji. Póki nie nauczycie tej rozwydrzonej dziewczynki manier, zarządzam wam areszt domowy.

W pierwszej chwili Lorę przeraził jego surowy ton, ale szybko zrozumiała, że do wymierzenia tej drakońskiej kary sprowokowała go nie tylko złość na Nati. Musiało się za tym kryć coś więcej. Z całą pewnością przyczynił się do tego Ruppert. Nati zwiesiła nos na kwintę. Prudence także miała w oczach smutek. Dla dziewczyny z dzielnicy portowej pobyt w Londynie był niesamowitym przeżyciem, które nagle dobiegło końca. Mary na moment zmarszczyła tylko czoło, a potem mrugnęła z ulgą do Lory. Dla niej wycieczki w śniegu i błocie, mimo inwalidzkiego wózka i ofiarnej pomocy Konrada, zawsze związane były z bólem nóg. Dlatego nie przejęła się zanadto takim obrotem spraw.

X

Lora miała pretensje do wuja Thomasa tylko o jedno – że pozostawał taki skryty. W relacjach międzyludzkich niczym się nie różnił od innych mężczyzn. A ona chciała wiedzieć, jak wyglądają sprawy, i poznać przyczynę jego gniewu. Dlatego też zaoferowała mu pomoc w prowadzeniu jego obszernej korespondencji. Bała się, że wuj odmówi, ale zaakceptował jej ofertę z wdzięcznością. Od tej chwili przez trzy, cztery godziny dziennie przepisywała pięknym pismem listy z pospiesznie nabazgranych notatek, segregowała otrzymywaną korespondencję, wycinała z gazet artykuły o zatonięciu parowca Deutschland, a także o innych katastrofach morskich, wklejała je do albumów i opisywała zdaniami, które jej dyktował.

Dopiero teraz dotarło do niej, jakie zamieszanie wywołała katastrofa niemieckiego parowca w pobliżu Kentish Knock i co działo się w Anglii i w Niemczech podczas tych trzydziestu godzin, kiedy rozbitkowie czekali na pomoc. Wiele gazet i miesięczników zajmowało się katastrofą statku i jej skutkami. Debatowano o tym nawet w niemieckim Reichstagu. Planowano uchwalić surowe przepisy, żeby zwiększyć bezpieczeństwo okrętów na szlakach żeglugowych. Młoda Rzesza Niemiecka była szczególnie wstrząśnięta zatonięciem jednostki, która nosiła tak znamienną nazwę, a cesarz osobiście opowiadał się za nowelizacją prawa.

Lora intensywnie zastanawiała się nad tym, co przeczytała. W pewnym momencie podczas układania dokumentów wpadł jej w ręce anonimowy list pełen pogróżek. Była pewna, że napisał go Ruppert. List został dostarczony do hotelu, jak się dowiedziała z adnotacji sporządzonej przez Thomasa Simmerna, dwudziestego piątego grudnia.

Wcześniej nie miała pojęcia, dlaczego wuj Thomas tak ostro ukarał Nathalię i jej „świtę" za śmieszny, drobny incydent. Teraz doskonale rozumiała jego zmartwienie i uznała, że na jego miejscu nie postąpiłaby inaczej.

Nadawca listu nazwał wuja Thomasa obrzydliwym szpiclem i krętaczem. Zagroził, że jeszcze w Anglii zabije tę sukę Nathalię i jej towarzystwo, jeśli Simmern nie wyda mu testamentu starego satrapy. Ponadto zażądał oświadczenia uwierzytelnionego przez notariusza, które by go rehabilitowało i z którym mógłby przeciwstawić się w Niemczech każdemu oszczerstwu. Z tym oświadczeniem i ze sfałszowanym testamentem – co było łatwe do przeczytania między wierszami – Ruppert mógłby bez trudu wejść w posiadanie majątku starego grafa. Bezczelnie zażądał również zwrotu owego anonimu, napisanego zapewne lewą ręką, bo litery wyglądały tak, jakby nanosił je na papier człowiek nienawykły do pisania.

Lorę przeraziła nienawiść, którą przesiąknięty był ten paszkwil. Doszła do wniosku, że Ruppert jest szaleńcem, nawet jeśli wuj Thomas twierdzi inaczej. Właśnie gdy rozmyślała o haniebnym liście, wszedł do pokoju, żeby dać jej do przepisania notatki. Jej przestraszona twarz zaalarmowała go, ale nie musiał pytać o powód, zobaczywszy pamflet w jej ręce.

– Czyżbym zostawił ten świstek wśród innych dokumentów? – zapytał. – Właściwie nie chciałem wam o nim mówić, żeby jeszcze bardziej was nie wystraszyć. Ale widzę, że przyjęłaś to wszystko dość spokojnie. To dobrze. Wcale nie uważam, że należy te groźby i żądania traktować poważnie. Przeczytawszy je, odniosłem wrażenie, że Ruppertowi pali się grunt pod nogami. Po świętach zaniosę ten list do Scotland Yardu i poproszę inspektora, żeby dał nam ochronę, póki nie znajdziemy się na pokładzie. I chociaż Ruppert nie podpisał listu, to znajduje się w nim zbyt wiele szczegółów, o których nikt trzeci nie może wiedzieć. Tym samym mam w rękach kolejny dowód, mogę go użyć przeciwko niemu w Bremie. W liście przyznał się nawet pośrednio do zabicia mojego przyjaciela i mentora, grafa von Retzmanna. To pogrąży go także w Niemczech.

Simmern wyjął Lorze list z dłoni i schował go, starając się zachować spokojną minę.

– Nie chcę, żebyś się niepotrzebnie zamartwiała. Masz się troszczyć o to, żeby Nati była w dobrym nastroju. Ale skoro interesujesz się najnowszymi wiadomościami, to powinnaś nadal zajmować się wycinkami z gazet. Wtedy będziesz miała wobec Nati wymówkę, jeśli czasem zdarzy ci się być zanadto zamyśloną.

Lora skinęła głową.

– Niech tak będzie, wuju Thomasie. Informacje o NDL i o parowcu Deutschland naprawdę mnie interesują. Sądzisz, że kapitan Brickenstein zostanie ukarany?

– Wyrok Wyższego Sądu Krajowego zostanie ogłoszony prawdopodobnie pod koniec stycznia. Ale sąd nie wymierzy żadnej kary, bo kapitan Brickenstein nie podlega pod angielską jurysdykcję. W najgorszym wypadku mogą mu zabronić dowodzenia statkami pływającymi po wodach brytyjskich. To byłoby jednak równoznaczne z zakończeniem jego kariery jako kapitana żeglugi wielkiej, bo potem mógłby co najwyżej pływać statkiem wycieczkowym albo przybrzeżnym frachtowcem po Morzu Bałtyckim, i to tylko wtedy, jeśli w Niemczech nie zostanie mu odebrany patent. Ale nie sądzę, żeby do tego doszło. W końcu trafił na zimowy sztorm o niespotykanej gwałtowności. Na pewno zostanie to uwzględnione przy wydawaniu wyroku. Przynajmniej mam taką nadzieję.

XI

Boże Narodzenie świętowano także w dalekich Prusach Wschodnich. Ottokarowi von Trettinowi i jego żonie nikt wprawdzie nie groził śmiercią, ale i w Wigilię, i następnego dnia podczas balu bożonarodzeniowego dalecy byli od wesołości.

– Cóż to za bezczelność ze strony grafini Elchberg! Zachowywała się tak, jakby nas nie widziała – zdenerwowała się Malwina.

Ottokar przytaknął.

– I owszem. Graf też nie zachował się, jak przystało na człowieka honoru. Miał czelność stwierdzić, że w Elchbergu psa się tak nie chowa, jak został pochowany stary pan von Trettin. Za te słowa najchętniej wyzwałbym go na pojedynek.

Malwina wiedziała równie dobrze jak on, że wśród poważnych ziemian w Prusach Wschodnich pojedynek jest uważany za wielkomiejską fanaberię, której w okolicy oddają się co najwyżej znudzeni oficerowie garnizonu, nieprzejmujący się tym, że jest to prawnie zakazane. Tutejsze towarzystwo zerwałoby kontakty z ziemianinem, który wyzwałby drugiego na pojedynek. Na to jednak nie mogli sobie pozwolić, zwłaszcza w sytuacji, w jakiej się znajdowali.

– Powinieneś tych oszczerców pozwać do sądu – stwierdziła z naciskiem Malwina.

– Dobra jesteś! Nasi sąsiedzi dopiero co zażądali, żebym wycofał pozew przeciwko doktorowi Mütze o domek myśliwski i las. Jeśli teraz wytoczę jeszcze proces przeciwko jednemu z nich, to wszystkich do siebie zrazimy. Poza nielicznymi przyjaciółmi nikt nas nie będzie zapraszał ani nie skorzysta z naszego zaproszenia do Trettina.

– A to wszystko z powodu tego starego capa, który roztrwonił twój spadek, i tej niezdarnej dziewuchy, jego wnuczki. Pani starościna, ta wredna suka, zapytała mnie, udając głupią, co słychać u drogiej Lory. A przecież wszyscy wiedzą, że staruch kazał ją wywieźć Wagnerowi. Ale nie sądzę, żeby naprawdę wysłał ją do Ameryki. Jestem przekonana, że ta mała dziwka wcześniej lub później wyląduje w jakimś burdelu w Berlinie, Hamburgu albo Bremie.

Malwina wyglądała tak, jakby całym sercem życzyła Lorze takiego właśnie losu.

Jej mąż się zdenerwował.

– Zwariowałaś, kobieto? Jeśliby do tego doszło, stalibyśmy się pośmiewiskiem całego powiatu. Dobrze by było, gdyby stryj naprawdę wysłał Lorę do Nowego Świata. Tam zniknęłaby ludziom z oczu i szybko by o niej zapomnieli.

– A pieniądze, które wywiozła ze sobą? – przypomniała Malwina.

Nim Ottokar zdążył odpowiedzieć, rozległo się pukanie. Do środka wszedł kamerdyner.

– Przepraszam jaśnie państwa, ale Florin wrócił z Heiligenbeilu i przywiózł gazety.

– Niech je przyniesie – zażądał ordynat zadowolony, że będzie mógł zająć myśli czymś innym.

Służący ukłonił się i zniknął jak cień. Wkrótce potem wszedł do środka stangret. Nie miał już na sobie futra i choć dobrze oczyścił ze śniegu zimowe buty, Malwina zmierzyła go srogim spojrzeniem.

Florin skłonił się niezgrabnie przed swym panem, nie patrząc mu w oczy.

– Jaśnie panie, przywiozłem gazety.

– Połóż je na stole – rozkazał Ottokar von Trettin i popatrzył z ciekawością na grubą paczkę owiniętą w ceratę, żeby śnieg nie zmoczył papieru. Stangret zdjął ceratę, zostawił pakunek, po czym ukłonił się kolejny raz i wyszedł. Ottokar wziął nożyk i rozciął sznurek, którym obwiązane były lokalne gazety wraz z periodykami sprzed tygodnia, przywiezionymi z odległego Berlina. Jego żona tymczasem, marszcząc czoło, patrzyła na drzwi, które zamknęły się za Florinem. Nie skomentowała jednak zachowania sługi, stanęła tylko obok Ottokara i spojrzała mu przez ramię.

– Gazety ciągle jeszcze piszą o zatopionym statku? Czyż ten parowiec nie płynął do Ameryki? Chciałabym, żeby Lora była na pokładzie. Wszystkie pasażerki przecież zatonęły!

– Nie wszystkie – skorygował mąż. – W gazetach sprzed tygodnia było napisane, że kilka kobiet ocalało. Ale podobno zakonnice, które nie chciały się podporządkować pruskiemu prawu, utonęły.

– Tych czarnych wron wcale mi nie szkoda – stwierdziła Malwina.

Tymczasem Ottokar otworzył gazetę i wskazał długą listę nazwisk.

– Popatrz! Tu są ci, co przeżyli, a tu ci, co zginęli.

– Graf von Retzmann także zginął! – zawołała żądna sensacji Malwina.

– Wnuk grafa Ruppert wraz z siostrą albo kuzynką Nathalią przeżyli, przeżyła też opiekunka komtesy Nathalii. Ale… To przecież niemożliwe! – Ottokar urwał i uniósł wysoko gazetę, tak że Malwina straciła z oczu linijkę, którą właśnie czytała. Nim zdążyła się poskarżyć, jej mąż zaklął jak szewc. – Ten przeklęty cap! Powinienem był wiedzieć, że wytnie nam taki numer!

– Co się stało? – zapytała zdziwiona Malwina.

– Wiesz, kto jest opiekunką komtesy Nathalii?

Ottokar spojrzał na nią z takim wyrazem twarzy, że zdjął ją lęk.

– No, mów! Skąd mam wiedzieć?

Zamiast odpowiedzieć, Ottokar położył gazetę na blacie stołu i wskazał palcem właściwą linijkę. Malwina pochyliła się, przeczytała nazwisko i zbladła.

– Lora Huppach! Ale jak trafiła do grafa?

– Skąd mam wiedzieć? – krzyknął mężczyzna i walnął z impetem pięścią w stół.

Malwina przestraszyła się, że mógłby zniszczyć delikatny mebel.

– Uspokój się – powiedziała. – Teraz przynajmniej wiemy, gdzie jest Lora, i możemy ją ściągnąć do Trettina. Ale przysięgam, dziewuszysko nie będzie miało u mnie powodu do śmiechu, dam jej popalić.

Jej mąż odwrócił się do niej i kilka razy klepnął się dłonią w czoło.

– Czy ty jesteś normalna, kobieto? Staruch sobie to wszystko dokładnie zaplanował. Oddał wnuczkę pod opiekę bogatemu grafowi. To mógł być jakiś jego stary przyjaciel. Jeśli teraz się tam udamy i zażądamy wydania Lory, wszyscy będą kręcić głowami. A jak będziemy dziewczynę źle traktować, staniemy się wszędzie *personae non gratae*.

– Ale przecież graf utonął – wtrąciła oschle Malwina.

– Nie sądzę, żeby jego wnuk Ruppert postępował wbrew woli dziadka. Ponieważ razem podróżowali, prawdopodobnie został nawet wtajemniczony w cały ten plan. Nie pozostaje nam naprawdę nic innego, jak stłumić w sobie cały gniew i zapomnieć o tej impertynenckiej dziewusze. Wygląda na to, że stryj pokonał nas na całej linii!

Ottokar przeklinał i zachowywał się, jakby znów chciał wyładować złość na meblach.

Oburzenie Malwiny nie było mniejsze niż jej męża. Otrząsnęła się niczym mokry pies. Nagle jej twarz przybrała zacięty wyraz.

– Może nie wiesz, ale musimy sobie jeszcze poradzić z całkiem innymi problemami niż ta zbiegła dziewucha. Chociaż pastor zakazał ludziom strzępić języki, to we wsi ciągle jeszcze przebąkują, że przejechałeś obok płonącego domu nauczyciela, nie ostrzegając mieszkańców.

– To tylko gadanie starej wariatki. I tak nikt jej nie uwierzy. Już przegoniłem z chaty tę kłamliwą sukę, tak jak chciałaś. Mieszka teraz z Kordem w starym domku myśliwskim mojego stryja i śmieje się z nas w kułak.

Głos ordynata jednak zadrżał i przez moment skrywany strach wziął w nim górę nad gniewem. Ale jego żona myślała już o całkiem innych niebezpieczeństwach, które pojawiły się na horyzoncie.

– Mnie wcale nie chodzi o Mienę i Korda. Jednakże powinniśmy zwrócić pastorowi uwagę, że nie przystoi, by dwoje ludzi, którzy nie są małżeństwem, mieszkało w jednym domu. Bardziej myślę o naszym stangrecie. Florin był wtedy z tobą. Jeśli on coś powie, ludzie uwierzą mu prędzej niż tej starej babie. Zresztą podobno w ciągu ostatnich kilku tygodni dwukrotnie odwiedzał tych dwoje w domku myśliwskim. Jak myślisz, o czym rozmawiali?

– Pewnie o nas, moim stryju, o Lorze...

– ...i o pożarze w domu nauczyciela – dokończyła Malwina. – To jednak dziwne, jak ten pożar mógł wybuchnąć. W nocy nie było burzy, a cała rodzina nauczyciela leżała już w łóżkach.

Ordynat nagle odniósł wrażenie, że jego kołnierzyk zrobił się za ciasny. Poluzował krawat i rozpiął najwyższy guzik.

– Oprócz Lory! – bąknął.

Jego żona z dziwnym uśmiechem położyła mu dłoń na ramieniu.

– Miena stwierdziła, że kazałeś przystanąć obok domu nauczyciela, a potem pojechałeś dalej, nie ostrzegając kuzynki. Wiesz, ten, kto się zatrzymuje, może też wysiąść i coś zrobić. Potrzebuje tylko zapałek. Łatwo podpalić suchą słomę, wcale nie trzeba do tego błyskawicy.

Ottokar obrócił się, jakby ukąsiła go żmija.

– Co chcesz przez to powiedzieć, kobieto?

– Ja? Nic – odpowiedziała Malwina łagodnym tonem. – Ale czy nie może się tak zdarzyć, że Florin coś wyklepie? I czy nie uważasz, że to dziwne, że nagle zaczął bywać u ludzi, którzy od samego początku byli wobec nas wrogo nastawieni?

– Ale to tylko jakieś urojenia – obruszył się Ottokar,

– A co, jeśli ludzie zaczną gadać o tych urojeniach? Sam powiedziałeś, że w tej chwili nie cieszymy się dobrą opinią. Niech jeszcze zdarzy się jakiś drobiazg, a będziemy traktowani jak pariasi. Byłeś głupcem, nie pozwalając pochować stryja w rodzinnym grobowcu. Ciągle będzie się to za nami ciągnąć. Sąsiedzi i ludzie w mieście podchwycą każdą bzdurę, którą im się powie. Nie powinieneś też zapominać, jak lubiany jest doktor Mütze. Ludzie mają do ciebie pretensje, że w gniewie go uderzyłeś. W ich oczach Fridolin jest bohaterem, bo stanął między wami.

– E, niedługo o tym zapomną. Ale co się tyczy Florina, to masz rację. Mógłby razem z Mieną i Kordem coś uknuć, żeby nam zaszkodzić albo żeby nas szantażować.

Dopiero teraz ta możliwość przyszła Ottokarowi do głowy. Jeszcze nie wiedział, co zrobić, ale gdy dłużej porozmawiał o tym z Malwiną, uświadomił sobie, że powinien jak najszybciej uciszyć stangreta.

XII

Po rozmowie z żoną Ottokar von Trettin prawie nie spuszczał stangreta z oczu. Stwierdził, że Florin izoluje się od pozostałej służby i gdy sądzi, że nikt na niego nie patrzy, na jego twarzy pojawia się grymas gniewu, smutku i nienawiści. Ordynata zdjął silny lęk. Gadanina Mieny nie była przez większość ludzi traktowana poważnie, ale jeśli Florin uderzy w ten sam ton, a nawet doda, że tamtej nocy jego pan wyszedł z powozu, wówczas reputacja Ottokara może lec w gruzach, sąsiedzi zaś go potępią. Dlatego zastanawiał się gorączkowo, jak ma usunąć to zagrożenie.

Mógłby na przykład dać Florinowi pieniądze i wysłać go gdzieś daleko.

– Najlepiej, jakby pojechał do Ameryki! – mruknął pod nosem, ponieważ od wyjazdu Lory owo miejsce co rusz chodziło mu po głowie.

To by jednak było równoznaczne z przyznaniem się do winy. Ottokar nie zamierzał tego robić, a poza tym nie chciał bezsensownie wydawać pieniędzy.

Po dwóch dniach podzielił się swymi przemyśleniami z Malwiną. Ta roześmiała się drwiąco i spojrzała na niego, kręcąc głową.

– Myślałam, że jesteś mężczyzną. Ale wychodzi na to, że jesteś kompletnym ciamajdą.

– Chcesz, żebym go zabił?

Ottokar wyszeptał te słowa, ale w jego uszach zabrzmiały jak uderzenie pioruna.

– Znasz inne rozwiązanie? – zapytała Malwina. – Dzisiaj ma wolny dzień. Jak sądzisz, gdzie poszedł?

– Do domku myśliwskiego?

Malwina przytaknęła, a on zacisnął pięści.

– Ta trójka knuje coś przeciwko nam, czuję to – zazgrzytał zębami. – Najwyższy czas, żeby temu zapobiec.

– Około czwartej Florin wyjdzie od nich, żeby wrócić na folwark – Malwina zniżyła głos. – Wieczorem musi jeszcze oporządzić konie. W lesie grasują kłusownicy. Może się zdarzyć, że któryś do niego strzeli i go zabije.

Było to podżeganie do morderstwa, ale Ottokar von Trettin też uznał, że nie ma innego wyjścia. Wyszedł z pokoju, ale po chwili wrócił. Zamknąwszy za sobą drzwi, wyciągnął spod marynarki rewolwer bębenkowy i kilka nabojów.

– Mam je z czasów, gdy byłem jeszcze chłopcem. Stryj złapał wtedy pewnego kłusownika i przekazał go policji. Ja zabrałem kilka nabojów, bo sam chciałem wtedy zostać wielkim kłusownikiem. Teraz mogę je wykorzystać, bo pasują do mojego amerykańskiego rewolweru.

Tym samym klamka zapadła.

Malwina, która bardziej bała się towarzyskiego ostracyzmu niż morderstwa, skinęła zachęcająco głową.

– Dobrze, ale jak chcesz to zrobić?

– Po południu wyjadę konno. Najpierw odwiedzę pastora, a potem zaczaję się w lesie na Florina. Po wszystkim pojadę do grafa Elchberga, żeby porozmawiać z nim o nowych maszynach, które zamówił w Ameryce, tak że nikt nie będzie mnie o nic podejrzewał.

Tymi słowy Ottokar sam sobie dodawał odwagi. Ale po obiedzie i popołudniowej kawie potrzebował dwóch lampek koniaku, żeby uspokoić nerwy.

Tuż po piętnastej kazał osiodłać ogiera i mimo dotkliwego zimna ruszył przed siebie. W domu pastora został przyjęty jak król. Duchowny osobiście zaprowadził go do najlepszego pokoju i nalał mu koniaku.

– Na dworze taki chłód, dobrze jest wypić coś na rozgrzewkę – stwierdził.

Ottokar von Trettin tylko skinął głową i zmusił się do powolnego degustowania alkoholu, bo najchętniej wlałby sobie wszystko naraz do gardła i poprosił o następny kieliszek.

Tymczasem żona pastora osobiście przyniosła ciasto i kawę, chociaż normalnie było to zadaniem służącej. Potem odeszła i zostawiła mężczyzn samych.

Chociaż Ottokar wypił już jedną kawę w pałacu, usta miał tak wyschnięte, że pozwolił, by pastor napełnił mu filiżankę. Zjadł też ciasto, wychwalając je pod niebiosa, gdyby go jednak zapytać po chwili, co leżało na jego talerzu, nie byłby w stanie sobie przypomnieć. Cały czas obserwował szwarcwaldzki zegar, pochodzący jeszcze z czasów studenckich pastora, które ten spędził między innymi we Freiburgu. Chociaż ordynat przewidział na wizytę nieco więcej czasu niż trzy kwadranse, to i tak miał problem, jak ten czas wypełnić rozmową. Dlatego zupełnie zbytecznie przypomniał pastorowi, że jego najstarszy syn ma mieć w przyszłym roku konfirmację, a potem omówił wszystkie prace remontowe, które powinny zostać przeprowadzone w wiejskim kościele.

Gdy zegar z kukułką wybił pełną godzinę, ordynat wstał, sapnąwszy z ulgą.

– Przykro mi, pastorze, ale jeszcze dziś zamierzam złożyć wizytę grafowi Elchbergowi, żeby obejrzeć nową maszynę. Będziemy kontynuować naszą rozmowę innym razem.

Podał pastorowi dłoń i wyszedł. Na zewnątrz przypomniał sobie, że nie pożegnał się z panią domu, dlatego poprosił duchownego, by przekazał małżonce wyrazy uszanowania.

– Uczynię to, panie ordynacie. Życzę dobrej drogi. Niech Bóg pana prowadzi – powiedział pastor, cofnął się i patrzył, jak jego parobek pomaga wielmoży zająć miejsce w siodle.

Ottokar von Trettin uniósł na pożegnanie rękę, a potem odjechał powoli. Wkrótce zostawił za sobą wioskę. Gdy w zasięgu wzroku miał już odgałęzienie prowadzące do domku myśliwskiego, zobaczył, że z naprzeciwka jedzie jakiś wóz. Nie miał innego wyjścia, musiał kłusować dalej przed siebie, pozdrowił przy tym woźnicę i wymienił z nim kilka zdań o pogodzie. Potem udał, że chce jechać w kierunku Heiligenbeilu. Gdy zaprzęg zniknął za zakrętem, zawrócił i skręcił w leśną drogę. Ponieważ czas naglił, spiął ogiera ostrogami. Koń przyspieszył, ale dzięki podkowom z kolcami nie ślizgał się po gładkiej nawierzchni. Przejeżdżając między dwiema prastarymi jodłami, które rosły tu od pokoleń, mężczyzna ściągnął prawą rękawiczkę i sięgnął do kieszeni w siodle. Odetchnął, czując zimną stal rewolweru w dłoni. Załadował broń trzema starymi nabojami i trzema nowymi. Nie zamierzał użyć tych nowych, chyba żeby musiał, ponieważ kłusownicy z reguły nie strzelają nowoczesnymi nabojami z Ameryki. Gdy dłoń mu zmarzła, z powrotem naciągnął rękawiczkę. Próbował ocenić, jak daleko jeszcze do domku myśliwskiego. Nie chciał podjeżdżać za blisko, by nie mieć świadków, których również musiałby zabić. Gdyby zamordował także Korda i Mienę oraz sfingował napad na dom myśliwski, taka seria zdarzeń zaalarmowałaby policję. Natomiast jeden parobek zabity przez kłusownika nie miał prawie znaczenia.

Zamyślił się i nadejście Florina go zaskoczyło. Chociaż droga była prosta jak sznurek, to stangret znalazł się nagle przed samym ordynatem. Ślady wskazywały, że przystanął na skraju drogi, żeby opróżnić pęcherz. Gdy usłyszał, że ktoś nadjeżdża na koniu, wyszedł zdziwiony naprzeciw.

Ottokar von Trettin tak szybko ściągnął rękawiczkę, że ta upadła na ziemię. Florin odruchowo się schylił i ją podniósł. Tymczasem ordynat wyciągnął rewolwer, poczekał, aż stangret poda mu rękawiczkę, i nacisnął spust.

Na twarzy Florina ukazało się bezgraniczne zdumienie. Spojrzał tak, że Ottokara zdjął lęk. Von Trettin szybko wystrzelił dwa następne naboje i patrzył, jak Florin powoli osuwa się na ziemię i zastyga bez ruchu, a śnieg pod nim barwi się na czerwono.

Przez chwilę ordynat próbował zapanować nad nerwami, w końcu zaczerpnął głęboko powietrza, zawrócił i odjechał. Popędzał konia tak gwałtownie, że kilka razy niewiele brakowało, by ten poślizgnął się na śliskiej od śniegu drodze. Gdy po chwili ogier znalazł się na odśnieżonym gościńcu, Ottokar spiął go ostrogami i pogalopował w kierunku zjazdu na Elchberg. Zwolnił dopiero kawałek przed majątkiem sąsiada i spokojnie pokłusował dalej. Na miejscu zapytał majordomusa o godzinę, żeby ten mógł sobie później przypomnieć, kiedy gość grafa Elchberga dotarł do pałacu. Wprawdzie Ottokar von Trettin nie przypuszczał, że ktoś mógłby go podejrzewać, ale chciał się przezornie zabezpieczyć na wypadek śledztwa i ewentualnych pytań policji. Pastor i majordomus grafa Elchberga potwierdziliby, że odcinek między Trettinem a Elchbergiem pokonał w najkrótszym czasie, w jakim mógł to zrobić przy takich warunkach pogodowych. Potem kazał się zaprowadzić do zaskoczonego grafa, któremu wobec zapadającego zmroku nie pozostało nic innego, jak zaproponować gościowi nocleg.

XIII

Strzały Ottokara von Trettina słychać było w domku myśliwskim. Kord spojrzał na Mienę i pokręcił głową.

– To nie były strzały z flinty myśliwskiej. To na pewno kłusownik.

– Ale dlaczego strzelał trzy razy z rzędu? I to tak szybko, raz za razem? – zapytała staruszka.

– To dziwne. Flintą nie dałoby się tak strzelić, jedynie takim rewolwerem, jaki posiada Ottokar von Trettin.

– Ale po co jaśnie pan miałby o tej porze strzelać w lesie?

Miena machnęła ręką i wróciła do pracy.

Ale Kord potarł w zamyśleniu czoło, potem naciągnął walonki i kożuch i podszedł do drzwi.

– Sprawdzę, mam jakieś dziwne przeczucie.

Naciągnął jeszcze czapkę i wyszedł pospiesznie, stawiając zamaszyste kroki. Zdziwiona Miena patrzyła za nim przez chwilę, w końcu wzruszyła ramionami, dołożyła drewna do pieca i nastawiła wodę na grog, żeby Kord mógł się ogrzać, gdy wróci zziębnięty.

Jej współmieszkaniec pojawił się szybciej, niż sądziła. Twarz miał białą jak śnieg, który znowu gęsto sypał. Wpadł do środka i wysapał:

– Chodź szybko, znalazłem Florina! Ktoś do niego strzelał! Nie wiem, czy biedak jeszcze żyje. Musimy go tu szybko przynieść, w przeciwnym razie na pewno niedługo umrze. Weźmiemy sanki. Potrzebuję twojej pomocy, sam sobie nie poradzę.

– Już się ubieram. Ty tymczasem idź do szopy po sanki.

Miena założyła wełnianą kurtkę, otuliła się grubą chustą, a stopy wsunęła w drewniane buty wyłożone sianem. Gdy po kilku minutach wyszła z domu, małe saneczki stały już przygotowane. Staruszkowie chwycili za linkę i pociągnęli je za sobą. Na wschodzie było już ciemno i Miena lamentowała, bo nie wzięli ze sobą lampy.

– Nim zapadnie noc, będziemy z powrotem w domu – powiedział Kord.

Niepokój pchał go do przodu. Mimo to prawie minęli leżącego na skraju drogi Florina, bo świeży śnieg przykrył go niczym gruby całun. Kord poczuł ulgę, widząc, że twarz stangreta nie jest zasypana, a gdy się na nad nim pochylił, miał wrażenie, że czuje na zimnie jego leciutko zalatujący alkoholem oddech.

– Musimy się pospieszyć – powiedział do Mieny, która z przerażenia stała jak skamieniała i przyciskała do policzków odziane w rękawiczki dłonie.

– O Boże, kto mógł coś takiego zrobić?

– Pomóż mi załadować Florina na sanki. Sam sobie nie poradzę.

Ostry ton Korda wyrwał Mienę z trzymającego ją w swych szponach odrętwienia. Zaczęła dzielnie pomagać. Dwojgu starszym ludziom nie było łatwo wciągnąć rannego na sanki, którymi normalnie transportowali drewno na opał lub upolowaną dziczyznę.

Gdy im się wreszcie udało, Miena rzekła do Korda:

– Nie powinniśmy go może opatrzyć? Jeszcze się nam wykrwawi.

– Jeśli ściągniemy mu ubranie na tym zimnie, zamarznie, nim skończymy – odpowiedział i chwycił za linkę.

Miena też chwyciła linkę. Najszybciej, jak się dało, wrócili do domku myśliwskiego. Gdy do niego dotarli, byli spoceni jak zgonione konie. Z trudem zdołali przenieść rannego do domu i położyć go na łóżku. Miena ściągnęła z ramion chustę i cisnęła ją w kąt. Potem rzuciła tam kurtkę i drewniane buty, a następnie zaczęła ściągać ubranie z Florina.

Kord stał przez chwilę oparty ramieniem o ścianę i przyglądał się temu w milczeniu. W końcu się otrząsnął i poczłapał do pieca, żeby dołożyć do ognia.

– Będziemy potrzebowali dużo gorącej wody i czystych bandaży. Najchętniej wezwałbym lekarza. Ale w nocy i na dodatek przy takiej pogodzie nie uda mi się dotrzeć do Heiligenbeilu.

W głosie staruszka zabrzmiało takie przygnębienie, jakby miał sam do siebie pretensje, że nie jest już tak silny jak przed laty, gdy był jeszcze młody.

Miena wzruszyła ramionami.

– Jeśli Bóg zechce, to Florin przeżyje tę noc bez doktora. Na szczęście już tak mocno nie krwawi. Jeśli uda nam się sprawić, by przełknął trochę soku z buraków i grogu, będziemy mogli uznać, że zrobiliśmy, co w naszej mocy. Jutro rano pójdziesz i zobaczysz, czy gościńcem nie jedzie jakaś furmanka, która zawiozłaby cię do miasta.

– Tak będzie chyba najlepiej.

Kord podszedł do niej i pomógł obnażyć tułów Florina. Zobaczyli trzy otwory wlotowe.

– Ten, kto to zrobił, chciał, by Florin tego nie przeżył – stwierdziła Miena.

Kord wskazał na rany.

– To cud, że jeszcze nie umarł. Po czymś takim człowiek zazwyczaj ginie.

– Jeszcze oddycha. Miejmy nadzieję, że nie skona. Teraz go opatrzymy. Podaj mi jodynę! Musi być w szafce. Będę nad nim czuwać w nocy. Ty się połóż, bo jutro rano czeka cię daleka droga – powiedziała z naciskiem, ponieważ Kord próbował się jej sprzeciwić.

Parobek się zastanowił.

– Masz rację. Jestem wykończony. W takim stanie nie doszedłbym do gościńca. Ale obudź mnie, gdybyś w nocy czegoś ode mnie potrzebowała.

– Tak zrobię – obiecała Miena.

Opatrzyła Florina tak zręcznie, jakby przez całe życie nic innego nie robiła.

XIV

Następnego dnia Kord miał szczęście, ponieważ natknął się na doktora Mütze już na gościńcu. Lekarz był w drodze do pacjenta mieszkającego w jednej z sąsiednich wiosek, ale usłyszawszy o rannym, natychmiast pospieszył do domku myśliwskiego. Gdy Kord razem z woźnicą lekarza zajął się końmi i zaprowadził je do stajni, żeby nie stały na ostrym wietrze, lekarz udał się do pacjenta, zbadał go i na koniec wyciągnął mu z ciała trzy pociski.

– Przypomniałem sobie stare czasy, gdy byłem lekarzem pułkowym w Królewcu – powiedział po wszystkim z zadowoloną miną. Potem dał Florinowi zastrzyk, chcąc, by ranny jeszcze przez jakiś czas spał i nie odczuwał w związku z tym bólu. Obandażowawszy pacjenta, doktor umył ręce.

– Chętnie bym się teraz napił mocnej kawy. Na grog, jak dla mnie, jest jeszcze zbyt wcześnie – powiedział do Mieny.

– Już robię.

Staruszka podeszła szybko do kuchni i nastawiła wodę. Jednocześnie nasypała do sitka kilka łyżek prażonej cykorii. Dopiero gdy zaparzyła napój, przypomniała sobie o małym woreczku z ziarenkami prawdziwej kawy, który lekarz przywiózł podczas ostatniej wizyty. Szybko zmełła garść ziaren i dosypała nieco do sitka.

Gdy doktor Mütze wszedł do kuchni, na stole stał już duży blaszany kubek z parującym płynem. Lekarz wypił ów szczególny napar bez mrugnięcia okiem. Potem udzielił Mienie szeregu wskazówek, jak ma postępować z rannym, a na koniec obiecał, że w drodze powrotnej jeszcze raz tu do nich zajrzy.

– Myślę, że Florin ma szansę przeżyć – powiedział jeszcze. – Kule na szczęście nie utkwiły na tyle głęboko, żeby biedaka zabić. Ale mnie martwi wygląd nabojów. Muszą być bardzo stare. Z jednej strony to dobrze, bo proch nie miał dość mocy, żeby wyrządzić dużą szkodę. Z drugiej jednak strony kule były zaśniedziałe, a to może spowodować zakażenie. W każdym razie przyślę do was kogoś z niezbędnym lekarstwem.

Doktor spojrzał na staruszków badawczo.

– Wiecie, kto to zrobił?

Miena pokręciła głową, ale zrobiła dziwną minę. Doktor nabrał podejrzeń, że kobieta coś ukrywa.

– Jeśli coś wiesz, musisz mi powiedzieć.

Miena zwiesiła ramiona i zaczęła mówić niepewnym głosem:

– Panie doktorze, hm... No więc, czuwałam w nocy przy łóżku Florina. Wprawdzie nie odzyskał świadomości, ale chociaż był nieprzytomny, wykrztusił kilka słów. Tylko że...

– Powiedz! – nalegał lekarz.

– Florin wypowiedział imię nowego pana na Trettinie i krzyknął: „Nie, nie".

Lekarz zorientował się, że kobiecie to wyznanie nie przyszło łatwo. Najprawdopodobniej lękała się, że doktor uzna je za kłamstwo i wyrzuci ją z domu. W przeciwieństwie do Mieny lekarz wiedział jednak, co stało się tamtego wieczora, kiedy rodzina Lory zmarła w płomieniach. Florin był wtedy świadkiem zbrodni dokonanej przez Ottokara von Trettina i nie potrafił unieść tego ciężaru. Wprawdzie kule, które go trafiły, wyglądały jak naboje używane przez kłusowników, ale fakt, że strzały nastąpiły szybko jeden po drugim, o czym poinformowała go Miena, wskazywał raczej na nowoczesną broń, a nie zwykłą flintę. Lekarz zachował dla siebie te przemyślenia i ostrzegł Mienę, a potem także Korda, żeby nie rozpowiadali ludziom o Florinie i jego ranach.

– Tak będzie lepiej dla niego i dla was. Gdy ten, kto to zrobił, dowie się, że jego ofiara wciąż żyje, może zechcieć dokończyć dzieła. Jak tylko Florinowi poprawi się na tyle, że będzie go można przetransportować, zabiorę go do siebie, do miasta. A teraz z Bogiem! Muszę jechać dalej, bo pacjenci pomyślą, że o nich zapomniałem.

Co powiedziawszy, doktor Mütze wypił do końca kawę z dodatkiem cykorii i założył płaszcz. Kord pospiesznie wyszedł na zewnątrz, żeby zaprzęgnąć sanie. Gdy lekarz ruszył, staruszek wrócił do domu i spojrzał w zamyśleniu na Mienę.

– Za tym kryje się więcej, niż przypuszczamy, moja staruszko, dużo więcej!

CZĘŚĆ SZÓSTA

Ruppert

I

Gdy Thomas Simmern wrócił wieczorem do hotelowego apartamentu, był spięty i zmęczony. Lora natychmiast wezwała boya, aby zamówić kawę. Nati była na ten napój jeszcze za młoda, ona sama zresztą też, a Mary i Prudence unikały picia kawy, ale wuj Thomas chętnie wypijał filiżankę lub dwie. Miała nadzieję, że kawa ukoi mu nerwy.

Thomas Simmern podał Konradowi płaszcz i kapelusz, krótko odetchnął i spojrzał na Mary i Nati.

– Czy nie mogłybyście zostawić mnie i Lory na moment samych?

Mary bez wahania sięgnęła po kule, Nati natomiast się nadąsała.

– Lora nie ma przede mną tajemnic i ja przed nią też.

– Proszę, Nati! – powiedział Thomas Simmern cicho, ale z wystarczającym naciskiem, żeby zmusić dziewczynkę do posłuszeństwa.

Wprawdzie Nati okazała mu wyraźnie, że czuje się zraniona, ale opuściła pokój, trzymając Prudence za rękę.

Konrad został jeszcze moment, żeby nalać panu kawy, a potem również chciał się oddalić.

– Nalej także Lorze – powiedział Thomas Simmern, co zdziwiło zarówno służącego, jak i Lorę.

– Ale ja nie piję kawy – odpowiedziała.

– Uważam, że jesteś wystarczająco dorosła.

Słowa wuja Thomasa sprawiły, że Lora przestała się wzbraniać. Poczuła zadowolenie, że jest wreszcie poważnie przez niego traktowana. Skinęła głową, przysiadła się do jego stołu i dolała sobie do filiżanki dużą ilość mleka, bo czarna kawa, jaką pijał wuj Thomas, w ogóle jej nie smakowała.

Simmern zastanawiał się, jak ma zacząć. Odstawił filiżankę i spojrzał na Lorę zatroskany.

– Od kilku dni w biurze Norddeutscher Lloyd wypytuje się o ciebie jakiś mężczyzna. Nie zniechęcają go nasze wymijające odpowiedzi. Najpierw myślałem, że to jeden z pomagierów Rupperta, ale dzisiaj przyjrzałem mu się lepiej i wcale nie jestem już tego taki pewny. To Niemiec, który twierdzi, że jest twoim krewnym.

– Krewnym? – Lora pokręciła krótko głową. – Prawie nie mam rodziny i nie sądzę, żeby ci nieliczni, których znam, podróżowali zimą do Anglii.

– Twierdzi, że nazywa się von Trettin – dodał wuj Thomas.

– Trettin… – powtórzyła Lora tonem przypominającym stłumiony krzyk.

Przez głowę przeleciała jej myśl, że to na pewno Ottokar. Najwidoczniej przybył tu, żeby odebrać pieniądze dziadka, a ją zabrać z powrotem do Prus Wschodnich i zmusić do pracy w majątku jak zwykłą służącą.

Thomas Simmern dostrzegł jej lęk. Chwycił ją za rękę i powiedział:

– Nie bój się, tu jesteś bezpieczna. Jeśli ów mężczyzna będzie zbyt nachalny, każę go aresztować. Zakładam, że to ktoś z bandy Rupperta i tylko podaje takie nazwisko, żeby uzyskać informacje. Ruppert przecież wie, że jesteś wnuczką Wolfharda von Trettina.

Ta konkluzja wydała się Lorze sensowna. Mimo to chciała się dowiedzieć czegoś więcej o tym człowieku.

– Powiedziałeś, wuju, że się mu przyjrzałeś. Jak wygląda? Czy ma około czterdziestu lat, jest średniego wzrostu, dość krępy, z wystającym brzuchem? Czy ma łysinę nad czołem?

– Nie, to z pewnością ktoś inny. Chodzi o młodego mężczyznę, nieco wyższego ode mnie, szczupłego, z cienkim wąsikiem. Wydawało mi się nawet, że jest szczerze zmartwiony twoim losem.

Lora pokręciła najpierw bezradnie głową, a po chwili, poczuwszy ulgę w sercu, zaczęła się śmiać.

– To na pewno nie mój wuj Ottokar. To właśnie z powodu Ottokara dziadek wysłał mnie z Prus w świat. Sądząc z twojego opisu, może to być mój drugi wuj, Fridolin von Trettin. Ale jak to możliwe, że szuka mnie w Anglii?

Thomas Simmern zdziwił się jej napadem śmiechu. Coś takiego do niej nie pasowało.

– Człowiek, który z nim rozmawiał, powiedział mi, że to faktycznie Fridolin von Trettin.

Nati też była chyba zaskoczona śmiechem Lory, bo wpadła do pokoju, usiadła swej opiekunce na kolanach i chwyciła ją za brzeg kołnierzyka.

– Co cię tak rozbawiło?

– Czy cię nie prosiłem, żebyś zostawiła nas na moment samych? – powiedział wuj Thomas, nadając swemu głosowi nutę ostrości.

Nati machnęła ręką.

– Zostawiłam was samych nawet na dłużej niż moment. A teraz chcę się dowiedzieć, dlaczego Lorze jest tak wesoło.

– Kobiety tak czasem reagują, gdy opada z nich napięcie – wyjaśnił wuj Thomas, podczas gdy Lorze ze śmiechu stanęły łzy w oczach.

– Ale dlaczego Lora była napięta? – drążyła dalej dziewczynka.

Lora i wuj Thomas wymienili krótkie spojrzenia, po czym Lora przyciągnęła Nati do siebie.

– Wuj Thomas sądził, że poszukuje mnie jeden z bandytów Rupperta. Ale zdaje się, że to mój wujek Fridolin.

– Twój wujek? To odeślemy go precz!

Ponury wyraz twarzy dziewczynki zdradzał, co sądzi ona o krewnym, który mógłby rościć sobie prawo do Lory.

– Ale to by było niegrzecznie. On na pewno bardzo się martwi o Lorę – pouczył ją Thomas Simmern, po czym zwrócił się do Lory: – Czy przekazać mu, że może cię tu znaleźć? Nie ma już dużo czasu, bo Sąd Morski chce jutro lub pojutrze wydać wyrok w związku z zatonięciem parowca Deutschland. Potem będę musiał jak najszybciej wyruszyć do Southampton, a stamtąd z powrotem do Niemiec.

Lora zamyśliła się na moment. A może Fridolin przybył tu na zlecenie Ottokara? Szybko odrzuciła tę myśl. Obaj kuzyni nigdy nie żyli ze sobą za pan brat. Fridolin na pewno nie stałby się pomagierem Ottokara, choć mógł dostać od niego pieniądze na podróż. Mimo to była przekonana, że by jej nie zdradził. Dlatego w końcu skinęła głową.

– Bardzo bym się ucieszyła, gdybyś, wuju, zaprosił Fridolina. Ale tylko jeśli upewnisz się, że to naprawdę on. Nie chcę tu widzieć żadnego ze szpiegów Rupperta.

– W zasadzie to nie potrzebujemy żadnych gości – mruknęła Nati, ale tym razem nikt nie zwrócił na nią uwagi.

Thomas Simmern poczuł ulgę, że ów – jak sądził – prześladowca okazał się nieszkodliwy, a Lora cieszyła się, że znów zobaczy Fridolina.

II

Fridolin wszedł do hotelowego westybulu. Na widok zdobnego portalu, obszernego wnętrza z wygodnymi fotelami i boyów w eleganckich uniformach poczuł skrępowanie. Wszystko wskazywało aż zanadto wyraźnie, dla jakiej warstwy społeczeństwa ten budynek został pomyślany. Pod względem urodzenia on też należał do arystokracji, brak pieniędzy nie pozwalał mu jednak żyć na odpowiedniej stopie. Pracownik przedsiębiorstwa żeglugowego Norddeutscher Lloyd poinformował go, że to tutaj zamieszkała Lora. Cóż za dziwne okoliczności ją tu sprowadziły? Czyżby jakiś Anglik miał taką fanaberię, by umieścić biedną dziewczynę z rozbitego statku w takim luksusie? Mężczyzna, który do niego podszedł, nie był jednak Anglikiem. Fridolin, który mimo młodego wieku posiadał już dużą znajomość natury ludzkiej, określiłby tego człowieka jako typ hanzeatyckiego dżentelmena.

– Dzień dobry, nazywam się Simmern – przedstawił się mężczyzna. – Jestem pełnomocnikiem NDL. Zajmuję się sprawą zatonięcia parowca Deutschland. Panna Huppach znajduje się obecnie pod moją opieką.

Thomas Simmern spoglądał na Fridolina w napięciu. Mężczyzna wydał mu się młodszy, niż oczekiwał. Pozbawiony był też dziarskości, jakiej nabiera się w wojsku, najwidoczniej krewny Lory był cywilem.

Fridolin przywitał się i wyznał, że jest bardzo rad, dowiedziawszy się wreszcie czegoś o losie Lory. Chciał coś dodać, ale Thomas Simmern mu przerwał.

– Pan wybaczy, ale spieszę się do Sądu Morskiego. Mój służący zaprowadzi pana do naszego apartamentu. Pańska siostrzenica pomogła mi w pewnej dość niefortunnej sytuacji i opiekuje się moją podopieczną, której dziadek zginął na statku podczas katastrofy. Nie wiem, co bym począł bez panny Lory.

Uśmiech towarzyszący słowom Simmerna zjednał mu sympatię Fridolina.

– Lora chętnie troszczy się o innych – potwierdził młodzieniec. – Przed kilkoma laty zajmowała się małym zajączkiem, którego matka została schwytana przez kłusownika. Wszyscy się z niej śmialiśmy, gdy wzięła zwierzaka pod swoją opiekę. Ale udało jej się utrzymać szaraka przy życiu, a gdy urósł, wypuściła go na wolność. – Zobaczywszy napięcie na twarzy Simmerna, Fridolin podniósł ręce w przepraszającym geście. – Nie chcę już pana dłużej zatrzymywać, panie von Simmern.

– Wystarczy samo Simmern. My w Bremie nie przywiązujemy dużej wagi do tytułów.

Wuj Thomas skinął jeszcze raz głową i wyszedł pospiesznie na zewnątrz, gdzie wsiadł do dorożki, która już na niego czekała. W hotelu został dłużej tylko dlatego, że chciał przywitać krewniaka Lory i wyrobić sobie na jego temat zdanie. Fridolin zrobił na nim wrażenie sympatycznego młodzieńca. W drodze do Sądu Morskiego więcej myślał o nim niż o wyroku, który miał zapaść właśnie tego dnia.

Tymczasem do Fridolina podszedł Konrad.

– Jaśnie panie, proszę za mną.

– Jak się ma Lora? Poczułem wielką ulgę, gdy przybywszy do Harwich, dowiedziałem się, że przeżyła tę straszną katastrofę.

Fridolin próbował nakłonić Konrada do mówienia, ale ten się nie odzywał. Otworzył usta, dopiero gdy znaleźli się w pokoju, w którym przebywały Lora, Nati, Mary i Prudence.

– Freiherr Fridolin von Trettin – zaanonsował gościa.

Lora zerwała się na nogi i podbiegła do Fridolina.

– Jak się cieszę, że cię widzę, Frido!

Przez moment można było odnieść wrażenie, że chce go objąć, ale w końcu ograniczyła się do podania mu ręki.

– Cała radość po mojej stronie – rzekł Fridolin. – Szczerze mówiąc, z serca spadł mi wielki kamień. Nawet nie wiesz, co przeżyłem, przeczytawszy w gazecie, że zatonął statek, którym płynęłaś do Ameryki.

– Czy to dziadek wysłał cię tu za mną? – zapytała Lora.

Fridolin pokręcił głową i posmutniał. Nim zdążył otworzyć usta, Lora sama się domyśliła, co zaraz usłyszy.

– Po twoim wyjeździe, Loro – rzekł Fridolin – stryj Wolfhard żył jeszcze kilka dni. Zmarł, gdy Deutschland wypływał z portu w Bremerhaven.

– A więc nie dowiedział się o zatonięciu statku. To dobrze! Chociaż strasznie bym chciała, żeby wciąż jeszcze żył, to czuję ulgę, że nie musi się już o mnie martwić.

Lora otarła sobie łzy z oczu i poczuła, że ktoś dotyka jej pleców. Spojrzała za siebie. Nati uwiesiła się na niej, patrząc z niechęcią na Fridolina.

– Nie lubię tego pana, bo przez niego jesteś smutna.

– Wuj przywiózł mi wiadomość, że zmarł mój dziadek. Dlatego zrobiło mi się smutno – wyjaśniła cicho Lora.

Mary i Prudence podeszły bliżej, żeby złożyć jej kondolencje. Nati również oderwała się od Lory i wyciągnęła do niej rękę.

– Bardzo mi przykro. Wiem, jak to jest stracić dziadka.

Fridolin popatrzył na dziewczynkę, nie wiedząc, co ma o niej myśleć. Mimo młodego wieku Nati używała słownictwa, które bardziej pasowałoby do osoby dorosłej, ale jednocześnie stroiła fochy, jakby była przyzwyczajona, że wszystko kręci się wokół niej.

– Czy zechcesz przedstawić mi twoje towarzyszki? – zapytał Lorę.

Ta wzdrygnęła się, ale gorliwie skinęła głową.

– Oto – lekko pchnęła Nati do przodu – komtesa Nathalia von Retzmann, a to Mary i Prudence Penn z Harwich. Ich rodzina była tak miła, że udzieliła mnie i Nati schronienia po katastrofie. Konrad jest kamerdynerem, a zarazem… jak by to określić… przyjacielem wuja Thomasa… to jest pana Simmerna.

Fridolin skłonił się przed Nati, skinął ręką obu siostrom i poklepał Konrada przyjaźnie po ramieniu. Potem ponownie zwrócił się do Lory:

– Tak się cieszę, że widzę cię całą i zdrową. Niełatwo było cię odnaleźć. W Harwich nie dowiedziałem się niczego poza tym, że przeżyłaś. Najpierw rozmawiałem, z kim się dało, ale nikt nie potrafił mi powiedzieć, gdzie mogę cię odnaleźć. W końcu przyjechałem do Londynu, żeby zapytać o ciebie w filii NDL, ale nikt nie chciał tam ze mną rozmawiać. Dopiero dziś rano powiedziano mi, żebym przyszedł do tego hotelu. – Fridolin uczynił gest, jakby musiał sobie obetrzeć pot z czoła. – Ale nie robię ci wyrzutów, Loro. Z pewnością poprosiłaś pracowników NDL, żeby ze względu na Ottokara nie mówili nikomu, gdzie przebywasz. Ale nie powinnaś się już nim przejmować. Po otrzymaniu wiadomości o zatonięciu Deutschlandu ani twój kuzyn, ani jego małżonka nie poważą się kiedykolwiek wejść na pokład statku.

Chciał jej tymi słowy poprawić humor, ale ku jego zdumieniu dziewczyna jeszcze bardziej spochmurniała.

Nati wyjaśniła mu sytuację:

– Nie prosiliśmy o dyskrecję z powodu jakiegoś tam Ottokara, tylko ze względu na Rupperta, podłego sukinsyna, który zakatrupił mojego dziadka, a teraz chce posłać do piachu mnie, Lorę i wuja Thomasa.

Nati powiedziała to wszystko po angielsku i od razu można się było zorientować, że użytych wyrażeń nie nauczyła się w towarzystwie, lecz przyswoiła je sobie od służby. Lora zawstydziła się za swą podopieczną, Fridolin natomiast nadstawił uszu.

– Wygląda na to, Loro, że w twoim życiu pojawiły się większe komplikacje, niż sądziłem. Ale mała ma rację. Z powodu Ottokara nie musiałabyś się tak zabezpieczać.

– Nawykłam, by mnie nazywano komtesą, a nie małą! – zawołała Nati, która nie zapałała sympatią do gościa. Jak on śmie? pomyślała. I czemu tak zaprząta uwagę Lory? Wcisnęła się między nich, ale Lora wzięła ją na ręce i ruchem brody wskazała fotele stojące w rogu pokoju.

– Usiądźmy. Konrad będzie tak miły i zamówi dla ciebie, Fridolinie, kieliszek wina, a dla nas lemoniadę. Nati, na jaki smak masz dziś ochotę, skarbie?

Tym pytaniem rozbroiła zazdrosne dziecko. Nathalia zdała sobie sprawę, że mimo obecności gościa opiekunka wciąż interesuje się jej samopoczuciem. Lora posadziła ją sobie na kolanach i zaczęła karmić keksami, czym prawie zupełnie ją udobruchała. Sama zaś usiłowała znaleźć słowa, w jakich mogłaby opowiedzieć Fridolinowi, co działo się z nią przez cały ten czas. On jednak ją ubiegł.

– Co właściwie stało się z Elsie? – zapytał. – Czy zginęła na statku?

Tym samym dał Lorze punkt wyjścia do jej opowieści. Krótko zrelacjonowała, jak Elsie i Gustaw ją okradli i pozostawili samej sobie i jak potem poznała Nati.

– Bez niej i bez jej dziadka grafa von Retzmanna popadłabym na statku w czarną rozpacz. Graf zatrudnił mnie na miejsce guwernantki, która niedawno złożyła wypowiedzenie – wyjaśniła.

– Lora jest nie tylko moją guwernantką, ale też przyjaciółką, a poza tym uratowała mi życie – wtrąciła Nati.

Fridolin nie popełnił błędu, ignorując albo nawet strofując dziewczynkę, lecz spojrzał na nią z zainteresowaniem.

– Naprawdę? To brzmi bardzo dramatycznie.

– Bo tak było – przytaknęła Nati i opowiedziała mu o wszystkim ze swego punktu widzenia.

Od czasu do czasu Lora musiała się wtrącać i precyzować jej wypowiedzi, ale w gruncie rzeczy Fridolin nie miał historii dziewczynki nic do zarzucenia.

– Jesteś mądrym dzieckiem – pochwalił ją.

Na końcu języka miał jeszcze: „i nieco przemądrzałym", ale zachował te słowa dla siebie. Mimo wszystko uznał, że Nati jest miłą dziewczynką. W każdym razie w porównaniu z młodszym synem Ottokara była prawdziwym aniołem. Ta myśl przypomniała mu o starszym kuzynie, którego już od dawna nazywał diabelskim pomiotem.

Nati była dumna z otrzymanej pochwały i grzecznie wypiła lemoniadę, którą podał jej Konrad. Gdy skończyła, spojrzała natarczywie na Fridolina, żeby ściągnąć na siebie jego uwagę.

– Rozumiesz teraz, że musimy się strzec przed tym bydlakiem Ruppertem?

– Ten człowiek musi być szczególnie perfidnym draniem – pokręcił głową Fridolin. – Żeby tak z zimną krwią zabić własnego dziadka...

– Który prawdopodobnie wcale nie był jego dziadkiem – przerwał Konrad. – Przepraszam, że się wtrącam, ale istnieją wątpliwości, czy najstarszy syn grafa von Retzmanna faktycznie był ojcem Rupperta. Matka chłopaka nie miała najlepszej opinii. Więcej nie będę mówił z powodu obecności panienki.

– Czy jego matka też była rosyjską dziwką? – zapytała Nati, zapomniawszy, że z powodu tego wyrażenia już raz została ukarana aresztem domowym.

Lora chciała ją zganić, ale Konrad położył dziewczynce dłoń na ramieniu i mrugnął.

– Nie, komteso Nathalio, matka Rupperta nikim takim nie była. Była kimś o wiele gorszym, tak złym, że jeszcze bardziej nie można o tym wspominać.

Nati skinęła głową z przejęciem.

– W takim razie Ruppert jest naprawdę bydlakiem – powtórzyła i pozwoliła Lorze, by ta opowiedziała dokładnie o wszystkim Fridolinowi.

III

Gdy Lora zakończyła swoją opowieść, przyszedł czas na obiad, dlatego namówiła Fridolina, by został z nimi, i kazała podać w apartamencie. Poprosiła też Konrada, by się do nich dosiadł i pozwolił, by wszystkich obsługiwali boye hotelowi. Podczas posiłku Fridolin z przyjemnością obserwował wytworne maniery Nathalii, które Prudence próbowała naśladować. Również Lora zachowywała się tak, jakby nawykła do przebywania w lepszym towarzystwie. W gruncie rzeczy sama przecież należy do takiego towarzystwa, skorygował sam siebie. Póki stary pan był właścicielem majątku, przykładał dużą wagę do etykiety. Także w domku myśliwskim – na przekór wszelkiemu ubóstwu – Lora musiała się zachowywać w taki sposób, jakby znajdowali się w rodowej siedzibie.

W każdym razie uznał, że dziewczyna jest dużo bardziej pewna siebie i dorosła niż wcześniej. Za kilka miesięcy miała skończyć szesnaście lat i tym samym osiągnąć wiek, w którym dziewczęta mogą chodzić na bale. Ale nigdy nie pozna rozrywek przysługujących jej jako potomkini starej familii. Cóż za tragiczny upadek spotkał nasz ród, pomyślał Fridolin. A wszystkiemu winna była w gruncie rzeczy chciwość Ottokara. Stary ordynat pragnął mieć całkiem innego bratanka. Gdyby Ottokar spełniał jego oczekiwania, Lora wciąż jeszcze mogłaby mieszkać w Prusach Wschodnich i nie musiałaby się lękać szalonego przemytnika broni. Fridolin zastanawiał się, czy powinien jej powiedzieć, czego dowiedział się od stangreta Florina o okolicznościach śmierci jej najbliższych, ale potem zdecydował, że na razie tego nie zrobi. Lora miała dość problemów, niepotrzebny był jej dodatkowy ciężar na sercu.

Obiad przebiegał w harmonijnej atmosferze. Fridolin nie popełnił błędu, traktując Nati jak małe dziecko, lecz słuchał uważnie, gdy coś mówiła. Wprawdzie była przemądrzała i zaborcza, ale posiadała naturalny urok i naprawdę czuła głębokie przywiązanie do Lory. Ponieważ obie były sierotami, pocieszały się zapewne nawzajem z powodu utraty ukochanych członków rodziny, a w przypadku Lory także ojczyzny.

Mary również brała udział w rozmowie, Konrad dodawał zaś niekiedy coś od siebie. Czas szybko mijał i nim się spostrzegli, wrócił Thomas Simmern. Zdziwił się trochę, widząc przed sobą rozbawioną gromadkę, ale jednocześnie się ucieszył i podziękował dyskretnie Fridolinowi, że tak rozweselił Nati, Lorę i pozostałych.

Boy hotelowy przyniósł akurat zamówioną kawę.

– Czy mogę się do was dosiąść? – zapytał Simmern, a do Fridolina, który jego przyjście odebrał jako sygnał do zakończenia wizyty, powiedział: – Mam nadzieję, że jeszcze pan z nami zostanie.

– Jeśli nie mają państwo nic przeciwko temu, to chętnie.

Fridolin spojrzał przy tym na Lorę, ale ta czekała na to, co powie wuj Thomas.

– To dla nas żaden problem. W przeciwnym razie bym pana o to nie prosił. Chłopcze! – Simmern zwrócił się do boya. – Podaj panu von Trettinowi jeszcze jedną kawę. – A gdy boy zniknął, rzekł do Lory: – Sąd londyńskiej Izby Handlowej, który rozstrzyga sprawę katastrofy, doszedł do wniosku, że kapitan Brickenstein mimo sztormu powinien wiedzieć, że parowiec zszedł z kursu. Zarzuca mu się, że nie wziął pod uwagę pływów na Morzu Północnym i dlatego źle obliczył pozycję statku. Poza tym mierząc prędkość statku, nie skorzystał z nowoczesnego logu, lecz zastosował starą metodę, której używa się zwykle na żaglowcach.

– W ten sposób wszystkich nas naraził na niebezpieczeństwo i ponosi winę za śmierć ponad pięćdziesięciu ludzi – powiedziała Lora tonem wskazującym, że życzy kapitanowi sądowych reperkusji.

Thomas Simmern uniósł uspokajająco rękę.

– Moja droga panno, nie powinnaś tak szybko osądzać człowieka. Myślałem, że jesteś rozsądną kobietą, która dba o to, żeby Nathalia miała w przyszłości w głowie coś więcej niż samo siano.

– Przepraszam – powiedziała Lora z niezbyt szczerą skruchą. – Nie lubię kapitana i...

– Naprawdę nie powinnaś kierować się uprzedzeniami. Powiedziałem ci już na początku, że trudno jest znaleźć dobrych kapitanów. Gdyby podczas katastrofy nie był tak rozsądny i gdyby nie zachował zimnej krwi, wszyscy bylibyście teraz martwi, możesz mi wierzyć. Brickenstein postępował odważnie i zdecydowanie, utrzymał wśród załogi dyscyplinę i porządek, tak że wszyscy podlegający mu ludzie, w tym obie stewardesy, dali z siebie wszystko, żeby uratować tylu pasażerów, ilu się dało. Każdy popełnia błędy, ale tylko nieliczni starają się je naprawić. Mam tutaj list przewodniczącego Sądu Handlowego i Morskiego do dyrekcji NDL. Przeczytam wam z niego kilka zdań, żebyście mogli zobaczyć, jak oceniane jest postępowanie kapitana Brickensteina przez miarodajnych ludzi. Pan Rothertby pisze: „Energia, którą kapitan Brickenstein wykazał po tym, jak statek osiadł na mieliźnie, wzbudziła mój podziw w najwyższym stopniu. Było mi przykro, że musiałem wydać wyrok na tak dobrego marynarza. Mam wielką nadzieję, że dyrekcja przedsiębiorstwa żeglugowego Norddeutscher Lloyd nie potraktuje kapitana Brickensteina surowo i nie zwolni go ze służby, tym bardziej że owo tragiczne zdarzenie na pewno uczyni go w przyszłości jeszcze ostrożniejszym".

Thomas Simmern zamilkł na moment, chcąc, żeby jego słowa dotarły do wszystkich. Napił się kawy, obserwując pozostałych. Lora robiła wrażenie przejętej, za to Nati zadziornie uniosła głowę.

– Gdyby kapitan dobrze sterował, mój dziadek wciąż by żył.

– Żeby wydać sprawiedliwy wyrok, trzeba by samemu wpłynąć do ujścia Tamizy podczas grudniowego sztormu takim parowcem jak Deutschland. Nie bez powodu chcemy zrezygnować z przystanku w Londynie, a zamiast tego korzystać z portu w Southampton.

Chociaż wypowiedział te słowa przyjaznym tonem, sprawiły one, że Nati położyła uszy po sobie.

– Wyrok Sądu Morskiego – mówił dalej Simmern – nie mógł wprawdzie brzmieć inaczej, ale umiejętności kapitana Brickensteina nie zostały zakwestionowane. Statki są po prostu bardziej narażone na kaprysy żywiołów niż jakiekolwiek inne dzieła ludzkiej ręki i oprócz dużych umiejętności potrzeba jeszcze dozy szczęścia, by w trudnych sytuacjach sprowadzić je z powrotem do bezpiecznego portu. Mam nadzieję, Loro, że w przyszłości będziesz brała to pod uwagę.

– Będę – odpowiedziała Lora i przytaknęła głową. – Czy mogę jeszcze o coś spytać?

– Ależ tak! Pytaj! – odpowiedział Thomas Simmern.

– Dlaczego wytłumaczyłeś nam to tak dokładnie, wuju Thomasie?

– Nathalia jako spadkobierca ma duże udziały w NDL i dlatego w domu Retzmannów nieraz będą się odbywać przyjęcia dla udziałowców, kapitanów i oficerów. Nati i ty będziecie obecne na tych przyjęciach. Chciałbym, żebyście odnosiły się uprzejmie do kapitana Brickensteina i żeby nie doszło do skandalu.

– Och! Tak, naturalnie. Nati mogłaby mu powiedzieć, co o nim sądzi, a to by nie spodobało się jej krewnym, prawda?

– Jej stryjeczna babka Ermingarda dostałaby ataku serca! – odpowiedział wuj Thomas, robiąc kwaśną minę. – Poznasz tę damę już wkrótce i sama wyrobisz sobie o niej zdanie. Ale teraz przejdźmy do innego tematu. Ponieważ moja misja w Londynie się skończyła, możemy jutro wyruszyć w drogę. Jakie ma pan plany, panie von Trettin?

– Teraz, gdy wiem, że Lora jest bezpieczna i że wszystko u niej w porządku, nic już nie trzyma mnie w Anglii – odpowiedział Fridolin.

– Czy już zamówił pan bilety? Czy może mógłby nam pan towarzyszyć? – zapytał Thomas Simmern.

– Jak dotąd nic nie poczyniłem w tym kierunku. Jeśli nie ma pan nic przeciwko temu, chętnie odbędę tę podróż wraz z wami.

– Byłoby mi bardzo miło! – Simmern się uśmiechnął i nie zwracając uwagi na rozczarowaną minę Nati, podał Fridolinowi rękę. – A tak w ogóle to może mi pan wyświadczyć przysługę. Lora na pewno opowiedziała panu o kuzynie Nathalii, Ruppercie. Mężczyzna jakby zapadł się pod ziemię, ale nie chcę ryzykować. Dlatego chciałbym pana prosić, by podczas podróży towarzyszył nam pan, ale w pewnej odległości, i miał oczy szeroko otwarte.

– Chętnie tak zrobię!

– Dziękuję panu. Miejmy nadzieję, że szczęśliwie dotrzemy do Bremy.

Thomas Simmern odetchnął, bo mając po swojej stronie zakonspirowanego sprzymierzeńca, czuł, że może sprostać Ruppertowi. Fridolin pożegnał się i wrócił do swojego o wiele mniej wytwornego hotelu. Chociaż nie uważał, że Nati, Lora i pozostali są naprawdę w dużym niebezpieczeństwie, to i tak rozłożył i oczyścił pistolet, po czym naładował go na nowo. Gdy nieco później leżał w łóżku, poczuł nagle dziwne rozczarowanie.

Przyjechał do Anglii w przeświadczeniu, że stanie się wybawcą swej siostrzenicy, która utraciła cały dobytek w wyniku katastrofy. Sądził, że zobaczywszy go, dziewczyna będzie szczęśliwa, po czym popłyną razem do Ameryki, by znaleźć się jak najdalej od Ottokara i jego chciwej żony. Teraz się zastanawiał, czy to dobrze, że Lora zamierza wrócić do Niemiec. Brema to jednak nie Prusy Wschodnie. W niej na pewno, inaczej niż chociażby w Berlinie, pruski junkier nie ma co liczyć na wsparcie podczas poszukiwań dziewczyny. Ale gdyby jednak nagle zjawił się w tym mieście i chciał zabrać Lorę, to należałoby mieć tylko nadzieję, że Thomas Simmern zdoła postawić na swoim w konfrontacji z tym człowiekiem. Fridolin zdawał sobie sprawę, że z wielu powodów nie ma szans w starciu z Ottokarem.

IV

Zdążyli zostawić za sobą Londyn, gdy dopadło ich oberwanie chmury. W zapadłych ciemnościach grupka podróżnych ledwo mogła dostrzec własne ręce. Mimo że podjęli wszelkie możliwe środki, we wnętrzu powozu zrobiło się niebawem równie mokro, jak na zewnątrz. Podróż była niezwykle uciążliwa. Nawet przywykły do wojaży mister Simmern nie przeżył dotąd takiego koszmaru. Southampton, do którego wreszcie dotarli, było także pogrążone w smutku. W mieście nie działała żadna uliczna latarnia. Najwidoczniej zapalano je tylko w najczarniejsze noce albo pogasły od deszczu. Na dodatek mieli problem z odnalezieniem hotelu. W końcu woźnica musiał przekupić półpensówką i trzema butelkami jakiegoś stojącego na rogu ulicy łachmaniarza, żeby ten porzucił osłonięte przed deszczem miejsce pod rozłożoną markizą i posłużył im za przewodnika.

Gdy dojechali do hotelu, Lora odniosła wrażenie, że rozpostarła się przed nimi skamieniała mgła, której prawie nie można było odróżnić od szarego otoczenia. Podróżnych nie przywitał żaden ciepły kominek, gdzie przyjemnie trzaskałby ogień, lecz ledwo ciepłe ogrzewanie parowe, niewiele łagodzące zimno i wilgoć. Personel w surowych liberiach wyglądał jak gromada upiorów.

Lora miała wrażenie, że hotel i miasto pogrążone są w przesiąkniętej wilgocią melancholii. Zastanawiała się, jak przy takiej pogodzie Fridolin zdoła podążać za nimi. W przeciwieństwie do nich nie mógł skorzystać z wynajętego powozu, lecz musiał podróżować koleją. Miała wątpliwości, czy przy tak kiepskiej aurze pociągi w ogóle kursują.

Zimno i ciągły deszcz popsuły wszystkim nastrój. Nati miała koszmarne sny i budziła się w nocy z krzykiem, a w ciągu dnia nieustannie marudziła. Nic nie potrafiło jej rozweselić, chociaż wszyscy bardzo się starali poprawić jej humor. Również Lora od czasu do czasu szukała samotności, żeby wypłakać się, nie będąc przez nikogo widzianą. Najbardziej jednak posępny nastrój dokuczał Mary.

Przez całe przedpołudnie sprzeczała się z Konradem, chociaż ten robił wszystko, żeby jej dogodzić. Już wczesnym rankiem, gdy tylko wstała i opierając się na kulach, chciała pójść do łazienki, znalazł się przy niej, gotowy nieść jej pomoc.

Odtrąciła go wtedy, krzycząc gniewnie:

– Chyba do toalety wolno mi pójść samej!

Potem pokuśtykała, mijając oszołomionego służącego, potknęła się i upadła.

Konrad miał na końcu języka kąśliwą uwagę, ale powstrzymał się od jej wypowiedzenia. Podbiegł, by pomóc Mary wstać, ale ona wyrzuciła z siebie:

– Zostaw mnie! Sama wiem, jaką jestem żałosną kaleką. Nie musisz mi o tym przypominać każdym gestem i spojrzeniem.

– Ale ja przecież nic nie zrobiłem!

Teraz i Konrad nie wytrzymał. Stanął obok niej ze skrzyżowanymi na piersi rękoma.

Mary podeszła na czworakach do stołu i podciągnęła się, przytrzymując jednej ze stołowych nóg. Twarz miała zaciętą, a jej ciskający pioruny wzrok ostrzegał, żeby nie podchodzić do niej za blisko.

– Mary, proszę, uspokój się – poprosiła ją Lora.

Młoda Angielka w ciągu ostatnich tygodni stała się jej bardzo bliska. Lora zawsze chciała mieć przyjaciółkę, ale jak dotąd nigdy jej się to nie zdarzyło. Jednakże w tej chwili dla Mary przestała się liczyć jakakolwiek przyjaźń. Ledwo stanęła na nogach, pokuśtykała dalej i zniknęła w łazience. Wkrótce potem usłyszeli odgłos spuszczanej wody. Lora miała nadzieję, że w ciągu tych kilku minut Mary zdołała ochłonąć. Ale gdy przyjaciółka wyszła z łazienki, miała jeszcze bardziej zacięty wyraz twarzy. Nie zaszczycając innych spojrzeniem, podeszła do Thomasa Simmerna. Stanęła przed nim i powiedziała:

– Sir, czy byłby pan tak dobry i pozwolił mi oraz siostrze wrócić do domu? Byłabym panu bardzo zobowiązana. Nie mogę mieszkać pod jednym dachem z kimś takim jak ten kamerdyner.

Słysząc te słowa, Lora oniemiała. Oszołomiona szukała odpowiednich słów, ale wtedy zobaczyła, że wuj Thomas prosi ją gestem, by była cicho.

– Powiem woźnicy, żeby zaprzęgał konie. Zawiezie was do Harwich.

– Czy naprawdę musimy wracać? – zapytała Prudence, która nie chciała rezygnować z pracy.

Opieka nad Nati sprawiała jej przyjemność. W domu, w Harwich, czekały na nią dużo cięższe obowiązki. Luksus mieszkania w hotelu także by się dla niej skończył.

Mary nie wdawała się jednak w żadną dyskusję, tylko podziękowała Thomasowi Simmernowi i poprosiła o wybaczenie, że sprawia mu kłopot.

– Ależ to oczywiste, że każę zawieźć do domu ciebie i siostrę – zapewnił Simmern. – W ciągu ostatnich tygodni bardzo dobrze pracowałyście. Dziękuję wam za to. Zasłużyłyście też na specjalną premię. Poza tym napiszę wam dobre świadectwa. Niech wam pomogą na waszej dalszej drodze życiowej.

Mary dygnęła mimo kul.

– Dziękuję, sir! Pan jest dla nas taki dobry. Wcale sobie na to nie zasłużyłam.

Ponieważ znowu zalała się łzami, wuj Thomas poszedł do swego pokoju.

Tymczasem Nati podeszła do Mary.

– Jesteś podła! Myślałam, że pojedziesz z nami do Niemiec! Ale ja i Lora nic dla ciebie nie znaczymy.

– To nieprawda – wyszlochała Mary. – To przez to, że…

Urwała, ale spojrzenie, jakie rzuciła na Konrada, powiedziało Lorze wystarczająco dużo. Jej przyjaciółka zakochała się w kamerdynerze, ale sądziła, że z powodu kalectwa nie będzie mogła być dla niego taką żoną, jakiej on w jej mniemaniu oczekiwał. Lorze było przykro, że wszystko musiało się tak skończyć, zwłaszcza że Konrad też wyglądał, jakby spotkało go jakieś nieszczęście. Ale rozumiała też strach przyjaciółki przed wyjazdem do obcego kraju i przed zależnością od człowieka, który szybko pożałuje, że się z nią ożenił. Wprawdzie Lora sądziła, że na tyle dobrze poznała Konrada, aby wierzyć, iż będzie Mary nosił na rękach, ale przecież czynił to i tutaj. I właśnie przez to utwierdził kaleką dziewczynę w przekonaniu, że jest ona istotą równie bezradną, co nieprzydatną.

– Sądzę, że Prudence i ja powinnyśmy się zacząć pakować. Nie chcę, żeby woźnica sir Thomasa na nas czekał.

Mary dała znak siostrze, żeby poszła za nią, po czym wyszły z pokoju.

– Mam robotę – mruknął Konrad i przetarł wilgotne oczy.

Wciągnął głęboko powietrze i też wyszedł, zamykając za sobą drzwi.

Lora i Nati zostały same. Zapłakana dziewczynka przytuliła się do Lory.

– Dlaczego Mary chce nas opuścić? Myślałam, że nas lubi.

– Bo lubi. Ale tęskni za domem i rodzicami, za siostrami i braćmi. Musisz to zrozumieć.

Nati pokręciła głową tak gwałtownie, że aż zaczęły fruwać jej włosy.

– Nie rozumiem. Nie mam już rodziców, a sióstr i braci nigdy nie miałam.

Ponieważ Lora znała temperament dziewczynki, nie zdradziła jej, jaki był prawdziwy powód, dla którego Mary podjęła taką decyzję. Chociaż Nati lubiła Konrada, istniało niebezpieczeństwo, że będzie chciała wyładować na nim swoje rozczarowanie. Lora z trudem uspokoiła dziewczynkę i wyjaśniła, że i tak musiałyby niebawem rozstać się z Mary i Prudence, ponieważ za kilka dni zamierzają wsiąść na statek i popłynąć na kontynent.

V

Gdy Mary wróciła, była grubo opatulona. Blada twarz i łzy spływające po policzkach wymownie świadczyły o jej rozpaczy. Lora bardzo chciała pomóc przyjaciółce, ale czuła się bezradna. Nie pozostało jej nic innego, jak mocno objąć dziewczynę.

– Jaka szkoda, że nas opuszczasz – powiedziała łamiącym się głosem.

– Tak będzie lepiej – szepnęła Mary. Potem spróbowała uśmiechnąć się przez łzy. – Nie zapomnij o mnie, Laurie. Jeśli nie będzie ci się podobało u małej komtesy, to przyjedź do Anglii. Razem otworzymy w Harwich salon odzieżowy i zarobimy na nim tyle, że w ciągu kilku lat będziemy mogły się przenieść do Londynu. No, co o tym sądzisz?

– Lora nic o tym nie sądzi – wtrąciła się Nati. – Zostanie u mnie, póki nie urosnę. Obiecała mi to.

Thomas Simmern, który właśnie wszedł do pokoju, usłyszał podniesiony głos dziewczynki.

– Czy ty, moja droga, nie za bardzo wybiegasz w przyszłość? Lora jak na razie obiecała tylko, że będzie nam towarzyszyć do Bremy. Jeśli dalej będziesz się zachowywać tak arogancko, nie będzie miała ochoty dłużej u nas zostać.

Jego zazwyczaj łagodny głos zabrzmiał ostro. Pobyt w Londynie wiązał się z tyloma problemami. Prócz nich miał wiele spraw, z którymi powinien się uporać jeszcze przed podróżą do domu. To wszystko zszargało mu nerwy.

Nati spojrzała na niego przestraszona.

– Nie chcę już być arogancka! Chciałabym tylko, żeby Lora pozostała u mnie.

Teraz jej też zaczęły po policzkach płynąć łzy. Lora przyciągnęła ją do siebie i pogłaskała po głowie.

– Chodź, mój skarbie. Wuj Thomas wcale tak nie uważa. Jesteś przecież grzeczna.

– Czasami – wtrącił Thomas Simmern i podał Mary i Prudence dwie koperty. – Tu są wasze pieniądze. Pilnujcie ich dobrze. Życzę wam powodzenia i wracajcie szczęśliwie do domu.

Siostry Penn dygnęły.

– Dziękujemy, sir. Nigdy pana ani was wszystkich nie zapomnimy – powiedziała Mary łamiącym się głosem. Potem odwróciła się do Nati i wyciągnęła do niej rękę. – Powodzenia, mała lady!

Nati wprzódy się naburmuszyła, jakby nie chciała się z nią pożegnać, ale na myśl, że przez to zasmuci Lorę, w końcu wyciągnęła rękę.

– Do widzenia!

To samo powiedziała do Prudence. Tymczasem Mary podeszła do Lory i na pożegnanie jeszcze raz ją uściskała.

– Och, Laurie! – wykrztusiła, a potem kolejny raz zalała się łzami.

– Życzę ci szczęścia, Mary, i do widzenia. Napiszę do ciebie, jak tylko znajdziemy się w Bremie. Pozostaniemy w kontakcie, prawda?

Mary skinęła głową, a Lora poczuła ulgę. Może wszystko dobrze się skończy, pomyślała. W Niemczech jest tylu świetnych lekarzy, którzy na pewno mogliby pomóc Mary. Kwestia pieniędzy nie powinna w każdym razie być przeszkodą. Dziadek Wolfhard przelał jej sporą kwotę do amerykańskich banków. Poinformował ją o tym wuj Thomas, który znalazł w jej dokumentach kwity bankowe. Była to wystarczająca suma, żeby otworzyć salon mody w dobrej dzielnicy dużego miasta. Ale mogłyby przecież zacząć skromniej, a zaoszczędzone pieniądze wydałyby na zdrowie dziewczyny. Jeśli Mary będzie się mogła swobodnie poruszać, to jej małżeństwu z Konradem nic nie będzie stało na drodze. Ta myśl sprawiła, że Lora nie odczuwała zbyt dotkliwie bólu rozstania.

Mary również zrozumiała, że przyjaciółka nie całkiem zniknie z jej życia, dlatego skinęła gorliwie głową.

– Tak, napisz do mnie koniecznie! I podaj mi swój adres, natychmiast odpiszę.

– Mogę ci go podać już teraz – wtrącił się mister Simmern. – Lora będzie razem z Nati mieszkać w pałacu Retzmannów w Bremie. Wprawdzie wolałbym obie zatrzymać we własnym domu, ale nie mogę zignorować stryjecznej babki. Ermingarda i tak będzie rozczarowana, bo to mnie, a nie jej syna, graf Retzmann uczynił opiekunem i przedstawicielem prawnym swej wnuczki.

Wypowiedziawszy te słowa, Thomas Simmern podszedł do stołu, wziął pióro i napisał na odwrocie swojej wizytówki przyszły adres Lory.

– Proszę, Mary! I pisz często. Lora będzie uszczęśliwiona, a Nati dzięki twym listom będzie mogła poprawić swój angielski.

– Ja bardzo dobrze znam angielski – broniła się dziewczynka.

– Owszem, potrafisz mówić. Niemal aż za dobrze. Ale jeśli chodzi o czytanie i pisanie, to masz jeszcze pewne braki.

Wuj Thomas pogłaskał ją czułym gestem po głowie, po czym wyprowadził Mary i Prudence na zewnątrz. W drzwiach odwrócił się jeszcze raz.

– Co się z tobą dzieje, Konradzie? Chcesz, żeby damy same niosły walizki?

Aby wykonać rozkaz swego pana, kamerdyner skoczył do przodu tak żwawo, że aż wyglądało to zabawnie, ale Lora dostrzegła w jego oczach rozpacz. Była jednak pewna, że kiedyś spełni się to, czego pragnęła całym sercem, a Mary i Konrad w końcu będą razem.

VI

P o wszystkim, co Lora dostrzegła, nie zdziwiła się wcale, że Konrad jeszcze tego samego wieczora chciał się od niej dowiedzieć, co Mary jej powiedziała.

– To znaczy, co mówiła konkretnie o mnie – uzupełnił, robiąc nieszczęśliwą minę.

– Nic nie mówiła – odpowiedziała Lora i zobaczyła, że spuścił ramiona. – Ale jej spojrzenia zdradziły mi wiele. Bardzo cię lubi i wie, że ty ją lubisz…

– Dlaczego zatem odeszła? – przerwał jej Konrad.

– Właśnie dlatego! Nie wierzy, że kochasz ją na tyle, byś mógł ignorować jej kalectwo.

Konrad popatrzył na Lorę zbity z tropu.

– Ale to mi wcale nie przeszkadza. Lubię Mary taką, jaka jest.

– Jeśli chcesz, napiszę jej to w liście. Ale nie wolno ci jej rozczarować. Nigdy, rozumiesz? Nie chcę, żeby była przez ciebie smutna.

– Znam Konrada dostatecznie dobrze, żeby wiedzieć, że potrafi dotrzymać słowa – powiedział Thomas Simmern, który właśnie wszedł do pokoju. – Do tej pory kobiety niezbyt go interesowały. Mary jest, o ile wiem, pierwszą, która naprawdę mu się spodobała. Bardzo bym się cieszył, gdyby oboje się zeszli. Napisz do Mary i zapytaj ją, czy nie zechciałaby jednak do nas dołączyć. Jeśli się zgodzi, niezwłocznie przyślę jej pieniądze na podróż.

– To nie jest konieczne, kapitanie – wtrącił Konrad.

Simmern poklepał go po ramieniu.

– Pozwól, żebym robił, co uważam za słuszne. Poza tym wcale nie jestem pewny, czy Mary w ogóle chce takiego rozrabiakę jak ty.

Lora zauważyła, że Simmern jest w trochę lepszym nastroju niż rano. Przyniósł jednakże wiadomość, która niespecjalnie ją uradowała.

– Niestety, będę musiał zostać w Southampton przez dwa tygodnie – poinformował. – Angielskie władze stwarzają problemy z nowym portem. Boleję tym bardziej, że opuściły nas Mary i jej siostra. Obawiam się, Loro, że teraz będziesz musiała sama zajmować się Nati.

– Ja pomogę. W końcu nie będę siedział bezczynnie, gdy pan będzie uczestniczył w ważnych naradach – obiecał natychmiast Konrad.

– Dziękuję. – Lora uśmiechnęła się do kamerdynera.

Tymczasem wuj Thomas nalał sobie koniaku, a potem zaczął go z lubością pić.

– Czy doszły was już jakieś słuchy o panu von Trettinie? – zapytał.

Lora i Konrad pokręcili głowami.

– Nie, nic nie słyszeliśmy – powiedziała Lora. – Mam nadzieję, że nie zachorował przy tej kiepskiej pogodzie.

– Ja też mam taką nadzieję, zwłaszcza że nie mamy praktycznie żadnych możliwości, by go odnaleźć. Ale teraz proszę was wszystkich: nie opuszczajcie, na ile to możliwe, hotelu. Wprawdzie nie sądzę, żeby Ruppert przebywał jeszcze w Anglii, ale nie chcę ryzykować.

Thomas Simmern westchnął, bo myśl o kuzynie Nati wciąż go trapiła. Również dlatego najchętniej od razu ruszyłby w podróż do Niemiec. Ale przebywał w Anglii jako pełnomocnik NDL i nie mógł zaniedbać swoich obowiązków.

Lora i Konrad obiecali, że będą się trzymać jego zaleceń. Deszczowa pogoda w zimie i tak nie zachęcała do wychodzenia na dwór, a rozmaite smakołyki mógł im dostarczać boy hotelowy.

VII

Chociaż Lora starała się zabawiać Nati, to dni po odjeździe Mary i Prudence były jeszcze bardziej szare i smutne. Wprawdzie Weates próbował zastąpić siostry Penn, na ile było to do pogodzenia z jego męską godnością, i pokojówka również pomagała, ale Nati szwankowała na zdrowiu i chciała, żeby tylko Lora ją obsługiwała i koło niej chodziła, najlepiej dwadzieścia cztery godziny na dobę. Lora martwiła się poza tym o wuja Thomasa. Jego wygląd nie świadczył o tym, żeby negocjacje przebiegały bezproblemowo. Pewnie dlatego nie był też w tym okresie dobrym partnerem do rozmów. Konrad robił swoje w milczeniu, przygnębiony i markotny. Ciągle miał do siebie pretensje, że traktował Mary jak bezradną istotę, zamiast pomóc jej udowodnić, że jest niezależna. Zapewne to jego nadopiekuńczość pchnęła ją do ucieczki. Jedynym promykiem światła dla Lory było to, że Fridolin wreszcie dotarł do Southampton i wuj Thomas z nim rozmawiał.

Gdy miała już wrażenie, że nie zniesie dłużej melancholii tego miasta, Thomas Simmern wrócił pewnego dnia wcześniej niż zazwyczaj do hotelu. Pozwolił, by Konrad pomógł mu zdjąć mokry płaszcz, po czym wypił łyk lemoniady, którą boy hotelowy przyniósł właśnie dla Lory.

– Wybacz, ale bardzo chciało mi się pić – powiedział, uśmiechem prosząc o zrozumienie.

Serce Lory zaczęło mocno bić.

– Cieszę się, jeśli w jakikolwiek sposób mogę ci pomóc.

Konrad dostrzegł w tej chwili po raz pierwszy spojrzenie, jakim dziewczyna obrzuciła jego pana. Na ten widok skrzywił się, jakby zabolał go ząb. Najwidoczniej Lora zakochała się w Thomasie Simmernie. Jeszcze tego im brakowało. Będę musiał jej przemówić do rozumu, tak jak ona zrobiła ze mną – pomyślał, ale przełożył rozmowę na później, ponieważ jego pan mówił dalej.

– Negocjacje są na tyle zaawansowane, że resztę mogę powierzyć naszemu rezydentowi w Londynie. Dlatego pojutrze wyruszamy do domu. Jednakże nie wypłyniemy stąd i nie skorzystamy z parowca NDL.

Coś w jego głosie nie pozwoliło Lorze wyrazić głośno radości, bo wuj Thomas miał bardzo poważny wyraz twarzy. Gdy podjął wątek na nowo, w jego głosie brzmiało rozgoryczenie.

– Odkryliśmy, że jeden z urzędników zatrudnionych w siedzibie NDL w Londynie miał długi karciane i z tego powodu był szantażowany. Coś takiego niestety się czasem zdarza. Weksle tego człowieka zostały przypadkiem znalezione w rękach pewnego lichwiarza, którego policja łączy z bandą przemytników broni kierowaną przez Horrisa Blandona.

– Horrisa Blandona? Ale przecież to o nim wspominał Ruppert – wymsknęło się Lorze.

– Co więcej, zabił go. Ale przynajmniej w jego wypadku nie uśmiercił niewinnej osoby. Ponieważ Ruppert bez wątpienia jest w kontakcie z niektórymi kompanami Blandona, nie chcę wracać na kontynent wcześniej zaplanowaną trasą. Opuścimy Anglię na angielskim frachtowcu wypływającym z Dover. Dla bezpieczeństwa wykupiłem bilety u małego i nieznanego angielskiego maklera okrętowego.

– Dover? O nie! Najświętsza Panienko, pomóż!

Lora potknęła się ze zdenerwowania i wpadła prosto w ramiona Konrada, który skoczył, by ją przytrzymać.

Wuj Thomas roześmiał się, ale jego śmiech zabrzmiał sztucznie.

– Dobrze, że Mary nie widzi, jak obściskujesz Lorę.

Konrad uśmiechnął się z przymusem i puścił dziewczynę, a ta ruszyła na Thomasa Simmerna niczym furia.

– Nie ma powodu do śmiechu! Ruppert chciał otworzyć w Dover swą główną kwaterę! Stamtąd przecież odpływają statki kierujące się do Hawru, prawda?

Wuj Thomas w jednej chwili spoważniał.

– Stamtąd można dotrzeć też do kilku innych francuskich miast portowych. Ale parowce transoceaniczne z reguły zawijają do Hawru. To największy transoceaniczny port położony naprzeciwko angielskiego wybrzeża. Statek, na którym zarezerwowałem miejsca, też płynie do Hawru. Czy jesteś pewna, że Ruppert chciał się ulokować w Dover?

– Tak! Na pewno! Przypomniałam sobie o tym w momencie, gdy wymieniłeś nazwę miasta. Pamiętasz ten dom na wsi, gdzie Ruppert przetrzymywał mnie i Nathalię? Gdy po nas przyjechałeś, jego ludzie ładowali akurat rzeczy do powozu, ponieważ właśnie przenosili się do Dover. To stamtąd Ruppert chciał prowadzić dalej swoje ciemne interesy, bo jak powiedział, w Londynie jest zbyt wielu szpicli. To dlatego Nati i ja miałyśmy umrzeć jeszcze przed nastaniem nocy. Proszę, wuju Thomasie! Nie chcę jechać do Dover! Boję się!

Thomas usiadł w fotelu i poprosił Konrada o kieliszek koniaku. Zaproponował też alkohol Lorze, ale dziewczyna odmówiła gwałtownie. Przez dłuższą chwilę panowało milczenie. Wtem boso i tylko w nocnej koszulce do pokoju weszła Nati, która spała po obiedzie, ale zbudziły ją podniesione głosy. Konrad chwycił ją i wcisnął Weatesowi w ramiona, po czym wypchnął go i zamknął za nimi drzwi.

Wuj Thomas pokręcił głową.

– Nie ma innej rady. Musimy wyjechać siedemnastego, bo pod koniec miesiąca powinienem być koniecznie w Bremie. Muszę tam podjąć ważne decyzje. W korespondencji z pewnością wyczytałaś, że Norddeutscher Lloyd stracił w grudniu jeszcze jeden statek o nazwie Mosel. Został on zniszczony w porcie w wyniku eksplozji bomby zegarowej, która miała zapewne wybuchnąć dopiero na morzu. Amerykanin William Thomas chciał w ten sposób popełnić oszustwo podatkowe. Zastrzelił się po tym, jak bomba eksplodowała w porcie. Nasza sytuacja jest w tej chwili fatalna. Mosel był całkiem nowym parowcem. Po jego utracie i po utracie Deutschlandu potrzebujemy pilnie statku obsługującego rejsy do Ameryki. Jeśli obstajesz przy tym, żeby ominąć Dover, jest jeszcze inna droga, którą możemy obrać. Cztery dni później przybywa do Southampton z Nowego Jorku Feldmarschall Moltke, parowiec należący do NDL. Potem płynie dalej, prosto do Bremerhaven. Ruppert z pewnością się spodziewa, że to nim popłyniemy. Żeby go utwierdzić w tym przekonaniu, zarezerwowałem już na okręcie Feldmarschall miejsca w pierwszej kajucie, w górnym salonie. Dlatego moim zdaniem będzie lepiej, jeśli zdecydujemy się na Strathclyde'a i z Dover popłyniemy do Hawru. Zarezerwowałem tam bilety na nazwisko Konrada. Ruppert na pewno się nie zorientuje.

Lora spuściła głowę i kurczowo splotła palce dłoni.

– Tak, z pewnością się nie zorientuje. Mimo to mam złe przeczucia.

– Nie musisz się niczego obawiać. Sądzę, że Dover jest wystarczająco bezpiecznym miejscem, by wejść tam na statek. Przekażę twoje informacje o planach Rupperta policji i na terenie portu w Dover zaraz zaroi się od funkcjonariuszy. Ruppert nie będzie się mógł tam pokazać ani dniem, ani nocą. Na wszelki wypadek opuścimy hotel dopiero jutro. Jeśli nie będziemy nocować w Dover, tylko pojedziemy bezpośrednio do poczekalni angielskiego armatora, to informatorzy Rupperta o niczym mu nie doniosą. Strathclyde jest starym i niestety dość niewygodnym frachtowcem, posiadającym tylko dziesięć albo dwanaście skromnych kabin dla pasażerów. Makler okrętowy zapewnił mnie jednak, że zatrudniają stewardesę, która troszczy się o damy. Poza tym to tylko jednodniowy przejazd. Nie widzę żadnych problemów. Ty, Loro, z pewnością także nie. A może?

Lora, nie do końca przekonana, pokręciła głową i uśmiechnęła się nieśmiało do wuja Thomasa.

– W takim razie wszystko w porządku – skwitował, wyraźnie zadowolony ze swoich planów. – Zaraz wyślę Konrada do Fridolina, żeby on też mógł się przygotować do drogi. Zajmij się, proszę, naszą Nati, zanim znowu zacznie cię wołać. Jeśli chcesz, możesz ją wziąć do mojego gabinetu, ale przypilnuj, by znowu nie opróżniła kasetki z dokumentami, jak kiedyś, gdy jej się wydawało, że słyszy wewnątrz mysz.

– Przypilnuję – odpowiedziała Lora, próbując nadać zdecydowane brzmienie drżącemu głosowi. – Będę uważać, żeby Nati nic nie zbroiła. Ona chce tylko pomóc i ma swoje własne pojęcie, co jest dobre, a co nie.

– W takim razie powinnaś także dopilnować, żeby zrewidowała niektóre swoje wyobrażenia – rzekł Thomas Simmern.

– Słyszałam, co mówisz, wuju Thomasie – zawołała w tym momencie Nati zza jego fotela.

Już nieraz udawało jej się wymknąć Weatesowi i zakraść do salonu. Ale teraz była przynajmniej porządnie ubrana.

Lora uniosła ją, postawiła na schodach mansardy i dała jej lekkiego klapsa.

– Nie wolno podsłuchiwać! Chodź, musimy pójść do naszego pokoju i napisać list na policję.

– Wiem! Żeby zakapować Rupperta – uśmiechnęła się Nati. – Już idę.

– Jakże będę zadowolony, gdy wreszcie znajdziemy się w domu i Nathalia pozna dyscyplinę – jęknął Thomas Simmern. – Zatrudnię dla niej szczególnie surowe korepetytorki.

Ale obie dziewczyny już go nie słyszały.

VIII

Nati i Lora chętnie przełożyłyby podróż powrotną do domu na święty nigdy, choć każda z nich z innego powodu. Ale mimo nudy spowodowanej deszczową, szarą aurą czas mijał o wiele za szybko i następny dzień zbliżał się nieuchronnie. Nim ruszyli w drogę, policja znów przesłuchała Lorę i Nati. Musiały opowiedzieć, w jakich okolicznościach zostały uprowadzone przez Rupperta, i o wszystkim, co w trakcie porwania widziały lub słyszały. Jeszcze raz powrócono też do śmierci grafa von Retzmanna. Uprzejmy inspektor, który rozmawiał z Lorą i Nati, doszedł do przekonania, że faktycznie doszło do morderstwa, i przedstawił swoje wnioski w protokole. Jednakże utracił przychylność Nati, bo nie był w stanie przysiąc, że za śmierć jej dziadka Ruppert zostanie skazany na poćwiartowanie albo przynajmniej na ścięcie.

Szesnastego lutego w godzinach przedpołudniowych ostry wiatr rozdarł powłokę chmur i słońce zalało martwy krajobraz jasnym blaskiem. Matka Lory zawsze powiadała, że pierwsze wiosenne słońce przegania zimowe smutki i troski. Lora miała jednak wrażenie, że troski przygniatają ją prawie do ziemi. Nie wiedziała, czy bardziej boi się statku, na którego pokład miała wejść następnego dnia, czy tego diabła Rupperta, który nachodził ją każdej nocy w snach, chcąc porwać wraz z sobą w czarną, wirującą głębię. Zacisnęła zęby i wzięła się do pakowania rzeczy swoich i Nati. Przez te wszystkie zakupy i prezenty uzbierały się tego trzy wielkie kufry. Miały one popłynąć do Bremerhaven, podobnie zresztą jak większość bagażu wuja Thomasa, należącym do NDL parowcem Feldmarschall Moltke. Przy sobie podróżni mieli zatrzymać tylko po jednej *carpetbag*, czyli torbie podróżnej uszytej z tkaniny dywanowej. Takie torby łatwo było umieścić we

317

wnętrzu powozu. Tylko wuj Thomas zamierzał wziąć dodatkowo nie-wielką zabezpieczoną zamkiem aktówkę z delikatnej czerwonej skóry. Schował w niej najważniejsze dokumenty, w tym testament i ostatnie listy grafa von Retzmanna.

Lora uznała, że walizeczka zanadto rzuca się w oczy, dlatego ukryła ją w dość sfatygowanym małym *carpetbag*. Mimo to wciąż miała wraże-nie, że przez gruby materiał torby prześwituje czerwona skóra i sygna-lizuje szpiclom Rupperta, że w środku znajduje się coś szczególnego.

Do końca miała nadzieję na wiadomość od policji o aresztowaniu Rupperta. Ale nic takiego się nie stało. Fantazja podpowiadała jej, że nawet tu, w hotelu, słychać jakieś podejrzane głosy. Ale za każdym razem, kiedy wreszcie zebrała się na odwagę, by sprawdzić, kto to taki, mówiącym okazywał się niczemu niewinny gość hotelowy. Stary gmach, nieustannie skrzypiący i trzeszczący, zniekształcał wszystkie dźwięki, więc w końcu poczuła ulgę, iż niebawem będzie mogła opu-ścić ten budynek.

Nati była w podobnym nastroju. Uczepiła się spódnicy Lory i była tak grzeczna, jakby dobra wróżka zamieniła małego diabełka w łagodnego aniołka. Wrażenie to jednak znikło tuż przed tym, gdy mieli wsiąść do powozu.

Nati pociągnęła Lorę, jakby chciała szepnąć jej coś do ucha.

– Ej, Loro – odezwała się jednak tak głośno, że stojący w pobliżu ludzie mogli wszystko usłyszeć. – Mam wrażenie, że wujek Thomas ma pietra. Wygląda, jakby narobił w spodnie.

Thomas Simmern, który właśnie podawał Konradowi dwie swo-je torby podróżne, odwrócił się zszokowany. Spojrzał na niesforne dziecko morderczym wzrokiem. W tym momencie za jego plecami zakołysał się powóz, jak gdyby udzieliło mu się rozbawienie Konrada i woźnicy, którzy ze śmiechu dostali spazmów. Lora poczuła, że ze wstydu kraśnieją jej policzki, ale i ona nie mogła powstrzymać się od chichotu.

W końcu wuj Thomas także się uśmiechnął.

– Podróże powozem mają najwidoczniej w sobie coś rozweselają-cego – zażartował, uniósł Nati i wsadził ją do środka.

Nikt poza Lorą nie dostrzegł, że przy okazji dał małej prztyczka w głowę, na co Nati zareagowała głośnym:

– Aua!

Ale ten mały incydent sprawił, że opadło z nich napięcie. Konrad powiedział kilka dobrodusznych dowcipów, które jego pan uzupełnił krótkimi anegdotami, tak więc w powozie co rusz pobrzmiewały chichoty i śmiechy. Dobry nastrój utrzymał się nawet wtedy, gdy późnym wieczorem dotarli na miejsce i weszli do zadymionej i nieszczególnie czystej poczekalni przy biurze maklera okrętowego, odpowiedzialnego za obsługę frachtowców należących do kilku małych armatorów. Nie było tu nawet śladu luksusów, w które opływał Norddeutscher Lloyd. Podróżni nie mieli do dyspozycji żadnych napojów orzeźwiających, a ławki stojące przy ścianach zbite były ze zwykłych drewnianych listew i nie należały do szczególnie wygodnych. Wuj Thomas natychmiast pożałował, że odesłał powóz do Southampton. Wnętrze pojazdu nie było wprawdzie obszerne, miało za to wygodne, wyściełane ławki, więc Lora i Nati mogłyby się tam wygodnie przespać. Ale obie potrafiły sobie poradzić. Lora, owinięta w nowe futro z merynosów, położyła się na ławce, podkładając sobie pod głowę torbę podróżną. Potem przygarnęła do siebie Nati i otuliła ją miękkim futerkiem. Wkrótce obie zasnęły i obudziły się dopiero rankiem, gdy po kocich łbach zaczęły się toczyć pierwsze załadowane wozy.

– Chce mi się siusiu – powiedziała Nati.

Lora wstała i wzięła ją za rękę. Wuj Thomas dał znak Konradowi, by ten poszedł za nimi. Gdy Lora i Nati były w toalecie, kamerdyner czekał na nie w pobliżu. Wracając do poczekalni, Lora przypomniała sobie o Fridolinie. Zaczęła go wypatrywać, ale bezskutecznie. Konrad chrząknął znacząco, żeby się tak nie rozglądała, sam jednak też zerkał na boki, czy gdzieś nie zobaczy młodzieńca, choć czynił to o wiele bardziej dyskretnie.

Czyżby wuj Lory w drodze z Southampton do Dover gdzieś przepadł? Ale nie, po niedługim czasie do hali wszedł młody mężczyzna w śmiesznym żółtym płaszczu i usiadł po drugiej stronie długiego rzędu ławek. Ze znudzoną miną prześlizgnął się wzrokiem po Thomasie Simmernie i towarzyszących mu osobach, nie okazując po sobie, że zna któreś z nich.

Lora natomiast musiała z całej siły tłumić emocje, by nie okazać, jaką ulgę poczuła na jego widok. Jednocześnie zrozumiała, dlaczego

Fridolin założył ten charakterystyczny płaszcz. Chciał, by było go łatwo wypatrzyć na pokładzie.

Z poczekalni mogli zobaczyć statek w całej okazałości. Z pewnością był o jedną trzecią mniejszy od transatlantyku Deutschland, ale również miał dwa wysokie maszty. Na tym jednak kończyło się podobieństwo do zatopionego parowca. Frachtowiec Strathclyde był zardzewiały i zaniedbany, a na pokładzie stało mnóstwo skrzyń i pak, przykrytych wielkimi plandekami. Skrzypiące dźwigi wciąż jeszcze podnosiły mniejsze i większe ładunki, po czym stawiały je albo na pokładzie, albo opuszczały je w głąb kadłuba przez luk na przodzie statku. Komin dymił już tak mocno, że Lora uznała, iż Strathclyde lada chwila zacznie odbijać od brzegu.

Wuj Thomas zaśmiał się tylko z jej obaw.

– Droga Loro, musisz się jeszcze dużo nauczyć o statkach. Paleniska pod maszynami wszystkich parowców rozpala się przynajmniej trzydzieści sześć godzin przed wypłynięciem, w przeciwnym razie ciśnienie pary nie będzie wystarczające. Jak widzisz, dopiero opuszczają tylny trap, żeby ta część załogi, która nocowała w Dover, mogła wejść z powrotem na pokład. My natomiast będziemy mogli to uczynić za godzinę albo dwie.

– Do tego czasu umrzemy z głodu i pragnienia – powiedziała stojąca u boku Lory Nati.

Konrad roześmiał się i zatarł dłonie.

– Lady pozwoli, że spróbuję temu zapobiec! Słyszycie te głosy na zewnątrz? To obnośni handlarze. Niosą na brzuchach skrzynki z towarem albo pchają wózki, by na terenie portu zaoferować zgłodniałym różne smakołyki. Zakupię u nich porządne śniadanie dla nas wszystkich! Jako marynarz zawsze tak robiłem, wracając rano na pokład, gdy po długiej nocy na lądzie miałem jeszcze resztkę mamony w kieszeni.

Wciąż jeszcze się śmiejąc, wyszedł na zewnątrz, gdzie jasno świeciło słońce. Gdy wrócił, wyglądał jednak na dość zdenerwowanego. Rozdał gorące pasztecki z mięsem i kubki z parującą herbatą, po czym wrócił do drzwi, stanął za futryną i wyjrzał ostrożnie na zewnątrz.

Lora zaniepokoiła się jego zachowaniem, była jednak tak głodna, że ugryzła kawałek pasztecika, a potem popiła herbatą. Ale ani na moment nie spuszczała Konrada z oczu, podobnie zresztą jak wuj Thomas. Jedynie Nati nie zwracała uwagi na to, co się wokół dzieje.

– Hej, Konradzie! – zawołała, pałaszując z apetytem. – Chodź, zjedz ostatni pasztecik, zanim ja to zrobię!

Lora powiedziała, żeby była cicho, po czym zaniosła Konradowi kanapkę z ogórkiem i pieczoną słoniną.

– Proszę! Lubisz przecież takie kanapki – powiedziała głośno, cicho zaś dodała: – Co się stało? Wyglądasz, jakbyś spotkał diabła we własnej osobie.

Konrad skinął głową.

– Bo spotkałem. Widziałem Rupperta! Ma na sobie uniform stewarda i zgolił brodę, pozostawiając jedynie cienki wąsik. Ale mimo to go rozpoznałem.

– A więc kręci się tutaj. Chodź! Musisz poinformować wuja Thomasa. Trzeba to zgłosić policji…

– Hej, czemu przy tak ładnej pogodzie robicie takie smutne miny? – zapytał wuj Thomas, który stanął cicho za nimi.

– Konrad widział Rupperta! W jakimś uniformie.

Wuj Thomas spojrzał na Konrada z niedowierzaniem.

– Jesteś pewny? W jakim uniformie?

– Jestem absolutnie pewny, kapitanie. Przebrał się za stewarda – mruknął Konrad.

– Jakiego statku?

– Nie wiem. Nie miał czapki. W czapce na pewno bym go nie rozpoznał. Zgolił sobie brodę i ufarbował włosy na ciemnorudo. Na pewno z powodu listu gończego.

Lora wzięła na ręce Nati, która do nich podbiegła. Dziewczynka miała pełne usta jedzenia i wciąż jeszcze przeżuwała.

– Musimy koniecznie powiadomić policję! – powiedziała zdenerwowana Lora.

Wuj Thomas uniósł rękę.

– Odejdźcie od drzwi i usiądźcie. Bo Weates sobie pomyśli, że poszliśmy na spacer, a on musi pilnować całego bagażu.

Cała trójka usłuchała zdumiona. Wuj Thomas zacisnął zęby. W zamyśleniu skubał sobie modne baczki.

– No nie – powiedział po chwili głośno. – Konradzie, czy sądzisz, że Ruppert cię rozpoznał? Jeżeli to faktycznie był Ruppert…

– Sądzę, że rozpoznał. Przez moment mi się przyglądał, ale całkiem krótko, a potem szybko odwrócił wzrok i udawał, że jest zajęty rozmową z innym stewardem, który szedł obok niego.

– Jeszcze jakiś steward? A z jakiego statku?

Konrad wzruszył bezradnie ramionami.

– Nie wiem. Przykro mi, kapitanie. Ale ze mnie głupiec! Ze zdenerwowania nie zwróciłem na to uwagi.

– Już dobrze. Zrobiłeś, co mogłeś. Hm… – Thomas Simmern przez moment się zastanawiał, a potem pokręcił głową. – Nie! Nie zmienimy naszych planów. Jeśli teraz pójdziemy na policję, Strathclyde odpłynie bez nas. Wtedy będziemy musieli wrócić do Southampton i wsiąść na okręt Feldmarschall Moltke, gdzie pomagierzy Rupperta już na nas czekają.

– Nie sądzisz, że teraz jest przekonany, iż popłyniemy tym angielskim frachtowcem? – zapytała Lora.

– To możliwe. Ta stara łajba jest jedynym parowcem, który w najbliższych dniach ma przepłynąć kanał i zabiera na pokład pasażerów. Ale statek odbija od brzegu za niecałą godzinę. Ruppert w tym czasie niewiele zdoła zdziałać. Nie, niechże tym człowiekiem zajmie się angielska policja. Spójrzcie, już nadchodzi ochmistrz, żeby zawołać pasażerów. Prawdopodobnie oprócz Fridolina jesteśmy jedynymi pasażerami, którzy będą płynąć na tej łajbie. Ale żeby was uspokoić, napiszę jeszcze szybko notatkę dla policji i każę ją przekazać maklerowi okrętowemu. Potem wejdziemy spokojnie na pokład. – Wuj Thomas wziął głęboki oddech i spojrzał na Lorę udręczonym wzrokiem. – Po raz pierwszy w życiu jestem zadowolony, że opuszczam Anglię, bo mam już dość przejmowania się Ruppertem.

Thomas Simmern kazał Konradowi załatwić formalności z ochmistrzem. Sam w biurze poprosił o kartkę papieru, napisał, że Ruppert przebywa na terenie portu w Dover, i zażądał, aby kierownik biura przekazał to pismo niezwłocznie najbliższemu posterunkowi policji.

Potem wrócił do swych towarzyszy podróży i razem z nimi wyszedł z hali, żeby udać się na statek.

IX

Gdy trzymając za rękę Nati, Lora weszła na trap, kilka metrów przed sobą zobaczyła Fridolina. Miała ochotę podbiec do niego, żeby mu powiedzieć, że w pobliżu jest Ruppert. Fridolin nie rozpoznałby kuzyna Nati, chociaż w Londynie dokładnie mu go opisały. Przy tym miała wrażenie, że jest obserwowana. To uczucie nie opuściło jej nawet wtedy, kiedy zeszli pod pokład, żeby zająć kabiny.

Pomieszczenia dla pasażerów były ciasne, skąpo wyposażone i śmierdziało w nich tak, jakby statkiem przewożono worki z nawozem. Ponieważ zardzewiałe śruby nie pozwalały otworzyć iluminatorów, a powietrze na korytarzu cuchnęło chemikaliami, wuj Thomas postanowił spędzić większą część podróży na pokładzie. Cierpliwy Weates, który zdecydował się pozostać na służbie u Thomasa Simmerna, został mianowany strażnikiem bagażu. Konrad natomiast w ramach rewanżu oświadczył, że załatwi dla niego mocny grog w kambuzie, ponieważ lokaj podczas podróży potężnie się przeziębił.

– Prawie zazdroszczę Weatesowi kataru – powiedziała Lora do Nati. – Przynajmniej nie czuje tego okropnego fetoru. Czy na frachtowcach zawsze tak śmierdzi?

Pytanie skierowane było do wuja Thomasa, który właśnie postanowił przełożyć testament grafa Retzmanna i najważniejsze dokumenty do kieszeni wewnętrznych ubrania, żeby podczas pobytu na pokładzie mieć je przy sobie. Wsunął dokumenty do wewnętrznej kieszeni marynarki, zapiął płaszcz i dopiero wtedy odpowiedział Lorze:

– Na pokładzie drewnianych żaglowców często cuchnie jeszcze bardziej, szczególnie jeśli transportuje się nimi ryby albo olej wieloryby. Na parowcach z zasady nie powinno tak śmierdzieć. Ale kapitan tej łajby prawdopodobnie umieścił w nieużywanych kabinach farmaceutyki i chemikalia. Teraz już rozumiem, czemu makler okrętowy tak dziwnie się uśmiechał, gdy nalegałem, że chcę popłynąć właśnie tym statkiem. Zaproponował mi rejs francuską dwumasztową barką, ale nie chciałem ryzykować podróży żaglowcem. Liczba parowców pływających kanałem jest już tak duża, że stanowią one zagrożenie dla żaglowców. Przy złej widoczności parowiec nie da rady w porę ominąć żaglowca. Niejeden statek już przez to zatonął. Żaglowce to niestety gatunek zagrożony wymarciem…

Zabrzmiało to tak, jakby Thomas Simmern żałował, że postęp techniczny sprawił, iż podróże morskie nie zależą już od wiatru, lecz od dudniących maszyn, z których wydobywają się czarne, śmierdzące chmury dymu.

Gdy weszli na pokład, Lorę zdziwiła ocena wuja Thomasa. W basenie portu w Dover roiło się mianowicie od żaglowców wszelkich rozmiarów, a na morzu panował ożywiony ruch. Na dwadzieścia, trzydzieści żaglowców przypadał jeden statek z kominem, a nawet i pośród nich znajdowały się takie, które dodatkowo pływały pod żaglami.

Ponieważ patrzyła na statki z takim zachwytem, Thomas podał jej kieszonkową lornetkę, przez którą sam przed chwilą krótko oglądał teren dworca, ale – jak sam się tego spodziewał – nie dojrzał najmniejszego śladu Rupperta. Lora skierowała lornetkę na kilka pobliskich żaglowców, a potem na rosnący powoli słup dymu na horyzoncie. Wydobywał się on z parowca, który płynął prosto do portu. Chciała już zwrócić wujowi uwagę na ten statek, ale wtedy Nati zawołała, że ona też chce popatrzeć przez lornetkę. W tej samej chwili pojawiła się stewardesa i zagadnęła Thomasa:

– Mister Simmern? Przysyła mnie Weates, pański lokaj. Mówi, że pański kamerdyner do tej pory nie wrócił i że się o niego martwi.

– Może Konrad jest jeszcze w kambuzie?

– Nie – odpowiedziała stewardesa. – Byłam tam już. Weates powiedział, że pański kamerdyner zamierzał tam pójść, ale wcale się tam nie pojawił. Czy mam poprosić trzeciego oficera, żeby kazał go szukać?

Thomas Simmern pokręcił głową.

– Teraz? Akurat w takim momencie, gdy odbijamy i potrzebny jest każdy oficer i marynarz? To mu się nie spodoba. Mój kamerdyner przez wiele lat był marynarzem i nie zgubi się tak szybko na statku. Dziękuję pani za fatygę.

Stewardesa uśmiechnęła się i odeszła. Jednocześnie Nati zaczęła ciągnąć mocno swego wuja za poły surduta.

– Dopiero co widziałam Konrada. Był na pokładzie, na samym przodzie. Chyba skradał się za marynarzem, który zszedł tym wielkim lukiem.

– Skradał się za marynarzem? A może za stewardem, takim panem w białym mundurze? – zapytała przejęta Lora.

Nati wzruszyła ramionami.

– Hm, może i tak. Widziałam tylko znikającą w luku głowę z rudawymi włosami.

Lorę przeszedł dreszcz, a dłonie ze zdenerwowania zrobiły jej się mokre. Wuj Thomas próbował ją uspokoić.

– Rupperta na pewno tutaj nie ma. Może Konrad miał jakiś zupełnie niewinny powód, żeby iść za tamtym człowiekiem. Zaprowadź teraz, proszę, Nati do kabiny. Sprawdzę, co dzieje się z Konradem.

Lora niechętnie kiwnęła głową, wzięła Nati na ręce i zebrała poły sukni. Najpierw pobiegła ku schodom prowadzącym w dół, jakby gonił ją sam diabeł. Gdy jednak znalazła się pod pokładem, spowolniła kroku i prześlizgiwała się brudnymi korytarzami, mając wrażenie, że w każdej chwili ktoś może się na nią rzucić. Nati, której udzielił się lęk opiekunki, przytuliła się do niej mocno i wtuliła twarz w jej ramię.

W korytarzu przed kabinami Lora postawiła dziecko.

– Gdy Ruppert trzymał nas uwięzione, mówił coś o broni, którą zamierza przemycić z Dover do Hawru. Prawdopodobnie jest tu osobiście, na pokładzie, razem z towarem, który chce zawieźć afrykańskim królom. Konrad musiał go zobaczyć. Wiesz co? Pójdziesz teraz do naszej kabiny, wejdziesz do schowka w ławce i będziesz tam siedziała, póki po ciebie nie przyjdę albo póki statek znowu nie przybije do brzegu. Jeśli nie wrócę, wyślizgniesz się w Hawrze na ląd, poszukasz policjanta i wszystko mu powiesz. Zrozumiałaś?

Nati popatrzyła na nią sceptycznie.

– Ale nie za bardzo umiem mówić po francusku. Dokuczałam mademoiselle, która miała mnie go nauczyć, i odeszła. Była taka głupia!

– Na pewno znajdzie się ktoś, kto będzie potrafił mówić po niemiecku albo angielsku. Najważniejsze, żebyś była bezpieczna. Poza tym masz Fridolina. Najchętniej zaprowadziłabym cię do niego i poprosiła, żeby na ciebie uważał.

Lora już chciała wziąć Nati i pociągnąć za sobą, gdy uświadomiła sobie, że nie wie, w której kabinie jej krewny został zakwaterowany. Nie miała odwagi go szukać, bo mogła się przy tym natknąć na pomagierów Rupperta. Spojrzała na dziecko ze zdecydowaniem w oczach.

– Zrobisz, co ci powiedziałam? Ja pójdę za wujkiem Thomasem i sprawdzę, czy coś się nie stało Konradowi. Może po drodze uda mi się zaalarmować też kapitana, żeby nam pomógł.

Nati przytaknęła, robiąc przestraszoną minkę.

– Tak, idź już. Ja schowam się w ławce w tej kabinie, gdzie tak bardzo śmierdzi. Zobacz, drzwi się nie domykają. Tam w środku Ruppert na pewno nie będzie mnie szukał.

Lora pochyliła się, pocałowała ją i rękawem wytarła sobie łzy.

– Chciałabym być tak dzielna jak ty – powiedziała i pomogła Nati wejść do skrzyni służącej za ławkę.

Potem pobiegła z powrotem na pokład, na tyle szybko, na ile pozwoliła jej spódnica. Ale nie było tam ani Konrada, ani wuja Thomasa. Biegali tylko dwaj oficerowie z lornetkami oraz kilku nerwowo krzyczących marynarzy. Powodem ich zdenerwowania był wielki statek pasażerski, który Lora wcześniej widziała na horyzoncie, a który zbliżał się coraz bardziej. Jego dziób wymierzony był dokładnie w Strathclyde'a. Za plecami usłyszała komendy, które kapitan krzyczał do sterowni, a po chwili poczuła, że frachtowiec kładzie się lekko na lewy bok, na bakburtę, jak zwykł mówić Konrad. Potem rozległ się głośny świst z gwizdka parowego, który zagłuszył głośne, ale niezrozumiałe komentarze marynarzy. Jednocześnie dwaj majtkowie gorączkowymi ruchami wciągali na przedni maszt flagi sygnalizacyjne.

X

Lora zerknęła szybko na nadpływający statek. Jego gwizdek parowy również świstał przeraźliwie. Przez moment miała wrażenie, że dziób okrętu wciąż jeszcze mierzy prosto w ich frachtowiec, ale uznała, że na pewno miną się w niewielkiej odległości.

Teraz miała ważniejsze sprawy na głowie, niż przyglądać się przepływającym obok jednostkom.

Musiała się dowiedzieć, co odkryli Konrad i wuj Thomas, a ponieważ wszystkie oczy były skierowane na drugi parowiec, mogła bez przeszkód zejść po schodkach na przodzie. Inaczej niż na Deutschlandzie, schody tutaj przechodziły na niższym poziomie w stromą i niezbyt stabilną drewnianą konstrukcję, która prowadziła do ładowni.

Lora odniosła wrażenie, że znalazła się wysoko ponad olbrzymią, mroczną halą. Skąpe światło wpadało do środka przez kilka brudnych iluminatorów pod sufitem. W pomieszczeniu złożone były setki pakunków: duże jak domy kontenery i niezliczona ilość skrzyń, beczek i beli, które układały się na dole w ponury krajobraz.

Przypominające drabinę schody kończyły się na ciemnym podeście, który ciągnął się wokół ładowni w połowie jej wysokości i częściowo znikał pod ładunkiem. Była to kładka bez barierki, w kierunku rufy przemknęły nią dwie wyglądające jak cienie postacie, znikając za drzwiami w ściance działowej, nazywanej przez marynarzy grodzią. W świetle, które na krótko wpadło przez drzwi, Lora dojrzała, że byli to marynarz i steward ubrany w jasny uniform, ale żaden z nich nie przypominał Rupperta.

Gdy jej oczy przyzwyczaiły się do mroku, zauważyła dwie osoby, które leżały nieruchomo na kładce, oparte plecami o worki. Wyglądały, jakby przysiadły obok siebie i zapadły w sen. Mimo złego oświetlenia Lora nie musiała wpatrywać się dłużej, żeby rozpoznać wuja Thomasa i Konrada.

Strome schody zamiast poręczy miały tylko przymocowaną gdzieniegdzie linę. Lora przytrzymywała się jej oraz innej zwisającej ze schodów liny i szybko schodziła. W duchu podziękowała Matce Bożej, że pozwoliła jej wybrać na drogę wygodne botki z guzikami, które wuj Thomas dał jej na Boże Narodzenie. Dzięki nim jej stopy znajdowały oparcie na wąskich, schodzonych stopniach.

Teraz przydałby się Fridolin, pomyślała. Ale najwidoczniej zapomniał o swym zadaniu albo już w porcie dostał choroby morskiej i leżał w kabinie. Szybko przegnała go z myśli i skoncentrowała się na stopniach, żeby się nie ześlizgnąć i nie spaść w przepastną głębię. Gdyby złamała rękę lub nogę, nie mogłaby pomóc wujowi Thomasowi ani Konradowi. Jednocześnie zastanawiała się, dlaczego obaj mężczyźni tak lekkomyślnie wpadli w zasadzkę Rupperta. Powinni przecież wiedzieć, do czego zdolny jest ten człowiek. Teraz mogła mieć tylko nadzieję, że Nati ukryła się wystarczająco dobrze i że ci dwaj szubrawcy jej nie znajdą.

Schodząc i prawie umierając z niepokoju o obu leżących bez życia mężczyzn, usłyszała głośny świst gwizdka parowego. Jednocześnie zgromadzeni na pokładzie mężczyźni zaczęli krzyczeć, jakby napędziły im strachu najgorsze morskie demony.

Lorę przeszedł dreszcz, ale w końcu udało jej się dotrzeć do obu nieprzytomnych mężczyzn. Pochyliła się nad nimi. Wuj Thomas leżał zupełnie zwyczajnie, jakby uciął sobie drzemkę. Konrad natomiast przypominał rozbitą, zanurzoną we krwi marionetkę, której opadające na oczy pozlepiane włosy sterczały jak kolce.

Nie żyje, pomyślała Lora. Biedny, dzielny Konrad. Mary będzie załamana.

W tym momencie Konrad otworzył oczy i na nią popatrzył. Chciał coś powiedzieć, ale wydał z siebie tylko kilka bełkotliwych dźwięków. Jednocześnie otworzyły się drzwi z drugiej strony ładowni i na kładkę prowadzącą w ich kierunku wszedł jakiś mężczyzna. Trzymał w ręku lampę naftową, której światło padło na pokryty krwią jasny uniform. Na ramieniu niósł dużą belę płótna żaglowego i zwój liny. Na widok Lory zaklął, odrzucił obie te rzeczy, odstawił też lampę i zaczął biec w kierunku dziewczyny.

Lora rozpoznała Rupperta, chociaż zgolił brodę oraz ściął na krótko i ufarbował włosy. Jego wzrok nie pozostawiał wątpliwości, że jest gotów zabić ją bez skrupułów. Zakręciła się wokół własnej osi, sięgnęła po linę, która służyła jej jako poręcz, i rzuciwszy ostatnie spojrzenie na Konrada i Thomasa, znów zaczęła się wspinać, żeby zaalarmować kapitana i jego załogę. Szybko zrozumiała, że Ruppert ją dogoni, nim uda jej się pokonać połowę drogi. Wtedy pętla na zwisającej obok schodów drugiej linie naprowadziła ją na pewien pomysł.

Przełożyła sobie pętlę przez prawe ramię i głowę, tak że lina przebiegała jej w poprzek tułowia, obróciła się i zaczepiła obcas lewego buta o brzeg schodka. Drugą nogę podciągnęła, chowając stopę pod spódnicą. Patrzyła przy tym na Rupperta, udając, że zastygła ze strachu i jest bezsilna. Znalazł się blisko niej i rozciągnął usta w szyderczym uśmiechu.

– Już za późno, żeby iść ze mną na ustępstwa, moja droga. Za chwilę będziesz pływać razem z rybkami, tak jak ci dwaj głupcy i ta mała zołza Nati. Możesz sobie wrzeszczeć, ile chcesz. Przy takim hałasie nikt cię nie usłyszy.

Ruppert miał rację. Sam musiał krzyczeć, żeby mogła go zrozumieć. Wspinał się przy tym wyżej i w końcu wyciągnął rękę, żeby chwycić Lorę.

W tym momencie dziewczyna go kopnęła. Celowała w twarz, ale trafiła go tylko w pierś.

W wyniku silnego uderzenia stracił równowagę, ale zdołał złapać Lorę za nogę. Przez moment widziała jego wściekłą twarz, potem ciężar jego ciała sprawił, że zsunęła się ze stopnia i opadli kawałek razem. Pętla, którą miała zaciągniętą wokół tułowia, powstrzymała jej dalszy upadek. Lora poczuła w ramieniu ostry ból, jakby ktoś naderwał jej rękę. Zwisała bezradnie na linie, podczas gdy Ruppert wciąż jeszcze trzymał się kurczowo jej kostki. Uniosła drugą stopę i nadepnęła mu na dłonie.

– Wredna suka – wysapał i próbował się rozbujać, żeby dosięgnąć schodów.

Lora myślała, że jego ciężar ją rozerwie. Wtedy usłyszała kroki na podeście. Miała nadzieję, że nadchodzi pomoc. Ale gdy spojrzała w dół, poznała kompanów Rupperta – Edwina i Williama. Jeden z nich trzymał w dłoni nóż, drugi pistolet.

– Już idziemy, szefie!

William wspiął się po schodach i wyciągnął rękę, by chwycić Rupperta, gdy ruch wahadłowy zbliży go do niego. Przy tym zerkał drwiąco na Lorę.

– Zobaczysz, wsadzę cię do worka i z wielką przyjemnością wrzucę do morza. To samo zrobię z tymi dwoma durniami.

– Nie wydaje mi się, żebyś mógł to zrobić – zawołał w tym momencie trzeci mężczyzna.

Był to Fridolin, który również użył drzwi w grodzi i teraz biegł podestem, sięgając do kieszeni.

Lora poczuła, że kamień spada jej z serca. Wtem dostrzegła, że Edwin schował się za skrzynką i uniósł pistolet.

– Uważaj, Frido! On zaraz strzeli! – krzyknęła najgłośniej, jak mogła.

– Przeklęta wywłoka! – krzyknął Edwin i nacisnął spust.

Fridolin rzucił się na podest. Kula świsnęła tuż nad nim. Nie pozwolił, by mężczyzna zdołał wypalić po raz drugi. Jego pistolet wystrzelił dwa razy. Edwin upadł jak mokry worek, William natomiast przechylił się na schodach i spadł w głębię, krzycząc przeraźliwie. Zaraz potem zamilkł gwizdek parowy, a tumult na pokładzie ustał. Przez kilka sekund panowała taka cisza, że w uszach Lory posapywanie Rupperta brzmiało niesamowicie głośno. Potem coś gwałtownie uderzyło w statek. Przeciwna część kadłuba została wgnieciona, jakby cios zadała jej olbrzymia pięść. Poszycie statku się rozerwało, a towarzyszył temu przeciągły rumor. Wskutek uderzenia zawieszoną na linie Lorę wyrzuciło wysoko ponad ładownię. Ruppert wciąż jeszcze wisiał pod nią i próbował podciągnąć się po jej nodze. W tym momencie oberwały się górne guziki jej buta, a mężczyzna wydał z siebie okrzyk pełen przerażenia. Próbował rozpaczliwie chwycić jej drugą nogę, co sprawiało, że stawy dziewczyny naciągnęły się. Ból był nie do wytrzymania. Ale nie wydała z siebie żadnego dźwięku, tylko jak zahipnotyzowana patrzyła z góry na Rupperta.

Jego wyniosła mina zamieniła się w grymas strachu przed śmiercią. Lora poczuła, że but, którego trzymał się Ruppert, zaczyna powoli zsuwać się jej z nogi. Mężczyzna rozpaczliwie próbował sięgać drugą ręką wyżej, ale Lora podciągnęła lewą nogę i sukienkę, chociaż miała wrażenie, że przez to jej ciało rozciąga się jeszcze bardziej. Ruppert uchwycił tylko cholewkę prawego botka i oderwał pozostałe guziki, sam spadając jak kamień.

Lora usłyszała jeszcze jego krzyk, potem mężczyzna zniknął w wirującym potoku wody, która wdzierała się do wnętrza parowca.

Wstrząśnięta Lora odwróciła wzrok. Słyszała nawoływania Fridolina, ale zrazu nie pojmowała, czego od niej chce. Dopiero gdy schwycił dziko tańczący koniec liny i przyciągnął ją do schodów, znów wstąpiło w nią życie. Wyciągnęła prawą rękę i chwyciła linę przeciągniętą obok schodów. Kilka sekund później stała na wąskich, śliskich stopniach i starała się poluzować pętlę, która werżnęła się jej w klatkę piersiową i piekielnie obolałe ramię. Patrzyła przy tym intensywnie na dziób statku, który wdarł się w kadłub parowca. Przez powstałą dziurę wpadało do środka światło dzienne i rozjaśniało pomieszczenie, tak że Lora przerażająco wyraźnie widziała, jak gwałtownie do wnętrza statku wdziera się woda. Strathclyde zaczął się coraz bardziej przechylać.

– Szybko, musimy się stąd wydostać – usłyszała głos Fridolina.

– Ale nie możemy przecież zostawić wuja Thomasa!

Lora otwartymi szeroko z przerażenia oczami patrzyła w dół. Konrad właśnie usiadł, otrząsnął się jak mokry pies i chyba nie pojmował, co się wokół niego dzieje.

– Dasz radę ustać na nogach? – zapytał go Fridolin.

Gdy Konrad skinął głową, młody von Trettin klepnął go w ramię.

– W takim razie postaraj się wejść na górę. Ja zaniosę pana Thomasa.

– Ale przecież pan jest zbyt mizerny – stwierdził Konrad, lecz w tym samym momencie zrozumiał, że nie jest w stanie unieść Simmerna. Zaczął się więc z trudem wspinać po schodach. Fridolin zarzucił sobie nieprzytomnego mężczyznę na ramię i ruszył za Konradem.

Tymczasem Lorze udało się uwolnić z liny. Przez moment patrzyła w dół. Woda była coraz wyżej. Dziewczyna przez chwilę miała wrażenie, że widzi postać, którą impet wdzierającej się wody rzucił o ścianę statku i która z powrotem się zanurzyła. Wyobraźnia podpowiedziała jej, że to Ruppert. Miała nadzieję, że ten człowiek nie żyje, chociaż była to grzeszna myśl.

– No, ruszaj się! – ponaglił ją Fridolin. Był teraz tuż pod nią i słyszał nawoływania wzywające załogę i pasażerów, by szybko wsiadali do łodzi.

Lora usłuchała i zaczęła się wspinać. Ponieważ statek był pochylony, ledwo dała radę utrzymać się na schodach. Ale zawzięcie wspinała się dalej, używając ramienia, które nie ucierpiało.

Konrad szedł za nią. Spojrzał przelotnie na wyrwę. Była ogromna i do środka wpływało coraz więcej wody. Uznał, że Strathclyde nie utrzyma się już długo na powierzchni. Mając świadomość, że wskazany jest pośpiech, wspinał się za Lorą. Fridolin, który szedł za nim, był blady jak prześcieradło. Wyglądał, jakby pod ciężarem nieprzytomnego miał osłabnąć i spaść. Ale piął się wytrwale.

XI

Lora nie potrafiła później powiedzieć, jak zdołała wydostać się na pokład. Na górze panowała panika. Szybkobieżny parowiec Franconia podpłynął za blisko i staranował Strathclyde'a, przesądzając o zatonięciu tej starej łajby.

Wszyscy na pokładzie pchali się do łódek. Fridolin z Simmernem na plecach też szedł w tym kierunku. Lora chciała już iść za nim, ale wtedy przypomniała sobie o Nati, która ukryła się w jednej z kabin.

Popędziła więc w jednym bucie, jak tylko mogła najszybciej, w kierunku rufy i zbiegła po schodach prowadzących do kabin pasażerskich. Ledwo dało się tam przejść. Ładunek złożony w kabinach rozbił cienkie ściany i rozsypał się po korytarzu. Pierwszą rzeczą, jaką dostrzegła Lora, były martwe oczy Weatesa. Najwidoczniej alarm go wystraszył i biedak wbiegł prosto pod walący się stos ciężkich skrzynek.

Lora odwróciła głowę od trupa i zawołała Nati. Nie usłyszała odpowiedzi. Zrozpaczona przedzierała się dalej. W końcu dotarła do kabiny, gdzie zostawiła dziewczynkę. Mimo przechyłu próbowała dotrzeć do ławki, w której schowku ukryła podopieczną. Z przerażeniem stwierdziła, że skrzynia jest wgnieciona i cała pokryta czerwienią. Zobaczyła w środku Nati. Zalana farbą dziewczynka kaszlała i pluła, rozpaczliwie próbując wydostać się na zewnątrz. Lora rzuciła się ku niej i wyciągnęła ją z rozbitej skrzyni.

– Teraz ty też jesteś cała czerwona – skomentowała Nati.

– Chodź, szybko! Statek tonie – zawołała Lora. – Trzymaj się mnie mocno! Nie mogę cię wziąć na ręce. Chyba mam zwichnięte ramię.

– Czy to przez tego diabła Rupperta? – zapytała Nati. Wtem zobaczyła na korytarzu Weatesa. – Musisz zamknąć mu oczy. Tak trzeba – poleciła Lorze, a sama poszła dalej w kierunku schodów.

To nie dziecko, lecz bezduszny potwór! pomyślała Lora, ale w następnej chwili się zawstydziła.

Szybko pochyliła się nad trupem i zamknęła mu powieki. Potem pobiegła za dziewczynką, która na czworakach wspinała się po schodach.

Kilka uderzeń wstrząsnęło statkiem, a z każdym kolejnym poziom wody podnosił się coraz bardziej. Z morza dobiegały krzyki przerażenia. Lora spojrzała odruchowo za reling i zdążyła jeszcze dostrzec, jak dryfujący kadłub statku przygniata łódź ratunkową pełną ludzi.

– Czy wuj Thomas i Konrad byli w tej łodzi? – zapytała przerażona Nati.

– Nie wiem – powiedziała Lora.

W tym samym momencie ktoś złapał ją od tyłu. Był to marynarz, który podał ją do właśnie spuszczanej na wodę drugiej łodzi ratunkowej. Inny marynarz przechwycił ją i wrzucił do środka. Zaraz potem na jej żebrach wylądowała Nati, wywołując przeszywający ból. W następnej chwili łódź plasnęła o powierzchnię wody, a wnuczka Wolfharda wstrzymała oddech. Czy oni także zostaną wciągnięci w morską głębinę? Oficer, który stał nad nią na rozstawionych nogach, odepchnął łódź wiosłem od kadłuba statku, głośno przy tym przeklinając, i jak za sprawą cudu łódka utrzymała się na powierzchni wody i odpłynęła.

W pierwszych minutach Lora nie miała śmiałości się ruszyć. Objęła kurczowo Nati i patrzyła na mężczyzn, którzy wiosłowali jak szaleni. Za nimi rozległy się zrozpaczone wołania o pomoc, a łódź zaczęła dziko tańczyć.

– Strathclyde idzie na dno. Niech Bóg będzie łaskawy dla dusz tych biedaków – powiedział mężczyzna siedzący za plecami Lory.

Wtem coś się pod nią poruszyło i zduszony męski głos zapytał, czy pozwoli mu zaczerpnąć odrobinę powietrza. Lora podskoczyła, wydając z siebie okrzyk zaskoczenia. Rozpoznała głos wuja Thomasa. By móc się odwrócić, wślizgnęła się między nogi wioślarza, który obdarzył ją karcącym spojrzeniem. Faktycznie na dnie łodzi leżał Thomas Simmern, blady jak prześcieradło, ale żywy. Obok niego siedział Fridolin i próbował obandażować otwartą ranę na głowie mężczyzny.

– Udało się nam, Loro – powiedział, uśmiechając się żałośnie.

Thomas Simmern przytaknął.

– Niewiele brakowało. Nigdy jeszcze nie przeżyłem takiej katastrofy, a przecież tyle lat pływam po morzu.

– Mam wrażenie, że takie wypadki są raczej regułą, a nie wyjątkiem – powiedziała Lora pobladłymi wargami. – Najpierw Deutschland, a teraz Strathclyde. Nie chcę wchodzić na pokład trzeciego statku, bo jeszcze i on zatonie.

– Do trzech razy sztuka – skwitował Fridolin. – Mam nadzieję, że następnym razem nic się nie stanie. Poza tym jak dla mnie to trochę za daleko, żeby płynąć na kontynent wpław.

Mimo tych słów młodzieniec sprawiał wrażenie, jakby wolał jednak płynąć o własnych siłach. Również Thomas Simmern nieco się wzdrygnął i spojrzał błagalnie na Lorę. Przypominał w tym momencie małego chłopca, który podkradł jakiś smakołyk.

– Jest mi przykro, że nie tylko wzięliście udział w kolizji statków, ale jeszcze na dodatek znaleźliście się w niebezpieczeństwie ze strony Rupperta. Jestem naprawdę idiotą, że się tak głupio omyliłem w moich rachubach.

– A ja jestem jeszcze większym idiotą. – Konradowi ze wstydu prawie łzy stanęły w oczach. – Poszedłem za Ruppertem, nie ostrzegając was wcześniej. Naraziłem was wszystkich.

Lora próbowała go pocieszyć.

– To zrozumiałe, że chciałeś się dowiedzieć, co Ruppert tu robi. Poza tym twoje zaginięcie było dla nas ostrzeżeniem.

– I tym samym wracamy do moich zaniedbań – powiedział Thomas Simmern. – Powinienem był posłuchać rady stewardesy i poinformować trzeciego oficera. A tak, będąc świadom zagrożenia, wpadłem w pułapkę Rupperta. Jeśli się na dodatek okaże, że ten łotr zabrał mi dokumenty, to znajdę się w niezłych tarapatach. Gdyby testament grafa Retzmanna przepadł i Nati trafiła pod opiekę swojej stryjecznej babki, nie chciałaby mnie więcej znać.

– O, nie! – zapiszczała dziewczynka. – Nie chcę do babki Ermingardy! Chcę zostać u ciebie i Lory!

Thomas Simmern sięgnął do wewnętrznej kieszeni marynarki, wyciągnął gruby pakiet i z westchnieniem ulgi schował go z powrotem.

– Wszystko jest na swoim miejscu. Najwidoczniej Ruppert nie domyślił się, że ważne rzeczy noszę przy sobie, w przeciwnym razie by mnie przeszukał.

Lora przeżegnała się, poczuwszy ulgę.

– Bogu niech będą dzięki – wyszeptała.

To, co Nati i wuj Thomas opowiadali o Ermingardzie Klampt, nie było zbyt pochlebne i nie wzbudziło w niej sympatii do tej damy.

Fridolin natomiast zadumał się nad tym, co czeka ich w najbliższej przyszłości. Spojrzał na Thomasa Simmerna i zapytał:

– Jak więc dotrzemy teraz do domu?

– Parowcem należącym do NDL. Jest bezpieczniejszy, a ja i tak zarezerwowałem już dla nas kilka kabin, żeby zmylić Rupperta.

Wuj Thomas powiedział to tak sarkastycznie, że wszyscy mimowolnie się roześmiali. Kilku Anglików w łodzi ratunkowej spojrzało na nich z urazą, ale nie miało to wpływu na ich samopoczucie i ulgę, jaką odczuwali.

CZĘŚĆ SIÓDMA

Brema

I

Gdy Lora otworzyła oczy, jej łóżko kołysało się i przechylało, a światło wpadające przez obramowane mosiądzem okrągłe iluminatory chybotało się w tym samym rytmie. Zdezorientowana zacisnęła palce na jedwabnej poszewce i rozejrzała się wkoło. Dopiero co płynęła parowcem Deutschland i groziło jej zatonięcie. Nie, wcale nie! – odezwał się jej wewnętrzny głos. Tamta katastrofa zdarzyła się już dość dawno temu. Wuj Thomas chciał, żeby przepłynęli kanał La Manche na pokładzie frachtowca Strathclyde, ale nie udało im się nawet wypłynąć z portu. Niemiecki szybkobieżny parowiec Franconia wpadł na ich statek, staranował go i zatopił.

– I co, wreszcie się przebudziłaś? – usłyszała ulgę w głosie Nati. Pochyliły się nad nią trzy zatroskane oblicza. Rozpoznała Nati i Konrada. Trzecia twarz, okolona czepkiem pielęgniarki, była zupełnie obca. Kobieta podała jej kubek z dzióbkiem, w którym znajdowała się zimna herbata rumiankowa. Lora nie przepadała za rumiankiem, ale wypiła herbatę, potem odchrząknęła i uniosła rękę.

– Nie, nie! Nic nie mówcie! Znowu zaciągnęliście mnie na statek. Tym razem na parowiec Feldmarschall Moltke.

Konrad podrapał się po bandażu, zza którego widać było tylko oczy, nos i usta. Na dłoni miał zawieszoną zieloną włóczkę, bo bawił się w przeplatanki z Nati.

– Skąd wiesz?

– Nazwa statku wisi na zasłonkach – odpowiedziała Lora kąśliwie. Nati, która tymczasem zdjęła buty, wślizgnęła się do niej pod kołdrę.

– Ten statek na pewno nie zatonie! – stwierdziła z pełnym przekonaniem. – To jeden z najnowszych statków należących do NDL, a teraz ty też jesteś ulokowana w pierwszej kajucie, w górnym salonie.

Lora prychnęła.

– Jakie to pocieszające. I jesteście pewni, że w pobliżu nie czyha jakiś inny statek, który chciałby staranować wasz nowy parowiec?

– Nawet linie HAPAG nie są obsługiwane przez takich osłów jak kapitan Keyn z Franconii – mruknął Konrad. – Ten bęcwał, próbując uniknąć zderzenia, kazał skręcić na sterburtę zamiast na bakburtę i rozpłatał kadłub Strathclyde'a. To cud, że przeżyliśmy. Gdy łódź z nami oddaliła się od wraku, stary frachtowiec zatonął jak kamień. O ile wiem, nie udało się spuścić na wodę żadnej innej szalupy. Uratowało się jeszcze kilkoro ludzi, których wyłowiły kutry rybackie i żaglowce. No cóż, kapitan Keyn utraci przez tę katastrofę patent, a HAPAG będzie musiał wypłacić niezłe odszkodowania, nie licząc szkód, które poniosła Franconia. Ten Keyn to typowy hamburczyk, mówię wam! – podsumował Konrad, przepełniony lokalnym bremeńskim patriotyzmem.

– To cud, że udało nam się uratować – powiedziała Lora bardziej do siebie niż do innych. – A może nawet cały łańcuszek cudów. Sądzę, że Matce Boskiej należą się ode mnie przynajmniej trzy duże świece!

– Dam ci na nie pieniądze, chociaż nie jestem katolikiem – obiecał Konrad. – Gdyby nie ty, leżałbym teraz ciągle jeszcze w zatopionym wraku i za partnerów do rozmowy miałbym tylko ryby albo tego nędznika Rupperta i jego kompanów. A tak w ogóle, nim zapytasz o Fridolina: do niedawna był tu i czuwał przy tobie. Ale nie czuje się zbyt dobrze, cierpi na chorobę morską i dlatego poszedł się położyć do swojej kabiny. Muszę powiedzieć, że to dzielny chłopak. Gdyby nie sprzątnął kumpli Rupperta…

Konrad nie dokończył zdania, ale Lora i Nati i tak zrozumiały, co miał na myśli.

– Teraz i ja się cieszę, że Fridolin przyjechał za tobą do Anglii – powiedziała wspaniałomyślnie Nati. – Na początku nie za bardzo go lubiłam, ale okazał się bardzo użyteczny.

Lorę rozbawiły słowa dziewczynki. Myśląc o Fridolinie, poczuła coś więcej niż tylko wdzięczność. Gdyby nie on, wszyscy leżeliby teraz martwi w brzuchu frachtowca. Ale uznała, że Konrad przesadza, wychwalając jego odwagę. Prawdziwi bohaterowie nie leżą przecież w kabinie z powodu choroby morskiej.

Odrzuciła tę myśl i spojrzała z naganą na Konrada.

– Nie będziesz fundował żadnych świec. Jak tylko dopłyniemy do Bremy, napiszesz do Mary i zaprosisz ją do nas. Ja zrobię to samo. Gdy przyjedzie, będziecie mogli podjąć decyzję, czy chcecie być małżeństwem. Ale za kilka lat musisz pozwolić jej na otwarcie sklepu odzieżowego. Będę potrzebowała jej zręcznych dłoni.

Gdy tak przemawiała do Konrada władczym tonem, do kabiny wszedł Thomas Simmern. On też miał obandażowaną głowę i robił wrażenie porządnie poturbowanego.

Pielęgniarka podsunęła mu krzesło.

– Niech pan usiądzie, panie Simmern. Czy może chce pan tu zasłabnąć? Wtedy musiałabym wzywać stewarda, żeby mi pomógł przenieść pana z powrotem do pańskiej kabiny.

– Dziękuję! – Wuj Thomas usiadł i odetchnął z ulgą. Wyciągnął rękę w kierunku Lory. – Tobie też chcę podziękować! Na Boga! Wciąż jeszcze nie mogę pojąć mego szczęścia, że ostałem się przy życiu. Ja i Konrad zachowaliśmy się bardzo lekkomyślnie. Gdyby nie ty i Fridolin…

– …wszyscy stalibyśmy się karmą dla ryb – dokończyła za niego Nati.

– Wprawdzie wyraziłaś się dość drastycznie, ale masz rację. – Wuj Thomas poprosił pielęgniarkę, żeby podała mu szklankę wody wymieszanej z winem, a potem zwrócił się z powrotem do Lory: – Możesz mi wyjaśnić, co się stało tam, na dole? Czy naprawdę walczyłaś z Ruppertem, jak twierdzi Konrad? Trudno mi w to uwierzyć.

Lora zsunęła głowę Nati ze swego obandażowanego ramienia na poduszkę.

– Uratowały mnie botki, które dałeś mi w prezencie na święta Bożego Narodzenia. Ruppert uczepił się mojej nogi dokładnie w momencie, gdy dziób Franconii wbił się w ładownię naszego statku. Guziki botków oderwały się pod wpływem jego ciężaru i przez to spadł. Mam nadzieję, że zginął, bo na nic innego nie zasłużył.

– To podstępny drań. Nasza kucharka Anna mówi, że tacy jak on zawsze się gdzieś zadekują – wtrąciła Nati.

Wuj Thomas pochylił się nad łóżkiem i skubnął Nati w ucho.

– Jesteś przemądrzałą i niewychowaną dziewczynką. Muszę chyba poprosić babkę Ermingardę, żeby cię wzięła mocno w cugle. Takie bezczelne dziewczyny nie znajdują potem mężów.

Nati wydęła usta.

– Nie chcę do babki Ermingardy. Ona mnie nienawidzi i ma wilgotne dłonie! Poza tym dostanę po dziadku dość pieniędzy, żebym mogła sobie kupić dziesięciu mężów.

– Czy to też powiedziała Anna? – zapytała Lora, z trudem powstrzymując się od śmiechu.

– Nie, tak mówił ten strachajło Klaus, który utopił się tak jak dziadek, gdy płynęliśmy Deutschlandem. Słyszałam, jak to mówił do innego służącego – broniła się mała komtesa.

Lora i wuj Thomas spojrzeli po sobie. Oboje zgodzili się bez słów, że wychowanie Nati powinno zostać powierzone jakiejś dobrotliwej, ale konsekwentnej osobie. Lora jednak tyle niedobrego usłyszała o stryjecznej babce dziewczynki, że zwątpiła, by ta kobieta była właściwą osobą. W pierwszej kolejności Lora chciała jednak zaspokoić swoją ciekawość.

– Czekam w napięciu, żeby poznać babkę Ermingardę, ale jeszcze bardziej interesuje mnie, co się wam przytrafiło. Jak to się stało, że Ruppert dopadł was obu?

Konrad rozłożył bezradnie ramiona.

– W drodze do kambuza – rozpoczął swoją opowieść – praktycznie na niego wpadłem. Zaklął jak szewc i natychmiast przyłożył mi w szczękę. Cios był jednak za słaby, żeby pozbawić mnie przytomności. Z pewnością wcale nie zamierzał mnie ogłuszać. Chciał mnie tylko sprowokować i to mu się udało. Wściekły poszedłem za nim do ładowni. Tam pojawili się jego kompani i zaatakowali mnie znienacka. Ocknąłem się dopiero wtedy, gdy się nade mną pochyliłaś.

– Teraz chyba kolej na mnie, bym wkroczył do akcji – wuj Thomas podjął dalszą opowieść. – Ja również, podobnie jak Konrad, dałem się zwieść. Gdy stałem na górze koło ładowni, usłyszałem nagle, jak ktoś woła po niemiecku. Ten ktoś powiedział, że upadł, skręcił sobie nogę i sam nie da rady wejść po schodach. Ponieważ nazwał mnie „kapitanem", byłem pewien, że to Konrad. Zbiegłem na dół i nagle zobaczyłem przed sobą Rupperta, który zmienił głos. A potem zrobiło się wokół mnie czarno. Ocknąłem się dopiero w łodzi ratunkowej.

Thomas Simmern dostał swój napój, wypił go pożądliwie i skinął z zadowoleniem głową, widząc, że Konrad podaje rękę Lorze.

– Nie wiem, jak mam ci dziękować – powiedział kamerdyner.

– Jedno chcę ci obiecać: w przyszłości będę się o ciebie troszczył. Przypilnuję, by służba w domu Retzmannów okazywała ci należny szacunek. Należy ci się on jako osobie, której zawdzięczamy życie.

Wuj Thomas się roześmiał.

– Loro, sądzę, że zyskałaś oddanego niewolnika.

– Wolałabym, żeby został oddanym niewolnikiem Mary – odpowiedziała Lora. – Jeśli będzie dla niej niemiły, przypomnę mu, co się stało i o wszystkich jego zapewnieniach.

– Nie powinnaś gardzić obietnicą Konrada, że skłoni służących zatrudnionych w domu Retzmannów, by cię szanowali i słuchali twoich poleceń. Jeśli stryjeczna babka Nati i jej dzieci podburzą tych ludzi przeciw tobie, twoje życie stanie się piekłem. Ktoś taki jak Konrad ma więcej możliwości, żeby wpłynąć na służbę. Powinnaś w każdym razie przyjąć tę ofertę bez wahania. A teraz prześpij się jeszcze trochę. Myślisz, że za jakiś czas dasz radę wstać z łóżka i zjeść kolację w salonie? Statek stanie już o tej porze na kotwicy w ujściu Wezery, tak więc warkot i wibracje maszyn będą bardziej znośne. Rano, gdy tylko zacznie świtać, wpłyniemy do portu w Bremerhaven. Wtedy zawiozę ciebie i Nati do miejskiego domu Retzmannów i zostawię z wami Konrada. Sam muszę udać się do własnego domu, bo moja żona jeszcze pomyśli, że ją porzuciłem.

– Twoja żona? – wykrztusiła Lora.

Pokój zaczął wirować wokół niej. Opadła ciężko na poduszkę, jakby ktoś ją uderzył. Thomas Simmern jest żonaty! Przez moment żałowała, że nie poszła na dno razem ze Strathclyde'em albo – co byłoby nawet lepsze – wraz z Deutschlandem. Do tej pory żywiła nadzieję, że Thomas Simmern wkrótce po jej szesnastych urodzinach ujrzy w niej prawdziwą kobietę i może nawet ją poślubi. Ale teraz wszystkie jej marzenia legły w gruzach. W oczach stanęły jej łzy, ale za nic w świecie nie chciała pokazać po sobie, jak bardzo nią to wstrząsnęło.

– Jesteś żonaty? Tak, racja, nosisz przecież obrączkę. Dziwne, ale jakoś do tej pory nie zwróciłam na to uwagi. – Udało jej się nawet trochę uśmiechnąć.

Thomasowi Simmernowi zbyt dokuczały obrażenia, żeby mógł zauważyć, co się dzieje z Lorą, dlatego pożegnał się, mówiąc nieco żałosnym tonem, że jest zmęczony. Ponieważ troskliwa pielęgniarka wyszła wraz z nim, żeby go odprowadzić, Lora została tylko z Konradem i Nati.

Konrad patrzył na Lorę zafrasowany, ale podziwiał też jej opanowanie. Zakochała się w panu Simmernie i na pewno będzie potrzebowała czasu, żeby sobie poradzić z rozczarowaniem. Ale Konrad był pewien, że ból, który dziewczyna teraz odczuwa, uczyni ją jeszcze silniejszą.

– Tak, żona kapitana to zacna kobieta – zaczął, nie chcąc dopuścić, by Lora ją znienawidziła.

Znał dobrze panią Dorotheę i wiedział, że jest równie silna jak Lora, chociaż osoby nieznające jej bliżej nie zdawały sobie z tego sprawy.

Lora zdziwiła się, że Konrad opowiada jej tak wylewnie o eleganckiej, chociaż nieco chorowitej kobiecie, którą poślubił jego pan.

Również Nati mówiła o żonie Thomasa Simmerna same dobre rzeczy, a w końcu westchnęła z rezygnacją:

– Wolałabym mieszkać u cioci Dorothei, ale niestety nie jest ona moją prawdziwą rodziną. Natomiast Ermingarda jest moją stryjeczną babką, ponieważ wyszła za brata mojego dziadka. Jest okropną osobą, która chciałaby mi wszystkiego zabronić.

– U pani Simmern Nati zachowuje się jak aniołek – stwierdził Konrad. – Aż dziw wtedy bierze, że czasami bywa taka niesforna. A muszę przyznać, że nigdy nie słyszałem, żeby pani Dorothea odezwała się do niej ostrym tonem.

– A więc Nati nie może zostać u wuja Thomasa i jego żony z powodu swoich krewnych – pokiwała głową Lora.

W skrytości serca poczuła ulgę. Dzień wcześniej na pewno by tego żałowała, ale teraz, wiedząc, że Thomas Simmern jest żonaty, nie chciałaby przebywać w jego domu.

Konrad i Nati opowiedzieli jej o miejskim domu Retzmannów, gdzie odtąd miała mieszkać wraz z Nati. Lora dowiedziała się od nich też pewnych rzeczy o innych członkach rodziny, której niekwestionowaną głową po śmierci starego grafa została jego szwagierka. Reszta dnia upłynęła na pogawędkach o śmietance towarzyskiej w Bremie i Bremerhaven. W końcu wróciła angielska pielęgniarka, usiadła w kącie i zaczęła robić na drutach pończochy. Było po niej widać, że jest zadowolona, iż nikt w tej chwili niczego od niej nie chce.

II

Gdy Konrad i Nati wyszli, Lora popadła w przygnębienie. Najchętniej leżałaby w półmroku kabiny i użalała się nad sobą. Ale szybko się opamiętała i poprosiła pielęgniarkę, żeby pomogła jej się ubrać. Wkrótce potem Lora zajęła miejsce przy wykwintnie udekorowanym stole w górnym salonie. Miała na sobie jedną z nowych londyńskich sukni, które wuj Thomas wydobył z podróżnego kufra, więc nie czuła się nieswojo wśród ludzi z lepszego towarzystwa. Zaszkodziło jej jednak obfite pożywienie, do jakiego nie nawykła. Gdy tylko nadarzyła się okazja, by dyskretnie opuścić salon, wróciła do kabiny, zmęczona i z obolałym żołądkiem. Samodzielnie przygotowała się do snu i położyła do łóżka. Bała się, że nie będzie mogła zasnąć, ale szybko zapadła w sen. Ocknęła się w środku nocy, czując straszne mdłości. Nagle dopadł ją lęk. Krzyknęła wpół zaspana, a potem jęknęła i zaczęła się dławić. Pielęgniarka usłyszała ją i natychmiast przybiegła, potrząsnęła dziewczyną i zawołała coś swoim niewyraźnym angielskim. Nim Lora zdążyła odpowiedzieć, do kabiny wpadli wuj Thomas i Konrad.

– Loro? Czy coś się stało? – zapytali obaj zgodnym chórem.

Lora odsunęła pielęgniarkę ostrożnie na bok i zadygotała.

– Nie, nic, i z wami też wszystko w porządku, prawda? Miałam koszmarny sen. Widziałam jakichś skradających się ludzi. Nieśli plandeki. Chcieli nas w nie zawinąć i wrzucić do wody. Ci mężczyźni mieli przy sobie długie noże, a jeden z nich był przebrany za stewarda.

Wuj Thomas pokręcił głową, uśmiechając się ciepło.

– Uwierz mi, nikt się tu nie skrada i nikt nie zamierza nam niczego zrobić. To wszystko z nerwów. W ciągu ostatnich miesięcy przeżyłaś więcej niż niejeden dorosły człowiek przez całe życie.

Lora zaczerpnęła powietrza i usiadła, pragnąc uwolnić się od Nati, która potajemnie wsunęła się do łóżka i przylgnęła do niej, nie zwracając uwagi na obolałe ramię opiekunki. Lora syknęła przez zaciśnięte zęby. W ten sposób dała nieco upustu swej złości, ponieważ nienawidziła, gdy ktoś traktował ją jak głupią, małą dziewczynkę.

– O mój Boże! Wuju Thomasie, sam przed naszym wyjazdem z Southampton mówiłeś, że na parowcu Feldmarschall może grozić nam niebezpieczeństwo z rąk wspólników Rupperta. Dlatego właśnie popłynęliśmy Strathclyde'em. Zakładam więc, że Ruppert ma kompanów także na tym okręcie. Dlaczego więc zachowujesz się teraz tak, jakby wszystko było w porządku? Mam prawo wiedzieć, co się stało. W końcu nie jestem delikatną lalką, którą trzeba chronić, żeby się nie potłukła.

Konrad skinął głową.

– Lora ma rację, kapitanie! Powinniśmy jej o wszystkim powiedzieć.

Thomas Simmern nagle spoważniał.

– Tak, racja – skinął głową.

Poprosił pielęgniarkę, by zostawiła ich samych, i poczekał, aż zamknie za sobą drzwi. Potem ukłąkł obok łóżka Lory i przeprosił ją. Gdy dziewczyna opryskliwie go ponagliła, przysunął sobie krzesło do łóżka, usiadł i zaczął mówić:

– Kobiety, z którymi zetknąłem się do tej pory, pragnęły, by chronić je od niebezpieczeństw, oszczędzać im trudności realnego życia i nosić na rękach. Dlatego jeszcze nigdy nie dzieliłem się z żadną z nich moimi problemami i jestem zaskoczony, że kobieta może być zdolna do takiego bohaterstwa. Ruppert faktycznie planował uderzyć na nas tu, na tym statku. Poinstruowałem pracowników NDL, a ci przekazali angielskiej policji dwóch marynarzy, którzy chcieli się zaciągnąć w Southampton i wydali się im podejrzani. Okazało się też, że Ruppert już miał na statku jednego pomocnika, mianowicie stewarda obsługującego drugą klasę. Ten człowiek także został aresztowany i wszystko „wyśpiewał", jak to się mówi w policyjnym slangu. Zeznał, że Ruppert był przywódcą międzynarodowej organizacji przestępczej, która wyspecjalizowała się w szantażach na dużą skalę i w przemycie broni. Dzięki temu, że jego rodzina była ściśle powiązana z przedsiębiorstwem Norddeutscher Lloyd, jak również z wieloma maklerami okrętowymi i agencjami werbującymi personel, Ruppert zdołał obsadzić swoimi ludźmi załogi różnych transoceanicznych statków, francuskich, angielskich i niemieckich, oraz kilku frachtowców. Bandyci zatrudnieni jako stewardzi mieli możliwość poznania tajemnic różnych zamożnych pasażerów. Potem Ruppert wykorzystywał swoją wiedzę do wymuszeń i innych przestępstw. Stewardom było łatwiej niż zwykłym marynarzom przekazywać poufne wiadomości albo przemycać na pokład trefny towar. Przy pomocy kilku nieuczciwych maklerów giełdowych Ruppert mógł realizować zlecenia angielskich i amerykańskich handlarzy bronią. Przewoził karabiny i lekkie armaty we wszystkie rejony świata objęte kryzysem.

Thomas Simmern zamilkł na moment, jakby ta długa wypowiedź go zmęczyła, a potem mimowolnym ruchem wskazał na Nati, która ponownie zasnęła i drzemała jak aniołek obok Lory.

– Ruppertowi nie wystarczało to, że jest jedynie pomocnikiem innych złoczyńców. Chciał zagarnąć dla siebie większą część tortu. Potrzebował jednak dużych pieniędzy, żeby kupić sobie rozleglejsze wpływy. Z tego powodu zamordował dziadka Retzmanna. Zamierzał zgarnąć majątek rodziny. Na drodze stała mu tylko Nati. Gdyby udało mu się zabić dziecko, to prawdopodobnie w ciągu kilku lat stałby się czołowym dostawcą broni dla rebeliantów i partyzantów na całym świecie. Dzięki Bogu, zdołaliśmy go powstrzymać. Wszystko jest już dobrze. Sądzę, że teraz powinnaś się przespać.

– Źle się czuję – szepnęła Lora matowym głosem.

– Mam nadzieję, że nie będziesz wymiotować jak Fridolin! – rzekł Konrad. – Przy takim słabym żołądku biedak naprawdę nie ma zadatków na marynarza.

Tymi słowy kamerdyner próbował pocieszyć Lorę, ale trafił jak kulą w płot, bo zdążyła się już zerwać z posłania. Pielęgniarka chwyciła jęczącą dziewczynę i obie zniknęły w łazience.

– Sądzę, kapitanie, że powinniśmy odejść – stwierdził Konrad.

– Zaraz. Chciałbym poinformować Lorę, co czeka ją w Bremie. Lepiej, żeby nie była zaskoczona sytuacją.

– Czy to nie może poczekać do jutra? Bo jeszcze znowu rzuci się jej na żołądek.

Thomas Simmern pokręcił głową. Zrobił minę, jakby nie mógł się doczekać, kiedy pozbędzie się wszystkiego, co leży mu na sercu. Dlatego Konrad także został, dopóki Lora nie wróciła z łazienki. Wciąż jeszcze była blada, ale oczy znów jej błyszczały. Odbiło się jej, więc pielęgniarka podała dziewczynie trochę letniej herbaty.

Zabiedzona Lora spojrzała na Thomasa Simmerna.

– Mam nadzieję – powiedziała – że nikt już więcej nie czyha na życie naszej małej komtesy. Czy aby na pewno Nathalia nie ma więcej żadnych krewnych o zbrodniczych instynktach?

– Ależ nie! – roześmiał się wuj Thomas, ubawiony tą trwożliwą uwagą.

Konrad jednak się skrzywił, a ponieważ Thomas Simmern nie za bardzo wiedział, jak ma zacząć, sam postanowił powiedzieć Lorze o wszystkim.

– Nati jest ostatnią z rodu Retzmannów i nikt z jej żyjących krewnych nie ma uzasadnionych praw do spadku. Ale ci ludzie będą robić to, czego nie śmieli czynić za życia starego pana grafa. Zagnieżdżą się w miejskiej willi i w majątku na wsi, żeby w jak największym stopniu skorzystać z pieniędzy Nati. Kapitan musi tolerować stryjeczną babkę Nathalii, panią Ermingardę Klampt, i jej dzieci, bo dama należy do śmietanki towarzyskiej w Bremie i byłoby wiele gadania, gdyby pokazał jej drzwi. Jako szwagierka starego pana grafa ma w oczach ludzi prawo do opieki nad Nathalią i do reprezentowania domu Retzmannów w wytwornym towarzystwie. Owa dama była żoną młodszego brata grafa Retzmanna. Małżeństwo trwało tylko trzy lata, ponieważ jej mąż miał wypadek podczas jazdy na nowoczesnym bicyklu i skręcił sobie kark. Ale ten okres wystarczył im obojgu, żeby przebimbać do ostatniego grosza swoją część majątku i narobić długów, które musiał pokryć dziadek Nati. Ermingarda nie była długo wdową. Przygruchała sobie fabrykanta produkującego rękawiczki i z małżeństwa z nim miała dwoje dzieci. Jej syn i córka nie są więc spokrewnieni z Nati. Ale Ermingarda także w małżeństwie z tym fabrykantem nie zaznała wiele szczęścia. Ponieważ zdążyła już przywyknąć do życia na szerokiej stopie, jego majątek stopniał jak śnieg na słońcu. Mężczyzna zbankrutował i strzelił sobie w głowę. Z tego powodu zarówno Ermingarda, jak i jej dzieci na pewno są zadowolone, że teraz mogą zaczepić się u Nati i żyć u niej jak u Pana Boga za piecem.

– Skończ już z tym gadaniem, Konradzie – przerwał wuj Thomas. – Jutro Lora sama będzie sobie mogła wyrobić zdanie na temat tej rodziny. Nabijesz jej głowę uprzedzeniami! – Pochylił się nad Lorą i pocałował ją w rękę. – Prześpij jeszcze kilka godzin, moja dzielna, energiczna młoda damo. Jutro zacznie się dla ciebie nowe, bardziej spokojne życie. A ty, Nati, powinnaś spać w swoim łóżku.

Ostatnie słowa odnosiły się do dziewczynki, którą zbudziła rozmowa. Dziecko, zamiast odpowiedzieć, schowało się tylko głębiej pod kołdrą, aż w końcu całkiem zniknęło.

– Zostaw ją, wuju Thomasie. Łóżko jest naprawdę dość szerokie dla nas obu. Na jej miejscu po tym wszystkim, co się stało, ja również nie chciałabym spać sama. Dziękuję ci też za zaufanie, które mi okazałeś, i życzę ci spokojnego snu na resztę nocy.

– My tobie też – odpowiedział wuj Thomas i wypchnął z kabiny opieszałego Konrada.

Wkrótce potem do środka wślizgnęła się pielęgniarka, usiadła na swoim miejscu w fotelu przy osłoniętej abażurem lampie i ponownie zajęła się robieniem na drutach.

Lora pogłaskała Nati po zmierzwionych włosach.

– Jestem bardzo ciekawa twoich krewnych.

Nati zamruczała coś niewyraźnie. Zabrzmiało to mniej więcej tak: „Niech razem z Ruppertem pójdą w diabły".

Lora powstrzymała się od odpowiedzi. Czuła wielkie zmęczenie i mimo bólu w ramieniu wkrótce zasnęła.

III

Obudziła się dopiero następnego dnia, gdy gongi wzywały na śniadanie. Słońce świeciło jasno przez iluminatory, statek wibrował i dudnił w takt hurkotu rozedrganych maszyn. Lora stwierdziła, że już nieco się przyzwyczaiła do tego hałasu. Miała nadzieję, że Fridolin także poczuł się lepiej. Ona w każdym razie miała w sobie więcej energii niż poprzedniego dnia.

Mimo to pielęgniarka pozwoliła jej wstać dopiero po dokładnym przebadaniu. Gdy Lora weszła do pawilonu na pokładzie, gdzie przy ładnej pogodzie serwowano śniadanie pasażerom pierwszej klasy, odniosła wrażenie, że w nocy opuściły ją wszystkie lęki i obawy. Po raz pierwszy od wielu dni zjadła z apetytem posiłek i cieszyła się, że wkrótce znów będzie miała pod stopami stały ląd.

Zanim jeszcze skończyło się śniadanie, Feldmarschall Moltke wpłynął do ujścia Geeste i został przez dwa holowniki podprowadzony na właściwe miejsce przed wielką halą, w której znajdowała się poczekalnia dla pasażerów podróżujących liniami NDL. Lora raz za razem spoglądała przez okno i czuła niepomierną ulgę. Po tygodniach napięcia i niebezpieczeństw czekał ją słoneczny zimowy dzień. Wreszcie nie będzie jej zagrażał żaden Ruppert ani nie zatonie wraz z nią żaden statek.

Pierwsi pasażerowie pospiesznie udali się w kierunku trapu, Lora natomiast wróciła do kabiny, żeby popakować walizki. Na pokładzie najwidoczniej mieszkały krasnoludki, bo wszystko stało już przygotowane. Rzeczy Nati także leżały już w walizkach. Dziewczynka wyglądała na przyzwyczajoną do takiej obsługi. Pouczyła też Lorę, by dała napiwek pielęgniarce i stewardesie.

– Nie zapomnij też o tym miłym stewardzie, który zaraz załatwi nam tragarzy – dodała wielce dumna ze swego doświadczenia w podróżowaniu.

Lora się zawahała. Wprawdzie wuj Thomas dał jej sakiewkę z kilkoma monetami i banknotami, ale nie miała pojęcia, ile wypada dać napiwku. Nati pomogła jej w tej kłopotliwej sytuacji, podpowiadając kwoty. Dziewczynka w pewnym sensie faktycznie była znacznie dojrzalsza od rówieśników. Gdy tak dreptała obok Lory, sprawiała wrażenie prawdziwej małej damy. Podążając za wujem Thomasem, obie zeszły na ląd.

Przed biurowcem NDL czekała na nich szczupła blada kobieta około trzydziestki. Gdy Thomas Simmern ją zobaczył, jego spojrzenie pojaśniało. Mężczyzna podszedł do owej damy, rozkładając ramiona, jakby chciał ją objąć, ale opanował się i pocałował kobietę tylko w rękę.

– Dzień dobry, moja droga. Naprawdę niepotrzebnie narażałaś się na trudy przyjazdu tutaj z Bremy.

– Mamy dziś tak piękny dzień. Lekarz powiedział, że powinnam przebywać więcej na świeżym powietrzu. Czemu więc nie miałabym tu przyjechać, żeby cię przywitać? Mam nadzieję, że zdrowie ci dopisuje, mój kochany? Martwiłam się o ciebie. Z Anglii dochodziły nas niepokojące wieści.

Thomas Simmern machnął lekceważąco ręką.

– Gazety o wszystkim piszą z przesadą. Mieliśmy tylko trochę kłopotów z Ruppertem von Retzmannem. Ale teraz powinien zostawić nas już w spokoju. W każdym razie cieszę się, że cię widzę. Czy mogę przedstawić ci pannę Lorę Huppach? Graf Retzmann krótko przed śmiercią zatrudnił ją jako opiekunkę i towarzyszkę dla swojej wnuczki. Był to bardzo szczęśliwy traf, ponieważ Lora uratowała życie komtesie Nathalii podczas tej strasznej nocy, kiedy tonął okręt. Bardzo też pomogła mi i Konradowi.

– Och! Dzień dobry! – Dorothea Simmern podeszła do Lory i podała jej czubki palców. – Cieszy mnie, że ma pani taki dobry kontakt z Nathalią. To kochane dziecko, ale czasem potrafi być dość kapryśna.

– Wcale nie – zaprzeczyła Nati.

Lora przytuliła dziewczynkę łagodnie do siebie i przyjrzała się pięknej, eterycznej kobiecie, która przywitała ją z uśmiechem. Teraz rozumiem, pomyślała, dlaczego wuj Thomas był tak zdumiony, że zdobyłam się na odwagę, by stawić czoło Ruppertowi. Pani Dorothea Simmern była delikatną istotą, łatwo mógł ją zranić głośny ton i ostre słowo. Trudy przeciętnej podróży mogłyby ją zabić, nie mówiąc o łańcuchu niebezpiecznych zdarzeń i aktów przemocy, które przeżyła Lora w ciągu ostatnich dwóch i pół miesiąca. Mimo to kobieta wyjechała naprzeciw swemu mężowi i wcale nie zrobiła na Lorze wrażenia aż tak chorowitej, jak można to było wywnioskować ze słów Konrada.

Również Dorothea Simmern popatrzyła na Lorę badawczo. Wprawdzie dziewczyna była blada i wyczerpana, ale Dorothea zrozumiała, że naprzeciw niej stoi piękna, zdrowa panienka na progu kobiecości, która kiedyś będzie prawdziwą pięknością. Dostrzegła też ból w spojrzeniu Lory, gdy ta zerknęła krótko na Thomasa. Dorothea przyjrzała się szybko mężowi. Nie, na pewno nie doszło między nimi do niczego niestosownego, była o tym przekonana. Ale postanowiła być ostrożna. Nie przeszkodziło jej to jednak w tym, by uśmiechnąć się do Lory przyjaźnie i pogłaskać Nati.

Teraz do ich grona dołączył także Fridolin. Jego twarz była zielonkawa. Z radości, że wreszcie poczuł stały ląd pod nogami, chętnie ucałowałby ziemię. Ale mimo niedyspozycji ubrał się starannie, rezygnując z charakterystycznego żółtego płaszcza.

Thomas Simmern chwycił go za ramię i przyprowadził do swojej żony.

– Moja droga, czy mogę ci przedstawić jeszcze jednego towarzysza podróży? Oto freiherr Fridolin von Trettin. Bardzo dużo mu zawdzięczam, Konrad zresztą też.

Dorothea Simmern podała Fridolinowi dłoń, którą on pocałował z wielką galanterią.

– To dla mnie radość, że mogę pana poznać – powiedziała.

– Pan von Trettin jest krewnym Lory – wyjaśnił Thomas i tym bardziej rozniecił jej zainteresowanie.

– Jest pan krewnym? Jak pięknie! W takim razie na pewno zechce pan zostać przez jakiś czas w Bremie. Czy mogę pana u nas gościć? Oczywiście mógłby pan zamieszkać w domu Retzmannów, ale odradzam to z powodu panującej tam żałoby po głowie rodziny.

– Bardzo dziękuję. Bardzo bym się cieszył, mogąc jeszcze kilka dni zabawić w Bremie – powiedział Fridolin, a jednocześnie z niepokojem pomyślał o swojej berlińskiej gospodyni, która na pewno już dawno wyniosła jego rzeczy na strych, a pokój wynajęła komuś innemu.

Thomas Simmern, zaalarmowany nutką zmęczenia w głosie żony, uniósł głowę.

– Sądzę, że powinniśmy ruszać w drogę, w przeciwnym razie nie zdążymy na pociąg do Bremy. Jeśli będziemy musieli czekać na następny, to bardzo późno dotrzemy na miejsce. Konradzie, zajmiesz się naszym bagażem?

– Tak jest, kapitanie!

Konrad zwołał kilku tragarzy, którym nakazał, by przenieśli bagaż do pociągu. Jego pan podał ramię Dorothei i ruszyli w kierunku peronu. Lora chciała iść w ich ślady, trzymając za rączkę Nati, ale wtedy Fridolin podał jej ramię.

– Piękna panienko, czy mnie panienka zaszczyci…

– Ponieważ jedno ramię mam ranne i zabandażowane, mogę się niestety posługiwać jedną ręką, a ta jest zarezerwowana dla Nati.

Fridolin tylko się roześmiał i spojrzał z góry na małą komtesę.

– W takim razie czy mogę cię prosić o rękę?

– Informuję, Fridolinie, że jeśli urzekło cię bogactwo Nathalii, to jest ona nieco zbyt młoda, żeby się z nią żenić – zażartowała Lora.

– Nie to miałem na myśli!

Młodzieniec nie dał się wyprowadzić z równowagi. Wziął dziewczynkę za drugą rękę i szedł razem z nią i Lorą za Thomasem Simmernem i jego żoną.

Dorothea odwróciła się na moment i popatrzyła na ich troje. Jej myśli powędrowały na ten widok w całkiem innym kierunku, a na jej bladych ustach pojawił się uśmiech. Wiedziała jednak, że zanim będzie mogła obrócić w czyn swój zamysł, musi najpierw wyprostować kilka innych spraw.

IV

Lora zaniemówiła z wrażenia, zobaczywszy przed sobą miejską willę Retzmannów, która bardziej przypominała wytworną rezydencję niż zwykły budynek mieszkalny. W porównaniu z nią nawet pałac w Trettinie wyglądał jak uboga chata. Oszołomiona dziewczyna przekroczyła zaraz za Dorotheą Simmern próg holu, ozdobiony krepą i bladymi chryzantemami. Ale muzyka dobiegająca z głębi budynku nie brzmiała wcale jak marsz żałobny.

Dorothea zacisnęła usta i dała znak, żeby Lora i pozostali szli za nią. Wkroczyli do barwnie udekorowanej sali. Przy wielkim stole siedzieli i biesiadowali goście. Ich miny nie były wcale zasmucone ani posępne, wręcz przeciwnie. Wznosili toasty, a jakiś młody mężczyzna zażądał właśnie od muzykantów, żeby zagrali walca.

– Chcemy tańczyć! – zawołał i ukłonił się kobiecie siedzącej obok niego.

Ta zachichotała i wstała od stołu, ale właśnie w tym momencie jej adorator dojrzał Dorotheę Simmern i pozostałych przybyszy.

– Wydaje mi się, że mamy gości – wybąkał, ściągając uwagę biesiadników.

Dorothea Simmern wyciągnęła z woreczka złoty lornion, podobny do tego, jakiego w Londynie używały wytworne angielskie matrony podczas przyjęcia z okazji Bożego Narodzenia, podniosła go do oczu i popatrzyła przez niego na krępą damę, która siedziała jak królowa na szczycie stołu. Kobieta miała suknię w kolorze łososiowym, a na szyi pięć sznurów pereł wielkości grochu. Poza tym przyozdobiła się bez umiaru rozmaitymi bransoletkami i broszkami. Jedyną oznaką żałoby były dwa paski czarnego tiulu, które zwisały jej z broszki przypiętej poniżej dość głęboko wyciętego dekoltu. Jej młodzieńcza kreacja nie bardzo pasowała do leciwej, pomarszczonej kobiety; matrona poczerwieniała na twarzy, a jej usta otwierały się i zamykały bezgłośnie.

Mężczyzna, który dopiero co chciał tańczyć, dał znak muzykantom i ci przestali grać w środku piosenki. Dorothea Simmern posuwistym krokiem podeszła do gospodyni i poprosiła ją słabym głosem o wybaczenie, że przeszkadza w uroczystości.

– Och, tak mi przykro! Ale nie spodziewałam się, że trafimy na tak huczne przyjęcie. Sądziłam, że zastaniemy dom pogrążony w ciszy i żałobie. Chciałam przyprowadzić tu młodą panią tego domu oraz jej towarzyszkę, która uratowała jej życie.

Każde słowo Dorothei było policzkiem dla damy z haczykowatym nosem. Inna kobieta, w wieku powyżej trzydziestu lat, wyglądająca jak młodsze wydanie Ermingardy Klampt, skuliła się, a wielce podobny do owej młodszej damy mężczyzna zrobił minę, jakby chciał odesłać Dorotheę Simmern i jej towarzyszy gdzie pieprz rośnie. Ale on też nie odważył się nic powiedzieć, patrzył tylko z zakłopotaniem, jak część gości opuszcza salę i domaga się w holu, żeby podano im płaszcze. W zależności od temperamentu ludzie ci mieli albo spłoszone miny, albo uśmiechali się ironicznie.

Większość gości podeszła jednak do Nathalii, żeby złożyć jej kondolencje. Dziewczynka przyjęła wszystkie deklaracje współczucia z zadziwiającym powabem i godnością. Ale Lora dostrzegła, że kąciki jej ust drżały, gdy czasem zerkała w kierunku stryjecznej babki.

Ta też zdążyła się już opanować i przyżeglowała do Nathalii, żeby podać jej rękę. Zignorowała przy tym Dorotheę Simmern, jakby w ogóle jej nie dostrzegła. Zanim jednak zdołała powiedzieć choć słowo, Thomas Simmern podszedł do niej i złożył kondolencje:

– Serdeczne wyrazy współczucia z powodu śmierci grafa Retzmanna. Jak widzę, wszyscy tutaj pogrążeni są w żałobie. Chciałbym jednakże zwrócić uwagę, że w najbliższym czasie powinniście tego rodzaju przyjęcia wydawać we własnych czterech ścianach. Komtesa Nathalia Sophia Alexandra Elisabeth von Retzmann wciąż jeszcze boleje po śmierci dziadka i źle zniosłaby częste uroczystości oraz obecność tylu gości w domu.

– Ja... My nie wiedzieliśmy, że już wróciliście z Anglii. Mieliście podobno zostać dłużej – wykrztusiła z trudem Ermingarda.

– Czy mam rozumieć, że myszy harcują, gdy kota nie ma w domu? W głosie Thomasa Simmerna zabrzmiała uszczypliwość, która spowodowała, że kolejni goście niezwłocznie opuścili pałac. Ale grupka tych, którzy pozostali, zaczęła jednak demonstracyjnie bić brawo.

Thomas Simmern obszedł Ermingardę Klampt i zmusił ją przez to, żeby się obróciła wokół własnej osi, nie spuszczając go ani na chwilę z oka.

– Jak pan śmie nakazywać mi cokolwiek! Jestem najbliższą rodziną Nathalii! – zawołała jadowitym tonem.

– Jak już panią listownie poinformowałem, graf Retzmann uczynił mnie w swoim testamencie opiekunem komtesy i zarządcą jej majątku. Dlatego będę kontrolował tutejsze wydatki i ustalę sumę, którą pani jako reprezentantka domu będzie mogła dysponować. Ponieważ najbliższy rok będzie rokiem żałoby, owa suma nie będzie szczególnie duża.

– Przeklęty kupczyk! – burknęła Ermingarda Klampt.

Thomas Simmern wzruszył ramionami.

– Poinformowałem was, jakie są moje wymogi. Czy mogę teraz przedstawić pannę Lorę Huppach, wnuczkę freiherra von Trettina z Prus Wschodnich, dawnego przyjaciela pani zmarłego szwagra? Ta dzielna młoda dama została przez grafa Retzmanna ustanowiona przed jego śmiercią boną Nati. Podczas tej strasznej podróży trzy razy uratowała życie naszej komtesie. Ocaliła również mnie. Zamieszka tu i zgodnie z wolą zmarłego będzie odpowiedzialna za wychowanie Nathalii. To, co powie, ma tu być respektowane. A więc pani i jej rodzina macie się do niej odnosić należycie.

Damie oczy dosłownie wyszły z orbit, a spojrzenie, którym zmierzyła Lorę, było po prostu wypowiedzeniem wojny.

Walka zaczęła się już niebawem, przy stole, przy którym zjedzono kolację w dużo mniejszym gronie, niż Ermingarda Klampt to sobie zaplanowała. Ponieważ Lora miała pełnić w domostwie Retzmannów ważną rolę, Ermingarda poprosiła ją, żeby usiadła po jej prawej stronie i z miejsca zaczęła nazywać ją swą „drogą Lorą". Ale gdy tylko zdążyli zająć miejsca, nie przestawała w bezwstydny sposób wypytywać jej o różne rzeczy. Córka i syn Ermingardy, którzy nastawili się na beztroskie życie na koszt Nati, asystowali jej przy tym w miarę sił. Lora szybko przejrzała to niesympatyczne trio. Chcieli ją zdemaskować jako hochsztaplerkę, która się wkradła w łaski grafa Retzmanna i przed którą należałoby chronić małą komtesę. Do Nati ta trójka zwracała się, używając najsłodszych zdrobnień, ale dziewczynka w ogóle nie reagowała na to, co mówili krewni. Za to zachowywała się przy stole niezwykle wytwornie. Jak Nati chce, to potrafi, stwierdziła z satysfakcją Lora. Dziewczynka totalnie ignorowała swoją stryjeczną babkę i jej dzieci. Rozmawiała tylko z wujem Thomasem, Dorotheą Simmern i Lorą. Ermingarda Klampt co rusz zerkała wściekle na dziecko. W pewnym momencie spojrzała na Lorę i wyczarowała na ustach uśmiech.

– Niech się panienka… Ach, jako domownicy powinniśmy sobie przecież mówić per ty! A więc, najdroższa Loro, poczęstuj się nadziewanymi przepiórkami. Mają cudownie delikatny smak. Tak się zastanawiam… Jesteś wnuczką freiherra von Trettina, prawda? Nigdy nie słyszałam o kimś noszącym takie nazwisko, a przecież *Almanach Gotajski* należy do moich ulubionych lektur.

Nim Lora zdołała cokolwiek odpowiedzieć, Dorothea Simmern położyła kres niecnym insynuacjom:

– Ależ mylisz się, droga Ermingardo. Obiło mi się o uszy, że swego czasu w Berlinie to właśnie pan von Trettin przez krótki czas zabiegał o twoje względy. Było to, zanim wyszłaś za stryjecznego dziadka Nathalii. Na pewno pamiętasz pana von Trettina!

– Ach tak, coś mi się kojarzy! Chciał się ze mną ożenić, ale jego pozycja i majątek nie odpowiadały moim wyobrażeniom. Prawdziwy kmiot z krwi i kości. A więc to on jest twoim dziadkiem, najdroższa Loro.

Ermingarda poprzestała na tej złośliwej uwadze i nie dogryzała już więcej Lorze, tylko milczała jak zaklęta, a jej dzieci brały z niej przykład, robiąc przy tym cierpiętnicze miny. Reszta wieczoru upłynęła więc w równie niemiłej atmosferze. Dlatego Lora poczuła ulgę, gdy zrobiło się na tyle późno, że mogła się pożegnać, aby położyć Nati do łóżka.

Zdziwiła się, że Dorothea Simmern wstała razem z nią od stołu, by jej towarzyszyć. Na piętrze dama przystanęła i podała Lorze obie dłonie.

– Nie rób takiej markotnej miny, moje dziecko! – powiedziała z uśmiechem. – Nie taki diabeł straszny, jak go malują. Ermingarda nie może zagrozić twojej pozycji, nie po tym dniu. To był duży błąd z jej strony, że przed upływem żałoby wydała w tym domu duże przyjęcie, nawet jeśli chodziło o urodziny jej syna. Wie, że gdybym chciała, mogłabym ją zniesławić w towarzyskich kręgach Bremy. Gdyby cię źle traktowała, poproś ochmistrzynię, którą ci zaraz przedstawię, żeby posłała do mnie kogoś ze służących z wiadomością. Wtedy porządnie zmyję Ermingardzie głowę i zadbam, żeby spełniała każde twe życzenie, zanim zdążysz je wypowiedzieć. Obiecujesz?

– Tak, na pewno, ja… – zająknęła się Lora przytłoczona tym, że pani Simmern tak gorąco zapewnia ją o swej gotowości niesienia pomocy.

– Oferuję ci siostrzaną dłoń nie tylko z wdzięczności za to, że uratowałaś mojemu mężowi życie, lecz także z czystego egoizmu. Proszę, oducz Nathalię jej niepoprawnych zachowań. Niech mi już nie wrzuca pod spódnicę żywych myszy ani nie wkłada mi do torebki dżdżownic. Nie chcę narzekać na to dziecko. Nathalia potrafi być aniołem, jeśli tylko chce. Ale gdy kogoś posądza, że chce jej zrobić na złość, albo gdy jest nieszczęśliwa, przeradza się w małego diabełka. I wierz mi, Ermingarda uczyniłaby ją bardzo nieszczęśliwą istotą.

– Hej! Rozmawiacie o mnie, jakby mnie tu nie było albo jakbym nie miała uszu – poskarżyła się Nati.

– Rozmawiamy o tobie, bo chcemy, żebyś była szczęśliwa i zadowolona. Ty też byś tego chciała. A może nie?

Tym pytaniem Dorothea zamknęła małemu łobuziakowi usta i dalej przemawiała do Lory.

– Powiem krótko, życzę ci, byś zrobiła wszystko, co w twojej mocy, żeby z Nathalii uczynić miłą i czarującą pannę. Nie mam nic przeciwko temu, żeby nieznośnej córce Ermingardy wkładała pająki we włosy, ale niech przynajmniej nie robi tego przy ludziach.

Dorothea westchnęła ciężko, dlatego Lora się domyśliła, że dziewczynce najwidoczniej już nieraz zdarzało się robić tego typu psikusy. Ponieważ zdążyła się już zorientować, jak dużą wagę do konwencji przykłada lepsze towarzystwo, to częstsze zachowania tego typu okryłyby Nati złą sławą.

– Zrobię, co tylko w mej mocy – obiecała, zastanawiając się jednocześnie, czy w ogóle dorosła do tego zadania.

Ale potem powiedziała sobie w duchu, że wuj Thomas obdarzył ją zaufaniem, a ona za żadne skarby nie chciałaby go rozczarować.

V

Lora położyła Nati do łóżka i chciała odejść, ale wtedy dziewczynka się rozpłakała, robiąc swej starszej przyjaciółce wyrzuty, że ta nie chce zostać z nią na noc. Na szczęście zadowoliła się obietnicą, że jej opiekunka wkrótce wróci i będzie nocować w łóżku obok.

Dorothea Simmern poprowadziła Lorę labiryntem korytarzy i schodów. Weszły do pomieszczenia, w którym służba czekała w pogotowiu, kiedy zostanie wezwana.

– To Inga Busz, ochmistrzyni. Pracuje w domu Retzmannów od dwudziestu pięciu lat i zna go od podszewki. Będzie ci dużym oparciem. – Mówiąc te słowa, Dorothea uśmiechnęła się przyjaźnie do krępej kobiety. – Ingo, to Lora Huppach, bona małej komtesy. Nathalia zawdzięcza jej życie. Konrad już na pewno opowiedział ci pokrótce o wszystkim, prawda?

Kobieta w prostej granatowej sukience z białym fartuszkiem skinęła głową.

– O tak, łaskawa pani. Opowiedział mi o wszystkim. Droga panienko Loro… Chyba mogę się tak do panienki zwracać? Witam panienkę serdecznie w domu Retzmannów i mam nadzieję, że wkrótce będzie się panienka czuła zupełnie tak jak u siebie w domu. Mogę panienkę zapewnić, że wszyscy służący są już poinformowani i poza pokojówką i dwoma lokajami, których przywiozła tu ze sobą pani Klampt, wszyscy są po stronie panienki. Konrad zapewnił nas, że panienka darzy naszą małą komtesę szczerą miłością, a mimo to wychowa ją tak, że dziadek byłby z niej dumny. Jesteśmy radzi, że znalazł się ktoś, kto pokochał naszego diabełka, rozumie go i chce być dla niego dobrą opiekunką i wierną przyjaciółką, póki pewnego dnia panienka Nathalia nie zostanie wytworną młodą damą. A tak w ogóle to pani Klampt i jej dzieci mieszkają w zachodnim skrzydle domu. Zajęli całe to skrzydło do swojej wyłącznej dyspozycji. A więc nie będą panience ciągle wchodzić w drogę.

Lora uścisnęła dłoń pani Busz i obiecała jej, że będzie strzec Nati jak oka w głowie i uczyni wszystko, żeby z dziecka wyrosła dobrze wychowana panienka.

Dorothea poklepała Lorę łagodnie po plecach.

– I tak będzie, moja droga, uda ci się.

Pożegnała się z panią Busz, po czym zwróciła się do Lory:

– Mój mąż na pewno się już niecierpliwi. Pozwól, że cię teraz opuszczę. Nie musisz mnie odprowadzać, żeby się z nami pożegnać. Obowiązki, jakie masz wobec Nati, usprawiedliwiają cię w zupełności.

Uśmiechnęła się do Lory, po czym oddaliła się lekkim krokiem.

Lora przez chwilę jeszcze patrzyła w ślad za nią, potem pomachała ochmistrzyni i weszła na górę, żeby dotrzeć do sypialni, którą dzieliła z Nati. Na schodach dostrzegła idącą z naprzeciwka kobietę w czarnej sukience, białym fartuszku i białym czepku. Lora chciała ją minąć, ale wtedy tamta złapała się dłońmi za skronie i zrobiła krok w tył. Zamrugała oczami i zawołała zaskoczona:

– Panienka Lora? To niemożliwe!

Lora potrzebowała dłuższej chwili, by rozpoznać tę kobietę.

– Elsie! Co ty tu robisz?

W tych krótkich słowach zawarła całe rozczarowanie wcześniejszym postępkiem służącej.

– Ja… służę pani Klampt jako pokojówka – wyjąkała Elsie. Wciąż jeszcze nie mogła uwierzyć, że widzi przed sobą swą wcześniejszą panią, którą w tak haniebny sposób zawiodła i okradła.

Lora pamiętała aż za dobrze wszystkie te straszne chwile, które przeżyła po zniknięciu Elsie i Gustava. Tych dwoje ukradło nie tylko kufer podróżny, lecz również pieniądze przeznaczone na pierwsze miesiące pobytu w Ameryce. Później na szczęście okazało się, że najcenniejsze rzeczy dziadek Wolfhard ukrył w starym płaszczu żeglarskim. Według słów wuja Thomasa dziadek zdeponował podobno dość znaczną sumę w amerykańskim banku. Ale to nie sprawiało, że jej rozczarowanie postępkiem Elsie było mniejsze.

– Jak to się stało, że znów musisz pracować jako pokojówka? Dziadek dał ci dużo pieniędzy, żebyś mogła sobie urządzić życie w Ameryce. Poza tym ukradłaś kilkaset talarów, które należały do mnie. – Głos Lory zabrzmiał ostro. Rozważała, czy nie powinna zgłosić kradzieży na policji.

Elsie padła przed nią pokornie na kolana.

– Wybaczcie mi, panienko. Nie chciałam panienki okraść! Ale tak bardzo bałam się podróży statkiem. Nie chciałam zginąć marnie gdzieś na morzu, jak przytrafiło się to pasażerom parowca Deutschland. Musi to panienka zrozumieć.

Elsie odegrała żal i rozpacz, uważnie obserwując przy tym wyraz twarzy Lory. Wcześniej panienka była nieśmiała i bardziej liczyła się ze zdaniem innych niż z własnym. Ale ta Lora, która znalazła się w domu Retzmannów, była jakby ulepiona z innej gliny.

– To wina Gustawa! – zawołała wystraszona Elsie. – To wszystko przez niego! To on mnie tak nastraszył morzem. Obiecał, że się o mnie zatroszczy. Nie dostarczył na statek kufra panienki, ale go ukradł, bo myślał, że w środku mogą być pieniądze, które dziadek dał panience na drogę. Naprawdę tego nie chciałam, panienko Loro. Musi mi panienka uwierzyć. – Elsie rozpłakała się rzewnymi łzami. Chwyciła dłoń Lory i przycisnęła ją do mokrego policzka. – Ten drań zabrał wszystkie pieniądze i mnie zostawił. Wynajął klitkę w nędznym hotelu i pewnego ranka po prostu zniknął. Nawet nie zapłacił za pokój. Musiałam odpracować należność, a potem wywalono mnie po prostu na ulicę. Gdyby pośredniczka nie szukała pilnie pokojówki dla pani Klampt, skończyłabym w rynsztoku. Nie była to jakaś porządna pośredniczka. Nie dostaję więcej pieniędzy niż zwykła pomoc kuchenna, a muszę obsługiwać panią Klampt i jej córkę jak zwykła służąca. Proszę, niech panienka nie wyda mnie policji! Przecież panienka tylko dobrze na tym wyszła, w przeciwieństwie do mnie. Mogłam zacząć w Ameryce nowe życie, miałabym dość pieniędzy, żeby otworzyć sklep. A teraz jestem w gorszej sytuacji niż na służbie u pana von Trettina.

Lora spojrzała z góry na Elsie i wyrwała dłoń z jej uścisku. Po tym wszystkim, co się stało, już jej nie ufała. Poza tym była pewna, że Elsie dużo wcześniej musiała coś zbroić. Przed laty była pokojówką wielkiej damy, więc to dziwne, że nie znalazła sobie porządnej posady, tylko zatrudniła się jako zwykła służąca w Prusach Wschodnich. Przez moment Lora się wahała, co ma powiedzieć, ale w końcu wzruszyła ramionami.

– Jesteś pokojówką pani Klampt i nie należysz do służby tego domu. Dlatego nie mam z tobą nic wspólnego!

Odeszła, nie odwracając się, ponieważ rozdział pod tytułem Elsie był już dla niej zamknięty. Nie chciała wsadzać tej kobiety do więzienia. Służba u Ermingardy Klampt nie była zapewne łatwa, ale podstępna Elsie zasłużyła sobie na dobry wycisk.

VI

Elsie patrzyła za Lorą i nie wiedziała, czy ma się cieszyć, że ta nie zamierza donieść na nią na policję, czy też powinna być zła, bo nie udało się jej z powrotem wejść w łaski panienki. A przecież miała już nadzieję, że będzie służyć małej komtesie Nathalii jako pokojówka, bo praca u Ermingardy Klampt była o wiele cięższa niż harówka w domku myśliwskim, a przy tym płacono jej równie marnie.

W zamyśleniu wróciła do zachodniego skrzydła, w którym rozlokowała się rodzina Klamptów. W drodze do Ermingardy natknęła się na jej syna Gerharda. Na widok pokojówki naburmuszona twarz panicza się rozjaśniła. Sprawdził, czy nikt ich nie obserwuje, a ponieważ byli sami, chwycił Elsie za ramię i pociągnął do swego pokoju. Szybko zamknął drzwi i ruchem głowy wskazał łóżko.

– Szybko, rozbieraj się! Po całym dniu potrzebuję trochę relaksu!

Elsie usłuchała, chociaż rozgniewało ją, że Gerhard Klampt w łóżku szuka tylko swojego zadowolenia. Po wszystkim nieraz musiała wracać do swej izdebki, by palcami kończyć to, co on zaczął. Tego dnia potraktował ją szczególnie bezceremonialnie. Zerwał z siebie wierzchnie odzienie, zostawił podkoszulek i gacie, po czym dorwał się do niej jak byk do krowy. Bolało ją tak, że zajęczała.

– Cicho bądź! – burknął, poruszając się w niej w tempie króliczka.

Po chwili mocno zacisnął zęby, żeby głośno nie sapać i żeby nikt ich nie usłyszał. I zaraz było po wszystkim. Nim jego członek zdążył zwiotczeć, zażądał, żeby Elsie się ubrała i wyszła.

Dziewczyna wyciągnęła rękę.

– Nie sądzi pan, panie Gerhardzie, że zasłużyłam na nagrodę?

Mężczyzna podniósł spodnie z podłogi, sięgnął do kieszeni i wyciągnął portfel.

– Masz, tyle powinno ci wystarczyć – powiedział i dał jej kilka groszy.

Elsie była oburzona. W ciągu ostatnich tygodni Gerhard Klampt zachowywał się bardziej szczodrze, chełpiąc się, że wkrótce będzie zarządzał majątkiem Nathalii.

Prychnęła i ze złością tupnęła nogą.

– Dla paru fenigów nie będę już więcej rozkładała nóg!

Gerhard Klampt się zdenerwował.

– Do cholery! Teraz, gdy ten cholerny Simmern chce nam wydzielać pieniądze, muszę na wszystkim oszczędzać. Czemu stary Retzmann musiał ustanowić opiekunem Nati akurat takie skąpiradło? Jako bliski krewny bardziej bym się nadawał do tego, żeby godnie reprezentować ten dom. Matka jest wściekła, ja zresztą też! Potraktowano nas tak podle, jakbyśmy byli żebrakami, a nie bliskimi krewnymi komtesy. Ten Simmern wcisnął nam jeszcze tę smarkulę Lorę. Nieważne, co twierdzi on i jego żona, moim zdaniem ta Lora to zwykła oszustka, prostaczka, która wkradła się w łaski Simmerna. Może nawet dogadza mu pod kołdrą. Po tym podstępnym typie można spodziewać się wszystkiego. A ta jego żona, cholerna damulka, woli przymykać oko, niż się z nim rozmówić, bo mogłoby dojść do skandalu!

Wypowiadając ostatnie zdanie, Gerhard Klampt próbował naśladować głos Simmerna. Wtem zaklął i zacisnął dłoń w pięść.

– Ale pozbędziemy się tej dziewuchy. Matka już się o to postara. A gdy tylko tak się stanie, zadbam, by Simmern dał nam dość pieniędzy, byśmy mogli żyć jak ludzie. Wtedy dostaniesz ode mnie nieco więcej floty za trzymanie języka za zębami.

Tymczasem Elsie zdążyła się już ubrać i spojrzała na niego badawczo. Zdaje się, pomyślała, że ani on, ani jego matka nie wiedzą, kim naprawdę jest Lora, i uważają, że jej dziadek arystokrata jest tylko czczym wymysłem. Sądzą, że Thomas Simmern mydli im oczy, przekonany, że Prusy Wschodnie leżą tak daleko, że tu, w Bremie, nikt nie zdemaskuje oszustki podającej się za wnuczkę prowincjonalnego junkra.

Nagle na ustach Elsie pojawił się uśmiech. Wiedziała co nieco o Lorze i postanowiła to wykorzystać. Zapięła ostatnie guziki, stanęła przy drzwiach i zarzuciła przynętę:

– Państwo, u których poprzednio służyłam, mieli krewnych w Prusach Wschodnich. Dlatego trochę znam tamtą okolicę.

Mężczyzna natychmiast nadstawił uszu.

– Znasz freiherra von Trettina?

Elsie skinęła z uśmiechem głową.

– Jego wnuczkę też! – powiedziała.

Klampt z wrażenia podskoczył.

– Znasz tę Lorę?

Znowu w odpowiedzi skinęła głową, po czym wykonała gest, którego nie mógł opacznie zrozumieć. Udała, że liczy pieniądze.

– Moja matka musi się o tym dowiedzieć – zawołał Klampt. – Chodź ze mną!

Chciał chwycić Elsie i pociągnąć ze sobą, ale ona wyrwała mu się i roześmiała.

– Może przedtem powinien pan założyć spodnie i koszulę, panie Gerhardzie! Bo inaczej pańska matka nie wiadomo co sobie o nas pomyśli.

– Nie bądź bezczelna! – zamruczał mężczyzna i się ubrał.

Wyjrzał ostrożnie na korytarz, po czym opuścili pokój i przeszli przez kilkoro drzwi, aż doszli do pokoju, który Ermingarda Klampt przeznaczyła na swój prywatny salon. Syn zapukał i wszedł do środka, dopiero gdy usłyszał głos matki.

Pani Ermingarda siedziała w fotelu, w ręku trzymała sole trzeźwiące i rzucała gorączkowe spojrzenia w kierunku, gdzie odznaczało się główne skrzydło pałacu Retzmannów. Powoli przekręciła głowę, spojrzała na zbliżającego się syna i dostrzegła wtedy Elsie, która szła tuż za nim.

– A ty czego?

Gerhard Klampt stanął przed matką. Przybrawszy postawę pełną buty, wskazał ręką pokojówkę.

– Elsie zna dziewczynę, którą przywiózł Simmern.

Ermingarda Klampt wbiła wzrok w Elsie.

– Czy to prawda?

Pokojówka skinęła głową z lekkim ociąganiem.

– Tak, znam ją i wiem, skąd pochodzi.

– No, to gadaj! Musisz powiedzieć nam wszystko, co wiesz!

Podekscytowana Ermingarda chwyciła ją i przyciągnęła do siebie. Elsie się skrzywiła.

– Uważam, że posiadam informacje, które mogą być dla państwa cenne.

W odpowiedzi Ermingarda wymierzyła jej głośny policzek.

– Nie zaczynaj w ten sposób, ty dziwko! Tak, dziwko! Myślisz, że nie wiem, że włazisz mojemu synowi do łóżka? Powinnam cię wyrzucić bez wynagrodzenia i bez świadectw i ogłosić, jak niemoralnie się prowadzisz.

Na te słowa Elsie zaczęła płakać. Jeśli pani Ermingarda faktycznie tak zrobi, pomyślała, to nikt mnie już nie zatrudni ani jako pokojówkę, ani nawet jako zwykłą służącą. Wtedy nie pozostanie mi nic innego jak praca w burdelu.

– Jaśnie pani, proszę tego nie robić! – zawołała zrozpaczona. – Wcale nie chcę pieniędzy, co najwyżej małą podwyżkę, jeśli jest pani ze mnie zadowolona.

Ermingarda zrozumiała, że musi coś dziewczynie obiecać, nawet jeśli na razie będą to tylko deklaracje, żeby skłonić ją do mówienia.

– A więc dobrze, pomyślę nad tym – powiedziała i dała znak synowi, żeby przysunął krzesło.

– Siadaj i opowiedz wszystko, co o niej wiesz – powiedziała do Elsie.

Ta usiadła, spojrzała na swoją panią i oznajmiła:

– Lora jest faktycznie wnuczką freiherra Wolfharda Nikolausa von Trettina.

– Tego nędznika, który przez kilka tygodni umizgiwał się do mnie, a potem nie poprosił mnie o rękę?

W głosie Ermingardy Klampt zabrzmiał gniew, jakby nawet po czterdziestu latach nie potrafiła zapomnieć ani wybaczyć takiego afrontu. Zanim jednak zdołała coś dodać, otworzyły się drzwi i do środka wpadła jej córka.

– Mamo, musisz się o tym natychmiast dowiedzieć! Ten podły Simmern przysłał nam do domu jako szpicla zwykłą krawcową. Słyszałam, jak Inga Busz powiedziała do kucharki, że gdy Nathalia będzie już duża, Lora zamierza otworzyć pracownię krawiecką.

– Na pewno chce to zrobić za pieniądze, które Simmern obiecał jej w zamian za pilnowanie nas i podsłuchiwanie – zawołała oburzona Ermingarda Klampt.

– Podobno już ma odłożone pieniądze – poinformowała córka.

– W takim razie na pewno zapłacił jej z góry. – Ermingarda Klampt nadęła się ze złości, gdy wtem spostrzegła, że Elsie kręci głową. – Zdaje się, że ty coś wiesz. No, gadaj wreszcie!

Pokojówka poczuła suchość w ustach. Zerknęła w kierunku butelki wina i kieliszków, które stały na stole. Gerhard to zauważył i nalał jej mimo niezadowolonych min matki i siostry.

– Proszę, napij się i gadaj!

Elsie wzięła do ręki kieliszek i z rozkoszą wlała jego zawartość do gardła. Było to znakomite wino z pałacowej piwnicy. Ermingarda, która traktowała ten dom jako swą własność, uważała, że ma prawo korzystać ze zgromadzonych tam zapasów.

– A więc... – zaczęła pokojówka, a pozostali podeszli bliżej, żeby nie uronić ani słowa – ...Lora jest faktycznie wnuczką starego Trettina. Ponieważ jednak majątek jest majoratem, a on miał tylko jedną córkę, to spadkobiercą został jego bratanek Ottokar von Trettin. Wolfhard von Trettin chciał go jednak oszukać i z majątku wyprowadził bardzo dużo pieniędzy, żeby przekazać je córce. Panu Ottokarowi nie pozostało nic innego, jak iść do sądu i na mocy wyroku odebrać stryjowi majątek. Gdyby tego nie zrobił, stary wszystko by rozgrabił, żeby zapewnić dobrobyt córce i jej rodzinie.

Elsie doskonale zdawała sobie sprawę, co Klamptowie chcą od niej usłyszeć. Ermingarda sapnęła z zadowoleniem, usłyszawszy, że mężczyzna, który nią kiedyś pogardził, stracił majątek. Uznała, że to sprawiedliwa kara za to, jak ją potraktował. Poczuła się jeszcze bardziej usatysfakcjonowana, gdy Elsie powiedziała o ciężkim ataku apopleksji, który powalił starego Trettina. Gdy służąca oznajmiła, że dziadek Lory zaplanował ucieczkę wnuczki do Ameryki, żeby przewiozła w bezpieczne miejsce pieniądze zabrane nowemu ordynatowi, Ermingarda nastawiła uszu.

– I pan Ottokar von Trettin tak po prostu na to pozwolił? – zapytała.

Elsie gwałtownie pokręciła głową.

– Oczywiście, że nie. Ale nie zdołał przejrzeć knowań starego. Ten jeszcze za życia wysłał Lorę potajemnie w podróż. Nie wiem, jak Ottokar von Trettin na to zareagował, bo ja mniej więcej w tym samym czasie również opuściłam Prusy Wschodnie.

– Ciekawa jestem, dlaczego to zrobiłaś. Dopiero co widziałam, jak rozmawiałaś z Lorą – powiedziała córka Ermingardy, która najwidoczniej podsłuchiwała nie tylko rozmowy służących.

Elsie w pierwszym momencie zbladła, ale szybko się opanowała i popatrzyła na kobietę, która niedawno skończyła trzydzieści lat, a już wyglądała na przekwitniętą. Do tej pory żaden mężczyzna nie starał się o pannę Klampt, ponieważ nie miała posagu. Marzyła, by poślubić jakiegoś ziemianina. Sądziła, że pomoże jej w tym część majątku Retzmannów, ale Thomas Simmern położył kres tym nadziejom, przynajmniej na razie. Dlatego Armgarda Klampt również była zainteresowana, i to w równym stopniu co matka, pozbyciem się intruza narzuconego im przez Simmerna. Chciała jednak wprzódy tak zniesławić Lorę, by móc dzięki temu rzucić złe światło na prawnego opiekuna Nati i się go pozbyć.

– Pomyślcie tylko, jaki będzie skandal, gdy ludzie się dowiedzą, że Simmern powierzył opiekę nad dzieckiem złodziejce, która uciekła swojemu opiekunowi.

Armgarda się rozpromieniła.

Jej matka skinęła głową i uśmiechnęła się błogo.

– To by dopiekło Simmernowi i jego impertynenckiej małżonce. Życzę im tego serdecznie. Ona zachowuje się tak, jakby była największą damą w Bremie. Gdy ta afera wyjdzie na jaw, nigdzie nie będzie się mogła pokazać.

Gdy obie kobiety zakosztowały już triumfu, Gerhard Klampt uniósł rękę.

– Może powinniśmy spróbować dogadać się z Simmernem? Jeśli przekaże nam prawo do opieki nad dzieckiem i do rozporządzania majątkiem, moglibyśmy zrezygnować z rozpowszechniania o nim takich wiadomości.

– Zwariowałeś? – zawołała jego matka. – Jeśli to zrobimy, Simmern i jego żona zawsze będą wisieć nad nami jak wyrzut sumienia i patrzeć, ile pieniędzy bierzemy z majątku Retzmanna. Nie, trzeba się tych dwojga całkiem pozbyć, tak jak tego ich szpicla, Lory. Tylko mając wolną rękę, możemy zapewnić Armgardzie odpowiedni posag, aby znalazła sobie jakiegoś porządnego męża. Poza tym, Gerhardzie, musisz myśleć także o sobie. Tych kilka talarów, które by ci przysługiwały jako zarządcy majątku, nie wystarczyłoby przecież, abyś mógł żyć jak zamożny człowiek. Majątek tej małej bestii Nathalii jest tak duży, że nawet ona się nie zorientuje, jeśli ubędzie jej połowa. Nasz Pan Bóg w niebiesiech zaprawdę niesprawiedliwie porozdzielał swoje dary. A teraz zostawcie mnie samą! Muszę napisać list do freiherra Ottokara von Trettina. Elsie, zostaniesz tutaj. Poczekasz, aż skończę, i zaniesiesz list na pocztę.

Ermingarda kazała służącej przynieść papier, atrament i wieczne pióro, po czym zaczęła pisać list, w którym opisała stosunki panujące w domu Retzmannów, jak również to, czego jej córka dowiedziała się o Lorze. Wszystko oczywiście wyolbrzymiała, mając na uwadze, że aby złapać mysz, potrzebna jest przynęta, a dla takich bogatych ludzi jak Ottokar von Trettin najlepszą przynętą są pieniądze.

VII

Lora nie miała pojęcia, jakie intrygi knuje się w zachodnim skrzydle pałacu. Wróciła do swojej sypialni, którą miała w następnych dniach dzielić z Nati. Dziewczynka czekała tam na nią, siedząc wyprostowana w łóżku i się uśmiechając.

– I co, poznałaś Ingę Busz? Lubię ją prawie tak bardzo, jak kucharkę Annę. Anna zawsze daje mi różne smakołyki, gdy upiecze albo ugotuje coś szczególnego. Z nimi dwiema na pewno będziesz się dobrze dogadywać. Nie pozwolą, by Ermingarda nimi pomiatała. My też nie pozwolimy, by próbowała nami dyrygować, prawda?

Te słowa wprawiły Lorę w konfuzję. Ermingarda miała być reprezentantką tego domu i trudno będzie całkowicie pozbawić ją wpływu na wychowanie małej komtesy. Poza tym Lora nie chciała prowadzić ustawicznej wojny z tą kobietą. Stwierdziła więc:

– Wiesz co? Najpierw poczekamy, co babcia Ermingarda ma do powiedzenia.

Dziewczynce do oczu napłynęły łzy.

– Chciałabym, żeby żył dziadek. On by przypilnował, żeby ta głupia baba nas nie denerwowała. Ach, tak bardzo mi go brakuje.

Lora wzięła ją na ręce i łagodnie kołysała.

– Twój dziadek jest teraz w niebie, ale na pewno czuwa, by nikt cię nie skrzywdził, i patrzy, czy jesteś grzeczna, żeby mógł być z ciebie dumny.

– Chcę, żeby dziadek był ze mnie dumny i żebyś ty też była ze mnie dumna.

Teraz Nati rozpłakała się na dobre. Minęła dłuższa chwila, nim Lorze udało się ją uspokoić na tyle, by położyła się w swoim łóżku i przykryła kołdrą pod samą brodę.

– Dobrej nocy, skarbie – powiedziała do dziewczynki.

– Dobranoc, Loro.

W głosiku Nati zabrzmiało zmęczenie, mimo to minęła dłuższa chwila, nim wreszcie zasnęła.

Lora poprawiła jej kołdrę. Potem ostrożnie wstała, narzuciła na siebie szlafrok, który wuj Thomas kupił jej w Harwich, i podeszła do okna. Głęboko w dole rozciągał się ogród podobny do parku. Gałęzie drzew wciąż jeszcze były ogołocone z opadłych jesienią liści. Ogród rozświetlały gazowe latarnie, zapalone z powodu planowanego przyjęcia, które się nie udało. Nikt ze służby nie pomyślał, żeby je zgasić. Lora poczuła, że nie będzie łatwo kierować tym domem. Jestem chyba zbyt młoda, by podjąć się takiego zadania, pomyślała, jednak po chwili stwierdziła, że nie ma innego wyjścia – musi spełnić życzenie Thomasa Simmerna. Ermingarda Klampt nie jest bowiem kobietą, której można powierzyć dziecko takie jak Nathalia. Ale jeśli tu zostanę, rozmyślała dalej, to nie będę tu nikim więcej niż płatną służącą, a przecież dziadek za wszelką cenę chciał sprawić, bym uniknęła podobnego losu.

Oczywiście istniała ogromna różnica między darmową harówką w trettińskim pałacu, gdzie musiałaby jeszcze wysłuchiwać, że jako biedna krewna powinna być wdzięczna za dach nad głową, a byciem dobrze opłacaną wychowawczynią i towarzyszką bogatej dziedziczki. Ale w Ameryce byłaby... Kim właściwie by tam była?

Po tym wszystkim, co usłyszała i zobaczyła w trakcie swej niebezpiecznej podróży, próbowała sobie wyobrazić, jak wyglądałoby jej życie po przybyciu do Stanów, gdyby katastrofa statku nie zepchnęła jej z drogi wyznaczonej przez dziadka. Byłaby tam całkiem sama, bez przyjaciół i bez doświadczenia, w obcym mieście i kraju. Wprawdzie zakonnice przyjęłyby ją do siebie i się o nią troszczyły, ale wtedy naprawdę stałaby się służącą, która musiałaby wykonywać swoją pracę ku chwale Boga – i tylko za Bóg zapłać. Wątpiła, czy w tym obcym kraju, po wielu latach spędzonych wśród nabożnych sióstr, znalazłaby dość odwagi i siły, by stanąć na własnych nogach. Tu zaś miała przyjaciół, a poza tym była potrzebna. Poradzi sobie i będzie czuwać nad Nati, swoją nową siostrzyczką, nawet jeśli przyjdzie jej się zmierzyć z niejednym problemem.

– Podjęłam decyzję – powiedziała nieco zbyt głośno. – Zostaję!

– Co, Loro? – zapytała całkiem zaspana Nati. Instynktownie poczuła, że jej przyjaciółkę dręczą wątpliwości. Wyskoczyła z łóżka, podbiegła do niej i ją objęła. – Boisz się babki Ermingardy? Nie musisz. Jestem tu i będę cię przed nią chronić.

VIII

W ciągu następnych dni nic nie świadczyło o tym, że Nati będzie musiała chronić Lorę. Ermingarda Klampt traktowała dziewczynę przyjaźnie, z przesadną serdecznością, i zgadzała się z nią we wszystkich kwestiach dotyczących małej komtesy. Sama Nati była przez nią nazywana a to „kochaną kruszyną", a to „pieszczoszką". Dziewczynka co najmniej pięć razy dziennie była poddawana przez Ermingardę i jej córkę procedurze obcałowywania i obejmowania. Nawet gdy raz wymknęła się na moment spod oka Lory i wykorzystała okazję, by umieścić w łóżku Armgardy niewypatroszonego jeszcze śledzia, potraktowano ten wybryk jedynie jako śmieszny żart.

Ale właśnie ta pobłażliwość wzbudziła nieufność Nati. Dziewczynka nie zapomniała, jak zażarcie Ermingarda walczyła z dziadkiem o to, by przyjął ją wraz z dziećmi do tego domu. Twierdziła, że pragnie zająć się wychowaniem małej komtesy. Graf Retzmann odrzucił jej propozycję, wolał bowiem zatrudniać guwernantki. Ermingarda i jej córka napuszczały je przeciwko grafowi i dziecku, tak więc graf zwalniał je potem z dobrze płatnej posady i zatrudniał następne.

Ermingarda Klampt próbowała zbałamucić także Lorę, stwarzając pozory domowej harmonii i bezpieczeństwa. Nieustannie myślała jednak o junkrze z Prus Wschodnich, do którego jakiś czas temu wysłała list. Sądziła, że pan von Trettin na pewno go już otrzymał. Liczyła więc dni potrzebne, aby dotarł do Bremy. I już zawczasu cieszyła się na skandal, który uwolni ją od Lory i Simmerna i uczyni samowładną panią domu Retzmannów.

Chociaż Lora była zadowolona, że Ermingarda Klampt nie okazuje jej wrogości, mimo wszystko odczuwała w związku z nią jakiś dziwny niepokój. Zawsze gdy rozmawiały, miała wrażenie, że kobieta ciągnie ją za język, przy czym ciekawość Ermingardy nie tyle dotyczyła Lory, co Rupperta.

– O ile wiem – kobieta wspominała niejednokrotnie z naciskiem – nie jest on wcale bratankiem naszego drogiego zmarłego, tylko kukułczym jajem, które jego matka złożyła do czcigodnego gniazda rodu Retzmannów.

Lora kwitowała takie słowa co najwyżej lekkim uśmiechem. Thomas Simmern poradził jej, żeby nie wspominała o śmierci Rupperta. Krewny Lory miał być uważany tak długo za zaginionego, aż angielskie władze nie wydobędą zwłok i nie ogłoszą jego śmierci. Związek między Lorą i Simmernem a śmiercią Rupperta spowodowałby skandal, a tego wuj Thomas chciał uniknąć.

Dlatego Lora i tym razem nie podjęła tematu poruszonego przez Ermingardę, tylko przyjaźnie stwierdziła, że nadeszła już pora, by zatrudnić dla Nati guwernantkę.

– Ależ oczywiście! Natychmiast się tym zajmę – obiecała Ermingarda i w skrytości ducha pomyślała sobie, że najlepiej będzie, jeśli zatrudni jakiegoś dragona w spódnicy, który da małej popalić.

– To bardzo miło z pani strony – odpowiedziała Lora. – Ale pani Simmern już zaproponowała, że kogoś znajdzie. Chciałam tylko panią poinformować, że wkrótce będziemy mieli w domu nowego lokatora. – Co powiedziawszy, skłoniła się Ermingardzie i oświadczyła, że musi się teraz zająć Nati.

Gdy Lora odchodziła na górę, Ermingarda Klampt śledziła ją pełnym jadu wzrokiem.

– Chciałabyś, co? Ale jeśli pojawi się tu nauczycielka, to tylko taka, którą ja wybiorę.

– Co się dzieje, mamo? – z korytarza dobiegł głos Armgardy, która nadchodząc, usłyszała ostatnie słowa. Ermingarda odwróciła się do niej rozgniewana.

– Dorothea Simmern chce zatrudnić nauczycielkę dla tego bachora. A przecież to moje prawo! Ja jestem odpowiedzialna za wychowanie tego dzieciaka, nikt inny.

– A gdzie się podziewa ten wsiowy junkier z Prus Wschodnich? Jeśli wkrótce nie przyjedzie, uduszę się od tych uprzejmości, które okazuję Nathalii i Lorze. Przecież wcale nie musimy traktować tej bezczelnej złodziejki, jakby była nam równa.

Armgarda spojrzała ze złością w kierunku głównego skrzydła pałacu.

– Robimy to, żeby uśpić Simmerna i Lorę – odpowiedziała matka, zmuszając się do spokoju. – Niech ludzie myślą, że podporządkowaliśmy się dyktatowi Simmerna. Ale jak tylko wybuchnie skandal, wyjdzie na to, że jesteśmy biednymi, oszukanymi krewnymi, którzy przerażeni jego niegodziwością wezmą we własne ręce wychowanie naszej drogiej Nathalii. Sądzę, że internat w Szwajcarii byłby odpowiednim miejscem dla tej smarkuli. Tam trzcinką po łapach nauczą ją dobrych manier. My natomiast moglibyśmy mieszkać tu sobie wygodnie i robić to, na co mielibyśmy ochotę.

Ermingarda chciała udzielić córce jeszcze kilku wskazówek, co ma robić, ale wtedy rozległ się dzwonek.

– To na pewno znowu ten głupi Simmern! – zawołała Armgarda i oddaliła się pospiesznie.

Jej matka skierowała się ku schodom i spojrzała z góry na hol. Jeden ze służących otworzył właśnie drzwi i wpuścił do środka przystojnego młodego mężczyznę.

– Dzień dobry, kogo mam zaanonsować państwu Klamptom? – zapytał gościa.

Ku rozczarowaniu Ermingardy przybysz nie podał swojego nazwiska, tylko wręczył służącemu wizytówkę.

– Proszę zaanonsować mnie pannie Huppach!

– Tak jest, panie baronie.

Fridolin mógłby wyjaśnić lokajowi, że jego rodzina używa określeń freiherr i freifrau, a nie baron i baronowa, ale dał sobie z tym spokój. Niechże ów człowiek nadal tkwi w błędnym przekonaniu, że tytuły te są tożsame. Ermingardę, która słyszała wymianę zdań między służącym a Fridolinem, naprowadziło to na zły trop. Zlustrowała gościa spojrzeniem i uznała, że jest wprawdzie ubrany modnie, ale nieprzesadnie drogo, i zbyła go wzruszeniem ramion. Mimo to zeszła na dół i poczekała, aż wróci służący.

– Kto to był? – zapytała, ledwo ten wyszedł zza rogu.

Poczciwy lokaj został dokładnie poinstruowany przez Konrada i nie zamierzał dzielić się z Ermingardą całą swą wiedzą.

– Znajomy pana Simmerna. Jak słyszałem, mieszka teraz u niego.

Nie skłamał, ale dalej zwodził Ermingardę.

– Wygląda na to, że to baron znajdujący się w finansowych tarapatach. Prawdopodobnie przyciągnęły go pieniądze, które Lora dostała od dziadka – zadrwiła.

Służący ściągnął brwi.

– To młoda dama dostała jakiś spadek? Nic o tym nie wiedziałem. Czy mogę wrócić do pracy, jaśnie pani?

Nie czekając na odpowiedź, skłonił się i odszedł.

Ermingarda machnęła z pogardą ręką. Nie interesował jej gość tego pokroju. Wróciła więc do zachodniego skrzydła i od razu rozpętała burzę, bo nie przyniesiono świeżej butelki wina, chociaż zażądała tego już w południe.

IX

L ora popatrzyła uważnie na Fridolina i odetchnęła z ulgą.

– Wygląda na to, że doszedłeś do siebie.

– Dzięki Bogu! Zawdzięczam to pani Simmern. Zajmowała się mną ofiarnie. Przez jakiś czas walczyłem z następstwami choroby morskiej, a potem złapałem głupie przeziębienie. Dlatego nie mogłem cię wcześniej odwiedzić. Nie chciałem zarazić ciebie i komtesy Nathalii.

– To miło z twojej strony!

Lora uśmiechnęła się i poprosiła Fridolina, żeby usiadł. Gdy ten spoczął, Nati zakradła się mu za plecy i klasnęła w dłonie tuż przy jego uchu.

– Ale cię przestraszyłam – zawołała, gdy się wzdrygnął.

– Ale tylko dlatego, że jestem słaby i chory – odpowiedział Fridolin z uśmiechem, do którego przymusił się z niemałym trudem.

Uważał, że niesforna smarkula zasłużyła sobie na kilka klapsów w tyłek. Ale wiedział doskonale, że Lora nie przystałaby na taką karę dla swojej podopiecznej. Żeby ochronić się przed kolejnymi atakami tego rodzaju, sięgnął do kieszeni marynarki, wyciągnął tabliczkę czekolady i podał dziewczynce, wykonując przed nią ukłon.

– Proszę, to dla ciebie.

Czekolady Nathalii nigdy nie brakowało, mimo to jej niechętna mina się rozjaśniła. Wzięła tabliczkę, dygnęła i powiedziała:

– Dziękuję!

– Potrafi być jednak uprzejma – powiedział do Lory rozbawiony Fridolin.

– Nati jest uprzejma wobec wszystkich ludzi, których lubi!

– W takim razie mam nadzieję, że mnie również przyjmie do z pewnością powiększającego się grona jej przyjaciół.

Fridolin po raz drugi zerknął na dziewczynkę; właśnie rozrywała tekturowe opakowanie, w które zapakowana była czekolada, a potem zaczęła jeść z zadowoloną miną.

Lora wstała i zadzwoniła po służbę.

– Każę, żeby przyniesiono dla ciebie kieliszek wina.

Natychmiast przyszła młoda dziewczyna i dygnęła.

– Panienka sobie życzy?

– Poproszę kieliszek wina dla naszego gościa i wilgotną chusteczkę dla komtesy Nathalii! – Dziewczynka zdążyła już sobie ubrudzić czekoladą palce i policzki, które domagały się szybkiego wyczyszczenia.

Służąca skinęła głową i wyszła. Butelkę wina, która miała właśnie zostać zaniesiona do pomieszczeń Ermingardy Klampt, przekierowano natychmiast do kuchni. Dama z zachodniego skrzydła będzie musiała jeszcze poczekać na zamówiony trunek. Tymczasem do pokoju Lory wszedł Konrad i zaserwował Fridolinowi wino.

– Na zdrowie! – powiedział z uśmiechem. Spojrzał na Nati i zaproponował: – Może pójdziemy razem do kuchni i sprawdzimy, co dzisiaj będzie na kolację?

Ale mała za nic na świecie nie chciała dać się wyciągnąć z pokoju.

– To nie wypada – stwierdziła – żeby dama siedziała sam na sam z mężczyzną!

Konrad nie potrafił znaleźć żadnego przekonującego kontrargumentu, wziął więc Nati za rękę i podszedł wraz z nią do okna, żeby dać Lorze i Fridolinowi możliwość zamienienia swobodnie choć kilku słów.

– Musisz mnie uważać za mięczaka, bo rozchorowałem się po całej tej historii – powiedział przygnębiony Fridolin, przejęty tym, że nie popisał się szczególnym bohaterstwem.

– Ale cóż mogłeś poradzić? – próbowała pocieszyć go Lora.

Fridolin westchnął.

– Powaliła mnie nie tylko choroba. Do tej pory jeszcze nigdy nie strzelałem do człowieka, żeby pozbawić go życia. Ale na statku musiałem to zrobić, w przeciwnym razie tamci dranie zabiliby ciebie. Potem czułem się okropnie, a do tego doszła choroba morska. Sama nie ścięłaby mnie tak z nóg.

– Ale przecież brałeś już wcześniej udział w pojedynkach – powiedziała zdumiona Lora.

– Dokładnie mówiąc, w jednym. Ale to co innego. W pojedynku celuje się na komendę z nadzieją, że będzie się ciut szybszym od przeciwnika. Mój rywal miał opinię niezbyt dobrego strzelca. Zakładałem, że mnie nie trafi. Ja postrzeliłem go w ramię, ale nie była to groźna rana! Już następnego dnia mógł towarzyszyć swej żonie w wyprawie do opery.

– Czy pojedynkowaliście się o tę panią? – zapytała Lora, chociaż wiedziała, że nie wypada tak dociekać.

– Na Boga, nie! – Fridolin rozłożył ręce, jakby się przestraszył. – Ten człowiek był pijany i zaczął się awanturować. Od słowa do słowa i w końcu doszło do pojedynku. Sądzę, że bał się bardziej ode mnie.

Fridolin wypowiedział te słowa w tak zabawny sposób, że Lora się roześmiała.

– Na Przenajświętszą Panienkę, szkoda, że przy tym nie byłam.

– Lepiej, że nie byłaś! To nie widok dla kobiety!

Fridolin przypomniał sobie, jak starł się ze swoim przeciwnikiem w Le Plaisir u Hedy Pfefferkorn. Szlachcic wybrał sobie jedną z dziewczyn, ale był zbyt pijany, żeby stanąć na wysokości zadania. Zamiast uznać, że to wina alkoholu, obwinił za to kobietę i bijąc ją po twarzy, przegnał z pokoju. Fridolin nie dopuścił, żeby awanturnik zrobił coś gorszego, i po wymianie obelg doszło do pojedynku. Ale nie była to historia, którą chciałby opowiedzieć Lorze, dlatego poczuł ulgę, gdy zmieniła temat.

– Co teraz będziesz robił? Wrócisz do Berlina?

– Prawdopodobnie – odpowiedział Fridolin, ponieważ uważał, że tylko tam znajdzie głupców, którzy będą gotowi płacić mu w zamian za zapoznawanie ich z nocnymi atrakcjami miasta.

Lora westchnęła.

– Właściwie to szkoda. Chciałabym, żebyś mógł tu zostać.

– Chętnie bym tak zrobił, ale wtedy musiałbym podjąć pracę, przez którą nie mógłbym już drukować na mojej wizytówce korony freiherra. Nikt nie zatrudni arystokraty w charakterze oficjalisty ani referenta. Nie tak łatwo o posadę, która pozwoliłaby mi w dalszym ciągu używać tytułu.

– Dlaczego więc nie zrezygnujesz z tytułu freiherra, jeśli ci tak zawadza? – zapytała Lora.

– To jedyna rzecz, jaką posiadam. Nie za bardzo uśmiecha mi się życie urzędniczyny, gnębionego przez jakiegoś tępego przełożonego. Wcześniej zawsze mówiłem, że poczekam, aż osiągnę pełnoletniość, a wtedy ożenię się z pulchną córką jakiegoś nowobogackiego, który będzie uszczęśliwiony, że jego wnuczęta otrzymają arystokratyczny tytuł. Może i faktycznie tak zrobię.

– Życzę ci powodzenia! – Lora skrzyżowała ręce na piersiach i spojrzała na niego pytająco. – Dlaczego właściwie pojechałeś za mną do Anglii?

– Bałem się o ciebie! Jak sądzisz, co czułem, gdy przeczytałem, że statek, którym podróżowałaś, zatonął w ujściu Tamizy? Mogłem mieć jedynie nadzieję, że przeżyłaś. Chciałem ci pomóc, gdyby się okazało, że pozostałaś bez środków do życia.

Lora wiedziała, że Fridolin nie śmierdzi groszem, spojrzała więc na niego wzruszona.

– Jesteś skarbem!

– Żeby zdobyć pieniądze na podróż, po raz pierwszy w życiu celowo oszukiwałem przy grze w karty. Oczywiście nie oskubałem biedaka, lecz jednego z tych nowobogackich, którzy sądzą, że za swoje pieniądze mogliby kupić cały świat. Poza tym suma ta nie była jak dla niego wcale aż tak wielka. W przypływie dobrego humoru człowiek ten potrafi w jeden wieczór zmarnotrawić dużo więcej. Planowałem, że za te pieniądze popłyniemy razem do Ameryki i się tam urządzimy. Została mi jeszcze pewna sumka.

Zaskoczona Lora przełknęła ślinę.

– Popłynąłbyś ze mną do Ameryki?

Przyglądając się Fridolinowi, stwierdziła, że powiedział prawdę. Wtedy uświadomiła sobie, że w Ameryce musieliby się pobrać. Przed wyjazdem z Prus Wschodnich ta myśl wydałaby się jej dziwna, ale teraz widziała Fridolina w zupełnie innym świetle. Może i był lekkomyślny i miał swoje wady, ale gotowy był poświęcić się dla innych. Poza tym chyba ją lubił, w przeciwnym razie nie zdecydowałby się na taką wyprawę. Lora pomyślała o Thomasie Simmernie; pokochała go pierwszą dziewczęcą miłością, lecz musiała wyrzucić go z serca. Wciąż jeszcze czuła z tego powodu żal, ale cieszyła ją świadomość, że na świecie jest inny człowiek, dla którego jest kimś ważnym. Coś w głębi duszy mówiło jej, że Fridolin jest w stosunku do niej taki miły nie tylko z dobrego serca i poczucia odpowiedzialności.

– Naprawdę bardzo żałuję, że musisz wracać do Berlina – powtórzyła zmartwiona.

Poczuła ulgę, gdy Nati, która znudziła się patrzeniem przez okno, podeszła do niej i zażądała, by koniecznie się razem pobawiły.

X

Ottokar von Trettin przyjrzał się listowi posępnym wzrokiem. W ciągu ostatnich trzech dni co najmniej dziesięć razy brał tę kartkę do ręki i czytał. Teraz rzucił ją na stół i zwrócił się do żony:

– Poradź mi, co mam robić!

Malwina wzięła pismo do ręki i przejrzała je jeszcze raz, chociaż podobnie jak mąż mogłaby już cytować jego treść z pamięci.

– Nad czym się jeszcze zastanawiasz? – powiedziała z naciskiem.

– Wdowa po panu von Retzmannie informuje, że Lora wkradła się w łaski opiekuna jej stryjecznej wnuczki, aby ten powierzył jej nadzór nad dzieckiem.

– Nie ma w tym nic nagannego. Jeżeli powiemy sąsiadom, że Lora przebywa u rodziny grafa Retzmanna i dotrzymuje towarzystwa jego wnuczce, nikt nie będzie miał do nas pretensji, że przegnaliśmy biedną dziewczynę z Trettina!

Ottokar zazgrzytał zębami, ponieważ już kilka razy mu to wytknięto. Żona grafa Elchberga oznajmiła nawet, że jeśli Lorze coś się stanie na obczyźnie, będzie to wina jego i Malwiny.

– Ten list mógłby przekonać kilku sąsiadów, że Lorze nie dzieje się krzywda – dodał. – I okaże się, że ci, którzy od nas stronią, nie mają racji! Graf Elchberg miał ostatnio czelność nie zaprosić nas na bal maskowy.

– A co z pieniędzmi? Wdowa po panu von Retzmannie… Jak to możliwe, że po śmierci małżonka zdecydowała się wyjść za zwykłego fabrykanta?! Otóż pisze ona, że Lora ma podobno dużo pieniędzy! To na pewno suma, którą twój stryj wyprowadził z majątku. Chcesz zrezygnować z tych pieniędzy? – Głos Malwiny stał się ostry jak nóż.

W przeciwieństwie do męża uważała, że tylko w jeden sposób można zmusić sąsiadów, by przestali na nich sarkać – muszą mianowicie ściągnąć Lorę do Trettina. Oczywiście nie umieściłaby dziewczyny w kuchni, by ją tam wykorzystywać jako pomywaczkę, chociaż miała na to ochotę. Ale nikt nie mógłby jej nic zarzucić, gdyby Lora szyła dla niej garderobę. Już kilka razy się zdarzyło, że Malwinie pozazdroszczono sukni wykonanej przez Lorę na zlecenie krawcowej de Lepin. Dlatego już nieraz żałowała, że nie ściągnęli dziewczyny na czas do pałacu. Teraz dostrzegła szansę, by dostać ją w swoje ręce, a wraz z nią pieniądze, które ukradł stary Wolfhard von Trettin. Nie miała pojęcia, o jaką sumę mogło chodzić, ale oczyma duszy widziała pokaźną kwotę.

– Pojedziesz do Bremy i rozmówisz się z tą Ermingardą Klampt. Wygląda na to, że chce się pozbyć Lory. Dlatego chętnie ci pomoże sprowadzić tę niewdzięczną dziewuchę na właściwą drogę, czyli do Trettina! W ten sposób zrobisz dobry uczynek. Lorze brak obycia. Taka niedoświadczona dziewczyna mogłaby trafić na złych ludzi i stracić przez to majątek. Może by się nawet stoczyła! Jak sądzisz, co powiedzieliby sąsiedzi, gdyby ta smarkula wylądowała w jakimś berlińskim albo bremeńskim burdelu?

Malwina nie pozostawiała żadnych wątpliwości, że nie popuści. W przeciwieństwie do męża nie miała zamiaru przypochlebiać się sąsiadom ani rezygnować z pieniędzy zagarniętych przez dziadka Lory. Poza tym uznała, że taniej by ją wyszło, gdyby Lora szyła dla niej suknie, a poza tym madame de Lepin nigdy do końca nie potrafiła jej zadowolić.

– Faktycznie, ze względu na pieniądze warto byłoby ściągnąć tu Lorę. Chociaż zgodnie z kodeksem rodu ma prawo do sumy, która przypadłaby w spadku jej matce…

Ottokar zamilkł, ale jego żona natychmiast podjęła tę myśl:

– Te pieniądze zostały już wypłacone Leonorze Huppach z domu von Trettin w momencie zawarcia przez nią małżeństwa. Oboje uzgodniliśmy, że tak będziemy mówić. Lorze nie przysługuje ani grosz. Czy może chcesz własnych synów uczynić nędzarzami z powodu tej niepokornej dziewuchy?

Życie na Trettinie dalekie było od nędzy. Malwina wiedziała to równie dobrze, co jej mąż. Ale jej – w przeciwieństwie do Ottokara – nie dręczyły żadne inne troski poza tymi, które dotyczyły przyszłości ich synów. Nie miała też koszmarów ani nie wzdrygała się za każdym gwałtowniejszym podmuchem wiatru.

Ottokar miał teraz całkiem inne problemy niż pieniądze Lory. Otrząsnął się, przytłoczony złowrogimi wspomnieniami, i wyjrzał w zamyśleniu przez okno. Na skraju lasu dostrzegł jakiś cień i mimowolnie cofnął się w głąb pokoju.

– Nie chciałbym akurat teraz zostawiać ciebie i chłopców samych. Mam jakieś niejasne przeczucia.

– Znowu zobaczyłeś tego leśnego upiora? – zapytała drwiąco jego żona. – Na Boga, ale z ciebie tchórz!

– Tam ktoś był! Widziałem go wyraźnie.

Malwina wydęła pogardliwie usta.

– To pewnie śnieg spadł z drzewa, nic więcej. Masz minę, jakbyś spojrzał śmierci prosto w oczy.

Na te słowa Ottokar ukrył twarz w dłoniach. Od chwili zabójstwa Florina odczuwał trwogę. Miał wrażenie, że strzelając do stangreta, po raz drugi zmienił ścieżki ludzkiego życia. Próbował wytłumaczyć to swojej żonie:

– Mam wrażenie, że powinienem tę dziewczynę zostawić samej sobie. Folwark prosperuje doskonale, nie potrzebujemy pieniędzy, które posiada Lora. Naszego młodszego syna możemy i tak wysłać do szkoły kadetów, a później odpowiednio wyposażyć. Pokażmy sąsiadom naszą dobrą wolę i zostawmy Lorę u tej szacownej rodziny.

Malwinę zaskoczył całkiem nowy ton u męża. W osłupieniu pokręciła głową i podeszła do niego zdenerwowana.

– Pojedziesz do Bremy i przywieziesz Lorę, zrozumiałeś? Jeśli tego nie zrobisz, sama się tym zajmę! Nie machniemy ręką na te pieniądze tylko z powodu kilku zawistnych sąsiadów. Najpóźniej latem zapomną o pogrzebie tego starego capa Wolfharda i znów będą nam przysyłać zaproszenia.

Ottokarowi zabrakło dalszych argumentów. Pokonany opuścił głowę. Malwina najpierw pogłaskała go po policzku, a potem leciutko cmoknęła.

– Właśnie dlatego powinieneś wybrać się w tę podróż. Zmienisz otoczenie, będziesz mógł porozmawiać z ludźmi na poziomie, a jednocześnie pokażesz sąsiadom, jak bardzo troszczysz się o Lorę.

– Od tej sprawy z Florinem mam wrażenie, że czeka nas zguba!

– Na Boga, czemu tak cię dręczy, że jego zwłoki gdzieś przepadły? Masz teraz nowego stangreta, który nie łazi ciągle ze skwaszoną gębą.

– Żeby chociaż znalazło się ciało!

Ottokar wytarł sobie czoło, potem jeszcze raz zerknął za okno i niczego nie zobaczył. Odetchnął z ulgą i zwrócił się do żony:

– Masz rację. To wszystko bzdury! Pojadę.

W skrytości ducha postanowił, że na kilka dni zatrzyma się w Berlinie i znów odwiedzi ów burdel, do którego zaprowadził go kiedyś Fridolin. Od tego czasu minął ledwie rok, a jednak przez ten czas tyle się w jego życiu zmieniło. Teraz był panem na Trettinie, jego stryj nie żył, a Fridolin na pewno ciągle jeszcze żerował na przybyszach z prowincji, którzy chcieli użyć miejskich atrakcji.

– Może odwiedzę Fridolina i zabiorę go ze sobą do Bremy. Zawsze dobrze się dogadywał z Lorą i na pewno zdoła ją przekonać, że powinna wrócić do Trettina.

Wypowiedział tę myśl na głos i natychmiast spotkał się z gwałtownym sprzeciwem ze strony żony.

– Będziesz się trzymał z daleka od tego niebieskiego ptaka! Fridolin jest darmozjadem i skończy kiedyś w rynsztoku.

Malwina zdawała sobie doskonale sprawę, że jej mąż wiązał z przejazdem przez Berlin pewne zamiary. Ale niewiele jej to przeszkadzało. Mężczyźni potrzebują od czasu do czasu sobie ulżyć, a potem czują wyrzuty sumienia i tym gorliwiej spełniają życzenia swoich małżonek.

XI

Gdyby Ottokar nieco później spojrzał jeszcze raz przez okno, znów dojrzałby cień na skraju lasu. Stał tam Florin, jego były stangret, którego jak sądził, pozbawił życia i którego zwłok nigdy nie odnaleziono. Mężczyzna poruszał się powoli i raz za razem pokaszliwał. Gdy dostał szczególnie gwałtownego ataku kaszlu, wyciągnął z kieszeni chusteczkę i wytarł sobie usta. Spojrzał na tkaninę, znajdowały się na niej czerwone smugi krwi.

– Tobie to zawdzięczam, Ottokarze von Trettin! Ale poczekaj, zapłacisz mi za to!

Florin wzdrygnął się, usłyszawszy swój ochrypły głos. Jednocześnie dotknął piersi, która znowu zaczęła go boleć. Rany postrzałowe jeszcze się nie zagoiły. Mężczyzna wiedział, że nigdy nie wróci całkiem do zdrowia. Przystanął na skraju lasu i obserwował pałac, póki niebo na wschodzie nie pociemniało, a zmierzch nie położył się cieniem na okolicy. Wtedy zawrócił i powędrował na przełaj przez las w kierunku drogi prowadzącej do należącego kiedyś do starego pana von Trettina domku myśliwskiego.

Zrobiło się już całkiem ciemno. Gdy dotarł na miejsce, Miena otworzyła mu drzwi i pokręciła głową.

– Że też ci się nie znudzi biegać tak ciągle na folwark. W końcu Ottokar pójdzie za tobą po śladach i znajdzie cię tutaj.

Florin machnął ręką.

– Jestem ostrożny. Nie robię świeżych śladów, tylko idę po tych, które wydeptali parobcy z folwarku.

– Mimo to powinieneś dać już sobie z tym spokój – wtrącił Kord.

– To ci tylko jeszcze bardziej szkodzi i na to... – tu wskazał pierś Florina, która wciąż się nie zagoiła – ...i na to – tym razem wskazał jego głowę.

Stangret roześmiał się gorzko.

– Ottokar von Trettin za wszystko zapłaci: i za wymordowanie rodziny nauczyciela, i za śmierć starego pana, i za to, co mi zrobił.

– Nie powinieneś wyręczać Boga, bo spotka cię kara – zganiła go Miena.

Florin skrzywił się i pokręcił głową.

– Ścieżki Pana Boga są niezbadane. Po co by sprawiał, bym przeżył strzały Ottokara von Trettina, jeśli nie po to, żeby powierzyć mi to zadanie?

– Żyjesz, bo proch w starych nabojach nie był dość silny, by cię zabić – odpowiedział Kord w tonie nagany.

Florin podszedł do pieca, wziął wazówkę, nalał sobie gorącej wody do kubka i dopełnił go mocną jałowcówką Korda.

– Kule nie miały siły, by mnie zabić. Ale zatruł mnie grynszpan, który osadził się na łuskach. Słyszeliście, co powiedział doktor! Moje płuco mogłoby wyzdrowieć, gdybym wyjechał na jakiś czas gdzieś, gdzie panuje łagodniejszy klimat, na przykład do Italii. Ale na podróż do Italii mogą sobie pozwolić tylko jaśnie państwo, a nie taki parobek jak ja. Nigdy nie ujrzę Italii, umrę tutaj. Ale przysięgam, że nie udam się w tę podróż sam.

Słowa Florina zabrzmiały jak wyrok śmierci dla Ottokara von Trettina, dlatego Miena i Kord poczuli ulgę, gdy następnego dnia się dowiedzieli, że Ottokar von Trettin wyjechał w daleką podróż i nie wiadomo, kiedy wróci. Mieli nadzieję, że zdołają w tym czasie przekonać Florina, by poniechał zemsty. Chcieli poprosić doktora Mütze, żeby on także przemówił mu do rozumu. Uznali, że z jego słowem Florin będzie się bardziej liczył.

XII

Ulica, przy której mieszkał teraz Fridolin, była jeszcze nędzniejsza niż ta, gdzie Ottokar von Trettin spotkał się z nim ostatnim razem. Dlatego ordynat zawahał się, czy w ogóle ma podejść do drzwi domu i zapukać. Ale tak mocno pragnął, by kuzyn zaprowadził go do Le Plaisir, że wyzbył się wszelkich wątpliwości. Gotów był nawet dać Fridolinowi kilka talarów, jeśli ten pójdzie razem z nim do burdelu. Chciał mu też zafundować uciechy z jedną z dziewcząt. Wydawało mu się, że jego własny grzech będzie wtedy lżejszy.

Do tej pory nigdy jeszcze nie zastanawiał się nad tym, czy jest grzesznym człowiekiem. Nawet gdy w płomieniach zginęła jego kuzynka, wmawiał sobie, że chciał spalić tylko szopę z sianem. Ale od chwili, gdy zastrzelił Florina, zaczął odczuwać coś w rodzaju wyrzutów sumienia. Stangreta zabił umyślnie. W bezsenne noce rozmyślał o tym, gdzie mogło się podziać ciało. Być może drapieżne zwierzęta zaciągnęły je w leśną gęstwinę i pożarły. A może znaleźli je mieszkańcy domku myśliwskiego i potajemnie pogrzebali. Może Kord i Miena byli nawet świadkami morderstwa.

Zły sam na siebie, że znów obciąża sobie głowę tymi myślami, zastukał kołatką. Minęła dłuższa chwila, nim otworzyła mu starsza kobieta w prostej, skromnej sukience. Przechylając głowę, spojrzała na gościa, którego się tu nie spodziewała.

– Czego pan chce?

Odrobina grzeczności by nie zaszkodziła, pomyślał Ottokar von Trettin, ale postarał się być uprzejmy.

– Chciałbym rozmawiać z panem Fridolinem von Trettinem.

– Z nim pan chce rozmawiać? To mógł pan sobie darować drogę. Zniknął jeszcze przed Bożym Narodzeniem i nawet nie zapłacił za dwa ostatnie miesiące. Jeśli pan go zobaczy, może mu pan przekazać, że rzeczy, które zostawił, przeniosłam na strych. Dostanie je z powrotem, gdy spłaci swój dług. A może przyszedł pan po jego rzeczy?

W oczach kobiety zalśniła iskierka nadziei, ale zgasła natychmiast, gdy Ottokar von Trettin pokręcił głową.

– Nie... ja... chyba już sobie pójdę.

Skinął krótko głową, odwrócił się i pospiesznie odszedł. W głowie kłębiły mu się myśli. Wychodzi na to, że jego kuzyn zniknął po pogrzebie stryja. Przez moment Ottokar sądził, że mogło to mieć związek z Lorą, ale potem odrzucił tę myśl. W takim wypadku Lora nie zostałaby boną młodej komtesy w Bremie. Prawdopodobnie wierzyciele Fridolina stali się zbyt natarczywi i kuzyn nie widział innej możliwości, jak zniknąć im z oczu. Ottokar von Trettin prychnął z pogardą na tę myśl i sam siebie nazwał sentymentalnym głupcem, że chciał odwiedzić Fridolina. Wielkopańskim ruchem przywołał dorożkę, wsiadł i kazał się zawieźć na ulicę, przy której znajdował się burdel Hedy Pfefferkorn.

Tam zapłacił za przejazd i zapukał do drzwi. Tym razem otworzono mu natychmiast. Starszy mężczyzna, który miał na sobie coś w rodzaju liberii, popatrzył na niego badawczo, a potem powitał go przyjaźnie.

Anton, portier Hedy, domyślił się na widok Ottokara, że ma przed sobą ziemianina, który chce użyć miejskich rozrywek, i poprosił go do środka. Nowy gość podał mu laskę, płaszcz i kapelusz, a następnie wszedł do salonu. Tam kilku dziarskich oficerów przekomarzało się już z młodymi kobietami. Z tyłu starszy mężczyzna z kozią bródką rozmawiał z faworytką Hedy. Dziewczątko wyglądało tak młodo, że mogłoby nosić skromny strój uczennicy internatu, i chichotało dziecinnie jak podlotek. Kilku ubranych po cywilnemu panów siedziało na miękkich pluszowych fotelach, trzymając po kieliszku wina. Palili cygara, podczas gdy dziewczęta, które zebrały się wokół nich, czekały grzecznie, aż zostaną wybrane.

Ottokar poczuł, że wzbiera w nim niezwykłe podniecenie. Wszystko działało na jego zmysły: czerwony plusz dominujący w tym pokoju, kilka obrazów z półnagimi kobietami, które miały przedstawiać greckie boginie, oszałamiający zapach perfum i skąpe stroje dziewcząt, więcej odsłaniające niż przysłaniające. Oblizał sobie wargi, przeczuwając przedsmak rozkoszy, której miał nadzieję doznać.

Ale najpierw dostrzegł na wprost siebie młodą kobietę w prostej sukni, różniącej się znacznie od odzienia dziewcząt czekających na klientów. Heda Pfefferkorn lubiła skromną elegancję. Chciała, żeby każdy natychmiast wiedział, kto tu jest szefową. W przeciwieństwie do portiera od razu poznała Ottokara, chociaż ten tylko raz odwiedził jej przybytek w towarzystwie Fridolina.

– Dobry wieczór, panie von Trettin. Cieszę się, że pana widzę! Czy mogę panu zaproponować kieliszek wina?

Heda uśmiechnęła się przyjaźnie, jak to robiła w przypadku każdego zamożnego klienta, który przekroczył próg jej lokalu. Jednocześnie kiwnęła na jedną ze swych dziewcząt, by ta przyniosła dwa kieliszki wina. Jeden z nich podała Ottokarowi.

– Pańskie zdrowie! – powiedziała.

Stuknęli się. Ottokar wypił i z uznaniem mlasnął językiem.

– Dobre wino!

– Sprowadzam tylko najlepsze gatunki i tylko najlepsze dziewczęta.

Heda z dumą wskazała ręką swoje podopieczne; zrobiły na Ottokarze wrażenie tyleż młodych, co podniecających. Zanim jednak zdołał się im bliżej przyjrzeć, Heda zadała pytanie, które dręczyło ją najbardziej.

– Słyszał pan coś o swoim kuzynie Fridolinie? Był tu u mnie ostatni raz przed około dwoma miesiącami i od tego czasu go nie widziałam.

– Nie mam pojęcia, gdzie ten nicpoń się podziewa!

Heda z żalem wzruszyła ramionami.

– Szkoda! Miałam nadzieję, że czegoś się od pana dowiem.

Dojrzała, że gość pożera wzrokiem szczególnie ładną dziewczynę, ale nie chciała pozwolić, by właśnie ją wybrał. Do lokalu miał przyjść pewien wysoko postawiony jegomość z rządu i piękność była zarezerwowana dla niego. Dlatego zwróciła uwagę Ottokara na Gerdę, która tego wieczora nie miała jeszcze ani jednego klienta.

– Jak się panu podoba tamta mała, panie von Trettin? Jest wolna i mogłaby w ciągu następnych kilku godzin być do pana dyspozycji.

Na niewidoczny dla obcych znak burdelmamy Gerda uniosła się ponętnym ruchem, udając, że musi poprawić sobie podwiązkę. Pochyliła się przy tym lekko do przodu, tak że Ottokar mógł zobaczyć nie tylko jej odsłoniętą po udo nogę, lecz także zerknąć głęboko w dekolt.

– No cóż, nie mam nic przeciwko – powiedział, ale zaraz się poprawił: – Właściwie to miałbym ochotę zabawić się z dwiema dziewczętami. Z jedną kobietą mogę pójść do łóżka i w domu.

Jego głos zabrzmiał gburowato. Goście Hedy zazwyczaj wyrażali się uprzejmiej. Nieprzyzwyczajona do grubiańskiego tonu Heda nie zganiła go jednak, tylko zapytała:

– Ma pan jakieś szczególne życzenia?

– No cóż, miałbym ochotę na coś więcej, niż tylko przespać się z panienką. Na przykład do gustu mogłaby mi przypaść miłość francuska.

Skoro już tu jestem, niech skorzystam, dodał w myślach. Potrzebował pilnie odprężenia, żeby zapomnieć o lęku, który trzymał go w swych szponach od czasu, kiedy zastrzelił Florina.

Heda w myślach pomnożyła przez cztery kwotę, jaką chciała uzyskać od tego mężczyzny za noc z jej dziewczętami, i wypowiedziała ją konkretnym tonem kobiety interesu. W przypadku stałego klienta zastosowałaby inną stawkę, ale ten junkier z prowincji nie był regularnym gościem i nie powinien sądzić, że jej dziewczęta są tanie jak ulicznice albo wiejskie niezguły z jego stron rodzinnych.

Gdy Ottokar usłyszał tę kwotę, musiał przełknąć ślinę. Heda szybko mu jednak wyjaśniła, że z obiema dziewczynami może bez przeszkód zostać w pokoju do rana, a w cenę wliczone są wino i przekąski.

Ottokar przez moment się wahał, czy warto wydać tyle pieniędzy, czy może powinien raczej odejść. Ale gdy znów spojrzał na Gerdę, łatwiej przyszło mu podjąć decyzję.

– Dobrze – powiedział. – Niech będzie. Mam zapłacić teraz czy później?

– Jest pan światowym człowiekiem, dlatego panu zaufam. Zapłaci pan, gdy będzie pan chciał opuścić mój dom. Do tego czasu życzę niezapomnianych chwil z Gerdą i Reinaldą.

– Pani dziewczęta mają bardzo niemieckie imiona! – zdziwił się Ottokar von Trettin. – W Królewcu nierządnice noszą imiona Paulette, Nanette i Ninon i pochodzą z Paryża.

– Może mi pan powiedzieć, w czym francuskie łono ma być lepsze od niemieckiego? – zapytała ironicznie Heda. – Mój drogi panie, francuskie mistrzynie tego rzemiosła pozostają w kraju, bo nie muszą wyjeżdżać za granicę. Najczęściej robią to dziwki drugiego sortu, które w rodzinnych stronach mogłyby co najwyżej obsługiwać żołdaków.

Moje dziewczęta natomiast są młode, zdrowe i czyste. Ale zaraz sam się pan przekona.

Heda pchnęła Ottokara w kierunku Gerdy i Reinaldy, które wzięły go między siebie i poszły wraz z nim na górę.

Do Hedy zbliżył się oficer ze szklaneczką koniaku w ręce i wykrzywił ironicznie usta.

– Znowu jakiś prowincjusz, co chce tu zapomnieć o pozostawionej w domu heterze?

– W każdym razie to mężczyzna z pieniędzmi, panie majorze, czego nie można powiedzieć o każdym gościu.

Oficer wiedział dokładnie, że Heda właśnie jego ma na myśli, ale tylko się roześmiał i wzniósł toast.

Tymczasem obie dziewczyny zaprowadziły swego klienta do wolnego pokoju. Dominowało w nim wielkie łoże na mosiężnym stelażu, przykryte pościelą z czerwonego aksamitu. Stał tu jeszcze niewielki kredens oraz wieszak na ubrania, żeby goście i dziewczęta nie musieli swoich rzeczy rzucać po prostu na dywan, który pokrywał podłogę od ściany do ściany. Wisiały tu również obrazy przedstawiające greckie boginie; były całkiem rozebrane i przybierały takie pozy, jakby chciały zwabić do siebie gościa i zabawić się z nim między marmurowymi posągami świątyń.

Na ten widok Ottokarowi von Trettinowi oczy prawie wyszły z orbit. Nie mógł się wprost doczekać, kiedy zobaczy obie prostytutki nagie.

Gerda nalała mu koniaku i podała kieliszek uległym gestem.

– Mamy przed sobą całą noc – powiedziała z uśmiechem.

– Będzie pan z nas zadowolony – dodała Reinalda.

Krótko przedtem asystowała koleżance, która pewnego stałego klienta traktowała jak surowa pani swego niewolnika, pomagając mu w ten sposób osiągnąć szczególne zadowolenie. Obsługa pana von Trettina będzie jednak wymagała czegoś więcej niż tylko trzymania bicza, miała więc nadzieję, że dostanie wspaniałomyślny napiwek za szczególne usługi. Żeby nie rozgniewać gościa, zaczęła powoli zdejmować z siebie ubranie, ale tak, że mógł ją widzieć tylko od tyłu. Ottokar chciał chwycić ją za pośladki, ale dostał od Gerdy klapsa w rękę.

– Tak się nie robi – zganiła go i zsunęła z siebie powoli sukienkę.

Nie miała nic pod spodem. Gdy się odwróciła, Trettin ujrzał jej kształtne piersi i jasny trójkąt na podbrzuszu, który powoli odsłoniła. Zawładnęła nim żądza i zaczął zrywać z siebie ubranie. Obie kobiety natychmiast znalazły się przy nim, oderwały jego ręce od guzików, które prawie poobrywał, i rozbierały go tak, że prawie przyprawiło go to o szaleństwo.

– Jak pan sobie życzy? Mam się spokojnie położyć na plecach jak grzeczna małżonka czy chce pan dosiąść mnie jak ogier klacz? – Reinalda uklękła, oparła łokcie na łóżku i wypięła w jego kierunku pupę.

W tym momencie Ottokar całkiem stracił nad sobą panowanie. Zapomniał o żonie, zaginionym Fridolinie i o Lorze. W tej chwili liczyło się dla niego tylko zaspokojenie żądzy. Gdy wszedł w Reinaldę i robił biodrami w przód i w tył, sapiąc przy tym głośno, wiedział, że długo nie zapomni tej nocy.

XIII

W Bremie Ermingarda Klampt coraz bardziej się męczyła, robiąc dobrą minę do złej gry.

Thomas Simmern miał do niej pretensje o dość znaczną sumkę, która została niewłaściwie wydana przez nią i jej dzieci, i na najbliższe pół roku wstrzymał im wypłatę jakichkolwiek pieniędzy na ubrania, biżuterię i podobne wydatki. Jednocześnie jego żona nalegała, żeby Ermingarda wraz z dziećmi zachowywała się tak, jak przystoi domowi pogrążonemu w żałobie. Dla Gerharda Klampta oznaczało to, że ma się trzymać z dala od klubów nocnych, wyścigów i podobnych atrakcji, a jego siostra Armgarda musiała zrezygnować z balów i wieczorków tanecznych.

Na dodatek Nati aż nazbyt wyraźnie okazywała swą niechęć do natarczywych krewnych. Nawet Lora nie dawała rady jej powstrzymać. Wciąż pozostawało zagadką, jak dziewczynka zdobyła martwego szczura, którego podrzuciła Armgardzie ostatniego wieczora do łóżka.

Teraz córka Ermingardy siedziała razem z matką i bratem. Mimo że piła drogą kawę, robiła miny, jakby w filiżance znajdował się ocet.

– Ta mała bestia musi stąd zniknąć, i to zaraz! – powiedziała ze złością, odstawiwszy filiżankę na stolik.

– Gdyby to ode mnie zależało, Nathalia jeszcze dzisiaj znalazłaby się w pociągu do Szwajcarii – powiedziała gniewnie matka. – Ale póki Simmern jest jej opiekunem, mam związane ręce.

– Kiedy wreszcie przyjedzie ten wsiowy junkier z Prus Wschodnich? – zapytała Armgarda.

Matka wzruszyła ramionami.

– Nie wiem. Niestety ciągle jeszcze nie odpowiedział na mój list.

– Może się cieszy, że pozbył się tanim kosztem swej podopiecznej i nie musi jej utrzymywać – wtrącił Gerhard Klampt.

– Ale przecież Lora opuściła podobno Prusy z całą masą pieniędzy, które należały do tego junkra – przypomniała Armgarda.

– Nie wszystko, co mówi Elsie, musi być prawdą – pokręciła głową Ermingarda Klampt. – Jeszcze raz wzięłam ją na spytki i stwierdziłam, że sama sobie w wielu sprawach przeczy. Mimo to dziwię się, że ten von Trettin nie daje znaku życia. Elsie utrzymuje, że jeszcze za życia stryja próbował wziąć dziewczynę pod swoją pieczę.

Rozgoryczona kobieta chciała znaleźć pocieszenie w solidnym łyku wina. Zakrztusiła się, bo w tym samym momencie ktoś zapukał do drzwi. Do środka wszedł służący i oznajmił:

– Z wizytą przybył freiherr Ottokar von Trettin.

– Wreszcie – uradowała się Armgarda.

Jej brat poklepał po plecach rozpaczliwie walczącą o powietrze matkę.

– Już dobrze? – zapytał, gdy Ermingarda wreszcie odzyskała oddech.

Kobieta skinęła głową.

– A ty czego stoisz? – burknęła na służącego. – Proś gościa do środka.

– Tak jest, jaśnie pani!

Służący się skłonił. W duchu dziwił się, jak to możliwe, że elegancki pan Fridolin ma krewnego o tak kmiecym wyglądzie. Gdy wyszedł z pokoju, żeby wprowadzić gościa, Ermingarda przygładziła suknię i usiadła tak, by wyglądać jak najdostojniej.

Gdy Ottokar von Trettin wszedł do środka i ich spojrzenia się spotkały, od razu zrozumiała, że znalazła sprzymierzeńca. Powitała go przyjaźnie, zaproponowała mu krzesło i powiedziała do lokaja, żeby się oddalił.

– Stój! – zawołała, gdy ten chciał już zamknąć za sobą drzwi. – Wyślij wiadomość do pana Simmerna, że oczekuję go dziś o szóstej wieczorem w moim salonie. Panienka Lora też niech wtedy przyjdzie. A teraz idź!

– Jak pani każe, jaśnie pani!

Służący skłonił się i cicho zamknął za sobą drzwi.

Ermingarda głęboko westchnęła, a potem własnoręcznie nalała gościowi swego ulubionego wina.

– Pańskie zdrowie, panie von Trettin! – powiedziała, ciesząc się w duchu na myśl, jakie głupie miny zrobią niedługo Thomas Simmern i jego żona.

XIV

Zaproszenie Ermingardy przyszło naprawdę nie w porę, bo Thomas Simmern musiał przesunąć służbowe spotkanie. Najchętniej w ogóle by je odrzucił, ale posłaniec przyniósł jednocześnie od Konrada wiadomość, która zapowiadała poważne kłopoty.

– Powinniśmy byli tych Klamptów całkiem wyrzucić z domu i wziąć dziewczynkę do siebie – powiedział do żony i rzucił list na stół.

Dorothea wzięła do ręki kartkę z wiadomością od Konrada.

– Ottokar von Trettin? To przecież kuzyn Fridolina.

– I prawny opiekun Lory – odpowiedział jej mąż chmurnie. – Mam wyrzuty sumienia, że ściągnąłem dziewczynę z powrotem do Niemiec. W Anglii byłaby bezpieczna przed tym mężczyzną.

– Mój drogi, zapominasz, w jakim ona jest wieku. Przecież nie mogłaby mieszkać sama w obcym kraju. A co się tyczy tego opiekuna, to posłuchajmy, co ma do powiedzenia. Czy byłbyś tak dobry i poprosił Fridolina, by nam towarzyszył?

Thomas Simmern dostrzegł lekki uśmieszek na ustach żony i nie po raz pierwszy pomyślał, że może Dorothea wcale nie jest taka słaba i bezradna, jak się często zdawało. Ale i tym razem nie domyślił się, co jej chodzi po głowie. Chociaż wiadomo było, że w powietrzu, niczym chmury na horyzoncie, wisi jakaś większa afera, robiła wrażenie zupełnie beztroskiej. Spytała go nawet, którą suknię ma założyć na spotkanie z ziemianinem przybyłym z Prus Wschodnich.

– Załóż jakąkolwiek. Nie sądzę, żeby jakiś junkier z prowincji wiedział, co w tym roku jest modne! – Thomas Simmern starał się ukryć rozdrażnienie, ale z ust jego żony wciąż jeszcze nie znikał ów tajemniczy uśmieszek.

Dobry humor Dorothei utrzymywał się nawet wtedy, gdy punktualnie o osiemnastej wysiedli z powozu przed pałacem Retzmannów i prowadzona przez męża wspinała się po zewnętrznych schodach ku drzwiom wejściowym, podczas gdy Fridolin szedł za nimi z miną, jakby chciał własnoręcznie udusić swego kuzyna.

Konrad czekał już na nich przy drzwiach. Jego twarz zdradzała, że on też byłby gotów popełnić morderstwo.

– Kapitanie, jeśli ten typ nie zostawi Lory w spokoju, będzie miał z nami do czynienia – powiedział na wstępie.

– Dowiedziałeś się, czego właściwie chce? – zapytał Thomas Simmern. Konrad pokręcił głową.

– Kazał się zaprowadzić do pani Klampt, do zachodniego skrzydła, i zjadł tam obiad. Od innych służących słyszałem tylko, że on i Klamptowie robili wrażenie bardzo zadowolonych.

– Nie brzmi to ciekawie. Czy Lora wie już o gościu?

– Nie, wyjechała wraz z Nati na przejażdżkę i dopiero co wróciła.

– W takim razie czeka ją niemiła niespodzianka. Idźmy już, bo jeszcze spotka go przed nami.

Thomas Simmern z ciężkim sercem wszedł na górę po schodach i skierował się ku zachodniemu skrzydłu. Z drugiej strony dostrzegł nadchodzące Lorę i Nati. Obie robiły wrażenie zdenerwowanych. Z trudem udawało im się zachować opanowanie. Najwidoczniej służba zdążyła je poinformować, co za gość zawitał w ich domu.

Lora podbiegła do wuja Thomasa i chwyciła go za rękę.

– Co mam zrobić? – zapytała drżącym głosem.

– Zachowaj spokój – powiedziała zamiast niego Dorothea i zażądała, by Konrad ich zaanonsował.

Ledwo drzwi uchyliły się na tyle, by można było zerknąć do wnętrza salonu, uświadomili sobie, że Ermingarda Klampt zamierza celebrować tę sytuację.

Siedziała między synem a córką po prawej stronie salonu. Naprzeciwko niej miejsce zajął Ottokar von Trettin. Wyglądał jak kocur, który właśnie wylizał miskę pełną śmietany.

– Jesteś wreszcie, ty krnąbrna istoto! – przywitał Lorę, celowo ignorując Dorotheę, jej męża i Fridolina.

Lora stanęła przy drzwiach i zacisnęła dłonie w pięści, nic na to nie odpowiadając.

– Może by pani uprzejmie przedstawiła nam tego pana, najdroższa Ermingardo – powiedziała Dorothea słodkim tonem.

– Oto… – wdowa teatralnie zawiesiła głos – …freiherr Ottokar von Trettin, prawny opiekun dziewczyny, którą pani mąż zatrudnił jako guwernantkę naszej drogiej Nathalii. Ta dziewczyna uciekła z domu.

Jeśli Ermingarda się spodziewała, że Dorothea na tę wiadomość zemdleje, to musiała przeżyć rozczarowanie. Żona Thomasa Simmerna uśmiechnęła się uprzejmie i odpowiedziała:

– To nie całkiem tak, moja droga pani. Lorę wysłał w podróż jej dziadek. Według naszej wiedzy jeszcze żył, gdy parowiec Deutschland opuszczał port w Bremerhaven. Wolfhard von Trettin zmarł, gdy statek zdążył już opuścić wody terytorialne Niemiec. Ponieważ panna Lora została okradziona przez pokojówkę i nie miała środków do życia, graf Retzmann, przyjaciel jej dziadka, zajął się nią i powierzył jej opiece Nathalię. Na mojego męża spadła odpowiedzialność za Lorę. Mieliśmy nadzieję, że freiherr von Trettin będzie ukontentowany, że nie musi się już troszczyć o ubogą krewną.

– Jak to ubogą? – uniósł się Ottokar von Trettin. – Lora miała przy sobie znaczną sumę. Te pieniądze należą do majątku. Chcę je z powrotem.

Elegancka mowa obrończa Dorothei tak zaskoczyła Thomasa Simmerna, że musiał zaczerpnąć powietrza, nim wmieszał się do rozmowy.

– Jeśli Lora miała jakieś pieniądze, to niestety zatonęły w pobliżu Kentish Knock – oznajmił. – Musiałby pan odszukać wrak statku i go wydobyć, żeby dostać się do tych pieniędzy.

Wyczuwał, że junkier pała żądzą posiadania, i postanowił, że ukryje przed nim skromne oszczędności Lory.

– Ona musi mieć te pieniądze! – zezłościł się Ottokar von Trettin. – Za co miałaby w takim razie otworzyć sklep odzieżowy, jak to planuje?

– Za wynagrodzenie, które graf Retzmann obiecał jej za uratowanie wnuczki i które mój mąż w przyszłości jej wypłaci – wyjaśniła Dorothea lekkim tonem.

– Chcę dostać te pieniądze!

– Zgodnie z ostatnią wolą grafa Lora otrzyma je, kiedy osiągnie pełnoletniość.

Dorothea zachowywała się tak, jakby wcale nie dostrzegała gniewu i złego zachowania gościa, lecz znajdowała się w gronie wytwornie konwersujących osób, przez co wprawiła w zdumienie nie tylko swego męża, ale też Lorę, Konrada, a szczególnie Nati, która patrzyła na Ermingardę i jej gościa pełnym złości spojrzeniem.

Lora stała blada przy ścianie i miała wrażenie, że zaraz zemdleje. W głowie kłębiły jej się myśli i wyrzucała sobie, że dbając o Nati i broniąc jej przed Ruppertem, zaniedbała samą siebie. Dziadek chciał, żeby opuściła Niemcy właśnie dlatego, by Ottokar nie miał nad nią władzy. Ach, powinnam była zostać u Mary w Anglii, pomyślała zrozpaczona. Ale było już za późno na żale. Mogła mieć tylko nadzieję, że Ottokar da się przekonać Thomasowi Simmernowi i pozwoli jej zostać w Bremie.

Ale Ermingarda nie chciała do tego dopuścić. Broniła zaciekle praw Ottokara von Trettina i oświadczyła, że jako prawny opiekun najlepiej nadaje się do opieki nad Lorą.

Ziemianin przygryzał wargi i zastanawiał się, co ma robić. Najchętniej zostawiłby wszystko tak, jak było, ale wiedział aż za dobrze, że bez Lory nie może wracać do domu. Poza tym wątpił w słowa Thomasa Simmerna, że pieniądze starego Trettina wraz ze statkiem poszły na dno. Jeśli ten majątek wciąż jeszcze istnieje, będzie mógł położyć na nim rękę, tylko jeśli Lora zamieszka pod jego dachem.

Rozważywszy to wszystko, nastroszył się i popatrzył na Simmerna i jego żonę z niechęcią.

– Zabiorę Lorę ze sobą do domu. Nikt nie może mi w tym przeszkodzić.

– Mylisz się, kuzynie – wmieszał się Fridolin, który do tej pory w milczeniu przysłuchiwał się konwersacji. – Zanim zdołasz zabrać Lorę do Prus Wschodnich, zastrzelę cię.

Sięgnął do kieszeni, żeby wydobyć pistolet, ale Dorothea położyła mu dłoń na ramieniu.

– Proszę, panie Fridolinie! Nie chcemy przecież skandalu!

– Ale się na to zanosi! – syknęła Ermingarda.

– Proszę, moja droga, nie próbuj wywierać nacisku. Nie wiadomo, kto bardziej by ucierpiał na ewentualnym skandalu. – Dorothea w dalszym ciągu pozostawała zadziwiająco spokojna. – A pan – tu zwróciła się do Ottokara – sam musi zdecydować, czy pozostawi pan Lorę pod naszą opieką, czy zechce ją pan zabrać do Prus Wschodnich.

– Zabieram ją ze sobą. Jutro rano wyjeżdżamy!

– Nie! – zawołała oburzona Lora, ale tym razem Dorothea znowu zaoponowała:

– Skoro twój opiekun mówi, że musisz z nim jechać, to nie możesz się sprzeciwiać. Jedź z nim. Spakujemy twoje rzeczy.

– A co z Nathalią? – z trudem wykrztusił Gerhard Klampt. – Powinna zostać moją podopieczną, a ja zarządcą jej majątku.

– Nie sądzę, aby mój mąż zrezygnował z obowiązku, który nałożył na niego graf Retzmann. A teraz *adieu*! Pomogę Lorze się spakować i nie będę już tu zachodzić, żeby się pożegnać. Ach, Thomasie, ty i pan Fridolin nie musicie na mnie czekać. Wezmę dorożkę.

– Odeślę powóz! – Głos Thomasa Simmerna zapowiadał potężną awanturę małżeńską, ale to też specjalnie jej nie zaniepokoiło. Chwyciła Lorę pod ramię i ruszyła ku drzwiom. – Chodź! Mamy jeszcze dużo do zrobienia.

Simmern patrzył za nimi, a potem z gniewną miną zwrócił się do Ottokara von Trettina:

– Ostatnie słowo nie zostało jeszcze powiedziane. Niebawem pan o mnie usłyszy.

Potem ruszył ku wyjściu, dając znak Fridolinowi, by poszedł za nim. Na korytarzu stanął na chwilę i wypuścił z płuc powietrze.

– Gdybym dłużej pozostał w tym pomieszczeniu, to chyba udusiłbym tę wstrętną intrygantkę Ermingardę oraz Ottokara von Trettina.

– Nie pozwolę, by Lora odjechała z tym mordercą – wyrzucił z siebie Fridolin.

Wtedy wmieszał się Konrad:

– Kapitanie, zanim obaj coś zrobicie, powinien pan porozmawiać z żoną. Patrzyła tak jakoś przewrotnie!

XV

Lora rzuciła się na łóżko, schowała twarz w poduszce i zaszlochała. Nati, która stała pośrodku pokoju, popatrzyła z wściekłością na Dorotheę.

– Jesteś podła, bardzo podła, wiesz?

– Wręcz przeciwnie, jestem bardzo miła – odpowiedziała rozbawiona Dorothea. – Według prawa, Loro, twój prawny opiekun ma uzasadnione roszczenia. Przetrzymywanie cię tu wbrew jego woli spowodowałoby skandal, który mógłby zmusić mego męża do rezygnacji z opieki nad Nati i z zarządzania jej majątkiem. Ermingarda i jej dzieci tylko na to czekają. Poza tym zła sława przywarłaby również do ciebie. Nie mogłabyś dostać posady, która byłaby dla ciebie odpowiednia.

– Nie zostanę na Trettinie – odpowiedziała hardo Lora.

– Oczywiście, że nie. Konrad i Fridolin pojadą za tobą następnym pociągiem i pomogą ci uciec. Za dwa miesiące skończysz szesnaście lat i tym samym będziesz mogła wyjść za mąż. W krajach skandynawskich nie przykłada się takiej wagi do opiekunów prawnych i podobnych uregulowań. A więc będziesz mogła wyjść tam za Fridolina. Wtedy prawo opieki przejdzie na niego i gdy wrócicie, Ottokar von Trettin będzie mógł ze złości stawać na głowie, ale nie będzie miał nad tobą władzy. Jako żona Fridolina możesz wrócić do Bremy i dalej być guwernantką, towarzyszką i przyjaciółką Nati w jednej osobie. Lubisz go przecież, prawda?

Lora z wahaniem skinęła głową. Przystałaby na każde rozwiązanie, które mogłoby ją uratować przed Ottokarem von Trettinem i jego żoną, a małżeństwo z Fridolinem było w jej oczach jednym z przyjemniejszych rozwiązań.

Jedynie Nati nie zgadzała się na ten plan. Chciała mieć Lorę tylko dla siebie. Oznajmiła głośno, że nie zamierza się nią dzielić z innym człowiekiem. Dorothea poprosiła ją, by zachowywała się ciszej, i wyjaśniła krótko, że to jedyna możliwość, by Lora nadal mogła być boną dziewczynki. Gdy Nati się uspokoiła, Dorothea zebrała rzeczy, które Lora miała wziąć ze sobą, i zapakowała je do walizki. Na koniec objęła dziewczynę i pocałowała ją w oba policzki.

– Zobaczysz, wszystko będzie dobrze.

– Mam nadzieję!

Lora z lękiem pomyślała o tym, że wspólna ucieczka z Fridolinem będzie oznaczała konieczność wejścia na pokład statku, może nawet niejednego. Ale wolała uciec za morze, niż znajdować się pod pieczą Malwiny, choć na pokładzie Deutschlandu i Strathclyde'a przeżyła taki koszmar.

– Pójdę już, Loro! Ponieważ nieprędko się zobaczymy, życzę ci wiele szczęścia. Ufaj Bogu, mnie i Fridolinowi! Do zobaczenia.

Dorothea jeszcze raz pocałowała Lorę, wzięła na chwilę Nati w ramiona, a następnie z opanowaną miną opuściła pokój. Nie chciała, żeby ktokolwiek dostrzegł jej pogodny nastrój, bo mogłoby to zaalarmować Ermingardę i Ottokara von Trettina.

Była zadowolona z rozwoju sytuacji. Wprawdzie lubiła Lorę, ale wciąż jeszcze widziała w niej ewentualną rywalkę zagrażającą jej małżeństwu. I chociaż Lora już nie patrzyła z takim uwielbieniem na Thomasa jak wtedy, gdy wrócili z Anglii, to Dorothea się ucieszyła, że dziewczyna przystała na propozycję wyjścia za Fridolina. Ów młody mężczyzna nie był wprawdzie chodzącym ideałem, ale Dorothea była pewna, że wraz z mężem zdoła wytrzebić pewne jego wady.

XVI

Ottokar von Trettin leżał już w łóżku, gdy ktoś zapukał do drzwi jego sypialni.

– Kto tam? – zapytał niezbyt uprzejmym głosem.

– Jaśnie panie, to ja, Elsie! Muszę coś panu powiedzieć – dobiegł go cichy głos.

Ottokar przez moment się zastanawiał, czy ma jej wysłuchać, po czym wstał i otworzył drzwi. Służąca natychmiast wślizgnęła się do środka i chwyciła go za rękę.

– Kochany jaśnie panie, będziecie przecież potrzebowali pokojówki dla Lory, gdy zabierzecie ją do Prus Wschodnich.

Malwina z pewnością nie miała zamiaru przyznawać Lorze pokojówki, ale Ottokar wiedział, że gdyby sam jeden przyjechał do domu
z małoletnią dziewczyną, dałby ludziom pretekst do gadania. Niejeden sąsiad przypisywałby mu złe zamiary i robił dwuznaczne uwagi,
które akurat teraz nie byłyby mu w smak. Mimo to nie palił się, by
zatrudniać dawną służącą swego stryja.

– Poproszę panią Klampt, żeby dała mi do dyspozycji jedną ze
swoich służących – powiedział oschle.

Elsie tak łatwo się nie poddawała.

– Reszta służby należy do domu i podlega Thomasowi Simmernowi. Nikt spośród nich nie pojedzie z wami. Poza tym na Trettinie
mogłabym wykonywać też inne zadania. Byłabym dobrą pokojówką
dla małżonki jaśnie pana. Dla was, jaśnie panie, też mogłabym być
użyteczna.

– Niby w jaki sposób? – zapytał drwiąco Ottokar.

Elsie uklękła przed nim, uniosła jego koszulę nocną i śmiało pod
nią sięgnęła. Jęknął, gdy poczuł jej zimne palce na swoim członku.
Elsie masowała lekko jego prącie, które zrobiło się twarde i sztywne,
ale ona nie przerwała jak Reinalda w Le Plaisir, tylko robiła to dalej.

– A więc dobrze, możesz jechać! – obiecał jej, sapiąc głośno.

W duchu postanowił wypróbować z Elsie wszystko to, co poka-
zały mu dziewczęta Hedy Pfefferkorn. Uznał, że to go wyniesie taniej,
niż gdyby musiał za każdym razem jechać do Berlina, żeby zaznać
przyjemności. Gdy jeszcze się zastanawiał, co zrobić, żeby na Trettinie
nikt nie dowiedział się o usługach wyświadczanych mu przez Elsie,
dopadła go żądza i zapomniał o wszystkim wokół, oprócz tej młodej
kobiety gotowej na wszystko, byle uciec od bicia i skąpstwa Ermingardy Klampt.

Ponieważ pani Klampt nie zdołała pozbawić Thomasa Simmerna
prawa do opieki nad Nati i do zarządzania majątkiem dziewczynki,
Elsie nie mogła liczyć na dodatkowy zarobek za szczególne usługi
świadczone Gerhardowi Klamptowi. Ci dwoje stracili już zainteresowanie Lorą. Teraz panienką Huppach miała zająć się Malwina von
Trettin. Na tę myśl Elsie poczuła złośliwą satysfakcję.

CZĘŚĆ ÓSMA

Powrót do domu

I

Powrót w ojczyste strony wyglądał zupełnie inaczej, niż to sobie Lora wyobrażała. Ottokar von Trettin nie przywiózł jej dyskretnie, po cichu, lecz wręcz przeciwnie – zachowywał się tak, jakby całemu światu chciał pokazać, że wziął dziewczynę pod swoje skrzydła. Już w Heiligenbeilu powstało zbiegowisko. Ludzie gapili się z ciekawością na ordynata. Tu także wiedziano o tragedii, która zdarzyła się swego czasu w Trettinie, i wielu mieszkańców interesowało się dalszym losem rodziny. Wśród ciekawskich znalazła się też Senta, służąca doktora Mütze. Lora pomachała jej krótko ręką, a przestraszona kobieta wzdrygnęła się i pobiegła w kierunku domu lekarza. Z pewnością natychmiast poinformuje o wszystkim doktora i jego żonę. Ale tych dwoje też nie będzie mogło pomóc Lorze. Dziewczyna musiała czekać, aż Konrad i Fridolin uwolnią ją i wywiozą w bezpieczne miejsce. Wierzyła, że jej nie zawiodą.

Fridolin mnie uratuje, pomyślała. Przecież pojechał aż do Anglii, żeby mi pomóc. Zastanawiała się, co młodzieniec sądzi o ich zaplanowanym przez panią Simmern małżeństwie. Czy on, elegancki pan z Berlina, zadowoli się wiejską dziewczyną z Prus Wschodnich, której największą ambicją jest szycie sukien dla eleganckich dam? Lora uświadomiła sobie boleśnie, że życie z nim nie będzie wcale takie łatwe. Miała jednak nadzieję na szczęśliwy koniec i na to, że uda im się wywieść w pole ohydnego Ottokara i jego Malwinę.

Lora nie zapomniała, że za wszelką cenę nie powinna okazywać nadziei ani optymizmu na przyszłość. Z tego powodu przez całą podróż zachowywała się wobec wuja niechętnie i nie reagowała, ani gdy ją zagadywał, ani gdy robiła to Elsie. Powrót do Prus był dla niej nie do zniesienia przede wszystkim ze względu na towarzystwo służącej. Obłudna dziewczyna zachowywała się tak, jakby Lora była więźniarką, której należy pilnować. Każdego wieczora zamykała ją na klucz, a sama spała w izbie obok. Lora jednak zorientowała się, że służąca przychodzi do łóżka bardzo późno, a ponieważ nie była już tak niedoświadczona jak przed ucieczką, zrozumiała, co oznaczają spojrzenia, które Elsie i Ottokar von Trettin wymieniają między sobą. Tych dwoje najwidoczniej łączyło coś, do czego nie powinno było dojść między panem i służącą.

Przybycie powozu z Trettina wyrwało Lorę z zamyślenia. Na koźle nie siedział Florin, który swego czasu jako jeden z pierwszych stanął po stronie Ottokara von Trettina, lecz nieznany jej stangret. Mężczyzna zeskoczył z kozła tak szybko, jakby bał się ordynata, po czym otworzył drzwiczki powozu.

Ottokar von Trettin chciał wsiąść jako pierwszy, ale się opamiętał i odwrócił.

– Szybko, wsiadaj, ty uciekinierko! – powiedział do Lory.

Dziewczyna usłuchała bez sprzeciwu i zajęła miejsce tyłem do kierunku jazdy, żeby nie siedzieć obok swego krewnego. Jej opiekun usiadł jak zwykle w szerokim rozkroku. Elsie na moment się zawahała. Nie odważyła się jednak usiąść obok swego pana, lecz wybrała miejsce obok Lory.

– Wkrótce będziemy w Trettinie, jaśnie panie! – powiedziała i mruknęła jak kotek.

Widać po niej było, jak bardzo jest zadowolona. Wprawdzie będzie musiała mieć się na baczności przed Malwiną, ale była przyzwyczajona do sekretów. Jeśli zręcznie weźmie się do rzeczy i będzie zadowalać Ottokara von Trettina w taki sposób, jak on sobie tego życzy, zdoła wyciągnąć mu z kieszeni tyle pieniędzy, że za rok lub dwa rozpocznie nowe życie. W myślach drwiła z mężczyzn, którym nie wystarczało współżycie z małżonką, lecz życzyli sobie w łóżku rzeczy wręcz obrzydliwych dla porządnej kobiety. Jej gotowość spełniania szczególnych życzeń pana von Trettina dawała jej władzę nad nim, a wraz z nią perspektywę profitów.

Ordynat nie miał pojęcia, o czym rozmyśla jego służąca, lecz upajał się spojrzeniami, którymi wodzono za nim w Heiligenbeilu. Najpóźniej jutro każdy w powiecie będzie wiedział, że pan von Trettin spełnił swój obowiązek i sprowadził podopieczną z powrotem. A więc Malwina będzie z niego zadowolona, choć nie udało mu się wywęszyć, gdzie są pieniądze, które przywłaszczył sobie jego stryj. Jeśli wciąż jeszcze gdzieś są, w końcu się o tym dowiedzą i wejdą w ich posiadanie. Jeśli jednak, jak twierdził Thomas Simmern, zatonęły wraz ze statkiem Deutschland, to trzeba będzie je odżałować, co jednak wcale nie zmniejszało jego triumfu nad Lorą i jej dziadkiem.

Również Lora zatopiła się w myślach. Powóz tymczasem zmierzał w kierunku jej rodzinnych stron. Gościniec wciąż jeszcze częściowo pokryty był śniegiem wymieszanym z błotem. Dziewczyna całe życie spędziła w tej okolicy. Po raz pierwszy opuściła powiat zaledwie przed trzema miesiącami, lecz wszystko sprawiało na niej tak obce wrażenie, jakby wyjechała stąd wiele lat temu. Zastanawiała się, jak mogło do tego dojść, że Anglia i Brema wydają jej się teraz bardziej swojskie niż kraj jej dzieciństwa. Przeoczyła nawet zjazd na prowadzącą do domku myśliwskiego leśną drogę. Zaskoczona spojrzała na wieś, na której skraju stał dom jej rodziców. Resztki murów i zwęglone belki przypominały jeszcze o pożarze, kiedy to jej rodzina straciła życie. Lora przeżegnała się i zmówiła modlitwę za rodziców i rodzeństwo oraz za dziadka.

Wiejski kościół, w którego kierunku spoglądała wcześniej z podziwem, zrobił na niej teraz wrażenie małego i nijakiego. Plebania też w gruncie rzeczy była niewiele okazalsza niż przeciętna wiejska chata.

Ottokar von Trettin kazał zatrzymać się przed budynkiem plebanii.

– Dzień dobry, wielebny – powiedział z dumą do pastora, gdy ten wyszedł do niego. – Jak wielebny widzi, odnalazłem wnuczkę mojego stryja i przywiozłem z powrotem, żeby ochronić ją przed niebezpieczeństwami wielkiego miasta, na które taka młoda istota jest narażona.

– Bogu w niebiesiech niech będą dzięki! Jeśli pan pozwoli, panie Ottokarze, będę od jutra przychodził regularnie do pałacu, żeby przywrócić pańską podopieczną właściwej wierze.

Rozmawiają o mnie, jakbym była jakimś przedmiotem, a nie żywym człowiekiem, pomyślała Lora i popatrzyła sztywno przed siebie, nie zaszczycając pastora nawet jednym spojrzeniem czy słowem na powitanie.

Ottokar von Trettin kazał stangretowi ruszać dalej. Podczas jazdy kilka razy skinął głową mieszkańcom wsi, którzy powychodzili z ciekawości ze swoich chat. Chciał, by wszyscy się dowiedzieli, że przywiózł Lorę. Żałował, że ze względu na porę roku nie jadą otwartym powozem. Gdyby tak było, wówczas każdy mógłby zobaczyć dziewczynę. Nakazał więc stangretowi jechać powoli, aby ludzie mogli zajrzeć do wnętrza pojazdu przez otwarte okna. Tuż przed pałacem jego wzrok powędrował w kierunku lasu. Ordynat zeźlił się sam na siebie, bo znów mu się zwidziało, że dostrzega tam jakiś cień. Do tej pory był zadowolony, że posłuchał Malwiny i pojechał do Bremy. Od owej oszałamiającej nocy w berlińskim burdelu nie męczyły go już złe sny, a duchy zmarłych, które dotąd go prześladowały, najwidoczniej gdzieś się ulotniły.

II

Malwina von Trettin czekała na męża i na pojmaną uciekinierkę na dużych zewnętrznych schodach pałacu. Gdy powóz się zbliżył i przez otwarte okno w drzwiach pojazdu zdołała dojrzeć jego wnętrze, uśmiechnęła się z triumfem i wyszła naprzeciw.

Ottokar wysiadł z powozu, sięgnął rękoma do środka i wyciągnął stamtąd Lorę. Zaraz potem ze środka wyłoniła się Elsie, ale Malwina nie zwróciła na nią uwagi, lecz stanęła przed Lorą i spojrzała na nią drwiąco.

– Jest więc nasza uciekinierka! – powiedziała i wymierzyła dziewczynie policzek.

Lora przyjęła uderzenie bez mrugnięcia okiem, podobnie jak i drugie, które Malwina wymierzyła jej w drugi policzek.

– Żebyś więcej nie ważyła się uciekać! – krzyknęła ordynatowa. – Chodź! Pokażę ci twój pokój. Okna są zakratowane, a drzwi będziemy zamykać na klucz. Nie chcemy, żebyś znowu dała drapaka.

Potem chwyciła Lorę brutalnie za ramię i pchnęła ją w kierunku domu.

Lorę kusiło, żeby powiedzieć tej aroganckiej kobiecie, co o niej sądzi. Ale wtedy znowu otrzymałaby od niej razy. Na pewno próbowałaby się przed nimi bronić. Przypomniała sobie jednak, co opowiadano o Malwinie. Wiedziała, że kobieta potraktowałaby ją jak zwykłą dziewkę służebną. Zbiłaby ją laską tak mocno, że Lora nie mogłaby z bólu ani siedzieć, ani leżeć. Dlatego pozwoliła zaprowadzić się do małej izdebki na strychu, w której znajdowały się jedynie proste łóżko, stojak na miskę, krzesło i mały stolik z przybornikiem do szycia.

– To twój pokój. Będziesz mogła go opuszczać jedynie za moim przyzwoleniem – zarządziła Malwina.

Lora się domyśliła, że ciotce chodzi przede wszystkim o to, by pokazać, że ma nad nią władzę. Wcześniej takie groźby napełniłyby ją strachem, ale teraz wierzyła w spryt Konrada i odwagę Fridolina. Na pewno nie będzie musiała długo tu przebywać.

– Chyba ci mowę odjęło, co?

Malwina zezłościła się, że nie otrzymała odpowiedzi, i znowu się zamachnęła. Lora się uchyliła, na co ordynatowa zareagowała śmiechem i pokazała przybornik krawiecki.

– Przez najbliższe tygodnie będziesz zajęta szyciem. Potrzebuję nowej garderoby na lato. A więc żwawo, bierz się do roboty. Przyniosę ci wykroje, które sprowadziłam z Berlina.

Drwiące słowa Malwiny przypomniały Lorze zawstydzającą scenę w salonie mody u madame de Lepin. Wtedy przysięgła sobie, że już nigdy nie uszyje nic dla swej ciotki. Nie wiedziała, ile czasu Konrad i Fridolin będą potrzebowali, żeby ją uwolnić. Nie chciała, by Malwina mogła paradować w wykonanej przez nią sukni. Dlatego spojrzała na ciotkę z pogardą i powiedziała:

– Nie będę dla ciebie szyć, Malwino. Możesz mi kazać, bym przynosiła drewno na opał, sprzątała stajnie albo obierała w kuchni buraki. Wszystko to zrobię. Ale nie zmusisz mnie, bym choć raz wkłuła dla ciebie igłę w tkaninę.

– Tak? No to zobaczymy! Teraz zostaniesz tu, w pokoju. Jedzenie dostaniesz dopiero wtedy, gdy będziesz gotowa robić dokładnie to, czego od ciebie zażądam. Zrozumiałaś?

Malwina nie traktowała sprzeciwu Lory poważnie. Nie da jej dwa albo trzy razy posiłku i dziewczyna spuści z tonu. Z takim przeświadczeniem wyszła z izdebki i zaryglowała od zewnątrz drzwi.

Mąż czekał na nią na korytarzu.

– Czy musisz traktować Lorę tak szorstko? – zapytał. – Sąsiedzi się o tym dowiedzą i będą gadać, a wtedy jeszcze bardziej stracimy w ich oczach.

Na ustach Malwiny zagościł uśmiech wyższości.

– Mój drogi, najpóźniej za rok nikt nie będzie pamiętać, że kiedyś istniała jakaś Lora Huppach, a nas wszyscy będą traktować z szacunkiem należnym panu i pani von Trettinom.

Ottokar wcale nie był o tym przekonany, ale brakowało mu siły perswazji, by wpłynąć na zachowanie małżonki.

– Mam nadzieję, że wiesz, co robisz – powiedział tylko i chciał odejść. Wtedy przypomniało mu się, że musi poinformować żonę o czymś jeszcze. – Przywiozłem służącą, która wcześniej pracowała dla mojego stryja, a potem wyruszyła w podróż razem z Lorą. Była wcześniej dobrą pokojówką u pewnej grafini, ale przez nieszczęśliwe zrządzenie losu musiała wykonywać słabo płatną pracę służącej. Sądzę, że mogłaby niejednego nauczyć twoją obecną pokojówkę, bo wcześniej wraz ze swą panią podróżowała po całej Europie.

– Przyjrzę się tej dziewce – obiecała Malwina i spojrzała ostro na męża.

Wyglądał tak, jakby gryzło go sumienie. Zaczęła więc podejrzewać, że coś musi być na rzeczy w związku z tą nową służącą. Przypomniała sobie plotki, które stawiały Elsie w złym świetle. Sama z siebie na pewno nie przyjęłaby tej dziewczyny na służbę. Z drugiej strony Elsie mogłaby pilnować Lory. Może nawet przekonałaby ją, że nie warto być krnąbrną. Co zaś się tyczy szanownego małżonka, Malwina poczuła zadowolenie, że nie będzie musiała tak często znosić jego szorstkich objęć w nocy i tego, co po nich następowało. Nie obchodziło jej, że Ottokar będzie zapewne szukał zaspokojenia swej chuci u służącej. Zamierzała wykorzystać jego wyrzuty sumienia. Niewierność małżeńską Ottokar okupi kilkoma błyskotkami i innymi upominkami.

Tymczasem Lora rozejrzała się po pokoju. Z ulgą stwierdziła, że pod łóżkiem znajduje się nocnik, tak więc nie będzie musiała pukać w drzwi i prosić, by wypuszczono ją do wychodka. Złożyła starannie płaszcz i z braku szafki położyła go na krześle. Bielizna na zmianę i wszystko, co zapakowała jej Dorothea, pozostało w walizce, która musiała jej służyć jako zastępcza komoda.

Mimo napięcia i nieprzyjaznego otoczenia musiała powstrzymywać się od śmiechu. Ktoś, kto jak ona przetrzymał trzydzieści godzin na tonącym statku, nie da się zastraszyć groźbom Malwiny.

Podeszła do okna i otworzyła je, żeby przyjrzeć się kratom. Ponieważ pomieszczenie służyło jako schowek, to już dawno nie sprawdzano żelaznych prętów. Szarpnęła mocno kratę i zdołała wyjąć dwa pręty. Mogłabym teraz wyjść na zewnątrz, pomyślała. Spojrzała na ścianę budynku, żeby sprawdzić, czy dałaby radę tamtędy zejść. Jej brat Wolfi kilka razy wspiął się po ścianie pałacu aż na sam dach i z powrotem zszedł na ziemię. Jeśli będzie musiała, też to zrobi. Szybko się cofnęła, żeby nikt z dołu nie zobaczył zepsutej kraty. Dwa obluzowane pręty włożyła na swoje miejsce. Ponieważ nie wiedziała, gdzie by się mogła schronić i poczekać na Fridolina i Konrada, uznała, że lepiej będzie pozostać tu jakiś czas, aż się pojawią. Gdy jeszcze raz zerknęła przez okno, dojrzała na skraju lasu męską sylwetkę. Czyżby jej zbawcy przybyli już do Trettina? Niestety, nieznajomy szybko zniknął i dziewczyna nie mogła mu się dokładniej przyjrzeć. Dlatego usiadła na łóżku i czekała.

III

Wiadomość, że Ottokar von Trettin przywiózł Lorę do pałacu, rozeszła się szybko po okolicy i wkrótce dotarła też do domku myśliwskiego w lesie. Kord na własne oczy widział powóz i powiedział o przyjeździe Lory Mienie i Florinowi. Mówiąc o tym, walczył ze łzami. Miena zaczęła lamentować na tę wieść. Florin natomiast wziął lornetkę myśliwską doktora i wybiegł z domu. Ruszył na przełaj przez las, nie zważając na to, że zostawia ślady. W końcu zatrzymał się za bezlistnymi krzakami na skraju lasu. W tym miejscu czatował godzinami, żeby obserwować Ottokara von Trettina. Gdy tym razem przystawił sobie lornetkę do oczu, wypatrywał jednak kogoś innego. Przeszukał cały front pałacu i w końcu odkrył ruch za zakratowanym oknem na strychu.

Przyjrzawszy się dokładniej, rozpoznał Lorę i mimowolnie postąpił krok naprzód. Popatrzył jeszcze, jak dziewczyna zamyka okno, opuścił lornetkę, zwiesił głowę i ciężkim krokiem wrócił do domku myśliwskiego.

Tam Kord i Miena wpędzali się nawzajem w czarną rozpacz. Florin posłuchał krótko ich lamentów i uderzył pięścią w stół.

– Koniec z tym! W ten sposób na pewno jej nie pomożemy.

– Co mamy zrobić? – zapytał przygnębiony Kord. – Może pastor miał rację, mówiąc, iż los Lory to konsekwencja grzechów popełnionych przez jej dziadka.

– Ględzenie klechy! – ofuknął go Florin. – Gdyby pastor był prawdziwym pasterzem swojego stada, już dawno przemówiłby naszemu panu do rozumu. W Elchbergu tamtejszy pastor i graf już kilka razy wzięli się za łby, że aż leciały wióry. A nasz pastor włazi panu Ottokarowi w tyłek.

– Może jednak wielebny wstawi się u jaśnie pana za Lorą, jeśli go o to poprosimy – powiedziała Miena.

Florin pokręcił gniewnie głową.

– Co najwyżej spróbuje wyplenić z niej katolicyzm za pomocą witki, a poza tym powie jej, że z woli Boga ma słuchać Malwiny. On powtarza to, co chcą usłyszeć od niego jaśnie państwo.

– Ale musimy przecież coś zrobić! – zawołał przygnębiony Kord.

– Wy dwoje nic nie zrobicie! Jeśli chcecie, możecie się modlić. Ja się tym zajmę – powiedział Florin z naciskiem.

Staruszkowie popatrzyli po sobie z lękiem.

– Co zamierzasz zrobić? – zapytał Kord.

– Nic, czym powinniście się przejmować.

Florin odwrócił się do nich plecami i otworzył drzwi pomieszczenia, w którym Wolfhard von Trettin trzymał swój sprzęt myśliwski i które doktor Mütze wykorzystywał w tym samym celu. Kord wyciągnął jeszcze rękę, chcąc go powstrzymać, ale spojrzał na skamieniałą twarz Florina i cofnął się przerażony.

– Na Boga, nie zrób nic, czego byś później żałował!

– Bądź pewien, że niczego nie będę potem żałował.

W głosie Florina zabrzmiało zadowolenie. Poklepał Korda po ramieniu, potem wszedł do pokoju i zamknął za sobą drzwi.

IV

Chociaż na łóżku zamiast materaca leżał tylko zwykły siennik, a pościel cuchnęła stęchlizną, Lora szybko zasnęła i obudziła się wypoczęta i rześka. W nocy przyśnili jej się Fridolin i Konrad. Próbowali ją uwolnić różnymi, coraz bardziej skomplikowanymi sposobami. Za każdym razem, gdy ponosili fiasko, zaśmiewali się wszyscy razem. Gdy otworzyły się drzwi jej pokoju, musiała wciąż jeszcze mieć na twarzy ślady rozbawienia. Do środka weszła Elsie, komenderując kilkoma służącymi, które wniosły wodę do mycia i ręcznik.

Kobiety spoglądały na Lorę z ciekawością i jednocześnie ze współczuciem. Dziewczyna odniosła wrażenie, że chcą jej coś powiedzieć. Ale Elsie nie dopuściła ich do głosu. Od razu wypędziła je z izby. Potem oparła się o futrynę i spojrzała z drwiną.

– Powinnaś się umyć, zanim woda całkiem wystygnie.

Lora włożyła palec do miski i stwierdziła, że woda jest tak zimna, jakby dopiero co zaczerpnięto ją ze studni. Wcześniej by jej to nie przeszkadzało, ponieważ w domu w ciągu tygodnia też mogła się myć jedynie w zimnej wodzie; tylko w sobotę wieczorem robiono ciepłą kąpiel. Ostatnie tygodnie, spędzone w luksusowych hotelach w Harwich, Londynie i Southampton, wydelikaciły ją jednak pod tym względem.

Ale ponieważ musiała przyjmować sprawy takimi, jakie są, wzruszyła ramionami i umyła zęby, a potem twarz i ręce. Nie chciała w obecności Elsie rozbierać się do naga, jak to czyniły dziewki folwarczne w łaźni.

– Malwi… Jaśnie pani jest na ciebie zła. Powinnaś być bardziej posłuszna – powiedziała pokojówka z udawaną serdecznością.

Lora wzruszyła ramionami.

– I tak będzie mnie źle traktować. Dlaczego więc mam robić coś, co poprawi jej humor?

Elsie dalej jej dogryzała:

– Zawsze byłaś uparta. Ale tym razem na nic ci się to nie zda. Jaśnie pani już cię sobie podporządkuje.

Lora odwróciła się do niej plecami i ściągnęła koszulę, żeby umyć się dokładniej. Służąca zrozumiała, że nic więcej nie zyska, więc opuściła izdebkę. Znalazłszy się na zewnątrz, zasunęła ze złośliwą satysfakcją rygiel i ruszyła w kierunku pomieszczeń zajmowanych przez Ottokara von Trettina, żeby tam rzekomo posprzątać. W rzeczywistości miała ordynata zaspokoić w taki sposób, jaki najbardziej mu się podobał. Elsie uważała to za poniżające, ale w swojej sytuacji nie mogła sobie pozwolić na skrupuły. Zamierzała kiedyś opuścić tę zabitą dechami wieś i zacząć wszystko od początku, a do tego potrzebne jej były pieniądze.

W myślach skręciła kark Gustawowi, który namówił ją, by okraść Lorę i zostać z nim w Niemczech. Drań ją omamił, w tanim hotelu w Bremie wygrzmocił jeszcze raz od tyłu, a potem zniknął wraz ze wszystkimi pieniędzmi i kufrem Lory. Gdyby Deutschland nie zatonął, a Lora szczęśliwie dotarła do Ameryki, Elsie na pewno wciąż jeszcze płakałaby za zmarnowaną szansą.

– Czy nasza więźniarka jest dzisiaj bardziej przystępna?

Głos Malwiny wyrwał Elsie z zamyślenia. Dziewczyna dygnęła i pokręciła głową.

– Niestety nie, jaśnie pani. Ale sądzę, że niedługo spotulnieje.

– Chcę ją widzieć za godzinę w moim salonie. A na razie wracaj do pracy, tylko się nie obijaj!

Gdy Malwina się oddaliła, Elsie wydęła ironicznie usta. Co pani Malwina by powiedziała, wiedząc, jaka praca czeka jej pokojówkę? Z tą myślą skierowała się do korytarza, gdzie mieszkał Ottokar von Trettin. Od razu weszła do garderoby. Pomieszczenie było niewielkie, a na dodatek zastawiono je potężnymi szafami. Ponieważ nie było tu okien, nikt przez przypadek nie mógł dojrzeć, co dzieje się w środku.

Elsie nie musiała długo szczotkować marynarek i spodni oraz układać koszul pana, ponieważ po chwili Ottokar wszedł do środka i już w drzwiach zaczął rozpinać spodnie.

– Musimy się pospieszyć! Niedługo mamy pójść do salonu mojej żony. Przyjdzie też pastor, żeby przemówić Lorze do rozumu.

Elsie uklękła i zaczęła zadowalać pana. Miała wrażenie, że Ottokar żałuje, iż jego żona z taką surowością traktuje Lorę. Najwidoczniej jaśnie pan ma nadzieję, pomyślała, że pastor przemówi do rozumu nie tylko upartej Lorze, ale też Malwinie. Gdyby to zależało od pana Ottokara, Lorę traktowano by tu jak członka rodziny.

W oczach Elsie ordynat był obleśną świnią. Zmuszał ją, by na osobności robiła mu rzeczy, które jego żona, pastor i na pewno większość ludzi w okolicy uznaliby za obrzydliwe. Ale w towarzystwie pragnął uchodzić za czcigodnego i nieskazitelnego arystokratę. I to dlatego chciałby zapewne, by Malwina traktowała Lorę łagodniej.

Będę musiała jego żonę jeszcze bardziej napuścić na Lorę, postanowiła Elsie. Jeśli panienka umocni swoją pozycję, na pewno doniesie na mnie, że jestem złodziejką, a niektórzy uwierzą jej tylko dlatego, że jest wnuczką freiherra.

Elsie bała się, że plotki mogłyby sprawić, iż ktoś zainteresuje się nią bliżej i znajdzie w rejestrze policyjnym w Gdańsku zapis, przez który nie mogła pracować dla wysoko postawionych dam. Gdyby nie tknęła wtedy biżuterii zmarłej albo była sprytniejsza, nie musiałaby teraz robić temu zboczonemu jaśnie panu rzeczy, które w głębi duszy napawały ją wstydem.

V

Rozprawa może się już zaczynać, pomyślała Lora, gdy Elsie przyprowadziła ją do salonu Malwiny. Oprócz państwa von Trettinów zebrali się tu jeszcze pastor, nowy nauczyciel i grono oficjalistów z folwarku. Na korytarzu czekało w pogotowiu kilkoro służących. Udawali, że stoją tu, by być pod ręką, gdyby jaśnie państwo sobie czegoś życzyli. W rzeczywistości chcieli być świadkami tego, co będzie działo się w środku.

Lora była świadoma, że Malwina chce ją wszystkim przedstawić jako krnąbrną istotę, którą trzeba należycie wychować. Świadczył o tym dobór zaproszonych gości. Wszyscy oni byli po stronie Ottokara, gdy ten wdał się ze stryjem w spór o majątek. Teraz Malwina będzie się im przymilać i opowiadać rzeczy, które według niej powinny trafić do uszu ludzi mieszkających w okolicy.

Nim Lora zdążyła coś powiedzieć, Malwina ją ofuknęła:

– Mogłabyś przynajmniej powiedzieć dzień dobry! Widzisz przecież, że mamy gości.

– Dzień dobry. – Lora lekko dygnęła, witając się ogólnie, i z powrotem zamilkła.

– Musimy z tobą porozmawiać – ciągnęła Malwina. – Twoja ucieczka…

– Przepraszam, ale ja nigdzie nie uciekłam – przerwała jej Lora. – Dziadek wyprawił mnie w podróż. Elsie może to potwierdzić. Jeśli nie zechce, możecie spytać przewoźnika Wagnera, doktora Mütze albo wuja Fridolina.

Twarz Malwiny zrobiła się czerwona. Najchętniej by Lorę spoliczkowała. Dziewczyna nie da się zastraszyć tak łatwo, jak sądziłam, pomyślała. Z trudem stłumiła złość i wbiła jej następną szpilę:

– Porządna dziewczyna nigdy by się na coś takiego nie zgodziła. Powinnaś była przyjść do nas, do pałacu. Przecież wiedziałaś, że mój mąż będzie twoim opiekunem prawnym.

– Mogłaś też przyjść na plebanię – odezwał się pastor. – Moja żona i ja na pewno byśmy ci pomogli.

Lora się uśmiechnęła, chociaż najchętniej naplułaby temu człowiekowi w twarz.

– Niech pastor wybaczy, ale poprzednik pastora nauczył mnie, żebym czciła ojca swego i matkę swoją, a szczególnie dziadka jako głowę rodziny. Ponieważ dziadek kazał mi jechać do Ameryki, nie mogłam mu się sprzeciwić.

– Co za bzdura! – zawołał ordynat. – Nawet ty powinnaś wiedzieć, że dziecko w twoim wieku może w tym niecywilizowanym kraju zejść jedynie na psy.

– Och, mój dziadek uważał, że uchroni mnie przed tym, oddając pod opiekę sióstr zakonnych, które niestety zginęły w Anglii, pochłonięte przez wodę. Miałam u nich mieszkać, póki nie osiągnę pełnoletniości.

Co za dziwna sytuacja, pomyślała Lora. Oto stała przed ludźmi, których najbardziej w świecie nienawidziła, i czuła bardziej rozbawienie niż skrępowanie, widząc, jak rozpaczliwie próbują manipulować faktami. Miała jednak nadzieję, że nie będzie musiała dłużej uprawiać z nimi tej gry, bo mina Malwiny wyraźnie zapowiadała, że pani ordynatowa każe jej odpokutować za bezczelne zachowanie.

Tymczasem pastor rozpoczął swój wykład, który skończył twierdzeniem, że Lora powinna dziękować Bogu, iż z powrotem znalazła się w rodzinnych stronach, gdzie są ludzie pragnący otoczyć ją opieką. Malwina gorliwie przytaknęła, również kilka innych osób skinęło głową, Ottokar von Trettin natomiast, skonfundowany przemową pastora, musiał się napić koniaku.

– Będziesz swej ciotce we wszystkim posłuszna i z całego serca podziękujesz jej za dach nad głową oraz chleb, który dają ci ona i jej małżonek – zakończył pastor swe kazanie i spojrzał tęsknie na butelkę koniaku.

Ottokar von Trettin nie zwrócił jednak na niego uwagi, tylko w zamyśleniu wpatrywał się w Lorę. Zastanawiał się, czy kilkoma ustępstwami nie mógłby jej nakłonić, by była posłuszna jego żonie. Spojrzenie na twarz Malwiny sprawiło, że zarzucił tę myśl. Jego połowica nie zadowoli się niczym innym niż całkowitym podporządkowaniem Lory.

Na to jednak w tej chwili się nie zanosiło. Lora popatrzyła na ludzi zebranych w salonie, potarła sobie przy tym nieświadomie czoło i odrzekła:

– Żałuję, że nie potrafię czuć wdzięczności, której się po mnie oczekuje. Sama dałabym radę zarobić na życie. Graf Retzmann, który stracił życie na tonącym Deutschlandzie, powierzył mi w krytycznej chwili opiekę nad swoją wnuczką. Obecny opiekun prawny dziewczynki, pan Thomas Simmern, udziałowiec i wysoki przedstawiciel armatora Norddeutscher Lloyd, poprosił mnie, bym nadal zajmowała się osieroconą komtesą. Miałam pracować jako guwernantka i dama do towarzystwa, a w podzięce obiecał mi, że później, gdy komtesa już nie będzie mnie potrzebowała, przekaże mi pieniądze, bym mogła otworzyć sklep.

Teraz niektórzy ze słuchaczy spojrzeli po sobie ze zdziwieniem. Malwina nic im o tym nie wspomniała. Żona Ottokara uświadomiła sobie, że musi coś zrobić, żeby nie wyjść na heterę niszczącą podopiecznej męża widoki na dobrą przyszłość.

– To wierutne bzdury! – zawołała. – O ile wiem, Thomas Simmern nie jest już wcale opiekunem komtesy. Jest nim pan Klampt z Bremy. A ten wezwał nas pisemnie, byśmy cię stamtąd zabrali, ponieważ uznał, że w ogóle nie nadajesz się na opiekunkę komtesy.

Ten argument trafił obecnym do przekonania. Większość z nich pokiwała głową, a Ottokar von Trettin odetchnął z ulgą. Niebezpieczeństwo, że sąsiedzi jeszcze bardziej się do nich zrażą, było na razie zażegnane. Tak więc stanął z pyszną miną, chcąc podkreślić swój autorytet.

– Rozmawiałem z panem Klamptem i jego matką, wdową po grafie Retzmannie. Oboje stwierdzili, że Lora nie nadaje się do towarzystwa dla ich młodej krewnej. Z tego powodu poprosili mnie, żebym zabrał dziewczynę. Gdyby nie byli zatroskani dobrem Lory, nie zrobiliby tego. Służącą, która nie spełnia oczekiwań, wystawia się po prostu za drzwi!

Malwina obdarzyła męża pełnym uznania spojrzeniem, pod wpływem którego odetchnął zadowolony. Podeszła do Lory.

– Jako osoba bez żadnych środków do życia powinnaś być szczęśliwa, że dostaniesz od nas za darmo dach nad głową i wyżywienie.

– Dobrze powiedziane! – przytaknął pastor.

Oczy Lory zapłonęły buntowniczo.

– Dach nad głową i opiekę dostałabym także w majątku grafa Elchberga, gdybym się tam zatrudniła jako służąca. A do tego dostawałabym jeszcze wynagrodzenie za pracę, którą tu mam wykonywać za darmo.

– Ty uparta dziewucho! – Malwina nie zdołała się opanować i uderzyła Lorę w twarz.

– A poza tym nikt by mnie tam nie bił – dodała niewzruszona Lora.

Malwina ze złości zamachnęła się po raz drugi.

– Ty, ty… Nauczę cię pokory, nawet jeśli codziennie będę musiała cię chłostać!

Wszyscy obecni patrzyli jak zaczarowani na Malwinę i jej ofiarę, dlatego nie dostrzegli mężczyzny, który pojawił się na zewnątrz, na tarasie. Był pochylony, twarz miał wykrzywioną z bólu, a pod pachą niósł strzelbę. Dopiero gdy szyby w drzwiach zabrzęczały od uderzenia kolbą i kawałki szkła upadły na podłogę, przestraszeni ludzie odwrócili głowy.

– Florin? Nie, to niemożliwe! – Ottokar zrobił się biały jak świeżo spadły śnieg. Zrobił kilka kroków do tyłu, osłaniając się rękoma.

Jego byly stangret sięgnął do środka przez zbitą szybę, otworzył drzwi i wszedł do salonu. Kawałki rozbitego szkła zgrzytały pod jego podeszwami. Wymierzył broń w swego byłego pana i powiedział:

– Wróciłem stamtąd, dokąd mnie posłaliście, panie von Trettin. Z piekła. Powinniście byli sprawdzić, czy udało się wam mnie zabić, gdy do mnie strzelaliście. Nie zdziwiło was, że nie odnaleziono moich zwłok? A powinno było! Teraz przybyłem tu w imieniu boskiej sprawiedliwości, żebyście zapłacili za wasze zbrodnie.

Florin zrobił jeszcze jeden krok w kierunku Ottokara von Trettina i zgiął palec wskazujący.

– Człowieku, oszalałeś? Odłóż natychmiast broń – krzyknął sztywny ze strachu pastor.

Florin zerknął na niego krótko.

– O nie, prawie zapomniałbym powiedzieć, dlaczego wykonam wyrok na tym człowieku. On nie tylko chciał mnie zabić, ale ma też na sumieniu nauczyciela i jego rodzinę. Ottokar von Trettin przejechał obok płonącego domu, nie ostrzegając mieszkańców! A do tego rozkazał mi, żebym się zatrzymał, aby mógł podpalić dom. Widziałem, co robi, i nie miałem odwagi, by ostrzec córkę pana Wolfharda von Trettina i jej rodzinę albo przeszkodzić memu panu. Ponieważ byłem świadkiem tego niecnego czynu, chciał mnie potem zabić. Pan Bóg jednak mnie uratował. Do wczoraj nie wiedziałem, dlaczego jeszcze żyję. Ale teraz wiem, że Bóg mnie wybrał, abym zabił tego człowieka, zanim zdoła uśmiercić ostatnią potomkinię mojego starego pana. A zrobiłby to, bo nienawidzi całej rodziny, od kiedy matka Lory odtrąciła go i wybrała zacnego nauczyciela.

Głos stangreta z każdym zdaniem stawał się głośniejszy. Oczy mu biegały, świadcząc o szaleństwie. Chyba tylko Lora mogłaby go powstrzymać. Ale była tak wstrząśnięta słowami starego sługi, że nie potrafiła ruszyć ręką. Nieruchoma jak słup soli przyglądała się, jak stangret unosi lufę i strzela.

Trafienie nabojem na łosie przy tak małej odległości miało katastrofalne skutki. Ottokara von Trettina odrzuciło w tył, jakby trafiła go pięść tytana, a potem upadł i znieruchomiał. Na piersi miał czarną dziurę grubości kciuka, a pod nim rosła kałuża krwi.

Zanim ktokolwiek zdążył wydać z siebie jakiś dźwięk, Florin włożył sobie wylot dubeltówki do ust i nacisnął spust po raz drugi.

Malwina stała pośrodku pokoju, jej twarz zmieniła się w maskę przerażenia. Zaczęła krzyczeć tak przeraźliwie, że jej krzyk przeniknął Lorę do szpiku kości. W końcu pastor podszedł do żony Ottokara. Sam był rozdygotany i blady jak prześcieradło, ale próbował ją uspokoić. Tymczasem zarządca majątku pochylił się nad obydwoma leżącymi na podłodze mężczyznami. Florinowi kula rozerwała pół głowy, krew i mózg rozprysły się po meblach. Ottokar von Trettin nie był w dużo lepszym stanie.

– Obaj nie żyją – pokręcił głową zarządca. – Nie da się już nic zrobić. Musimy wezwać żandarmerię.

413

Malwina spojrzała na niego mętnymi oczami.

– Nie, nie zrobimy tego. Pomyślcie, jaki by się zrobił skandal.

Pozostali zrozumieli, co miała na myśli. Żandarmi przesłuchaliby świadków zdarzenia i dowiedzieli się, o co Florin oskarżył ordynata. Słowa stangreta, że to Ottokar podpalił dom nauczyciela i tym samym ponosi winę za śmierć rodziny Huppachów, wciąż jeszcze nie przebrzmiały. Służącym przypomniało się, co o pożarze mówiła kiedyś Miena, zaczęli szeptać między sobą, a potem jak najdyskretniej oddalili się z miejsca zdarzenia. Pastor stanął nad ciałem ordynata i zmówił modlitwę za duszę zamordowanego, ale też wyraził swoje przekonanie, że Florin próbował jedynie oczernić swego pana. Nowy nauczyciel, który do tej pory spoglądał na ordynata pełen uszanowania, też miał taką nadzieję, choć nie śmiał otworzyć ust.

VI

Lora była nie mniej wstrząśnięta niż służący, którzy zniknęli jak cienie. Teraz zrozumiała niejasne dla niej do tej pory zależności. W jej oczach Ottokar von Trettin stał się potworem, który pragnąc zagarnąć majątek rodu Trettinów, nie wahał się iść po trupach. Tylko jedna rzecz sprawiła, że poczuła ulgę. Po tym dniu nikt nie będzie mógł od niej żądać, by tu została. Chciała już pójść po swoje rzeczy i na piechotę opuścić szybko pałac, ale się zawahała, bo bez pieniędzy i przy takiej mokrej i zimnej pogodzie perspektywa prawdopodobnie pieszej wędrówki do samego Heiligenbeilu nie była pociągająca. Dlatego uczepiła się myśli, że Fridolin i Konrad powinni lada chwila się zjawić i ją stąd zabrać.

Podczas gdy większość obecnych prawie bezszelestnie wyszła z salonu, Lora próbowała przezwyciężyć szok. Zbyt wiele na nią spadło od chwili pożaru i śmierci rodziny. Miała wrażenie, że coś w niej pękło, a przez powstałą szczelinę chcą się wydostać na zewnątrz wszystkie te straszne rzeczy, które ją spotkały. W końcu się jednak pozbierała. Chciała wyjść z salonu, żeby znaleźć miejsce, gdzie mogłaby pobyć sama i się wypłakać.

Wtedy padł na nią wzrok Malwiny, która wykrzywiła twarz w grymasie nienawiści i odrazy. Nim ktokolwiek zdołał ją powstrzymać, rzuciła się na Lorę i zaczęła okładać dziewczynę jak opętana.

414

– To ty jesteś wszystkiemu winna! Ty podjudziłaś Florina, żeby to zrobił!

Nawet pastor uznał, że te oskarżenia są bezpodstawne. Chwycił Malwinę i odciągnął ją od Lory.

– Niech się pani uspokoi. Lory do wczoraj nie było przecież w Trettinie. Jak więc dałaby radę zmówić się z tym mężczyzną i przekonać go do tak okropnego morderstwa?

– To ona, to ona! – skrzeczała Malwina jak oszalała.

Pastor w końcu przekazał rozhisteryzowaną kobietę w ręce Elsie i krzepkiej służącej.

– Zaprowadźcie panią do jej pokoju i nie zostawiajcie samej. Ktoś powinien wezwać lekarza, żeby dał pani von Trettin środki uspokajające i wystawił akty zgonu dla obydwóch zmarłych.

– Widziałem niedawno doktora Mütze – powiedział zarządca. – Zdaje się, że jechał do Elchberga. Wyślę szybko parobka, żeby go tu ściągnął!

Zarządca całkiem zapomniał, że nowy ordynat i jego żona kategorycznie zabronili wszystkim wzywać tego lekarza, ponieważ był on przyjacielem Wolfharda von Trettina. Zamiast tego korzystano z usług starego doktora z Zinten. Ale w tej chwili nikt nie zastanawiał się nad tą kwestią.

Lora poczuła ulgę, usłyszawszy znajome nazwisko. Miała nadzieję, że doktor udzieli jej na kilka dni azylu, póki nie zjawią się jej wybawcy.

Ledwo Elsie zdołała przy pomocy dwóch służących wyprowadzić panią z salonu, pastor zwrócił się do Lory:

– Sądzę, że będzie lepiej, jeśli na razie przeprowadzisz się na plebanię, żebyś nie pokazywała się w ciągu najbliższych dni pani von Trettin na oczy. Jak widać, ta zbrodnia całkiem wytrąciła ją z równowagi. Potrzeba będzie żarliwych modlitw, żeby Bóg ukoił jej rozpacz.

Lora w duchu już zobaczyła, jak pastor zmusza ją rózgą do modlitw za Malwinę, i się wzdrygnęła. Ale nic po sobie nie pokazała, tylko skinęła głową, jakby zgadzała się na wszystko, po czym wyszła z salonu.

Doktor Mütze w drodze powrotnej na pewno będzie przejeżdżał obok plebanii. Lora uznała, że się tam uda i poczeka tam na lekarza.

Na sztywnych nogach weszła do izdebki na strychu, ubrała się ciepło, a resztę swoich rzeczy zapakowała do walizki. Poczuła przy tym, że powoli z jej członków ustępuje sztywność, która w nie weszła po szoku spowodowanym zbrodnią Florina. Ale w jej głowie wciąż jeszcze echem rozbrzmiewał huk wystrzałów. Miała wrażenie, że wszędzie widzi krew spływającą po ścianach, jakby pałac był śmiertelnie ranną żywą istotą, chcącą unicestwić i ją. Przerażona Lora upchała ostatnie rzeczy w walizce, nawet ich nie składając, zamknęła ją, zarzuciła na siebie płaszcz i opuściła budynek pałacu najszybciej, jak mogła.

Znalazłszy się na dziedzińcu, zaczęła biec. Czuła, że zimno kłuje ją w płuca. W pewnym momencie spojrzała za siebie. Siedziba rodu von Trettinów była już daleko za nią. Wkrótce potem zobaczyła przed sobą pierwsze wiejskie chaty. Gdy tak biegła drogą, dźwigając ciężką walizkę, sama nie wiedziała, skąd czerpie do tego siły. W oknach i drzwiach widziała zaciekawione twarze, ale nikt do niej nie wyszedł. Pomyślała, że ludzie, którzy pracują w folwarku, są tak zastraszeni, że nawet nie mają odwagi zapytać, co się stało. Miny wieśniaków i ich podekscytowane głosy świadczyły, że strzały z broni myśliwskiej dużego kalibru musiały być słyszalne także we wsi. Ponieważ koło chat zobaczyła kilku służących z pałacu, zrozumiała, że wiadomość o zamordowaniu Ottokara von Trettina już się rozeszła.

Wkrótce potem spostrzegła żonę pastora. Kobieta wypadła z plebanii i zaczęła biec w jej kierunku z zaciekawioną miną. Lora przyspieszyła kroku. Nie chciała, by pastorowa wzięła ją na spytki ani tym bardziej znowu spoliczkowała. Weszła więc pospiesznie na dziedziniec przy kościele. Zatrzymała się przy skromnym, prostym kamieniu. Tu właśnie znajdował się grób jej rodziców i rodzeństwa. Próbowała uspokoić mocno walące serce.

W tym momencie ogarnęła ją dotychczas tłumiona rozpacz, którą nosiła w sobie od czasu pożaru rodzinnego domu. Ottokar von Trettin zabił ich wszystkich! Ta myśl wciąż krążyła jej po głowie. Po raz pierwszy uświadomiła sobie, jak niewiele brakowało, by sama poniosła śmierć w płomieniach. Jej wuj musiał podłożyć ogień, będąc przeświadczonym, że ona też leży już w łóżku. W tym momencie poczuła do tego człowieka tak wielką nienawiść, że sama przestraszyła się jej ogromu. Najbardziej bolało ją to, że w przeciwieństwie do jej bliskich, którzy leżeli pod ziemią we wspólnym grobie, Ottokar von Trettin zszedł z tego świata szybko i bez cierpień.

Lora próbowała zmówić modlitwę, ale jej myśli kłębiły się tak chaotycznie, że nie potrafiła sklecić kilku sensownych zdań. Rozdygotana zataczała się raz za razem z osłabienia. Zostawiła walizkę i poszła dalej przez cmentarz. Dotarła do jego ponurej, zaniedbanej części, gdzie znajdowały się groby złoczyńców. Stał tam prosty drewniany krzyż. Wykonał go Kord. Niewprawną ręką napisał na nim, że w tym miejscu pochowano Wolfharda Nikolausa von Trettina, byłego ordynata Trettina. Dziadek Lory również stał się ofiarą niepohamowanej żądzy Ottokara, który zagrabił jego majątek i wraz z Malwiną prześladował go nienawistnymi atakami do samej śmierci. Gdyby nie poczynania bratanka, stary Wolfhard von Trettin żyłby pewnie szczęśliwie do tej pory. Nienasycony Ottokar zrujnował też życie Florinowi, a tym samym przyczynił się do własnej śmierci.

Myśl o krzywdzie i przykrościach, które Ottokar zadał swym ofiarom, sprawiła, że nie mogła poczuć żalu z powodu jego śmierci. Wprawdzie nauki chrześcijańskie nakazują przebaczać grzesznikom, ale Lora nie potrafiła się przemóc. Zdarzyło się zbyt wiele złego.

Żona pastora wróciła tymczasem na plebanię po ciepłą chustę, żeby ochronić się przed ostrym wiatrem, po czym poszła za Lorą na przykościelny cmentarz.

– Co się stało w pałacu, dziewczyno? – zapytała. – Podobno doszło tam do morderstwa. Mam nadzieję, że mój mąż jest cały i zdrowy!

Lora odwróciła się i spojrzała na kobietę takim wzrokiem, jakby nie mogła sobie przypomnieć, kogo ma przed sobą. Jej wargi drżały, gdy przypomniała sobie, jak wcześniej traktowała ją pastorowa. Ale wpojona grzeczność kazała jej odpowiedzieć.

– Ordynat nie żyje. Zastrzelił go jego były stangret!

Nie wchodząc w szczegóły, zostawiła kobietę i wróciła do grobu rodziców. Tam wzięła do ręki walizkę, opuściła cmentarz i ruszyła przed siebie.

Gdy miała już wieś daleko za sobą, uświadomiła sobie, że minęła plebanię, nawet tego nie zauważając. Ale nie chciała zawrócić. Mimo wilgotnego powietrza i błota na drodze wolała iść pieszo do Heiligenbeilu, niż skorzystać z zaoferowanego jej przez pastora noclegu. Od ludzi, którzy popierali mordercę i gardzili resztą jej rodziny, nie chciała przyjąć nawet kawałka suchego chleba. Rodzinne strony, dawniej tak przez nią ukochane, kwartał temu opuszczała cała we łzach. Teraz to miejsce stało się dla niej siedliskiem śmierci.

Z ponurych myśli wyrwał ją tętent końskich kopyt. Ponieważ powóz jechał z naprzeciwka, nawet nie uniosła wzroku, żeby mu się przyjrzeć. Szła dalej ze zwieszoną głową, nawet gdy pojazd zwolnił i zatrzymał się przed nią. Oprzytomniała dopiero, kiedy z powozu wyskoczył jakiś mężczyzna i chwycił ją za ramiona.

– Loro! Jak dobrze, że cię spotykamy! Dzięki temu zaoszczędzimy mnóstwo czasu. Wsiadaj! Zaraz zawrócimy, a potem ruszymy przed siebie, ku wolności.

– Frido! – Lora wypuściła z ręki walizkę, uczepiła się swego wuja i pozwoliła łzom swobodnie płynąć. – To było takie straszne!

– Co takiego?

Ponieważ Lora nie odpowiadała, Fridolin potrząsnął nią lekko. Konrad chwycił go za ramiona.

– Zostawcie ją, panie, w spokoju! Skoro Lora jest taka roztrzęsiona, to coś się stało. Widzieliśmy, jak się zachowywała na pokładzie Strathclyde'a, a od Nati wiemy, jaka dzielna była na Deutschlandzie. Musiało się jej w Trettinie przydarzyć coś strasznego. Dlatego poczekajmy, aż się uspokoi.

Lora uniosła głowę i spojrzała najpierw na Fridolina, a potem na Konrada.

– Ottokar von Trettin nie żyje. Jego stangret go zastrzelił, a potem popełnił samobójstwo.

– Florin? A więc ten biedak nie dał rady już dłużej tego w sobie nosić...

Fridolin zdjął kapelusz i zmówił krótką modlitwę za parobka. Potem chwycił Lorę w talii, uniósł ją i wsadził do powozu, który wraz z Konradem wynajął w Heiligenbeilu. Konrad podniósł walizkę i postawił ją na półce na bagaż, przykrył dziewczynę kocem i wziął do ręki cugle.

Fridolin usiadł obok Lory i objął ją mocno ramieniem.

– Uspokój się, maleńka! Wszystko będzie dobrze.

VII

Ponad miesiąc minął od tragicznego zdarzenia, które miało miejsce w Prusach Wschodnich. Lora siedziała w fotelu w willi Retzmannów w Bremie i szyła pochylona. W tym czasie Nati ślęczała przy stole i odrabiała lekcje. Dziewczynce trudno było spokojnie wysiedzieć, ale zacisnęła zęby i pisała dalej, żeby nie rozczarować przyjaciółki. Gdy wreszcie skończyła, uniosła wzrok i szturchnęła ostrożnie Lorę.

– Proszę! Chcesz zobaczyć, czy nie zrobiłam błędów?

– Oczywiście.

Lora wzięła kartkę i przeczytała.

– Bardzo dobrze! Teraz musisz się jeszcze poprawić z matematyki i historii, wtedy Dorothea będzie z ciebie zadowolona.

– Ona i tak jest zadowolona – powiedziała Nati z naciskiem.

Na ustach Lory pojawił się lekki uśmiech. W zasadzie była to prawda. Dziewczynka porzuciła niektóre swoje wcześniejsze wybryki i uczyła się pilnie, nie wpadając już w gniew, gdy coś jej nie pasowało.

– Teraz musimy się jeszcze pozbyć tej smoczycy Ermingardy i jej obstawy, wtedy życie będzie naprawdę piękne – stwierdziła Nati.

– Rzeczywiście, bez niej byłoby naprawdę cudownie – westchnęła Lora, bo obecność Ermingardy Klampt istotnie doskwierała im niczym zadra w palcu.

Dama wciąż jeszcze mieszkała wraz z dziećmi w zachodnim skrzydle pałacu i w ogóle nie przymierzała się do wyprowadzki. Odgrywała panią domu, jakby nic się nie stało. Przyjmowała gości i planowała przyjęcia, które chciała urządzić, gdy skończy się żałoba po świętej pamięci grafie. Poza tym rozpowiadała wszystkim, że to ona, a nie ta zupełnie niekompetentna osoba, którą zatrudnił Thomas Simmern, jest odpowiedzialna za wychowanie małej komtesy.

– Babka Ermingarda wciąż jeszcze szuka sposobu, żeby pozbyć się wuja Thomasa i zastąpić go swoim synem Gerhardem. Poza tym wydaje na siebie za dużo pieniędzy! – powiedziała tonem nagany Nathalia. Wymieniła w ten sposób wszystkie wady, jakie Ermingarda Klampt miała w opinii Dorothei Simmern, po czym dodała jeszcze kilka dodatkowych. – Ona jest po prostu okropna! Gdy wróciłaś z Prus Wschodnich, nie chciała cię wpuścić do domu. A mnie próbowała się pozbyć. Starała się wysłać mnie do internatu w Szwajcarii! Konrad mówi, że ona chce mieć dom tylko dla siebie, żeby móc urządzać tu wystawne przyjęcia.

– Wuj Thomas i ciocia Dorothea nie pozwolą, żeby Ermingarda dokądkolwiek cię wysłała – Lora próbowała uspokoić dziewczynkę.

– Musimy ją tolerować. Dom Retzmannów potrzebuje damy, która by go reprezentowała.

– To ty go reprezentuj! – zawołała gniewnie Nati.

Nie zauważyły wejścia pani Simmern.

– Ależ Nathalio! Nie powinnaś się tak ekscytować! – powiedziała Dorothea i pogroziła dziewczynce palcem, jej oczy błyszczały jednak pogodnie.

Wyglądała na osobę, która nie może się doczekać, kiedy będzie mogła podzielić się radosną wiadomością. Ale nawet w takiej sytuacji Dorothea Simmern pozostała wielką damą. Poczekała, aż służąca poda jej filiżankę herbaty i ciasteczka. Zjadła jedno i popatrzyła rozbawiona na Lorę i Nati, które wpatrywały się w nią z ciekawością.

– Mój mąż i pan von Trettin wrócili dzisiaj w południe z Prus Wschodnich – zaczęła mówić łagodnym głosem.

– Naprawdę? Dlaczego zatem nie przyszli?

Lora spojrzała odruchowo na drzwi i tym samym rozbawiła Dorotheę.

– Oczywiście, że przyszli. Siedzą teraz w palarni i popijają wino. Chyba pozwolisz im na chwilę odpoczynku po tak długiej podróży?

Lora poczuła się prawie jak Nati, którą Dorothea strofowała zwykle tym swoim łagodnym tonem.

– Oczywiście, że panowie mają prawo napić się wina. Chodzi tylko o to…

– …że jesteśmy ciekawe, co mają do powiedzenia – dokończyła za nią Nati.

Dorothea uniosła brew.

– Twoje wychowanie pozostawia jeszcze wiele do życzenia. Może naprawdę powinniśmy wysłać cię do Szwajcarii.

– Nie! – prychnęła Nati i wzięła się pod boki. – Nie pojadę do Szwajcarii, chyba że Lora pojedzie ze mną!

– Na pewno pojedziecie tam na wakacje. Ale jak na razie nie widzę powodu, żeby wysyłać cię do internatu. Później, gdy będziesz już starsza i lepiej wychowana, pójdziesz na pensję dla panien z dobrych domów. Ale na to mamy jeszcze czas!

Ostatnie zdanie padło na tyle wcześnie, że Nati nie zdążyła dostać jednego z tych napadów gniewu, które wcześniej dość często się jej zdarzały. Dla dziewczynki liczyło się tylko to, żeby mogła być razem ze swoją opiekunką.

Dorothea spojrzała na Lorę badawczo.

– Jak traktuje cię teraz szanowna pani Klampt?

Lora wzruszyła ramionami.

– Ermingarda zachowuje się tak, jakby w ogóle mnie nie dostrzegała.

– To natarczywa, głupia i chciwa kobieta – powiedziała Dorothea i natychmiast uniosła palec. – Nie słyszałaś tego, Nati, rozumiesz?

Dziewczynka skinęła głową, uśmiechając się pod nosem, nic jednak nie powiedziała, bo na korytarzu rozległy się czyjeś kroki. Po chwili rozległo się pukanie do drzwi i do środka weszli panowie.

– Dzień dobry pięknym paniom – powiedział na przywitanie uśmiechnięty Thomas Simmern, gdy tymczasem Fridolin spojrzał na Lorę troskliwie.

– Czujesz się już lepiej? Gdy wyjeżdżaliśmy do Prus Wschodnich, prawie pochorowałaś się z nerwów i wyczerpania.

– Lora czuje się już lepiej. W końcu ma mnie! – powiedziała rezolutnie Nati.

– Sądzę, że najgorsze już za mną – uśmiechnęła się Lora. – Wprawdzie w nocy ciągle jeszcze śnią mi się koszmary, tonący statek, Ruppert, te straszne rzeczy, które wydarzyły się w Trettinie, ale powoli dochodzę do siebie i już tak bardzo tego wszystkiego nie przeżywam.

Dorothea przyciągnęła Nati, żeby ją pogłaskać, i skinęła Lorze życzliwie głową.

– Wszystko się ułoży, jak tylko przyjdzie lato. Wtedy pojadę z tobą i Nati do Szwajcarii. Lekarz mi to doradza i sądzę, że i wam dobrze zrobiłby odpoczynek.

– To wspaniały pomysł! – uznał Thomas Simmern. – Chętnie przez kilka dni pobędę tam z wami.

Przez moment wyglądał na rozmarzonego, jakby zobaczył sam siebie wędrującego po halach porośniętych soczystą trawą i zachodzącego do staroświeckiej gospody. Ale w tej chwili powinien Lorę poinformować o tym, co osiągnął wraz z Fridolinem w Prusach Wschodnich.

– Panie Fridolinie, niech pan opowie o naszej podróży. Czy może ja mam to zrobić? – zapytał.

Fridolin złożył czubki palców obu dłoni i przybrał skupiony wyraz twarzy.

– Nie mogę zawsze kryć się za panem. Poza tym Lora nie urwie mi przecież głowy, chociaż na pewno uczyniłaby tak chętnie z Malwiną. – Zawiesił na moment głos, a potem spojrzał na Lorę z uśmiechem. – Wiesz, że według prawa jestem teraz twoim nowym opiekunem?

– Słucham? – wykrztusiła zdumiona Lora.

– Ponieważ skończyłem już dwadzieścia jeden lat, choć zupełnie zapomniałaś o moich urodzinach, to automatycznie prawo opieki przeszło po śmierci Ottokara na mnie. Ponadto jestem też opiekunem prawnym dzieci Malwiny i tym samym odpowiadam za Trettin, póki starszy z chłopców nie osiągnie pełnoletniości. Mój Boże, ależ Malwina była wściekła, gdy się o tym dowiedziała! Najchętniej kazałaby służącym wyrzucić z domu notariusza, który przyniósł jej tę wiadomość. Ale w końcu musiała się z tym pogodzić. Na szczęście nie będę miał za dużo do czynienia z tą hałastrą. Raz w roku pojadę do Trettina, żeby skontrolować księgi rachunkowe majątku i obejrzeć sobie świadectwa chłopców. Nic poza tym. Gdy osiągną odpowiedni wiek, starszego wyślę na studia do Akademii Rolniczej w Królewcu, a młodszego do szkoły kadetów. Folwark będzie prowadziła Malwina przy pomocy zarządcy, póki nie przejmie go jej pierworodny.

Fridolin wypił łyk kawy i spojrzał na Lorę z żartobliwą wyniosłością.

– Jako twój opiekun pozwalam ci pozostawać u komtesy Nathalii, jak długo zechcesz.

– Dziękuję!

Lora sama nie wiedziała, dlaczego poczuła dziwne rozczarowanie.

– A więc nie ma już nikogo, kto mógłby mi zabrać Lorę? – zapytała Nati.

– Nie, nikogo! – potwierdził Fridolin.

Dziewczynka wydała z siebie okrzyk radości.

– To dobrze!

Chciała wdrapać się Lorze na kolana, ale Dorothea chwyciła ją i przyciągnęła do siebie. Uśmiechnęła się przy tym przyjaźnie jak zawsze, gdy chciała coś osiągnąć.

– A więc rozwiązaliśmy dwa z naszych trzech problemów, mianowicie sprawę Rupperta i jego morderczych planów oraz sprawę niemiłego opiekuna naszej drogiej Lory, który okazał się na dodatek mordercą. Ale zanim przejdę do ostatniego problemu... chcę pana o coś spytać, panie Fridolinie.

– Słucham – odpowiedział.

– Gdy przed kilkoma tygodniami rozmawialiśmy o tym, że Lora powinna uciec za granicę, oświadczył pan, że jest pan gotów ją poślubić i otoczyć opieką. Czy nie cofa pan słowa?

– Ale przecież nie musi się już żenić z Lorą. Ona i tak może zostać u mnie – wtrąciła Nati.

Zamiast zganić dziewczynkę, Dorothea tylko się roześmiała.

– Weź pod uwagę, moja droga, że żona pana von Trettina mogłaby godnie reprezentować ten dom i dalsza obecność Ermingardy Klampt byłaby tu zbędna.

– Chętnie wysłałbym Ermingardę gdzie pieprz rośnie – rzekł Thomas Simmern – ale Lora nie musi z tego powodu od razu wychodzić za mąż. Jest przecież jeszcze taka młoda.

– Za kilka dni skończy szesnaście lat, a w tym wieku, o ile sobie przypominasz, kobiety w naszym kraju mogą wychodzić za mąż, jeśli rodzice, a w tym przypadku opiekun prawny, wyrażą na to zgodę – oświadczyła jego żona.

– Loro! – zawołała Nati, która w mig zrozumiała, jakie Dorothea ma zamiary. – Musisz wyjść za Fridolina, żebyśmy mogli pozbyć się z domu babki Ermingardy. Musisz, musisz, musisz!

– Lora niczego nie musi – zganił ją rozgniewany wuj Thomas.

– Sądzę, że powinniśmy pozwolić obojgu spokojnie porozmawiać. Możecie wyjść na balkon.

Ostatnie słowa skierowane były do Lory, wyglądającej, jakby miała ochotę zapaść się pod ziemię, i do Fridolina, który uśmiechał się speszony.

Młodzieniec szybko się jednak opanował i podał Lorze rękę.

– Nie powinniśmy odrzucać tej propozycji.

– Jakiej propozycji?

– No, żebyśmy wyszli na balkon.

To znów był ten Fridolin, którego Lora tak dobrze znała. Wyszła wraz z nim na zewnątrz. Popatrzyła, jak starannie zamyka drzwi, a potem przeniosła wzrok na ogród, gdzie pierwsze kwiaty zapowiadały nadchodzącą wiosnę.

– Stryj Wolfhard by się ucieszył – powiedział w zamyśleniu Fridolin.

– Z czego?

– Gdybyśmy się pobrali. Miał gorącą nadzieję, że będzie żył wystarczająco długo, aby połączyć nas węzłem małżeńskim. Ale gdy zrozumiał, że nie ma dość czasu, zaplanował twoją ucieczkę do Ameryki. Muszę powiedzieć, że jestem na niego zły, że nie zostałem wtajemniczony. Gdybym wiedział, wyruszyłbym w podróż wraz z tobą.

Lora spojrzała na niego i zrozumiała, że mówi prawdę. Poza tym lubiła go, a to wiele znaczyło. Nie wszystkim narzeczonym było dane lubić się przed ślubem. Oczywiście Frido to nie to samo co Thomas Simmern… Chociaż może nie jest wcale dużo gorszy…

Fridolina zniecierpliwiło jej zamyślenie.

– Nie musisz się obawiać, że zależy mi na twoich pieniądzach. Pan Simmern obiecał, że załatwi mi posadę, którą będę mógł objąć pomimo mojego arystokratycznego pochodzenia.

– To bardzo miło z jego strony. Tak w ogóle zaimponowałeś mi, powstrzymując pistoletem wspólników Rupperta. A teraz jeszcze przywołałeś do porządku Malwinę. Nie chcę więcej widzieć tej kobiety na oczy.

– Nie musisz. Myślę, że ucieszy cię wiadomość, że kazałem przenieść ciało stryja Wolfharda do rodzinnej krypty. Ale nie będzie leżał bezpośrednio obok Ottokara.

– To dobrze. Dziękuję ci, że o tym pomyślałeś – odpowiedziała Lora i opuściła głowę na pierś Fridolina, żeby ukryć łzy, które stanęły jej w oczach na wspomnienie o dziadku. – Może naprawdę powinniśmy się pobrać, ale nie dlatego, że dziadek by sobie tego życzył, ani dlatego, że Dorothea by tak chciała, tylko dlatego…

– ...że Nati chciałaby się pozbyć tej nadętej Ermingardy i jej jeszcze bardziej zarozumiałego syna. Sądzę, że powinniśmy spełnić to życzenie. – Fridolin roześmiał się, pokazując idealnie białe uzębienie.

Jaki on przystojny, pomyślała Lora. Uznała, że z kimś takim jak on mogłaby żyć w zgodnym związku. Poza tym był jedynym mężczyzną, z którym nie bałaby się robić rzeczy, jakie robią ze sobą małżonkowie.

– Jedną sprawę chciałabym ustalić wcześniej – powiedziała. – Pozwolisz mi na sprowadzenie z Anglii mojej przyjaciółki Mary i na otworzenie wraz z nią pracowni krawieckiej. Nie bój się, pozostanę jedynie cichą wspólniczką. Ale ona lubi Konrada, a on ją. Chciałabym, żeby ci dwoje odnaleźli szczęście. Może powinniśmy ściągnąć tu też jej siostrę, Prudence. Ona wspaniale dawała sobie radę z Nati i na pewno byłaby dla niej odpowiednią pokojówką. Kobieta, którą zatrudnił Thomas Simmern, skumała się z Ermingardą Klampt i głównie ją obsługuje, zamiast zajmować się Nathalią.

– Wygląda na to, że będę się musiał tobą dzielić z tym małym diabełkiem. Nie obawiaj się, lubię Nathalię i nie chcę was rozłączać. Ale życzyłbym sobie, żebyśmy mieli też trochę czasu tylko dla siebie. A teraz jeszcze jedno: jak sądzisz, czy to będzie stosowne, jeśli pocałuję cię już teraz, chociaż szesnaście lat skończysz dopiero za dwa tygodnie?

Lora zamyśliła się na moment, ale w końcu wyraziła zgodę, wiedząc, że Nati i Dorothea na pewno na to czekają.

Posłowie

W grudniu 1875 roku zatonął należący do linii NDL szybkobieżny parowiec Deutschland. Katastrofa przebiegła tak, jak to opisano na kartach tej książki. Statkiem podróżowało też pięć zakonnic, które zginęły podczas katastrofy. Zatonięcie parowca wywołało w Niemczech duże poruszenie. W tej sprawie debatował nawet Reichstag. Jedną z konsekwencji było założenie Niemieckiego Towarzystwa Ratowania Rozbitków Morskich.

Również druga katastrofa, kolizja angielskiego parowca Strathclyde ze statkiem HAPAG-u Franconia w pobliżu Dover, weszła do historii podróży morskich, podobnie jak wspomniana w tekście bomba, umieszczona na szybkobieżnym parowcu NDL Mosel, która eksplodowała w porcie.

W epoce coraz większych i coraz szybszych parowców i wciąż dużej liczby kursujących żaglowców bezpieczeństwo na szlakach morskich pozostawiało wiele do życzenia. Nie istniała jeszcze bezprzewodowa telegrafia, nie było radia ani innych tego typu środków komunikacji. Pływano „na oko" i obliczano kurs przestarzałymi metodami, stosowanymi dotychczas na żaglowcach. Do określania prędkości używano prymitywnego logu. Ewentualne zboczenie z kursu, spowodowane wiatrem lub prądami morskimi, oceniano szacunkowo, bazując na doświadczeniu marynarzy. Pomocy wzywano, strzelając z armaty pokładowej – o ile proch pozostał suchy.

Osoby

W Prusach Wschodnich

von Elchberg – właściciel majątku sąsiadującego z Trettinem
Elsie – służąca Wolfharda von Trettina
Florin – stangret Ottokara von Trettina
Gustaw – pracownik Wagnera
Huppach, Leonore, ur. *von Trettin* – matka Lory
Huppach, Lora – wnuczka Wolfharda von Trettina
Huppach, Wolfi, Willi i Aneczka – rodzeństwo Lory
Kord – dawny główny parobek na Trettinie
de Lepin – krawcowa w Heiligenbeilu
Luisa – szwaczka w pracowni madame de Lepin
Miena – dawna służąca na Trettinie
doktor Mütze – przyjaciel Wolfharda von Trettina
Senta – służąca doktora Mütze
Starzig – katolicki duchowny
von Trettin, Fridolin – bratanek Wolfharda von Trettina
von Trettin, Malwina – żona Ottokara von Trettina
von Trettin, Ottokar – bratanek Wolfharda von Trettina
von Trettin, Wolfhard Nikolaus – dziadek Lory
Wagner – właściciel firmy przewozowej

Na pokładzie parowca Deutschland

Brickenstein – kapitan parowca (postać historyczna)
von Retzmann, graf – podróżny
von Retzmann, Nathalia, zwana też Nati – wnuczka grafa Retzmanna
von Retzmann, Ruppert – kuzyn Nathalii

W Anglii

Edwin – wspólnik Rupperta
Emma – żebraczka w Harwich
Konrad – kamerdyner Thomasa Simmerna
Penn, Freddy – drugi z kolei syn Joego Penna
Penn, Joe – robotnik portowy w Dover
Penn, Jonny – najstarszy syn Joego Penna
Penn, Mary – najstarsza córka Joego Penna
Penn, missis – żona Joego Penna
Penn, Prudence – druga z kolei córka Joego Penna
Simmern, Thomas – opiekun prawny Nathalii von Retzmann
Smithson – urzędnik portowy w Harwich
Weates – angielski lokaj na służbie u Simmerna
William – wspólnik Rupperta

W Berlinie

Anton – portier w domu publicznym Hedy Pfefferkorn
Gerda – prostytutka w domu publicznym Hedy Pfefferkorn
Pfefferkorn, Heda – właścicielka domu publicznego w Berlinie
Reinalda – prostytutka w domu publicznym Hedy Pfefferkorn
Rendlinger – przemysłowiec

W Bremie

Busz, Inga – ochmistrzyni w domu Retzmannów
Klampt, Armgarda – córka Ermingardy Klampt
Klampt, Ermingarda – stryjeczna babka Nathalii von Retzmann
Klampt, Gerhard – syn Ermingardy Klampt
Simmern, Dorothea – żona Thomasa Simmerna